KB160738

| 제5판 |

골다공증

Textbook of Osteoporosis

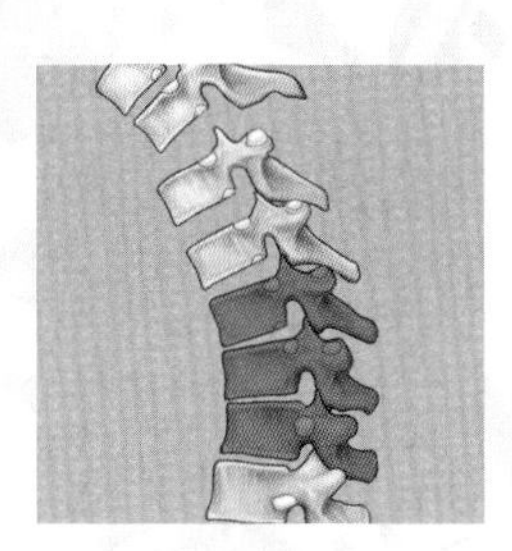

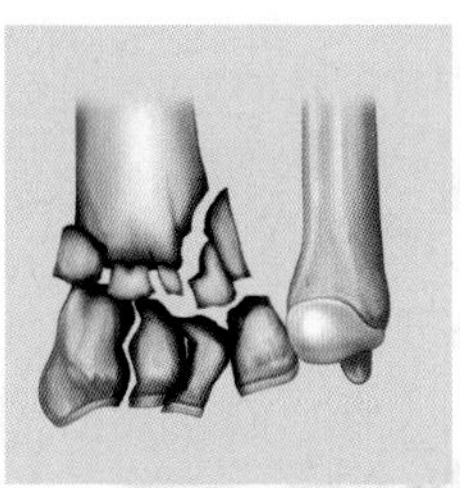

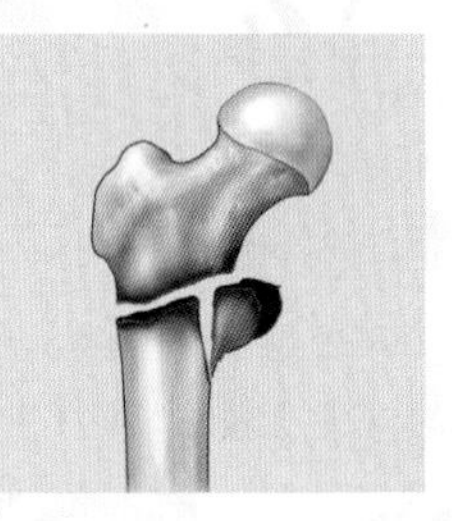

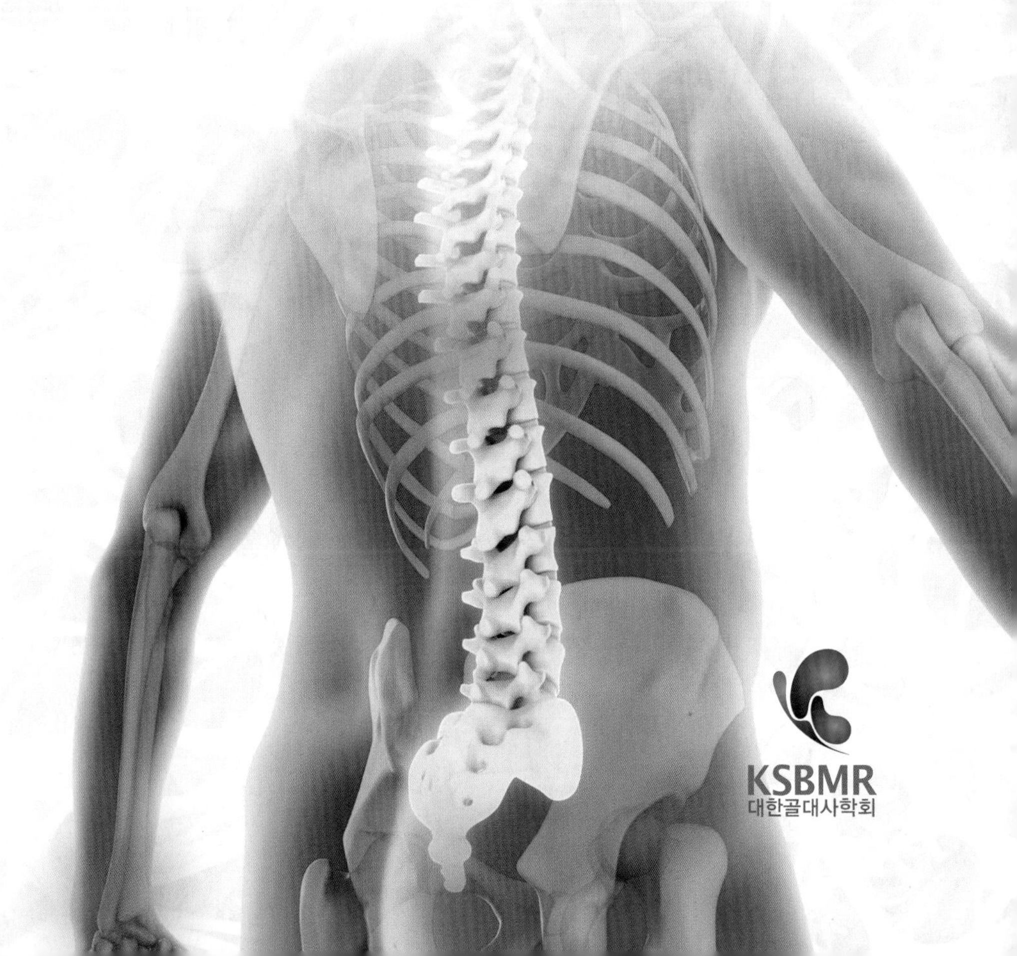

KSBMR
대한골대사학회

골다공증 5판

첫째판 인쇄 2013년 11월 5일
첫째판 발행 2013년 11월 15일
둘째판 인쇄 2016년 5월 13일
둘째판 발행 2016년 5월 26일

지 은 이 대한골대사학회
발 행 인 장주연
출 판 기 획 이성재
편집디자인 군자출판사
표지디자인 이상희
일 러 스 트 김경렬
발 행 처 군자출판사
등록 제 4-139호(1991. 6. 24)
본사 (10881) 파주출판단지 경기도 파주시 회동길 338(서패동 474-1)
전화 (031) 943-1888 팩스 (031) 955-9545
홈페이지 | www.koonja.co.kr

ISBN 979-11-5955-043-0

정가 80,000원

Textbook of Osteoporosis

골다공증

5판

발간사

compliments

골다공증 교과서 제5판을 펴내면서

무릇 교과서란 한 학술분야의 중심이 되어서 이를 추구하는 사람들을 선도하는 중요한 역할을 해야 합니다. 그래서 각 학회마다 교과서 집필에는 열과 성을 다하고 있으며, 특히 임상의에게는 환자 진료의 기본 지식을 제공해주고 곁에서 항상 진료의 지침이 되어줘야 합니다. 대한골대사학회에서는 1991년 골다공증 교과서 초판을 발행한 이래로 2013년도에는 제 4판을 발간하여 당시의 최신 지견을 망라하여 교과서를 발간해 왔습니다. 금년엔 3년만에 좀 이르게 골다공증 교과서 제 5판이 발간되었습니다. 그 이유는 그 동안 우리나라의 역학 자료가 많이 수집되어 그 결실을 맺고 있으며 기초학 분야의 발전도 눈부십니다. 골다공증이 중요한 질병으로 인식되면서 진료부분에 있어서도 많은 변화가 짧은 기간 동안에 이뤄졌습니다. 대한골대사학회에서는 2015년도에 여러 선생님들이 참여해주셔서 우리나라의 현실에 맞게 칼슘과 비타민 D, 약제관련 턱뼈괴사, 비전형적 대퇴골 골절, 약물 휴지기, 그리고 골다공증성 골절에 대한 positional statement를 발표한 바 있습니다. 이와 같은 우리의 진료 환경에 맞는 내용을 교과서에 수록하여 좀 더 친화적이고 알기 쉬운 내용을 담을 수 있도록 기획하였습니다. 또한 의학 용어를 통일하여 의사 소통을 정확히 할 수 있는 기준을 마련하고자 의학 용어의 통일에 노력하였습니다. 적극적으로 참여해주신 저자분들께 감사드리며, 어려운 여건 속에서도 단원을 책임지고 끝까지 진행을 맡아주신 단원 책임저자분들께 다시 한번 감사드립니다. 마지막으로 헌신적으로 교과서 발행을 진행하고 마무리 해주신 윤현구, 정호연 교과서 편찬위원장님께 감사의 말씀을 드립니다.

2016년 5월

대한골대사학회 회장 양규현

p r e f a c e

서문

골다공증 교과서가 25년 전 처음 발간한 후 2016년 제5판을 발간하게 되었습니다. 인구의 고령화로 인한 노년인구의 증가는 골다공증 환자의 증가와 밀접한 관계가 있고, 이는 골다공증골절발생의 증가로 이어져 사회적 문제가 되겠습니다. 이를 예방하기 위해 다방면의 노력이 필요하며 그 중의 하나가 골대사학의 기여라고 생각됩니다. 지난 수십 년간 골대사학 분야는 많은 발전을 하고 있으며 특히 골다공증에 대한 새로운 정보도 증가하고 있습니다. 기초연구분야 뿐만 아니라 임상분야에서도 새로운 내용들이 많은 발표되고 있습니다. 이러한 새로운 정보들을 일선에서 골다공증 진료를 하시는 선생님들에게 알리고자 2013년 제4판 골다공증 교과서가 발간된 지 3년밖에 안되었지만 제5판을 발간하게 되었습니다. 골대사학의 기초적 지식과 최근 골다공증 진단의 흐름을 보강하고, 대한골대사학회 회원 여러분들의 노력으로 발표된 국내 역학연구 결과로 내용을 많이 개정하였습니다. 골다공증의 새로운 치료약제와 골대사학의 기초연구기법등 최신지견들도 소개하였습니다. 진료일선에서 간편하게 접할 수 있는 골다공증 진료지침서와는 달리, 교과서에서는 새로운 정보 추가 및 감수과정을 거쳐 골다공증과 관련한 내용을 좀더 깊이 있지만 편하게 읽을 수 있도록 기술하는데 노력을 하였습니다. 선생님들께서 교과서를 읽어보시면서 골다공증이란 질환이 무엇이며 어떻게 진단, 치료, 추적을 하는지 정리하는데 도움이 되시길 바랍니다.

어려운 의료환경 속에서도 교과서 개정작업이 시작되도록 도와주신 전임 민용기회장님, 아낌없이 시간을 내어 집필해주신 선생님들, 감수를 해주신 정호연, 김덕윤, 백기현, 홍성빈, 변동원, 박시영, 김홍희 선생님들의 헌신적인 노력과 제5판 교과서 발간에 적극적인 지원을 해주신 양규현회장님께 감사드립니다. 집필 및 발간에 집중할 수 있도록 세밀한 면까지 신경을 써주신 학회 고정민총무이사와 이한주실장에게도 감사의 뜻을 전합니다. 출판을 위해 끝까지 같이 노력해주신 군자출판사에도 지면을 통해 감사를 드립니다.

아직 부족한 점이 많지만 골다공증과 관련한 질환들을 진료하면서 여러 선생님들께 도움이 되기를 기대하며 앞으로도 보다 나은 교과서가 될 수 있도록 선생님들의 도움 말씀과 충고를 바랍니다.

2016년 5월

교과서 편찬위원장 윤현구, 정호연

저자

a u t h o r s

강무일 가톨릭의대

공현식 서울의대

김경민 서울의대

김낙성 전남의대

김덕윤 경희의대

김동환 경희의대

김상완 서울의대

김유미 가톨릭관동의대

김 탁 고려의대

김하영 원광의대

김홍희 서울치대

류현모 서울치대

문성환 연세의대

민용기 성균관의대

박시영 고려의대

박용구 경희의대

박용순 한양의대

박일형 경북의대

박지선 경희의대

박형무 중앙의대

백기현 가톨릭의대

변동원 순천향의대

성윤경 한양의대

신찬수 서울의대

양규현 연세의대

오기원 성균관의대

윤병구 성균관의대

윤현구 단국의대

이수영 이화여대

이승훈 울산의대

이영균 서울의대

이유미 연세의대

이장희 서울치대

임용택 가톨릭의대

장재석 울산의대

정동진 전남의대

정호연 경희의대

최제용 경북의대

최형진 서울의대

하용찬 중앙의대

한기옥 G샘병원

한명훈 단국의대

한제호 가톨릭의대

홍성빈 인하의대

C o n t e n t s

목차

1장
뼈의 구성과 생리

2장
골다공증 평가

3장
골다공증 분류와 병태생리

목차

Contents

제 1 장
뼈의 구성과 생리

O s t e o p o r o s i s

1-1 뼈의 형태와 구성 물질

한명훈

뼈는 신체의 주요 장기를 보호하고, 신체를 지탱하며, 끊임없는 대사를 통하여, 무기질의 저장소가 되어주고, 신생 혈액을 공급해 주는 살아 있는 결체조직이다. 골조직은 혈액 공급도 풍부하여 전체 심박출량의 약 10%가 공급된다.

뼈의 분류

뼈는 외견상 형태에 따라 대퇴골이나 상완골과 같은 장관골(long tubular bone), 수근골이나 족근골 같은 단골(short bone), 견갑골이나 두개골같은 평편골(flat bone), 척추골과 같은 불규칙골, 슬개골과 같은 종자골(sesamoid bone) 등으로 구분된다. 또한, 조직학적 성숙도에 따라 미숙골(immature bone) 및 성숙골(mature bone)로 나뉜다. 미숙골은 직골(woven bone) 또는 섬유골이라고 불린다. 미숙골에는 콜라겐섬유가 불규칙하게 배열되어 층판형성(lamellation)을 하지 않으며, 성숙골에 비해 세포수가 많고 세포가 큰 반면 무기질의 함량이 적다. 미숙골은 태아 발생 중 성장판에서 관찰되며, 골절 치유 중에도 일시적으로 나타난다. 성숙골은 층판골(lamellar bone)이라고 불리며, 골기질의 콜라겐 섬유가 평행하게 중첩상 배열을 이루고 있다. 이 성숙골은 피질골과 해면골로 나뉜다.

뼈의 구조

1. 피질골

골조직의 80%를 차지하며 기본 단위인 하버스계(Harversian system) 또는 골원(osteon)으로 이루어져 있다. 각각의 골원은 결합선(cement line)으로 구분되어 그 사이에 중간 층판이 존재한다. 하버스계는 뼈의 장축과 비교적 평행하게 배열된 긴 원주형의 구조물로 그 중앙에 동맥, 정맥, 신경을 포함한 하버스관(Harversian canal)이 있고, 하버스관 주위로 석회화된 콜라겐섬유성 층판이 동심으로 배열되고 있다. 층판 속에는 소강(lacuna)라고 불리는 작은 공간이 있는데 이 곳에 골세포가 있다. 소강은 소관(canaliculus)이라 불리는 작은관에 의해 서로 연결되어 있다. 각개의 하버스관은 90도로 달리는 볼크만관(Volkmann's canal)에 의해 서로 연결된다(그림 1-1-1). 피질골은 해면골에 비해 골교체가 늦고 염전력이나 굴곡력에 대한 저항이 강하다.

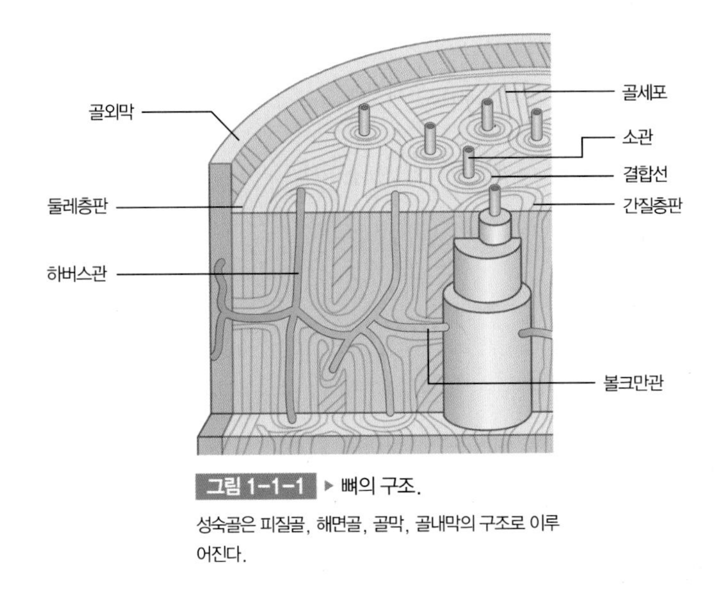

그림 1-1-1 ▶ 뼈의 구조.

성숙골은 피질골, 해면골, 골막, 골내막의 구조로 이루어진다.

2. 해면골

망상골이라고도 하며 골조직의 20%를 차지하나 부피에 비해 표면적이 커서 대사활동은 피질골의 8배에 이른다. 장골에서는 골간단 부위에 많이 분포하여 압박력에 대해 저항성이 크다. 골수강 내에는 작은 기둥 모양의 해면골(bony trabecula)가 있으며, 해면골들 사이에는 지방조직이나 조혈조직이 존재한다. 해면골들은 서로 연결되어 있으며 해면골 자체는 층판을 형성하고 있지만 피질골과는 달리 층판의 배열이 동심성이 아니고 단순하다.

3. 골막

뼈의 외측면을 덮고 있는 두껍고 치밀한 결합조직층으로서 내층, 중간층, 외층으로 구별된다. 내층은 캠비움층(cambium layer) 또는 골발생층이라고 하며 조골세포가 엉성하게 배열되어 있고 혈관이 풍부한 층으로 신생골 형성이 활동적인 부위이다. 중간층은 미분화된 골 조상세포가 있는 부위이다. 골막 외층은 불규칙하게 배열된 콜라겐섬유 및 탄력섬유로 된 두꺼운 섬유결합조직층으로서 섬유층이라고도 부른다. 골막은 골이 형성되는 동안 부가 성장에 관여하며 골절 치유 과정에서 조골세포로 분화하여 골형성에 관여한다.

4. 골내막

골수강 내벽과 해면골의 해면골 표면을 덮고 있는 얇은 세포성 결합조직층이다. 이 층에 있는 세포의 대다수는 조골전구세포로 골형성과 골절 치유 과정에 관여한다.

뼈의 구성

1. 뼈의 세포

골조직을 이루는 세포에는 조골전구세포(osteoprogenitor cell), 조골세포(osteoblast), 골세포(osteocyte), 파골세포(osteoclast) 및 골표면세포(bone-lining cell)로 구별된다.

1) 조골전구세포

골막의 내층인 캠비움층, 골내막 등에 분포하고 있으며 유사분열에 의해 증식되고 조골세포로 분화한다.

2) 조골세포

조골세포는 연골세포, 근육세포, 지방세포와 같이 간엽 줄기세포에서 유래한다. 조골전구세포로 부터 분화한 조골세포는 입방형의 형태로 더 이상 분열하지 않으며 콜라겐섬유 등의 골기질 단백질을 합성, 분비한다. 조골세포는 자신의 주위로 합성 방출한 유골 속에 묻히게 되고 이 유골에 석회화가 일어나 뼈가 형성되면 그 속에 묻혀 골세포가 된다.

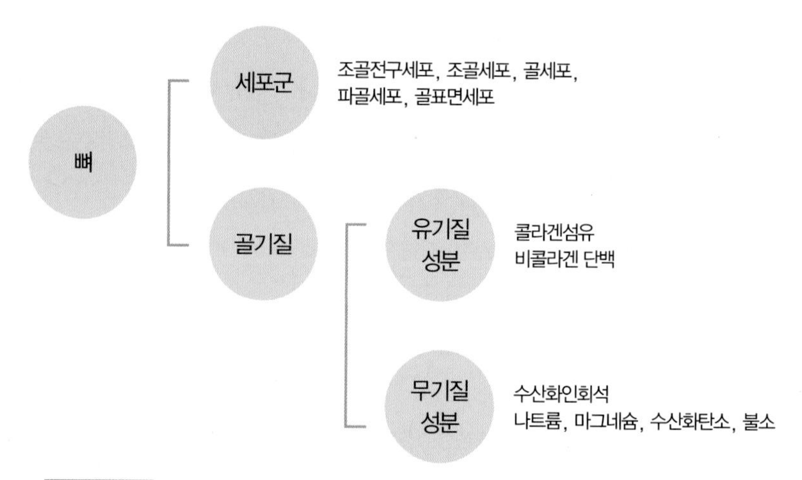

그림 1-1-2 ▸ 뼈의 구성.

뼈는 세포군과 그 주변의 골기질로 이루어져 있으며 생화학적 구성은 수분 20%, 유기질 35%, 무기질 45%로 구성되어 있다.

3) 골세포

완전히 발육된 뼈의 주세포이며 더 이상의 분열 능력은 갖지 않는다. 골소강 주위의 석회화 기실에는 골세포의 돌기가 들어 있는 여러 개의 골소관(bone canaliculus)이 방사상으로 형성되어 혈액과 골세포 사이의 교통로가 있어 영양 물질과 대사 물질의 교환을 가능하게 한다. 골세포는 이러한 골소관을 통해 조골세포나 조골전구세포와 신호작용을 하여 뼈의 역학감응기(mechanosensor)로서의 역할을 하는 것으로 생각된다.

4) 파골세포

골흡수를 담당하는 다핵성 거대세포로 조골세포와 달리 조혈세포 계열의 단핵세포들이 융합되어 형성된다고 알려져 있다. 골표면을 오목하게 침식시켜 만든 공간인 골흡수공간(Howship lacuna)에 들어있다. 석회화 기질과 접하고 있는 면은 많은 세포질 돌기가 미세 융모를 이루고 있는 주름경계(ruffled border)로 되어 있는데 이곳에서 산성가수분해효소(acid hydrolase)와 콜라겐분해효소(collage nase) 및 수소이온을 방출하여 골기질의 무기질 및 유기질 성분을 분해하여 골흡수가 일어난다.

5) 골표면세포

골표면에 위치하는 길고 납작한 세포로 그 기능에 대해 아직 확실하게 밝혀져 있지 않으나 파골세포의 골흡수에 의해 골소강으로부터 유리된 골세포가 골표면으로 밀려난 휴식기의 골세포로서 적절한 자극이 가해지면 다시 조골세포로 되어 활발한 분비활동을 하는 것으로 추정되고 있다.

2. 골기질

골기질은 대부분의 콜라겐섬유와 미량의 비콜라겐 기질 단백으로 구성된 유기질 성분과 주로 칼슘과 인으로 구성된 무기질 성분으로 이루어진다. 뼈의 건조 중량의 구성비는 유기질 성분이 35%, 무기질 성분은 65%를 차지 한다.

1) 콜라겐

골조직이 신체의 다른 조직과 구별되는 생화학적 특징은 무기질 침착이 많으며 조직 내 유기질 중 콜라겐 함량이 높다는 것이다. 골기질의 90%는 두 개의 α1 사슬과 하나의 α2 사슬로 구성된 제1형 콜라겐으로 이루어진다. 콜라겐섬유의 형성 과정에서 발생되는 전아교질연장펩티드(procollagen-1-extension-peptide)와 같은 분절들은 골형성표지자로 사용되며, 파골세포의 골흡수 과정에서 생성되는 히드록시프롤린, 피리디놀린, 데옥시피리디놀린은 골흡수표지자로 임상에 이용되고 있다. 콜라겐이 신체의 다른 부위에도 널리 분포하지만 골형성 또는 골흡수표지자로 이용이 가능한 이유는 체내에 존재하는 콜라겐의 절반이 뼈에 존재하며 다른 조직의 콜라겐보다 대사율이 빠르기 때문이다.

2) 비콜라겐 기질단백

골기질 내에 존재하는 비콜라겐 단백은 유기질 성분의 약 10%를 차지한다. 과거에는 단순히 무기질의 응집과 침착 과정에 관여하는 것으로 연구되어 왔으나 최근에 골조직 내에서 세포 동원(recruitment)과 부착에 관여하여 직간접적으로 골교체 과정에 중요 요소로 연구되고 있다. 오스테오폰틴과 bone si aloprotein은 아르지닌-글라이신-아스파트산(RGD, arginine-glycine-aspartic acid) 구조를 갖고 있어 파골세포가 무기질의 표면에 부착하도록 하고 세포간 신호체계의 활성화에 작용한다. 또한 오스테오폰틴은 기계적 자극에 대한 조골세포의 반응을 촉발하고 파골세포의 활성에 관여한다. 따라서 오스테오폰틴 녹아웃 생쥐(knock-out mice)의 실험에서 영상의학적이나 조직학적으로 골조직은 정상 소견을 보이나 해면골의 부피가 증가하였다. 또한 난소절제술이나, 기계적 자극을 주지 않았거나, 지속적인 부갑상선호르몬 투여로 인한 골흡수에 저항하는 양상을 보였다. 오스테오칼신은 콜라겐, 무기질, 성장 인자와의 친화력이 매우 높아 세포분화를 조절하고 혈관 형성을 자극한다. 오스테오넥틴 결핍 생쥐에게서는 골교체의 감소로 골감소증의 현상을 보인다. 오스테오칼신은 비타민K 의존성 단백으로 조골세포에서 생성되며 뼈와 치아의 상아질에 존재한다. 수산화인회석과의 상호 작용으로 무기질 침착에 관여하여 무기질화 과정을 제한하는 것으로 알려져 있다. 오스테오칼신 결핍 쥐에게서는 골량이 지속적으로 증가되는 양상을 보였다. Matrix Gla protein은 골조직뿐 아니라 연골, 혈관에서도 발견되며 오스테오칼신과 같이 비타민K 의존성 단백이며 무기질화 과정의 조절자로서의 기능을 한다. Matrix Gla protein 결핍 생쥐에게서는 혈관이나 연골에 과도한 무기질 침착이 관찰되었다.

3) 무기질

뼈의 무기질 성분 중에는 칼슘과 인이 특히 많으며, $Ca_{10}(PO4)_6OH_2$와 같은 구조식을 갖는 수산화인회석(hydroxyapatite) 결정을 이루고 있다. 골기질의 부피, 뼈의 미세구조와 함께 뼈의 무기질화 정도는 뼈의 경도와 강직도를 결정하여 골강도에 중요한 요소이다. 또한 뼈는 체내 무기질의 저장소로 그 대사에 관여한다. 체내 칼슘의 99%, 인의 90%, 체내 탄산염(carbonate)의 80%, 마그네슘의 60%, 나트륨의 35%가 뼈에 저장되어 있다. 뼈의 무기질화는 두 단계로 구분되며 콜라겐섬유 사이의 틈과 공간(hole, pores) 사이에 무기질이 침착되는 1차 무기질화와 콜라겐섬유 주변으로 무기질이 침착되는 2차 무기질화의 과정을 가진다. 새로운 골기질이 형성되면 처음 5~10일간의 1차 무기질화 기간을 거쳐 이후 속도는 늦지만 지속적으로 골기질에 무기질을 강화하는 이차 무기질화가 진행된다. 일차 무기질화가 끝난 시기의 무기질 침착은 이차 무기질화가 이루어진 시기에 비해 50%에 불과하다.

참고문헌

1. Boivin G, Meunier PJ. The mineralization of bone tissue: a forgotten dimension in osteoporosis research. Osteoporos Int 2003;14:S19-24.
2. Currey JD. Role of collagen and other organics in the mechanical properties of bone. Osteoporos Int 2003;14:S29-36.
3. Gundbert CM. Matrix proteins. Osteoporos Int 2003;14:S37-42.
4 Knott L, Bailey AJ. Collagen cross-links in mineralizing tissues: a review of their chemistry, function and clinical relevance. Bone 1998;22:181-7.

1-2 조골세포

류현모

조골세포의 조직학적 특성

조골세포는 뼈의 표면 전체를 완전히 둘러싸고 있다. 피질골(cortical bone)의 외부를 싸고 있는 골막(periosteum)은 대부분 조골세포로 이루어져 있고, 골수 측 역시 대부분은 조골세포로 일부는 파골세포로 덮여있다. 피질골은 골재형성(bone remodeling)이 일어나면서 혈관을 따라 골원(osteon)이라는 특징적 나이테 모양의 구조를 가지는데 그 나이테의 중심으로는 혈관과 신경이 통과하고 그들과 뼈 사이는 조골세포로 싸여있다. 해면골(trabecular bone)의 표면도 조골세포로 완전히 싸여있다. 활기차게 뼈를 합성하는 조골세포는 원주형 혹은 정방형 모양을 가지며, 합성능이 떨어질수록 편평한 형태의 골표면세포(bone lining cells)로 바뀌게 된다. 조골세포들 사이는 코넥신(connexin)43 단백질로 만들어진 간극연결(gap junction)의 구조를 가지며, 이를 통해 인접 조골세포 및 골세포(osteocytes)와 서로 신호를 교통하게 된다(그림 1-2-1). 이처럼 서로 긴밀하게 접촉된, 그리고 긴밀하게 신호를 주고받는 구조로 인해 조골세포와 골표면세포를 기능적 융합체(syncytium)이라고 부르기도 하는데, 근육세포는 여러 세포사이에 세포막이 사라지며 연합이 일어난 것을 융합체라고 부르는데, 뼈를 둘러싼 세포들의 세포막은 그대로 있지만 기능적으로는 연결된 것과 동일하다는 의미에서 그렇게 부른다. 그래서 우리 몸의 다른 체액과 뼈 주변의 액체는 조골세포로 이루어진 기능적 융합체를 경계로 차단되어 있다. 따라서 뼈 주변 체액은 다른 체액에 비해 칼슘과 인의 농도가 높은데, 이것을 혈액으로 빼낼지 뼈로 다시 축적할지를 결정하는 과정은 조골세포의 조절에 의해 일어난다.

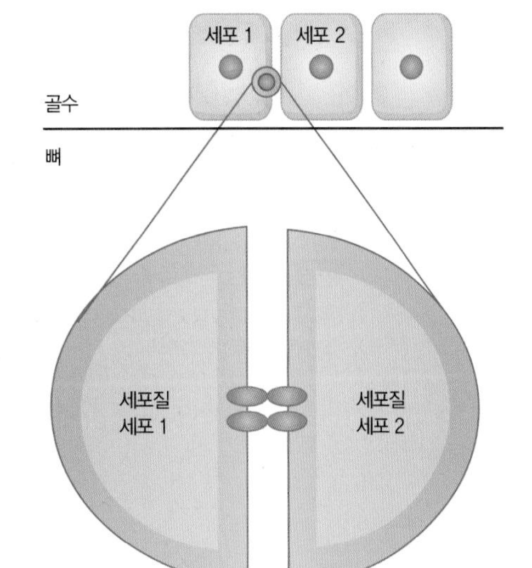

그림 1-2-1 ▶ 조골세포 간극연결

조골세포와 뼈의 표면을 싸고 있는 세포들은 긴밀한 접촉과 그들 사이에 세포간극을 통해 서로 연락하고 있다.

조골세포의 유래와 분화

조골전구세포(osteoprogenitor cells)는 일반적으로 중배엽(mesoderm) 혹은 신경성외배엽(neuroectoderm) 유래의 간엽줄기세포(mesenchymal stem cell)로부터 분화된다. 간엽줄기세포는 조골세포 뿐만 아니라, 지방세포, 근육세포, 연골세포, 섬유세포 등으로 분화할 수 있는 잠재능을 가지며, 그 분화방향의 결정은 세포 밖으로부터의 호르몬, 성장인자 등의 신호에 의해 발현이 조절되는 전사인자들에 의해 결정된다(그림 1-2-2). 이러한 신호들에 의해 분화된 조골세포는 뼈에 특이한 세포외 기질 단백질, 예를 들어 1형 교원질, 오스테오칼신, 오스테오폰틴, bone sialoprotein 등을 대량 합성하게 되고, 알칼리인산분해효소(alkaline phosphatase) 같은 효소의 합성을 분비를 통해 만들어진 유기물 기질 위에 칼슘과 인산의 염이 고도로 조직화된 수산화인회석(hydroxyapatite) 결정이 축적되는 과정을 매개하게 된다. 따라서 이들 유전자는 뼈조직 혹은 분화된 조골세포에 특이한 표지인자로 사용되고 있다. 조골세포들 중 일부는 주변 조골세포의 왕성한 작용으로 인해 세포 외 기질 속에 갇히게 되는 경우가 생기며 이를 골세포라 한다. 이러한 골세포는 다른 골세포나 조골세포들과 가늘고 긴 돌기들로 서로 연결되어 있으며, 외부의 물리적 자극에 대하여 뼈 전체가 일체감 있게 즉각적으로 작용할 수 있도록 신호를 매개하는 역할을 한다.

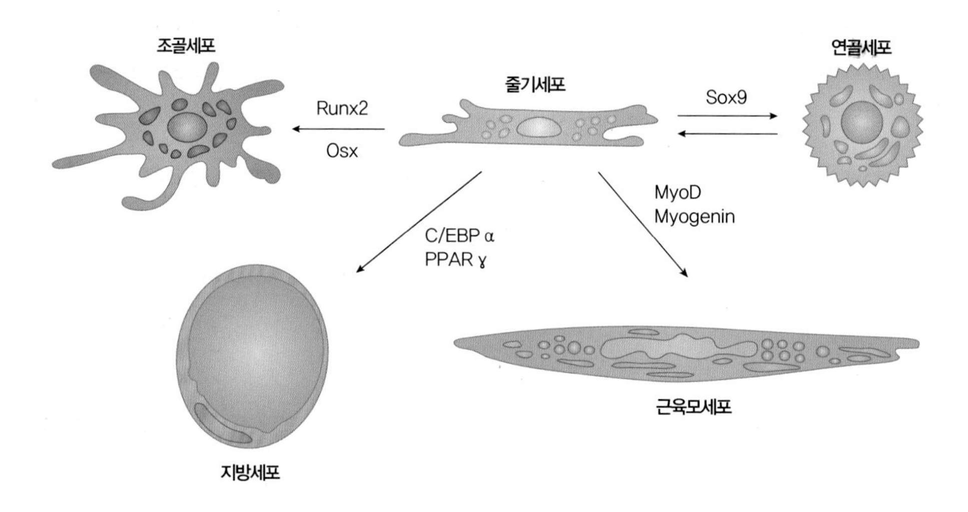

그림 1-2-2 ▸ 조골세포 분화

간엽 줄기세포로부터 조골세포를 비롯 중간엽 세포들이 분화되며 각각의 세포로의 분화를 위해서는 꼭 필요한 전사인자들의 발현이 필요하다.

조골세포의 분화연구와 분화 표지인자

조골세포는 돌같이 딱딱한 뼈의 표면을 둘러싸고 있기 때문에 조직학적 연구에 힘이 들었을 뿐 아니라, 조골세포만을 따로 분리해 내는 것도 힘들었기 때문에 세포생물학적 연구가 매우 힘들었다. 1970년대 후반부터는 태어나기 직전 혹은 태어난 직후의 쥐, 닭, 마우스 등의 두개골 혹은 골수에서 조골전구세포를 분리하여 그 세포를 배양한 용기에서 석회화된 기질을 만들어내는 조골세포 분화를 유도하기에 이르렀다. 그러나 매번의 실험마다 새로운 동물로부터 새로운 세포를 분리해야 하므로 비용, 시간, 노력이 많이 소요된다는 단점과 재현성에 문제점이 제기되면서 반복사용 가능한 세포주 확립의 필요성이 제기되었다. 그 요구에 따라 만들어진 세포가 태생 마우스 두개골 유래의 MC3T3-E1 세포와, 쥐의 골육종에서 분리한 ROS 17/2.8 세포, 사람 골육종 유래의 HOS 세포, MJ36 세포 등이 있다. 그 중 MC3T3-E1 세포 가 가장 널리 사용되어 왔으나 세포주가 확립되고 지속적인 계대배양을 거치면서 분화능이 급격히 감소하는 한계를 드러내었다. 그러나 이들 세포로부터 계대복제 과정을 통하여 만들어진 세포들이 아직까지 이용되고 있다. 그리고 각각의 확립된 세포주들은 복제(cloning) 과정을 통하여 확립되었기에 각 세포들마다 분화속도, 정도 등이 서로 다르며 각각의 특성과 실험목적에 맞추어 세포를 선택해야 한다.

최근에는 줄기세포에 대한 연구가 왕성하게 진행되면서 사람, 마우스, 쥐 등의 조골세포로 분화할 수 있는 줄기세포들이 시판되고 있다. 그러나 이들 역시 확립된 세포주가 아니고 지속적으로 구입해서 사용해야 한다는 점, 판매회사에서 제공하는 비싼 배지를 사용해야 분화를 유도할 수 있는 단점이 있다.

세포생물학적인 접근은 단일세포 수준에서 이루어져야할 신호전달이나 유전자발현 조절기전, 단백질의 세포내 이동 연구 등의 실험을 위해서는 유익하나 생체에서의 현상을 완전히 반영하지 못한다는 단점이 있다. 이러한 단점을 극복하기 위한 실험법으로 마우스 장골 혹은 두개골의 기관배양 방법이 이용되어 세포배양 실험의 단점을 일부 극복하고 있으나 아직까지 극복해야할 많은 한계가 있다. 따라서 세포배양실험, 조직배양실험, 그리고 생체실험의 결과를 종합해서 이해해야만 한다. 왜냐하면 궁극적으로 조골세포나 그 분화에 대한 연구는 최종적으로 생체에서 분석된 결과에 의존하여 해석되어야 하기 때문이다. 조골세포의 분화단계에 대해서는 생체에서 분석된 결과를 바탕으로 배양세포에서 분화단계를 표지유전자 발현으로 판단을 해보면 세포 증식과 1형 콜라겐의 발현으로 대표되는 증식 및 기질 성숙기(prolif eration and matrix maturation stage), 그리고 알칼리인산분해효소의 발현으로 표시되는 초기 분화기, 그리고 오스테오칼신, bone sialoprotein, Mepe 등의 발현으로 표시되는 무기질침착기(min eralization stage)로 분류될 수 있다(그림 1-2-3). 이러한 발현양상을 종합하면, 분화 중인 조골세포의 가장 초기 표지인자로 알칼리인산분해효소를 사용하고 있으며 분화의 최종 표지인자로는 오스테오칼신이나 bone sialoprotein, Mepe를 사용하고 있다. 이들 고전적인 석회화 기질단백질인 표지인자 외에 Runx2, Dlx3, Dlx5나 오스테릭스 같은 전사인자도 세포의 분화에 영향을 미칠 뿐만 아니라 분화단계에 따라 변화하기 때문에 표지인자로 함께 사용되고 있다.

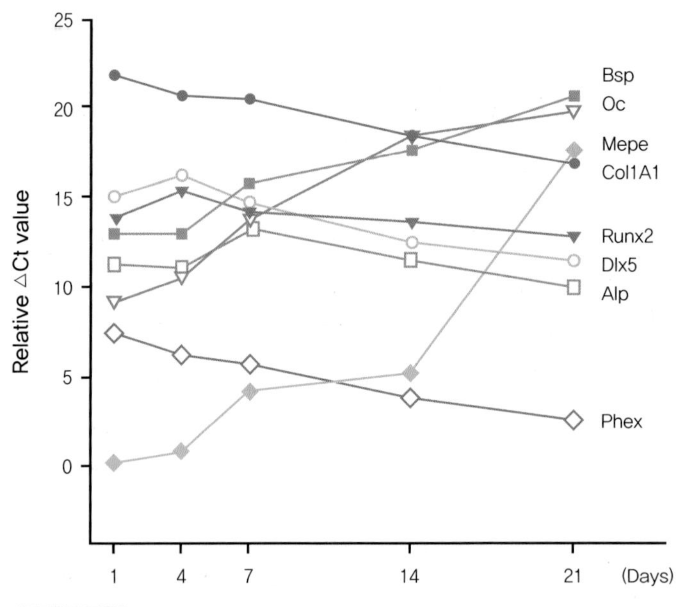

그림 1-2-3 ▸ 조골세포 분화 표지자

뼈의 기질 단백질인 1형콜라겐, BSP (bone sialoprotein), 오스테오칼신 (OC), Mepe 등이 있고 이를 조절하는 전사인자 Runx2, Dlx5, 알칼리인산분해효소(ALP), Phex 등이 MC3T3-E1 세포가 분화하는 과정에서 발현하는 양상이다.

조골세포 분화를 조절하는 세포외 신호

1. 전신적 인자

1) 호르몬

뼈의 형성에 관여하는 전신적 인자에 대해서는 이 책의 다른 부분에서 다룰 것이므로 이 부분에서는 생략한다. 그러나 호르몬은 직접적으로 세포의 골대사를 조절할 뿐만 아니라 이차적으로 성장인자 등의 양이 국소부위에 발현하는 것을 조절하여 작용할 수도 있기 때문에 국소적 인자 와의 상호 조절관계에 대해서도 관심을 가져야 할 것으로 생각된다.

2) 교감신경계

초기에 지방세포 유래의 호르몬인 렙틴이 뼈 형성과 관련이 있다는 연구 중, 렙틴의 표적세포가 시상하부 의 VMH (ventromedial hypothalamus)의 특정 신경세포이며 렙틴 수용체(ObRb)에 작용하며 VMH로부터 시작된 교감신경의 자극이 조골세포의 아드레날린 수용체(β2-AR)를 통해 뼈 형성을 억제하는 신호를 보내는 반면 궁형수용체(arcuate receptor)의 렙틴 수용체를 경유한 신호가 식욕을 억제하는 신호를 보낸다고 보고된 바 있다 . 그러나 이후의 연구에서 이들 신경세포 들의 렙틴 수용체가 없어도 렙틴의 작용에 영향을 미치지 못함이 밝혀짐으로써 렙틴 작용기전은 혼란에 빠지게 되었다. 그러나

2009년 Yadav 등이 뇌간에 있는 세포의 렙틴 수용체를 통해 그 세포들이 세로토닌을 분비하고 이렇게 분비된 세로토닌이 VMH 신경세포에서는 HTR2C를 통해, ARC의 신경세포에서는 HTR1A/2B 통해서 교감신경을 자극하여 뼈와 식용에 영향을 미치는 것을 밝혀냈다(그림 1-2-4).

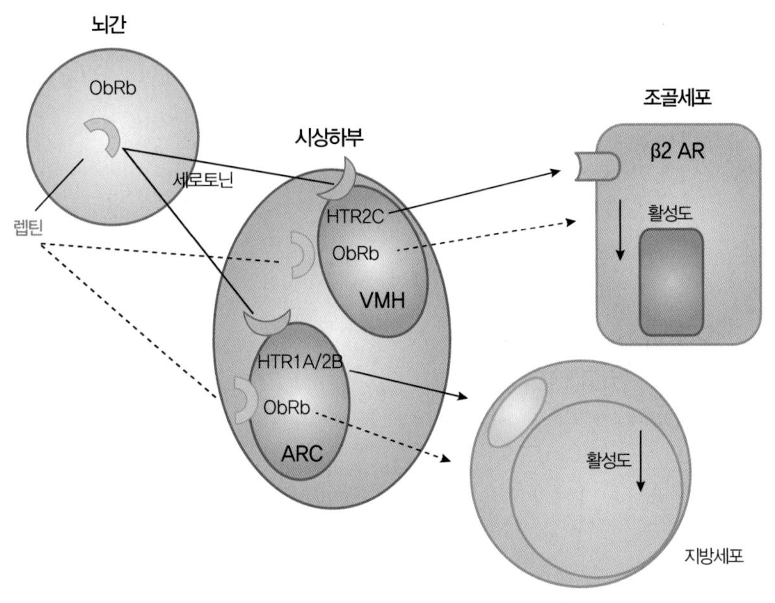

그림 1-2-4 ▶ 렙틴-신경세포-조골세포 간의 상호작용

렙틴이 조골세포와 지방세포의 분화를 조절하는 데에는 뇌간에서의 세로토닌 분비가 시상하부의 VMH와 ARC를 통해 교감신경계통을 통해 각각의 세포 분화를 조절하게 된다.

2. 국소적 인자

1) TGFβ superfamily

① TGFβ 계열에는 TGFβ1, β2, β3 가 있으며 발달과정에서 부분적으로 서로 같은 기능과 부분적으로 서로 다른 기능을 가지고 있으며, 발현되는 부위도 차이가 있다. TGFβ 계열의 단백질이 뼈 형성에 대한 기능에 대해서는 몇 가지 상반된 견해가 있다. 생체 실험결과들은 TGFβ 계열의 단백질이 뼈의 형성을 촉진하는 역할을 한다고 보고되어 있다. 그러나 세포배양 실험의 결과는 TGFβ와 BMP 계열 사이에는 뚜렷한 차이점이 있음을 보여주고 있으며, 오히려 BMP2에 의한 조골세포의 분화를 TGF가 억제하는 것으로 알려지고 있다.

② 분자스위치 : BMP2와 TGFβ1은 공통적으로 Runx2의 발현을 촉진하나 조골세포 분화를 유도하는 것은 오직 BMP2 뿐이다. 아래는 BMP2 신호와 TGFβ1 신호에 의한 조골세포 분화유도 혹은 억제 과정에서 작동되는 분자스위치의 차이를 요약한 것이다(그림 1-2-5).

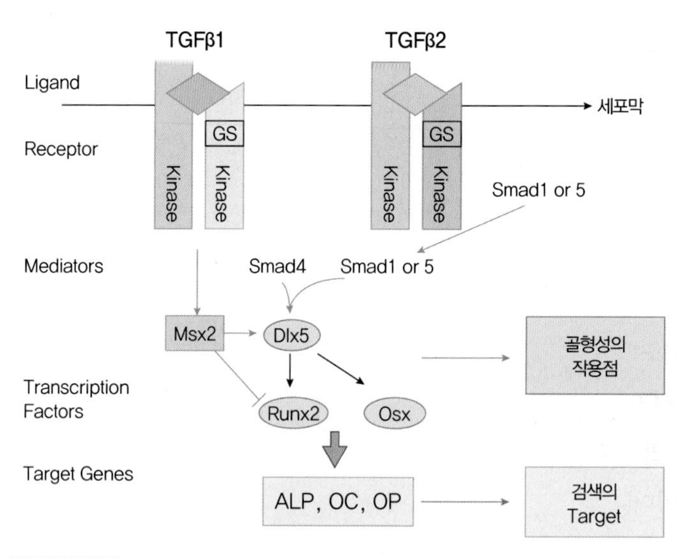

그림 1-2-5 ▸ BMP, TGF 신호에 의해 Runx2 유전자 발현에 영향을 미치는 분자스위치

BMP2와 TGFβ신호의 전달에는 각각의 수용체를 통한 Smad 활성화와 전사인자들의 발현이 필요하고, 이들에 의해 분화의 표지자들의 발현이 조절된다.

2) FGF 계열

FGF 신호가 뼈의 형성에 하는 역할은 두개골유합증(craniosynostosis)라는 선천성 두개골질환이 FGF 수용체의 돌연변이에 의해 발생하는 것이 알려진 후 중요성이 인식되기 시작하였다. FGF 신호에 의해 뼈형성의 핵심전사인자인 Runx2가 발현하는 과정에 관련된 분자스위치의 종류이다(그림 1-2-6).

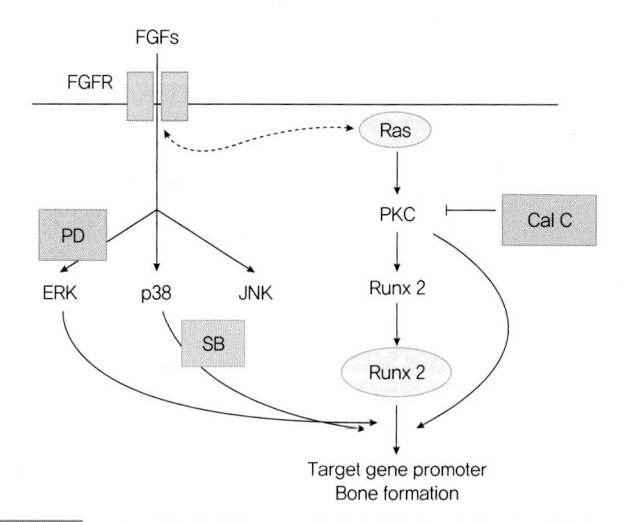

그림 1-2-6 ▸ FGF 신호에 의해 Runx2 유전자 발현이 조절되는 신호전달 경로

FGF2의 자극이나 FGFR의 돌연변이는 PKC를 통해 Runx2의 mRNA 발현과 PKC, ERK, p38 등의 인산화효소 활성화를 통해 Runx2 단백질의 활성화가 이루어져서 뼈의 형성이 증가한다.

3) WNT 계열

LRP5/6의 돌연변이로 골밀도가 굉장히 높은 가족과 골밀도가 매우 낮은 가족이 발견되었다. 분자유전학적인 연구를 통해 기능이 항진된 경우 골밀도가 높아졌고 기능이 저하된 돌연변이에서 골밀도가 낮아졌다. 이것은 canonical Wnt 신호가 뼈의 석회화에 중요하다는 것을 증명한다. 또한 Wnt3a가 직접 골표지자의 발현을 β-catenin을 통해 증가시킬 뿐 아니라 BMP2의 발현을 증가시켜, 새로이 합성된 BMP2에 의해서도 골표지자를 간접적으로 증가시키는 효과가 있음을 보고하였다. 이러한 canon ical Wnt 신호는 세포 밖에서 Dkk1 (Dikkof 1) 단백질이나, SOST (sclerostin), 단백질들에 의해 LRP5/6 수용체가 점거 당함으로 인해 Wnt3a 같은 canonical Wnt 신호를 전달하는 리간드들이 결합할 수 없도록하여 골형성을 저해하게 한다. 따라서 SOST, DKK1의 억제제 혹은 항체 등이 골형성 촉진제로 제안되고 있다(그림 1-2-7).

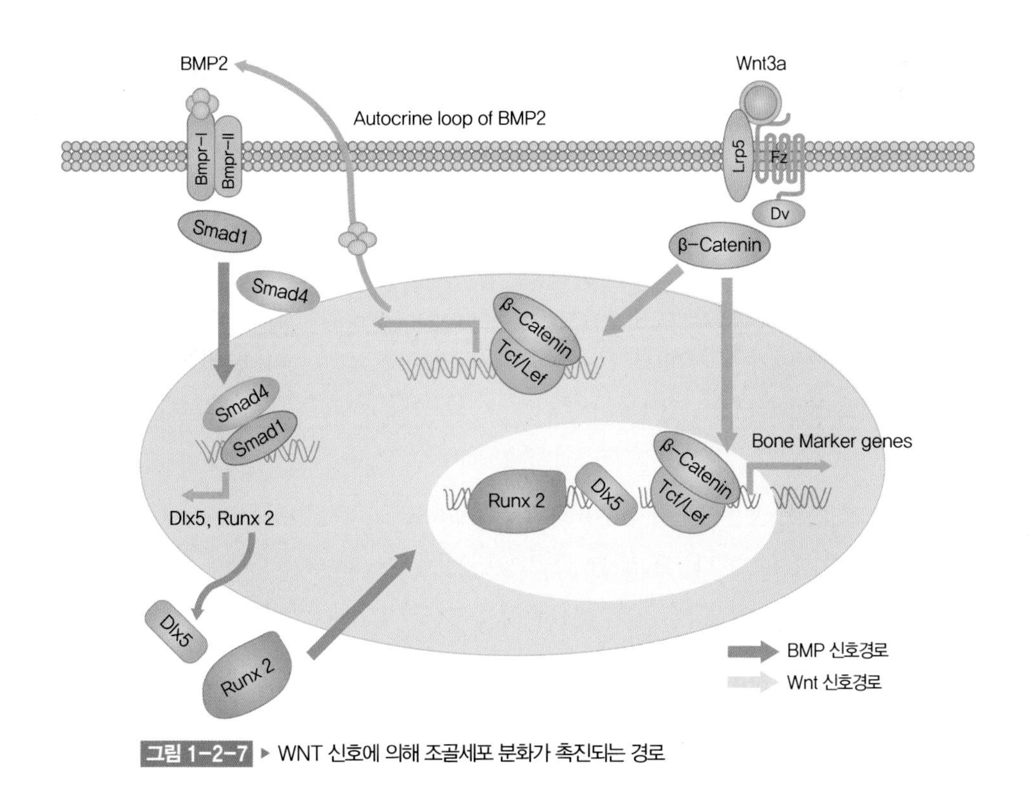

그림 1-2-7 ▸ WNT 신호에 의해 조골세포 분화가 촉진되는 경로

조골세포 분화를 조절하는 핵심 전사인자

1. Runx2

RUNX (Runt-related gene)는 초파리의 runt와 상동유전자로 세 개의 Runx 유전자에 대한 번호의 부여는 유전자 적중에 의해 먼저 그 기능이 명확히 규명된 유전자부터 순서대로 번호를 부여하였

다(표 1-2-1). 이들 세 개의 Runx 단백질은 Cbfβ라고 하는 공동의 파트너 단백질과 결합할 수 있고, 그 결합에 의해 Runx 단백질의 전사활성이 수십 배 증가하는 것으로 알려져 있다. 세 개의 Runx 단백질은 runt domain에서 아주 높은 유사성을 나타내지만 그 기능은 차이가 있는 것으로 알려져 있다. Runx1 녹아웃 생쥐는 혈액세포 분화의 중단으로 태내에서 사망하는 것으로 보고되었으며, Runx3 유전자는 위장관 상피세포의 사멸 혹은 신경발생과 관계가 있는 것으로 알려져 있다. 뼈의 형성과 관련 있는 Runx2는 뼈의 석회화가 완전히 차단되는 결과를 얻게 되었다. 이와 함께 Runx2 유전자가 조골세포 표지 유전자의 발현을 직접적으로 조절하는 전사인자라는 사실과 이 유전자의 한쪽 대립유전자의 돌연변이에 의해 두개쇄골이형성증(CCD, cleidocranial dysplasia)라는 유전질환이 발생하고 $Runx2^{-/+}$ 마우스에서 동일한 증상이 나타나는 것으로 Runx2가 이 질환의 원인유전자이며 조골세포 분화와 뼈 형성에 필수적인 전사인자임이 증명되었다.

표 1-2-1 ▸ Runt-related genes symboles and protein isoforms (Runx meeting, 2000, Kyoto, Japan)

	Gene Symbol	Protein Name	Protein Alias	Phenotypes
Human	RUNX1	RUNX1 (p52)	AML1(CBFA2)	Acute myeloid leukemia
	RUNX2	RUNX2 (p57)	AML2 (CBFA1)	Cleidocranial dysplasia
	RUNX3	RUNX3 (p46)	AML3 (CBFA3)	Gastric cancer
Mouse/Rat				K/O mouse
	Runx1	Runx1 (p52)	cbfa2 (Pebp2ab)	Hematopoiesis stop
	Runx2	Runx2 (p57)	cbfa1 (Pebp2aa)	No bone mineralization
	Runx3	Runx3 (p46)	cbfa3 (Pebp2ac)	neuronal problems

Runx2 유전자의 발현은 많은 세포외 신호들에 의해 조절되는 것으로 알려져 있는데 BMP2, BMP7, TGFβ1, FGF, HGF, IGF, PTH/PTHrP, 프로스타글란딘 등 세포외 신호들에 의해 발현이 증가된다고 알려져 있다. 뿐만 아니라 각각의 신호가 Runx2 유전자의 발현에 영향을 미치는 세포 내 신호전달 경로도 각 신호마다 서로 상이하여 아주 복잡한 조절관계가 있음이 판명되었다.

한편, Runx 유전자들의 발현은 모두 두 개의 프로모터(promoter)에 의해 조절되는데 각각의 프로모터에 의해 만들어진 mRNA들은 5'쪽에 상당한 길이의 서로 다른 염기서열을 가진다. 그러나 그 대부분은 5'-UTR이고 만들어진 단백질의 N-말단 일부 아미노산이 서로 다를 뿐 runt domain을 포함한 대부분은 동일하다. Runx2의 경우 두 개의 교대 프로모터(alternative promoter)는 24kb 이상 멀리 떨어져 있으며, 주된 코드화(coding) 부위로부터 5'쪽으로 더 멀리 떨어져 있는 프로모터를 P1, 혹은 원위 프로모터(distal promoter)라 하고 이 프로모터로부터 만들어진 mRNA나 단백질을 type-II Runx (Runx-II)라 한다, 주된 코드화(coding) 부위와 가까이 있는 프로모터를 P2 혹은 근위 프로모터(proximal promoter)라 부른다. 현재까지 이러한 교대 프로모터 사용에 의해 생긴 동종형(iso form)들이 어떤 다른 기능을 가지는지에 대해서는 아직 명확히 규명되어 있지 않지만, 몇 가지 실험적 증거들은 교대 프로모터에 의해 만들어진 두 단백질이 기능상으로는 크게 차이가 없는 것으로 판단하고 있다. 단, 이들의 프로모터가 서로 다른 까닭으로 두 동종형(isoform)의 발현을 조절하는 외부 신호나 조절하는 전사인자가 서로 다르고, 따라서 뼈의 발생과정에서 발현하는 부위나 시기도 서로 다르다. 뿐만 아니라 Runx 계열의 다른 유전자들(Runx1 혹은 Runx3)도 조골세포 분화에 동일한 작용을 할 것이라는 결과들이 제시되고 있다.

2. Osx

포유류의 Sp1 혹은 초파리의 krupple-like factor (SP/KLF) 계열에 속하는 전사인자로 사람에서는 SP7에 해당한다. SP/KLF 계열 전사인자의 공통적 특징은 단백질의 C-말단부에 zinc finger 도메인을 3개 가지며, 이들 도메인은 프로모터의 GC-rich 부위에 결합하여 유전자 발현을 조절함으로써 증식, 분화, 사멸 등 세포의 모든 활동을 조절하는데 광범위하게 관여하는 전사인자 그룹으로 20개 이상의 유전자를 포함한다(표 1-2-2). 이들 중 Sp1, Sp3 등은 유전자 적중 마우스에서 이미 뼈의 석회화에 이상이 생긴다는 것이 보고되어 있다. Osx의 유전자 적중은 2002년 de Crombrugghe 박사와 그 연구팀에 의해 이루어졌으며, 그 연구를 통해 광범위한 뼈의 석회화 부전 및 동형접합체(homozygote)에서는 흉곽의 석회화 부전으로 인한 호흡곤란으로 생후 조기 사망하는 현상이 관찰되었다. Osx의 돌연변이와 연관된 유전질환은 아직 발견되지 않았다. Runx2 유전자 적중과 아주 비슷한 표현형을 나타내었기 때문에 Runx2와 Osx 중 어떤 유전자가 먼저 조골세포 분화에 작용할 것인가에 대한 의문을 가질 수 있는데, Osx 적중 마우스의 뼈에서는 Runx2가 발현되는데, Runx2 적중 마우스의 뼈에서는 Osx가 발현하지 않는다는 사실로, 조골세포의 분화에 Runx2가 Osx보다 먼저 역할을 할 것으로 추정한다. 이러한 사실을 근거로 Runx2는 조골세포의 초기분화에 Osx는 후반부에 역할을 할 것이라는 모델이 제시되어 있다 . Runx2와 Osx는 공히 BMP2 처리에 의한 조골세포 분화에서 조기에 발현이 증가되는데, 이 과정에서는 Runx2와 Osx가 서로 직접적으로 조절하는 관계가 뚜렷하지 않으며, 두 전사인자 모두 BMP2에 의해 즉시 만들어진 Dlx5에 의해 발현을 조절받게 된다.

표 1-2-2 ▸ Sp/KLF family of transcription factors

Name	KLF designation	Expression
Sp1		Ubiquitous
Sp2		?
Sp3		Ubiquitous
Sp4		Brain, Epithelium, Testis
Sp5		Many tissues
Sp6	KLF14	Ubiquitous

Sp7/Osterix		Bone
EKLF	KLF1	Erythroid
LKLF	KLF2	Lung, vessel, Lymphocytes
BKLF/TEF-2	KLF3	Ubiquitous
GKLF	KLF4	Gut, epithelium
IKLF/BTEB2	KLF5	Gut epithelium, Placenta
ZF9	KLF6	Ubiquitous
UKLF	KLF7	Ubiquitous
BKLF3/ZNF741	KLF8	Many tissues
BTEB1	KLF9	Ubiquitous
TIEG1/EGR	KLF10	Many tissues
TIEG2/FKLF	KLF11	Ubiquitous
AP-rep2	KLF12	Brain, Liver, Kidney, Lung
RFLAT-1/FKLF2	KLF13	Ubiquitous
KKLF		Many tissues

3. Dlx5

초파리의 distaless 유전자와 상동유전자로 포유류에서는 6개 이상의 유전자를 포함한다. 이들 중 Dlx1과 2, Dlx3와 4, Dlx5와 6는 서로 다른 염색체에 두 개씩 쌍으로 위치하며, 각 쌍의 유전자는 서로 근접한 위치에 존재한다. Dlx 유전자군은 180 염기에 해당하는 homeo box를 가지며 이 부분은 단백질로 번역되어 homeodomain이라는 특징적인 helix-turn-helix motif를 가지는 전사인자로 작용한다. Dlx5 역시 세포의 증식, 분화, 사멸과 연관된 여러 유전자의 발현을 조절하는데 특히 두개안면부의 발생과정에서 많은 역할을 하는 것으로 알려져 있다. 조골세포 분화과정에서 Dlx5는 오스테오칼신의 발현과 유사한 시기에 발현을 보이며 세포에서 과발현시킬 때 조골세포로의 분화를 촉진하고, 표지인자인 알칼리인산분해효소, 오스테오칼신의 발현을 촉진하며, 석회화도 일어나게 하는 중요한 인자로 인정된다. Dlx5 적중 마우스에서는 두개안면부의 형태에 이상이 생기지만, 뼈의 전반적인 석회화에는 이상이 없다. 그러나 Dlx5와 Dlx6를 동시에 적중시킬 때에는 더욱 심한 형태의 이상과 석회화의 이상을 초래하는 것으로 볼 때 같은 그룹에 속하는 다른 Dlx 유전자들에 의해 그 기능이 일부 보전되는 것으로 생각된다. 이를 뒷받침하는 연구결과로 같은 Dlx 계열 중의 Dlx3가 Dlx5 보다는 먼저 조골세포 분화과정에 발현되고 Dlx5와 유사한 골형성 촉진 기능을 가진다는 보고가 있다. Dlx5는 BMP2 신호에 의해 조골세포가 분화될 때 Runx2와 Osx 유전자를 상부에서 각각 독립적으로 조절하는 것으로 알려져 있다(그림 1-2-8).

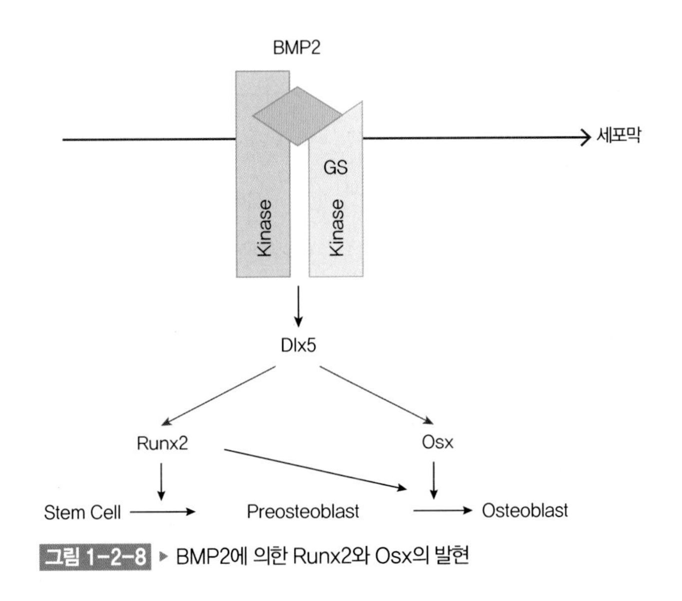

그림 1-2-8 ▸ BMP2에 의한 Runx2와 Osx의 발현

4. β-catenin과 TCF/LEF 전사인자

Canonical Wnt 신호의 전달은 Frizzled 수용체와 LRP5/6 수용체의 결합으로 신호가 세포 안으로 전달된다. 반면 non canonical Wnt 신호는 Frizzled 수용체는 공유하지만 LRP 수용체의 이용을 배제한다. 그런데 canonical 신호전달에서는 반드시 β-catenin을 매개체로하여 핵으로 신호가 전달된다. 핵으로 들어간 β-catenin은 핵속의 TCF/LEF1 전사인자들과 상호작용을 통해 그 전사인자들의 전사활성을 강화하는 것으로 알려져 있다.

조골세포 분화조절을 통한 뼈 재생

경제성장과 과학의 발달로 인구의 노령화가 급격히 진행되는 과정에서 생명의 연장과 그에 따른 삶의 질의 향상이 요구되고 있다. 골격계 질환은 노인들의 삶의 질을 떨어뜨리고, 생명연장에 대한 심각한 위협요소이다. 향후 골격계질환은 조직공학적인 뼈의 재생이나 골형성 촉진 신약의 개발을 통한 극복을 시도중이다. 조골세포의 분화에 대한 깊은 이해는 이러한 극복방법 개발의 시발점이 될 것으로 생각한다.

1. 조직공학적 뼈의 재생

조직공학적 뼈의 재생은 중간엽 줄기세포를 적절한 지지체와 결합하여 상실된 뼈 조직에 이식하고, 궁극적으로는 외부에서 이식한 세포와 지지체가 자신의 세포에 의해 새로운 뼈로 재형성되는 것을 목표로 한다. 현재까지 조직공학적인 뼈의 재생은 줄기세포의 확보와 적절한 지지체 확보에 역점을 두고 있는 단계이지만 앞으로는 해결되어야할 어려운 점들이 산적해 있다. 첫째로, 사용할 수 있는 줄기세포를 많이 확보하는 것인데 배아줄기세포에서 얻을 것인가, 성체줄기세포로부터 확보할 것인가 하는 문제가 남아있고 자가세포로 할 것인지 미리 확보해둔 치료용 줄기세포를 많은 사람들에게 공통적으로 사용할 것인지 등에 대한 선택이 남아있다. 둘째로, 조골세포의 증식과 분화를 어떻게 제어할 것인가 하는 문제인데 성장인자를 처리하는 법, 조골세포 분화를 촉진 혹은 억제하는 핵심 분자스위치(molecular switch)를 과발현시키거나, RNAi 등으로 줄이는 방법, 그리고 분화를 조절하는 신호전달 경로의 분자를 조절할 수 있는 작은분자(small molecule) 처리 등 다각적인 방법이 고려되고 있다. 조골세포의 분화연구에 대한 깊은 이해는 이 부분에서 적절한 해결책을 제시할 수 있을 것으로 기대한다. 셋째로, 적절한 지지체의 확보 문제인데 콜라겐, 키토산 같은 천연 소재 혹은 PLGA 같은 합성소재를 사용할 것인가, 혹은 같은 소재라도 다공성의 정도, 강도의 선택, 표면처리, 나노 구조 등 여러 요소들에서 대해 연구되고 선택되어져야할 것들이 많다. 마지막으로 이러한 세포-지지체-조절법이 통합된 방법들은 조직배양 상태에서 뼈의 형성이 확인된 후에는 동물 모델에서 생체에 적용하는 실험을 거쳐 사람의 치료에 적용하는 과정을 거쳐 하나의 방법이 확립되는데 자가줄기세포를 사용하지 않을 경우에는 면역에 의한 조직거부반응의 극복이 큰 난제로 아직 남아있다.

2. 골형성 촉진 신약의 개발

뼈 조직은 조골세포에 의한 뼈의 생성과 파골세포에 의한 뼈 흡수 양자간의 적절한 균형을 지키면서 항상성을 유지하고 있다. 따라서 뼈의 양이 감소해서 생기는 질환들은 그 흡수를 억제하거나 생성을 촉진함으로써 정상화시킬 수 있겠다.

그러나 현재까지 개발된 대부분의 약은 뼈의 흡수를 억제하는 작용기전을 가진 것이며, 뼈의 형성을 촉진하는 기전으로 작용하는 약제로는 2002년 말에 부갑상선 호르몬이 골다공증과 관절염 치료제로 FDA 승인을 얻은 것이 유일한 실정이며, BMP를 흡수콜라겐 갯솜에 적셔서 수술부위에 적용하는 것 역시 2002년 FDA로부터 승인을 얻어 시판 중에 있다. 그러나 이들 모두 단백질 자체를 그대로 이용하는 까닭에 생산, 저장, 투여경로 선택 등에 많은 비용과 문제점을 가지고 있으며 암의 발생, 염증반응, 이소골 생성 등 많은 부작용들이 보고되고 있다. 따라서 값싸고 안전하며 경구투여 가능한 골형성 촉진 약물의 개발이 절실한 실정이다.

참고문헌

1. Cho YD, Kim WJ, Yoon WJ, et al. Wnt3a stimulates Mepe, Matrix extracellular phosphoglycoprotein, expression directly by the activation of the canonical Wnt signaling pathway and indirectly through the stimulation of autocrine BMP2 expression. J Cell Phys 2012;227:2287-96.
2. Ducy P, Zhang R, Geoffroy V, et al. Osf2/Cbfa1: a transcriptional activator of osteoblast differentiation. Cell 1997;89:747-54.
3. Ducy P, Amling M, Takeda S, et al. Leptin inhibits bone formation through a hypothalamic relay: a central control of bone mass. Cell 2000;100:197-207.
4. Gollner H, Dani C, Phillips B, et al. Impaired ossification in mice lacking the transcription factor Sp3. Mech Dev 2001;106:77-83.
5. Hassan MQ, Javed A, Morasso MI, et al. Dlx3 transcriptional regulation of osteoblast differentiation: temporal recruitment of Msx2, Dlx3, and Dlx5 homeodomain proteins to chromatin of the osteocalcin gene. Mol Cell Biol 2004;24:9248-61.
6. Kim HJ, Kim JH, Bae SC, et al. The protein kinase C pathway plays a central role in the FGF-stimulated expression and transactivation activity of Runx2. J Biol Chem 2003;278:319-26.
7. Kodama H, Amagai Y, Sudo H, et al. Establishment of a clonal osteogenic cell line from newborn mouse calvaria. Jpn J Oral Biol 1981;23:899-901.
8. Komori T, Yagi H, Nomura S, et al. Targeted disruption of Cbfa1 results in a complete lack of bone formation owing to maturational arrest of osteoblasts. Cell 1997 ;89:755-64.
9. Lee MH, Kwon TG, Park HS, et al. BMP2-induced Osterix expression is mediated by Dlx5 but is independent of Runx2. Biochem Biophys Res Commun 2003;309:689-94.
10. Lee MH, Kim YJ, Kim HJ, et al. BMP2-induced Runx2 expression is mediated by Dlx5, and TGF-beta 1 opposes the BMP2-induced osteoblast differentiation by suppression of Dlx5 expression. J Biol Chem 2003;278:34387-94.
11. Lee MH, Kim YJ, Yoon YJ, et al. Dlx5 Specifically Regulates Runx2 Type II Expression by Binding to Homeodomain-response Elements in the Runx2 Distal Promoter. J Biol Chem 2005;280:35579-87.
12. Little RD, Recker RR, Johnson ML. High bone density due to a mutation in LDLreceptor-related protein 5. N Engl J Med 2002;347:943-4.
13. Mundlos S, Otto F, Mundlos C. et al. Mutations involving the transcription factor CBFA1 cause cleidocranial dysplasia. Cell 1997;89:773-9.

14. Nakashima K, Zhou X, Kunkel G, et al. The novel zinc finger-containing transcription factor osterix is required for osteoblast differentiation and bone formation. Cell 2002;108:17-29.
15. Otto F, Thornell AP, Crompton T, et al. 1997. Cbfa1, a candidate gene for cleidocranial dysplasia syndrome, is essential for osteoblast differentiation and bone development. Cell 1997;89:765-71.
16. Ryoo HM, Hoffmann HM, Beumer T, et al. Stage-specific expression of Dlx-5 during osteoblast differentiation: involvement in regulation of osteocalcin gene expression. Mol Endocrinol 1997;11:1681-94.
17. Ryoo HM, Lee MH, Kim YJ. Critical molecular switches involved in BMP2-induced osteogenic differentiation of mesenchymal cells. Gene 2006;366:51-7.
18. Takeda S, Elefteriou F, Levasseur R, et al. Leptin regulates bone formation via the sympathetic nervous system. Cell 2002;111:305-17.
19. Yadav VK, Oury F, Suda N, et al. A serotonin-dependent mechanism explains the leptin regulation of bone mass, appetite, and energy expenditure. Cell 2009;138:976-89.

1-3 파골세포

김낙성

골조직은 지속적인 재형성(remodeling)이 일어나는 조직으로 조골세포에 의한 골생성과 파골세포에 의한 골흡수가 서로 균형을 유지하고 있다. 과도한 파골세포의 분화 및 활성화는 골다공증 등의 골대사 질환을 유발할 수 있다. 현재까지 진행된 연구 결과를 토대로 파골세포의 구조, 기능, 분화에 관여하는 인자들에 대해 알아보고자 한다.

구조

파골세포는 다핵세포로서 3~20개의 핵을 가지며 크기는 직경 100 μm에 이른다. 파골세포는 조혈세포 계열의 단핵세포들이 융합되어 형성되며, 융합 과정을 거치면서 다핵세포로 분화한다. 파골세포는 골흡수가 가능한 활성상태로 분화하면서 세포의 구조가 편향(polarized)되고 몇 가지 구조적인 특징을 갖게 된다(그림 1-3-1).

주름경계(ruffled border)는 파골세포가 뼈와 직접적으로 접촉하고 있는 부분으로 세포막의 함입에 의해 이뤄진 다수의 안주름(infolding)이 미세융모(microvillus)와 유사한 구조로 존재하고 있다. 주름경계의 이러한 세포막 안주름 구조는 뼈와 닿아있는 세포 표면적을 넓혀 골용해에 필요한 가수분해효소와 양자(H+)의 세포외배출(exocytosis), 그리고 분해된 골기질과 잔해들의 세포내섭취(endocytosis)를 용이하게 한다.

주름경계 주위로 형성된 반지모양의 둘레를 투명대(clear zone)라고 하고, 골흡수는 투명대 아래의 골표면으로 국한된다. 투명대에는 액틴필라멘트(actin filament)가 풍부하고 주요 구조물이 없다. 투명대가 존재하는 부위의 세포막에는 세포부착분자(cell adhesion molecule)가 존재하고 있어 파골세포가 무기질 침착골의 표면에 단단히 부착되도록 한다. 세포부착분자 중 $\alpha_v\beta_3$ 인테그린은 골기질(bone matrix)의 비트로넥틴, 오스테오폰틴, bone sialoprotein과 결합하여 파골세포의 골부착을 돕는다.

파골세포의 또 다른 특징으로는 주석산염 저항성 산성인산분해효소(TRAP, tartrate-resistant acid phosphatase)가 존재하는 것이다. TRAP은 골기질 내의 오스테오폰틴과 bone sialoprotein 단백의 탈인산화 과정에 관여하게 된다. 이들의 탈인산화 과정은 파골세포가 골흡수 부위에서 박리되는 것과 관련 있을 것으로 추정된다. TRAP은 파골세포의 활성과 분화를 나타내는 표지자로도 사용된다.

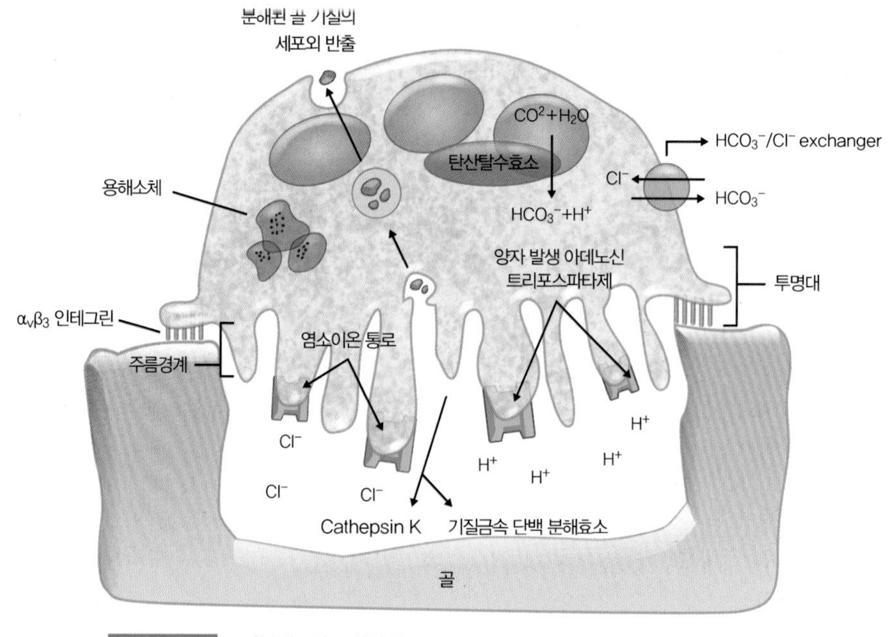

그림 1-3-1 ▸ 파골세포의 도식적 구조

기능

파골세포의 가장 중요한 작용은 골조직의 재형성 과정 중 골흡수 작용이다. 파골세포의 효과적인 골흡수 작용이 일어나기 위해서는 먼저 파골세포가 무기질 침착골 표면에 단단하게 부착해야 한다. 이러한 파골세포의 부착은 주로 인테그린에 의해 매개되는데, 파골세포에서 표현되는 $\alpha_v\beta_3$ 인테그린은 골기질에 존재하는 단백질들의 아르지닌-글라이신-아스파트산(RGD, arginine-glycine-aspartic acid) 단백서열과 결합하게 된다.

파골세포가 골표면에 부착한 뒤에는 주름경계 밑의 소강(lacunar space)에 산성화가 일어나야 한다. 주름경계 밑의 산성화는 기질 분해효소(matrix-degrading enzyme)를 활성화시키고 골기질의 무기질 성분 용해에 필요하다. 파골세포의 탄산탈수효소 II(carbonic anhydrase II)는 이산화탄소와 물로부터 탄산(H_2CO_3)을 만들고, 생성된 탄산은 중탄산이온(HCO_3^-)과 수소이온(H^+)으로 해리된다. 수소이온은 H^+-ATPase에 의해 주름경계 밑 흡수소와(resorption bay)로 분비되어 강한 산성(pH4~5) 상태를 만든다. 이 외에 칼륨 통로, 염소이온 통로, 염소이온/중탄산이온 교환 통로 등은 수소이온과 염소이온의 배출을 유도하여 산성화 상태를 유지한다. 이러한 산성화에 의해 뼈의 수산화인회석(hydroxy apatite)과 같은 무기질 성분은 칼슘이온, 용해성 무기 인산, 물로 분해된다.

파골세포 아래의 산성 환경에 의해 골의 탈무기질화가 일어난 후에는 여러 가수 분해효소에 의해 남아있는 유기질의 용해가 일어난다. 골기질 단백의 용해에 콜라겐 분해효소, 용해소체(lysosomes), 시스테인 단백 분해효소 등이 관여하고 있다. 파골세포에서 발현되는 MMP9(matrix metalloproteinase

9)는 콜라겐 분해효소로 작용하며, 카텝신K는 시스테인 단백 분해효소로 제1형 콜라겐의 분해에 관여한다. 분해된 골기질은 파골세포 내로 이입되고 주름경계의 반대편으로 유리되므로 지속적인 골흡수가 가능하다.

유래와 기원

파골세포는 단핵세포/대식세포 계열의 조혈세포로부터 유래한다. 파골세포는 대식세포, 수지상세포와 어느 단계까지 공통된 분화 경로를 공유하고 있으며, 파골세포의 분화는 분화와 관련된 다른 여러 유전자들의 순차적 발현에 의해 결정된다. 여러 시토카인과 성장인자들이 파골세포의 분화를 조절하고 있으며, 그 중 RANKL-OPG 신호가 파골세포 분화에 중심적인 역할을 담당하는 것으로 알려져 있다.

단핵/대식세포의 증식 및 생존은 M-CSF에 의해 촉진되는데 M-CSF 유전자가 비활성화된 op/op 변이 생쥐의 경우 표현형이 골화석증으로 나타난다.

골수에서 증식된 파골세포 전구체는 골표면으로 이동한다. 파골세포 전구체는 운동성이 강한 세포이나 골흡수를 일으킬 대상의 선정 그리고 어디서, 언제 전구체의 융합이 일어나는지에 대해서는 아직까지 잘 밝혀져 있지 않다. 융합 과정을 거치는 전구체의 세포막 사이에서는 분자적 상호작용이 일어나는데, 그 중 중요하게 작용하는 것이 DC-STAMP (dendritic cell-specific transmembrane protein)이다. DC-STAMP가 결핍된 생쥐의 경우, 파골세포의 융합이 제대로 일어나지 않는 것을 볼 수 있다.

융합 과정을 거친 파골세포가 활성화되기 위해서는 세포의 구조가 편향되고 세포 골격의 재구성과 주름경계가 나타나야 한다. 활성화된 파골세포는 수소이온, 카텝신K, MMP9 등을 분비하여 뼈를 흡수한다.

신호전달

단핵세포/대식세포 계열의 조혈세포로부터 정상적인 파골세포의 분화를 위해서는 M-CSF와 RANKL에 의한 정교한 신호전달이 요구된다. M-CSF는 수용체 c-Fms를 통하여 PU.1, MITF 등과 같은 다양한 전사인자를 활성화 시켜 파골세포 전구세포의 증식 및 활성을 돕는다. 특히, M-CSF는 파골세포 전구세포에서 RANKL의 수용체인 RANK의 발현을 증가시켜 정상적인 파골세포 분화를 위한 RANKL의 효율적인 신호전달을 돕는다. 최근 많은 연구들에 의해 파골세포 분화를 위한 RANKL의 신호전달 기전에 다양한 양성인자, 보조인자, 음성인자 등이 관여함이 밝혀졌다(그림 1-3-2).

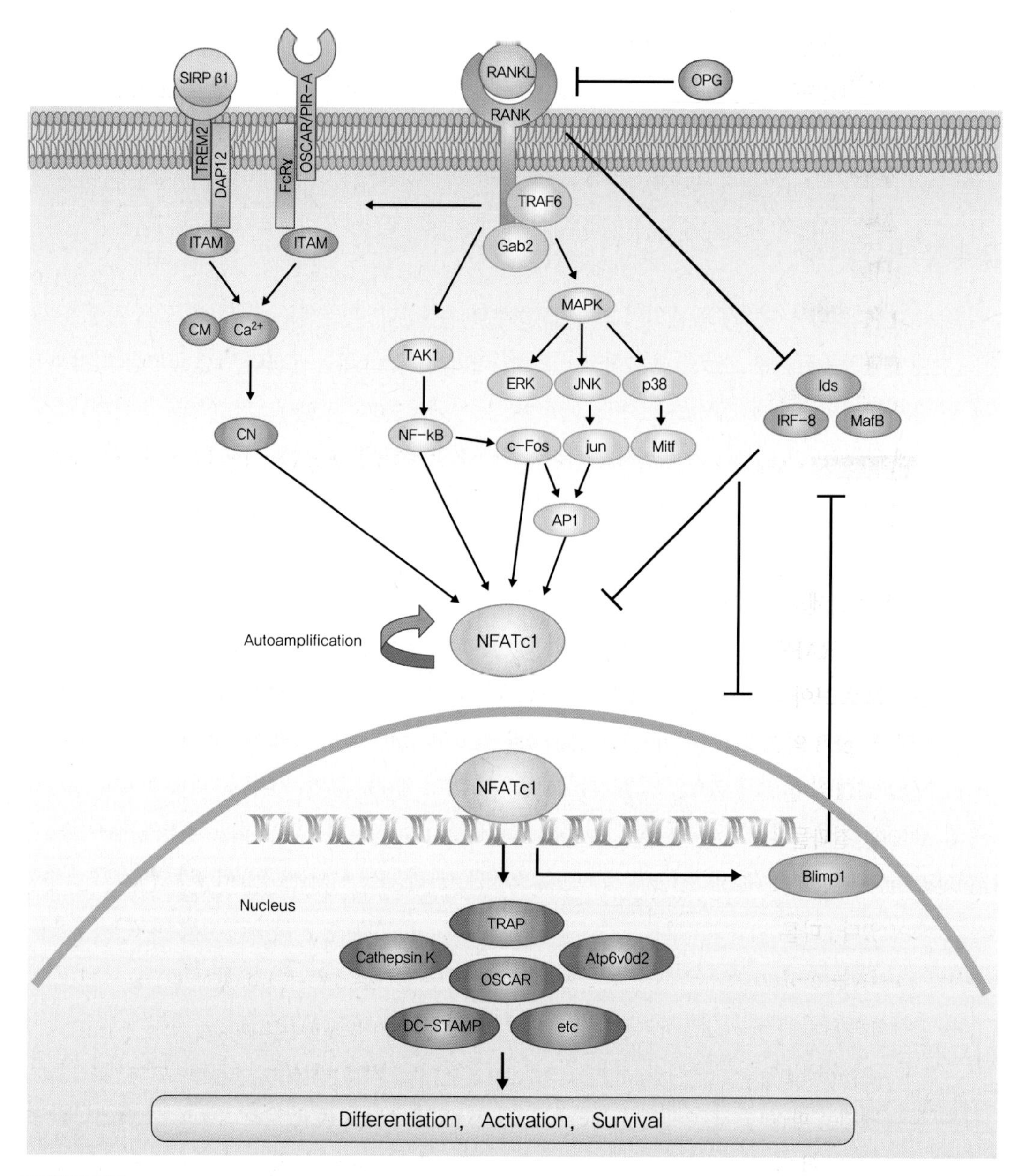

그림 1-3-2 ▸ 파골세포 분화 과정의 신호 경로

1. 양성인자

RANKL가 수용체 RANK에 결합하면 어댑터 단백질인 TRAF6(TNF receptor-associated factor 6) 가 RANK에 결합한다. RANKL 자극에 의한 RANK-TRAF6 복합체의 형성은 NF-kB, Akt, MAPK를 활성화 시킨다. 또한, RANKL는 NF-kB, MITF, c-Fos, NFATc1 등과 같은 파골세포 분화에 필요한 다양한 전사인자를 활성화 시킨다(그림 1-3-3).

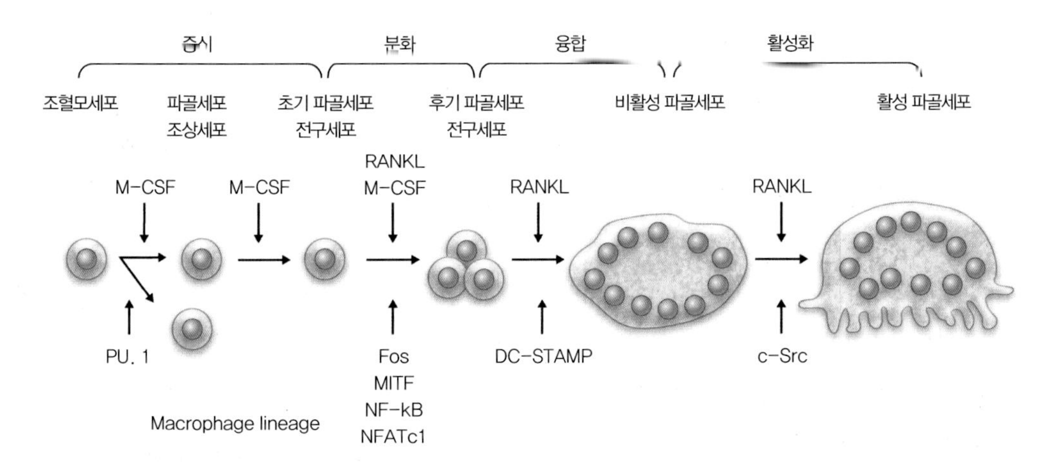

그림 1-3-3 ▶ 파골세포의 증식 및 분화 단계에 관여하는 인자 및 전사인자

1) MAPK와 Akt

RANKL는 파골세포 전구세포 혹은 파골세포에서 MAPK 계열의 멤버인 ERK, JNK, p38 모두를 활성화 시킨다. TRAF6가 결핍된 생쥐로부터 분리한 비장세포에서 RANKL가 MAPKs를 활성화 시키지 못하는 것으로 보아 파골세포 전구세포에서 RANKL에 의한 MAPKs의 활성화에 TRAF6가 필요함을 알 수 있다. p38 억제제는 파골세포 분화를 억제하고, Erk의 결핍은 파골세포 분화 및 생존을 억제한다. 또한 JNK1이 결핍된 생쥐에서 유래한 파골세포 전구세포는 RANKL에 의한 파골세포 분화가 억제된다. 이러한 결과들은 MAPKs의 활성화가 파골세포 분화에 중요함을 시사한다.

파골세포에서 MKK6는 RANKL에 의한 p38의 활성화에 연계되어 있고, MKK7은 JNK의 활성화에 연계되어 있다. 다른 세포에서처럼 파골세포에서도 Erk는 Raf를 통해 활성화 된다. p38은 Mitf에 작용하고, JNK는 c-Jun의 인산화를 통해 AP1의 전사활성을 증가시키며, ERK는 c-Fos의 발현 및 활성을 증가시켜 파골세포 분화에 기여한다.

다양한 세포에서 PI3K/Akt는 세포자멸사를 억제한다. 파골세포에서 RANKL는 Akt를 활성화 시키고, PI3K 억제제는 파골세포의 분화 및 생존을 억제한다. 파골세포 분화 동안 PI3K 억제제가 파골세포 전구세포의 생존을 억제하여 파골세포 분화를 감소시키는 것으로 보인다.

2) NF-kB

NF-kB는 p50/NF-kB1, p52/NF-kB2, RelA/p65, c-Rel/Rel 그리고 RelB를 포함하는 이합체 전사인자 계열이다. 자극이 없는 세포에서 NF-kB는 억제단백질 역할을 하는 IkB와 결합함으로써 세포막에 주로 머물러 있다가, RANKL와 같은 세포외 자극이 오면 IkB를 인산화하는 IKK 복합체가 활성화되어 NF-kB 이합체(p50/RelA)가 핵으로 이동하고 kB DNA 요소가 표적유전자에 결합하여 그 표적 유전자의 발현을 유도하게 한다. 또한 NIK은 IKK 복합체를 활성화시켜 p100/RelB 복합체에서 p100을 인산화 시킨다. 인산화된 p100은 p52로 전환되어 p52/RelB 이합체를 형성하여 표적 유전자의 발현을 유도한다.

파골세포 분화 동안 NF-kB의 중요한 역할은 p50/p52를 제거한 생쥐에 의해 입증되어졌다. p52와 p50가 동시에 비활성화된 생쥐에서 파골세포 생존 또는 분화의 결손 때문에 심한 골화석증이 관찰되어졌다. 이 생쥐에서 채취한 골수세포를 이용한 시험관내 실험에서 정상적인 조골세포와 함께 1,25(OH)$_2$D로 파골세포의 생성을 유도하여도 파골세포의 생성을 관찰할 수 없었다. 하지만 이들 생쥐에 정상적인 골수를 이식할 경우에 골화석증이 치유되는 것을 관찰할 수 있었다. NF-kB 인자들은 파골세포 분화 뿐만 아니라, 파골세포 생존에도 요구되어진다는 것이 IKK를 제거한 생쥐의 분석을 통해 증명되어졌다. Ikkb가 결손된 생쥐도 파골세포 형성이 결여된 심각한 골화석증이 관찰되었다. Ikkb가 결핍된 파골세포 전구세포는 파골세포 형성을 할 수 없었고, TNFα에 의해 민감하게 극단적인 세포자멸사가 유발되었다. 이는 Ikkb 의존적인 NF-kB 활성이 파골세포 전구세포에서 TNFα에 의해 유도되는 세포자멸사를 방지함으로써 최종적인 파골세포 분화에 요구되어짐을 시사한다.

3) AP1

AP1은 Jun (c-Jun, JunB, JunD), Fos (c-Fos, FosB, Fra1, Fra2, DFosB), ATF 단백질의 일원으로 구성된 이합체 전사인자이다. AP1의 일반적인 형태는 c-Jun과 c-Fos로 구성된다.

c-Fos가 결핍되면 파골세포 형성이 결손되어 골화석증을 포함한 다면발현성의 결여를 초래한다. c-Fos의 비활성은 골수 대식세포 수의 증가를 초래하여 파골세포와 대식세포 사이의 혈통 전환의 원인이 된다. 이는 파골세포와 대식세포 혈통 결정에서 c-Fos의 중요성을 시사한다.

Fra1이 파골세포 분화 동안 c-Fos의 부재를 보충할 수 있음이 유전학적 연구에 의해 밝혀졌다. RANKL에 의한 신호전달은 c-Fos 의존적인 방식으로 Fra1의 전사를 유도하고, Fra1이 파골세포 분화에서 역할을 하고 있음을 보여주고 있다.

c-Jun과 JunB 같은 Jun 집단 단백질이 없는 생쥐에서 초기 태아 치사는 파골세포에서 Jun의 기능 연구를 어렵게 하였으나, 최근에 조건부 유전자 표적 접근법(conditional gene-target approach)을 사용하여 연구가 진행되었다. JunB가 제거된 생쥐에서 파골세포 형성이 상당히 감소되었다.

4) PU.1

전사인자 PU.1은 Ets 계열 일원으로 B 림프구, 단핵구 등의 골수세포의 생성과 연관되어있고, 다양한 조혈세포 혈통 분화에 필수적이다. PU.1이 파괴된 생쥐에서 골수세포 혈통은 발생되어지는 반면에, 파골세포와 대식세포의 생성 장애가 유발된다. 골화석증을 초래하는 PU.1 결핍 생쥐에서 대식세포 또한 관찰할 수 없는데, 이는 PU.1이 파골세포와 대식세포의 공통세포 계열 분화에 관여함을 시사한다. PU.1과 달리 NF-kB의 p50/p52의 제거나 c-Fos의 결핍은 대식세포의 생성 장애를 유발하지 않는 것으로 보아 PU.1은 NF-kB나 c-Fos 보다 초기 단계에 작용하는 것 같다.

PU.1에 의한 파골세포 분화의 분자 작용기전은 여전히 연구 중이다. PU.1은 c-fms와 RANK를 포함한 다양한 계통 특이적 시토카인 수용체들의 발현을 조절한다. 또한, PU.1은 MITF, c-Jun, c-Fos, NFATc1, NF-kB 등과 같은 다른 전사인자와의 결합을 통해 TRAP, 카텝신K, OSCAR 등과 같은 파골세포 특이적 유전자의 전사 조절에 관여하고 있다.

5) NFATc1

NFATc1(또는 NFAT2)은 RANKL의 자극에 의하여 RAW264.7 세포와 골수 유래 단핵/대식세포 세포에서 증가되는 전사인자로 최근 보고 되었다. NFATc1의 활성은 칼슘조절 탈인산화 단백질인 칼시뉴린에 의해 조절됨이 잘 알려져 있다. RANKL 자극에 의해 활성화된 칼시뉴린은 NFATc1의 탈인산화를 통하여 활성화시키고 활성화된 NFATc1이 핵 내로 이동하게 된다. RAW264.7과 BMM 세포에 칼시뉴린 억제제인 사이클로스포린 A로 NFAT 활성을 억제할 경우 파골세포의 생성과 RANKL에 의한 NFATc1 mRNA 발현 유도가 감소되었다. NFATc1이 결핍된 줄기세포에 RANKL의 처리 시 파골세포의 생성을 관찰할 수 없으나, 레트로바이러스를 이용한 NFATc1의 과발현은 파골세포 형성을 유발하였다. c-Fos가 결핍된 파골세포 전구체를 이용한 실험에서 NFATc1의 발현은 증가되지 않았고, c-Fos가 결핍된 전구세포에 NFATc1의 구조적 활성형(constitutively active form)을 과발현시키면 결손되었던 파골세포 분화가 교정되었다. 이는 NFATc1이 c-Fos의 전사 표적임을 나타낸다. 최종 분화 단계 동안 NFATc1이 TRAP 또는 칼시토닌 수용체 같은 파골세포 특이적 유전자를 c-Fos와 함께 상승적으로 활성시킨다는 것이 알려져 있다. NFATc1 유전자의 상부에는 AP1, NFATc2 결합 부위가 존재하고 있으며 c-Jun의 발현도 NFATc1 발현과 파골세포 생성에 중요하다는 최근 결과를 종합하면 NFATc1이 파골세포 분화에 중요한 RANK 신호의 하위인자이며 Fos/Jun 단백질의 표적유전자임을 시사한다. NFATc1은 파골세포 분화에 중요하다고 알려진 전사인자(MITF, PU.1)와 함께 상승적으로 TRAP, OSCAR, 카텝신K 유전자의 발현을 증가시킨다. RANKL에 의해 유도된 NFATc1은 NFATc1의 핵 내 축적에 따라 파골세포의 핵 내에 PU.1과 함께 복합체를 형성한다. 결론적으로 NFATc1은 파골세포의 최종적인 분화에 필수적인 역할을 하고, RANKL에 의한 파골세포 분화동안 최종 전사활성 프로그램에서 중요한 인자이다.

6) MITF

MITF는 bHLH-Zip (basic helix-loop-helix leucine zipper) 전사인자로 특정 서열 DNA와 결합할 수 있는 basic region을 공통적으로 보유하고 있다.

MITF는 mi 유전자 자리와 연관된 전사인자이다. MITF 유전자의 돌연변이가 유발된 mi/mi 생쥐는 다핵 파골세포 형성의 결여로 인한 심각한 골화석증을 보인다. MITF는 세포자멸사를 억제하는 Bcl2의 활성화와 관련 있으며, Bcl2 결핍 생쥐 또한 골화석화가 관찰되어졌다. MITF는 파골세포 특이적 유전자인 TRAP, 카텝신K, OSCAR의 촉진자 부위(E-box)에 결합하여 전사활성을 유도하거나, 다른 전사인자(PU.1, NFATc1)와 함께 결합하여 이들 유전자 발현을 상승적으로 증가시킨다.

파골세포 분화에서 M-CSF 자극은 MAPK/Erk1/2를 통한 MITF serine 73의 인산화를 유도하여 p300/CBP co-activator의 영입을 유발한다. RANKL에 의한 MITF serine 307의 인산화는 p38 MAPK에 의해 유발되고, 활성화된 MKK6는 MITF에 의한 TRAP 유전자 발현의 증가를 촉진한다.

2. 보조인자

칼슘-NFATc1 신호전달 경로가 파골세포 분화에 매우 중요함이 잘 알려졌지만, RANK가 직접 NFATc1의 활성화를 위해 칼슘 신호를 개시하는 것 같지는 않다. 따라서 최근 여러 연구결과들은 파골세포에서 칼슘 신호를 조절할 수 있는 OSCAR, TREM2(triggering receptor expressed in myeloid cells 2), PIR-A (paired immunoglobulin-like receptor-A), SIRPβ1(signal-regulatory protein β1) 등과 같은 새로운 수용체를 찾아내어 그 역할들을 연구하였다. 하지만 이들 수용체들은 RANKL 없이 단독으로는 파골세포 분화를 유도할 수 없기 때문에 RANKL/RANK 신호 전달체계의 보조인자로 작용할 것으로 제안되었다.

ITAM (Immunoreceptor tyrosine-based activation motif)는 면역세포에서 칼슘 신호전달의 활성화에 중요하다. 파골세포에서 DAP12(DNAX-activating protein 12)는 TREM2 및 SIRPβ1과 결합하고, FcRγ (Fc receptor common γ subunit)는 PIR-A 및 OSCAR와 결합한다. 이들 수용체들의 활성화가 RANKL에 의한 파골세포 분화를 증진시키는 것으로 보아 면역글로불린 유사수용체가 파골세포 분화에 기여함을 확인할 수 있다. 특히, Nasu-Hakola병 환자에서 DAP12와 TREM2 유전자의 돌연변이가 비정상적인 골격과 정신질환을 야기한다는 보고와 환자의 말초혈액 단핵세포는 약화된 파골세포 형성을 보인다는 보고는 ITAM-harboring adapters와 그들 어댑터들과 결합하는 수용체가 정상적인 골대사에 매우 중요함을 시사한다.

면역세포에서처럼 파골세포에서도 Syk은 ITAM 신호전달의 중요 조절자로 밝혀졌다. 시험관내 실험에서 Syk의 발현 억제나 결핍은 파골세포 분화를 억제시키고, Syk의 결핍은 파골세포에 의한 골흡수를 감소시켜 골량을 증가시킨다. Syk의 인산화는 PLCγ를 활성화시켜 세포내 칼슘 농도를 증가시키고, 증가된 칼슘 농도는 칼시뉴린 에 의한 NFAT의 활성화를 위해 필요하다. PLCγ 또한 파골세포에서 ITAM 자극에 의한 칼슘 신호전달에 중요하게 작용함이 밝혀졌다. 특히 PLCγ2가 결핍된 생쥐는 파골세포 분화에 문제가 생겨 골화석증을 보인다. PLCγ2가 결핍된 세포에서는 RANKL의 자극에 의한 NFATc1의 발현이 감소된 것으로 보아 파골세포에서 ITAM 자극에 의한 칼슘 신호전달에 PLCγ2가 중요한 역할을 할 것으로 보인다.

3. 억제인자

최근 연구결과들은 파골세포 전구세포에서 파골세포 분화를 억제할 수 있는 인자들이 발현됨을 확인하였다. RANKL는 양성인자를 활성화시켜 파골세포 분화를 유도함과 동시에 한편으로는 IRF8 (interferon regulatory factor 8), Ids (inhibitors of differentiation), MafB (V-maf musculoaponeurotic fibrosarcoma oncogen homolog B) 등과 같은 억제인자들의 발현을 감소시킴으로써 파골세포 분화를 돕는다. 파골세포 전구세포에 IRF8, Ids, MafB를 각각 과발현 시키면 RANKL에 의한 파골세포 분화가 억제된다는 연구결과는 이들이 파골세포에서 억제인자로 작용함을 잘 보여준다. IRF8은 NFATc1의 발현 및 활성을 억제하고, Ids는 Mitf와 결합하여 Mitf의 활성을 억제하거나 NFATc1의 발현을 억제하며, MafB는 c-Fos, Mitf, NFATc1과 결합하여 그들의 활성을 억제함으로써 파골세포에서 억제인자로 작용한다.

파골세포를 조절하는 외부인자들

1. 파골세포 분화 및 활성화에 필수적인 인자

파골세포 전구세포로부터 성숙 파골세포로의 분화 및 활성을 위해서는 RANKL와 M-CSF가 반드시 요구된다. 특히, RANKL와 그 수용체 RANK의 결합은 세포 내 다양한 신호전달 체계의 활성화와 전사인자의 활성화를 통하여 파골세포의 분화, 생존, 활성에 관여한다. RANKL와 RANK의 결합은 OPG에 의해 억제되어 파골세포의 분화 및 활성화가 조절될 수 있다(그림 1-3-4).

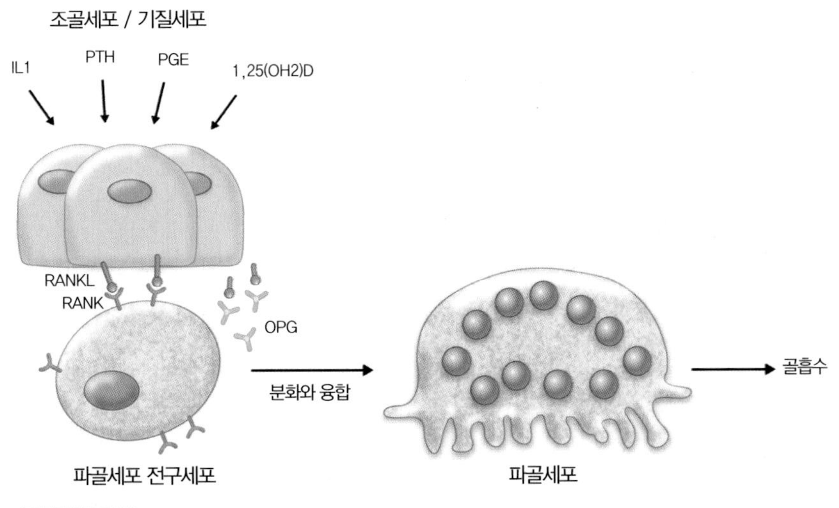

그림 1-3-4 ▸ 파골세포 생성에서 RANKL, RANK, OPG의 역할

1) RANKL

TNFSF11(Tumor necrosis factor ligand superfamily member 11), TRANCE (TNF-related activation-induced cytokine), OPGL (osteoprotegerin ligand)로 알려진 RANKL는 TNF 계열의 일원으로 파골세포의 생성, 생존 및 활성에 필수적인 요소이다. RANKL는 미성숙 및 성숙 조골세포, 기질세포, 활성화된 T 림프구, 골세포에서 주로 발현된다. RANKL가 결핍된 생쥐는 정상적인 단핵세포/대식세포를 보이지만 치아가 발육되지 않으며 파골세포가 없는 심각한 골화석증을 보인다.

최근 유방암, 다발성골수종과 같이 뼈의 파괴가 나타나는 종양에서 RANKL가 고칼슘혈증에 관여하고 있음이 밝혀졌다.

2) OPG

TNF 수용체 계열의 일원인 OPG는 RANKL의 미끼 수용체로, 강력한 파골세포 생성 억제 인자이다. OPG는 조골세포, 기질세포, B 림프구, 수지상세포 등과 같은 다양한 세포에서 생산된다. OPG 발현이 결핍된 생쥐는 동맥 내 석회화가 진행되고, 파골세포의 수가 증가된 심각한 골다공증을 보인다. 반면에 OPG가 과발현된 형질전환 생쥐는 파골세포의 수가 감소된 골화석증을 보인다.

3) RANK

RANKL의 생물학적 활성 수용체인 RANK는 OPG와 같은 TNF 수용체 계열의 일원에 속하지만, OPG와는 반대로 파골세포의 분화를 촉진한다.

RANK는 처음 수지상세포에서 발견되었지만, T 림프구, 파골세포 전구세포, 성숙한 파골세포에서도 발현된다. RANK의 발현이 결핍된 생쥐는 RANKL 결핍 생쥐와 유사하게 파골세포 생성에 있어서 심각한 결함을 보인다. 이로써, RANK가 파골세포 생성 과정에서 RANKL의 절대적 수용체임을 알 수 있다.

4) M-CSF

M-CSF는 RANKL와 함께 정상적인 파골세포의 형성을 위한 필수 요소이다. M-CSF는 단핵/대식세포의 증식, 분화, 생존에 필요한 성장인자로 먼저 알려졌으나, 파골세포에서 M-CSF의 중요한 기능은 M-CSF 유전자가 비활성화된 점상변이를 갖고 있는 op/op 생쥐 연구에 의해 밝혀졌다. op/op 생쥐는 대식세포 분화 뿐만 아니라 파골세포의 분화가 결여된 골화석증을 보이고, 이러한 변화는 M-CSF를 주입함으로써 개선되거나 op/op생쥐를 세포자멸사 억제 단백질인 Bcl2를 과발현시킨 생쥐와 교배함으로써 개선되었다. op/op 생쥐에 의한 연구 결과는 M-CSF가 파골세포의 분화 및 생존에 필수적인 인자임을 보여준다. M-CSF는 주로 조골세포에서 생산되어 파골세포에서 발현되는 수용체인 c-fms

를 통해 작용한다. M-CSF는 파골세포 전구세포에서의 RANK의 발현을 유도하고, 파골세포 전구세포의 증식과 분화에 작용할 뿐만 아니라 파골세포의 세포자멸사를 억제하고 세포 운동성을 촉진하는 것으로 알려져 있다.

2. 면역체계 관련 인자들

골 항상성은 근골격계와 면역체계 사이의 복잡한 상호작용에 의해 조절된다. 파골세포의 분화는 RANKL 외에도 IL1, TNF, CCL5 등의 시토카인과 케모카인 같은 면역계를 조절하는 인자들에 의해서도 조절된다. 따라서 최근 기존의 면역학과 뼈 생물학을 접목시킨 골면역학(osteoimmunology)라는 새로운 분야의 연구가 활발히 이루어지고 있다.

1) IL1

IL1은 단핵구, 대식세포 및 골수 조골세포에서 생산된다. IL1은 현재까지 알려진 파골세포 활성 인자 중 가장 강력하게 파골세포의 활성화를 촉진하는 인자이다. IL1은 파골세포에 직접 작용하거나 혹은 조골세포에서 RANKL를 증가시킴으로써 간접적으로 파골세포의 활성을 촉진한다. IL1은 RANKL와 1,25$(OH)_2$D에 의한 파골세포의 형성에 부분적으로 관여하며, 파골세포 활성화 인자로 알려진 프로스타글란딘의 합성을 증가시킴으로써 파골세포 활성을 촉진한다. IL1의 두 가지 수용체 중 type I 수용체는 생물학적 활성 수용체로 TRAFs과 NF-kB의 활성화를 유도하고, type II 수용체는 미끼 수용체로 작용하여 type I 수용체의 활성을 억제한다.

2) TNF

TNF는 림프구, 비만세포, 내피세포 등과 같이 다양한 세포에서 생산되는데, 주로 대식세포에서 생산된다. TNF는 IL1과 같이 직 · 간접적으로 파골세포의 활성화와 분화를 촉진한다. TNF는 조골세포에서 IL1의 발현을 증가시킴으로써 파골세포 분화를 촉진하며, M-CSF를 통하여 골 융해를 유도한다. 특히, RANK가 결핍된 생쥐로부터 분리한 세포에서 TNF는 직접적으로 파골세포 형성을 유도한다. TNF는 두 가지 세포 표면 수용체인 TNF 수용체 1과 TNF 수용체 2에 결합하여 작용하는데, 이 두 수용체가 모두 결핍된 생쥐의 골량은 매우 흥미롭게도 정상적이다. 이는 아마도 TNF가 보통의 경우 보다는 염증 상태에서 뼈에 작용하기 때문인 것으로 보여진다.

3) IL6

IL6는 IL1, TNF와 함께 다양한 세포의 분화에 관여하며, 면역세포에서 다양한 역할을 한다. IL6와 그 수용체들은 조골세포에서 발현되며, 기질세포에서는 IL1과 TNF에 의해서 IL6의 발현이 증가된다. IL6의 골흡수에 대한 작용은 실험 방법에 따라 다르게 보고되어 있지만, 조골세포에서 RANKL,

OPG, 프로스타글란딘의 발현을 증가시킴으로써 파골세포의 형성을 촉진한다.

4) IL6 계열

① IL11

IL11은 다양한 골흡수 자극에 의해 골세포에서 생산된다. IL11은 파골세포의 형성 및 활성을 촉진한다. IL11의 수용체가 결핍된 생쥐는 파골세포의 형성과 활성의 감소로 인하여 골량의 감소를 보인다.

② LIF

IL11과 같이 LIF 또한 다양한 골흡수 자극에 의해 골세포에서 생산된다. LIF는 RANKL와 OPG의 발현을 모두 증가시킨다고 보고 되었으며, LIF의 골흡수에 대한 작용은 연구자들에 따라 상반된 결과를 보인다. LIF의 국소적인 주입은 골흡수 및 골형성이 모두 증가되고, 주입된 부위의 뼈 두께 또한 증가된다. LIF의 수용체가 결핍된 생쥐는 파골세포의 수가 증가되어 감소된 골량을 보인다.

③ Oncostatin M

Oncostatin M은 파골세포 이외의 대식세포와 같은 다핵세포의 형성에 기여한다. Oncostatin M은 1,25$(OH)_2$D에 의한 파골세포의 형성을 억제하고, 파골세포의 활성 또한 억제 한다. Oncostatin M이 과발현된 형질전환 생쥐는 골화석증을 보이는데, 이는 파골세포 분화 및 활성에 있어서 Oncostatin M의 억제적 작용 때문이다.

5) IL7

IL7은 B 세포 및 T 세포의 형성에 중요한 시토카인으로 기질세포, 수지상세포, 신경세포, 내피세포 등에서 생산된다. 많은 연구에서 IL7이 골항상성의 조절에 중요한 작용 인자임을 보고하였으나, IL7이 작용하는 표적 세포에 따라 다양한 작용 효과를 보이므로 파골세포에서 IL7의 역할은 아직 논란의 여지가 있다. IL7이 RANKL에 의한 파골세포 형성을 억제한다는 보고가 있으며, IL7 결핍 생쥐에서 파골세포의 수가 증가되며 이와 더불어 골량의 감소됨이 보고되었다. 또한, 조골세포에 의해 국부적으로 IL7이 과발현되면 골량이 증가되며, IL7 결핍 생쥐의 골량 감소는 IL7의 과발현으로 개선되었다. 반면에, IL7의 전신 투여는 T 세포에서 파골세포 형성 촉진 시토카인을 증가시킴으로써 말초혈액 세포의 파골세포 분화를 촉진하였다. 또한, IL7에 대한 중화 항체의 투여는 난소절제로 인한 생쥐의 골량 감소를 개선하였다. 따라서, IL7의 전신적 혹은 국부적 투여 여부에 따라 골세포에서의 IL7의 역할이 달라지는 것으로 생각되어진다.

6) IL8

케모카인은 처음 시스테인 잔기를 포함하는 시퀀스 motif를 기본으로 하여 CCX, CC, C, CX_3C subtype으로 나누어 질 수 있는데, 이것은 G 단백질-연결 수용체에 작용하여 세포골격 재배치, 부착, 지향성 이동을 시작하게 한다. 파골세포에 의해 생산되는 IL8과 CXC 케모카인은 RANKL에 비의존적으로 파골세포 분화와 골흡수를 촉진시킨다. 또한, 특정 암에 의해 발현되는 IL8은 대사질환에서 골용해성 병소를 촉진시킨다.

뼈와 골수에서 발현되는 CCL3(macrophage inflammatory protein-1α)는 CCR1과 CCR5 수용체를 통하여 직접적으로 파골세포 분화를 촉진시킨다. 또한, CCL3는 다발성골수종(multiple my elomas)의 골용해성 활성에도 관여를 한다. 흥미로운 것은 CCL3와 IL8이 성숙한 파골세포의 운동성은 촉진시키지만 골흡수 능력은 억제시킨다는 것이다.

파골세포에서 CCL9(macrophage inflammatory pepetide-1γ)과 수용체인 CCR1의 발현은 RANKL에 의해 유도된다. 게다가, CCR1과 결합하는 다른 케모카인(CCL3, CCL5, CCL7)과 CCL9은 파골세포, 조골세포 그리고 이들의 전구체에 의해서 발현된다. 이 케모카인의 발현은 조골세포가 분화하는 동안 염증유발 시토카인인 IL1과 TNFα에 의해 유도된다. 파골세포에 의해 발현되는 추가적인 케모카인 수용체에는 CCR3, CCR5, CX_3CR1이 있다.

M-CSF가 결핍되어 골화석증을 보이는 tl/tl 쥐에 M-CSF를 주사하면 파골세포 분화와 골흡수가 유도되고, 뼈에서 CCR1과 CCL9의 발현이 급격히 증가한다. 또한, 이 쥐에서 항 CCL9 항체는 M-CSF에 의해 유도된 파골세포 분화를 개선시켰다. CCR1 발현을 억제하면 파골세포 전구세포, RAW264.7 세포와 쥐의 골수 세포의 이동이 저하된다. 또한, 쥐 골수 세포 배양에서 CCR1으로 리간드의 결합을 막게 되면 파골세포의 형성이 억제되고, CCL9에 대한 중화항체는 RANKL에 의해 유도되는 파골세포 분화를 억제시킨다.

CXCL12(stromal cell derived factor-1)과 수용체인 CXCR4는 조혈세포 항상성과 면역반응에 기여한다. CXCR4는 파골세포 전구세포에서 발현되나 파골세포로 분화됨에 따라 발현이 감소된다. RAW264.7 세포에 CXCL12를 처리하면 MMP9의 발현이 유도되고, 이것은 전구세포가 뼈로 이동하는 것에 기여한다. 인간의 파골세포 전구세포에서 CXCL12는 세포의 이동과 RANKL와 M-CSF에 의해 유도된 파골세포 분화를 증가시킨다. CXCL12의 발현은 인산칼슘 간질(calcium phosphate matrix)에서 파골세포가 분화하는 동안 증가한다. 또한, CXCL12는 뼈에서 전구세포가 거세포종으로 모이는데 관여할 가능성이 있으며, 다발성골수종과 관련된 골용해를 증가시킬 가능성 또한 제기된다.

CCR2의 리간드인 CCL2(monocyte chemoattractant protein-1)은 염증성 유발 시토카인에 의한 염증성 병변과 관련된 조골세포에서 높게 발현된다. 또한, 비록 CCL2 녹아웃 생쥐에서 치아의 맹출에 필요하지 않다고 밝혀졌지만, CCL2는 치아 주머니 세포에 발현됨으로써 치아의 맹출에 영향을 줄지도 모른다. 단일 핵 전구세포에서, CCL2의 발현은 RANKL에 의해 증가되고, 파골세포 형성을 증가시킨다. 최근 조골세포에 PTH를 처리하면 CCL2의 발현이 증가하고 파골세포(preosteoclast)의 세포융합을 증가시킨다는 것이 확인되었다.

7) IL10

IL10은 활성화된 T 림프구와 B 림프구에서 생산된다. IL10은 RANKL에 의한 c-Fos와 c-Jun의 발현을 억제하고, 파골세포의 중요 전사인자인 NFATc1의 핵으로의 이동과 발현을 억제하여 파골세포 분화를 억제한다. 치아 맹출에 관여하는 치아 주머니 세포에서, IL10의 처리는 RANKL의 생산을 억제하고, OPG의 생산은 증가시킨다. 이는 IL10이 파골세포에 직접적으로 작용할 뿐 만 아니라 RANKL와 OPG의 발현을 조절함으로써 간접적으로도 파골세포 형성을 억제함을 보여준다.

8) IL12

골수에서 생산된 IL12는 T 림프구에서 T_H1의 분화를 유도하여 IFNγ의 발현을 증가시키는 시토카인이다. IL12는 파골세포 분화의 억제인자이지만 그 작용 방법은 아직 명확하지 않다. 일부 연구자들은 IL12가 파골세포 전구세포에서 RANKL에 의한 NFATc1의 발현을 억제하여 파골세포 형성을 억제함을 보였다. 반면에 또 다른 그룹의 연구자들은 IL12의 파골세포에 있어서 억제적 효과가 간접접인 작용에 의한 것임을 밝혔다. 연구자들 사이에서는 IL12의 간접적 억제 작용에 T 림프구에서 발현되는 IFNγ의 매개 여부가 논란이 되고 있다.

9) IL15

IL15는 IL7과 함께 IL2 계열의 일원으로서 파골세포 형성 촉진자로 작용한다. 류마티스성 관절염의 골손상 부위에서 T 림프구에서 생산된 IL15가 파골세포의 형성과 활성화에 관여함이 보고되었다.

10) IL17

IL17은 최소한 여섯 개의 일원(A-E)으로 구성된다. IL17은 적응면역 반응에 매우 중요한 역할을 하며, CD4 T 림프구로부터 생산된다.

CD4 T 림프구에서 발현되는 IL17은 TNF와 함께 파골세포의 골흡수를 촉진하는 인자이다. 류마티스성 관절염에서의 IL17A의 증가는 RANKL의 발현을 증가시켜 골흡수를 위한 파골세포 활성을 촉진한다. IL17E (IL23)은 RANKL를 생산하는 T_H17 T 림프구의 분화에 매우 중요한 시토카인이다. LPS에 의한 염증성 골파괴 모델에서 IL17과 IL23의 발현이 결핍되는 것으로 보아 이 동물 모델의 골손실에 IL17과 IL23이 깊게 관여하고 있음을 확인할 수 있다.

11) IL18

IL18은 IL1 계열의 일원으로서 구조적으로 IL1과 유사하다. IL18은 IL12와 함께 IFNγ의 생산을 조장하고, 류마티스성 관절염과 같은 염증 부위에서 그 발현이 증가된다. IL18은 다양한 방법으로 파골세포의 형성을 억제한다. IL18은 파골세포 억제 인자로 작용하는 GM-CSF, IFNγ, OPG의 발현을 증가시킴으로써 파골세포 형성을 억제하는데, 이러한 효과는 IL12가 함께 있을 때 더욱 효과적이다.

12) IFNs (Interferons)

IFNγ는 type II interferon으로 다양한 생물학적 활성을 갖는다. IFNγ는 사람의 골수 세포 배양에서 1,25$(OH)_2D$, PTH, IL1에 의한 파골세포의 형성을 억제하고, 파골세포의 생성에 기여하는 연결단백질인 TRAF6의 분해를 촉진함으로써 파골세포의 분화를 억제한다. 생체 내에서 INFγ의 효과에 관한 연구결과는 매우 대조적이다. 콜라겐으로 관절염을 유도한 생쥐에서 IFNγ 수용체의 결핍은 골파괴를 증가시키고, 이와 유사하게 두개골에 박테리아 독소를 주입한 생쥐의 경우 INFγ 수용체의 결핍이 골파괴를 증가시켰다. 반면에, IFNγ를 복강주사로 8일간 주입한 쥐는 골감소증을 보였다. 또한, 파골세포의 결함으로 골화석증을 겪는 환자에게 IFNγ의 주사는 골흡수를 증가시켜 부분적으로 골화석증을 완화시켰다.

일반적으로, type I IFNs (IFNα, IFNβ)는 침입 병원체에 대한 반응으로 생산된다. 작용기전이 명확하진 않으나 IFNα는 파골세포의 활성을 억제하고, 파골세포에서 발현된 IFNβ는 RANKL에 의한 c-Fos의 발현을 억제하여 파골세포의 형성을 저해한다.

13) IL4와 IL13

IL4와 IL13은 파골세포 및 조골세포에 작용하여 골항상성에 관여한다. IL4가 과발현된 형질전환 생쥐는 파골세포의 형성과 활성이 억제되고, 조골세포에 의한 골형성 또한 억제되어 결과적으로 골다공증의 표현형을 보인다. IL4와 IL13은 cycloxygenase-2의 활성과 프로스타글란딘의 생산을 억제하여 IL1에 의한 골흡수를 억제한다. IL4와 IL13은 조골세포에서 RANKL의 발현을 억제하고, OPG의 발현은 증가시켜 파골세포의 형성을 간접적으로 억제한다. 파골세포 전구세포에서의 직접적인 억제 작용은 IL13 보다 IL4가 더욱 강력하다. IL4는 STAT6, NF-kB, PPARγ1, MAPK 신호전달 체계, 칼슘 신호전달 체계, NFATc1, c-Fos 등에 작용하여 파골세포 분화에 직접적인 억제효과를 보인다.

14) TGFβ

다양한 기능을 보유하는 TGFβ는 면역세포와 조골세포에서 생산된다. 조골세포에서 생산된 TGFβ는 골기질에 침착되어 있다가 골흡수 시 유리되며 파골세포의 단백분해 효소에 의해 활성화 된다. 과거에는 TGFβ의 기능이 파골세포를 억제하는 것으로 알려졌으나 최근에는 실험 조건에 따라 파골세포를 증가시키는 것으로 보고되었다. TGFβ는 조골세포에서 RANKL의 발현을 현저히 감소시킴으로써 파골세포의 생성을 억제한다고 보고되었다. 골재형성의 연계인자로 생각되는 TGFβ의 역할은 조건에 따라 달라질 가능성이 있다. 예를 들면 내인성 TGFβ는 소량에서 파골세포의 생성에 기여하나, 파골세포에 의한 골흡수가 증가되어 활성형 TGFβ가 점차 고용량으로 증가되면 파골세포의 활성도를 억제시키고, 다른 한편으로는 조골세포를 자극하여 골형성을 촉진하는 역할이 제시되고 있다.

3. 파골세포를 조절하는 호르몬과 기타 인자들

부갑상선 호르몬, 1,25$(OH)_2D$, 갑상선 호르몬, 글루코코르티코이드, 에스트로겐, 칼시토닌, 프로스타글란딘E2 등과 같은 호르몬과 기타 인자들에 의해서도 파골세포의 분화 및 활성이 조절된다(표 1-3-1).

표 1-3-1 ▸ 간접적으로 파골세포를 조절하는 인자들

조절인자	RANKL 발현	OPG 발현	파골세포 생성에 대한 영향
1,25$(OH)_2D$	증가	감소	촉진
부갑상선호르몬	증가	감소	촉진
IL1	증가	증가	촉진
IL6	증가	증가	촉진
TNF	증가	증가	촉진
IL11	증가	증가	촉진
프로스타글란딘E2	증가	감소	촉진/억제
글루코코르티코이드	증가	감소	촉진/억제
TGFβ	감소	증가	촉진/억제
에스트로겐	증가	감소	억제
IL13	감소	증가	억제
IL4	감소	증가	억제
IL10	감소	증가	억제
IL17	증가	-	촉진
IL18	-	증가	억제

참고문헌

1. David JP, Sabapathy K, Hoffmann O, et al. JNK1 modulates osteoclastogenesis through both c-Jun phosphorylation-dependent and -independent mechanisms. J Cell Sci 2002;115:4317-25.
2. Edwards JR, Mundy GR. Advances in osteoclast biology: old findings and new insights from mouse models. Nat Rev Rheumatol 2011;7:235-43.
3. Graves D. Cytokines that promote periodontal tissue destruction. J Periodontol 2008;79:1585-91.
4. Grigoriadis AE, Wang ZQ, Cecchini MG, et al. c-Fos: a key regulator of osteoclast-macrophage lineage determination and bone remodeling. Science 1994;266:443-8.
5. Iotsova V, Caamano J, Loy J, et al. Osteopetrosis in mice lacking NF-kappaB1 and NF-kappaB2. Nat Med 1997;3:1285-9.
6. Ishida N, Hayashi K, Hoshijima M, et al. Large scale gene expression analysis of osteoclastogenesis in vitro and elucidation of NFAT2 as a key regulator. J Biol Chem 2002;277:41147-56.
7. Ito Y, Inoue D, Kido S, et al. c-Fos degradation by the ubiquitin-proteasome proteolytic pathway in osteoclast progenitors. Bone 2005;37:842-9.
8. Jimi E, Aoki K, Saito H, et al. Selective inhibition of NF-kappa B blocks osteoclastogenesis and prevents inflammatory bone destruction in vivo. Nat Med 2004;10:617-24.
9. Kim K, Kim JH, Lee J, et al. Nuclear factor of activated T cells c1 induces osteoclast-associated receptor gene expression during tumor necrosis factor-related activation-induced cytokine-mediated osteoclastogenesis. J Biol Chem 2005;21:35209-16.
10. Lee SH, Kim TS, Choi Y, et al. Osteoimmunology: cytokines and the skeletal system. BMB Rep 2008;41:495-510.
11. Matsuo K, Owens JM, Tonko M, et al. Fosl1 is a transcriptional target of c-Fos during osteoclast differentiation. Nat Genet 2000;24:184-7.
12. Nakashima T, Takayanagi H. New regulation mechanisms of osteoclast differentiation. Ann N Y Acad Sci. 2011;1240:E13-8.
13. Okamoto K, Takayanagi H. Osteoclasts in arthritis and Th17 cell development. Int Immunopharmacol 2011;11:543-8.
14. Ruocco MG, Maeda S, Park JM, et al. I {kappa}B kinase (IKK) {beta}, but not IKK {alpha}, is a critical mediator of osteoclast survival and is required for inflammation-induced bone loss. J Exp Med 2005;201:1677-87.

15. So H, Rho J, Jeong D, et al. Microphthalmia transcription factor and PU.1 synergistically induce the leukocyte receptor osteoclast-associated receptor gene expression. J Biol Chem 2003;278:24209-16.
16. Takayanagi H, Kim S, Koga T, et al. Induction and activation of the transcription factor NFATc1(NFAT2) integrate RANKL signaling in terminal differentiation of osteoclasts. Dev Cell 2002;3:889-901.
17. Takayanagi H. New immune connections in osteoclast formation. Ann N Y Acad Sci. 2010;1192:117-23.
18. Teitelbaum SL. Bone resorption by osteoclasts. Science 2000;289:1504-8.
19. Wong KM, Zika J, Klein L. Direct measurements of basal bone resorption in microphthalmic mice in vivo. Calcif Tissue Int 1983;35:562-5.
20. Xing L, Bushnell TP, Carlson L, et al. NF-kappaB p50 and p52 expression is not required for RANK-expressing osteoclast progenitor formation but is essential for RANK- and cytokine-mediated osteoclastogenesis. J Bone Miner Res 2002;17:1200-10.

1-4 골세포

이유미

인간의 몸은, 일정한 골격으로 주요장기를 보호하고 무기질의 보고이면서도 가볍고도 탄력있는 움직임이 보장되는 신기한 206개의 '뼈'들로 이루어져있다. 어떻게 신체의 움직임, 근육의 수축 등의 물리적 자극이 체내 생화학적 신호로 변환될까라는 질문은 늘 있어왔고, 이러한 신체에 가해지는 힘 정도에 따라 뼈가 적응해서 변한다는 것을 이미 알고 있었다. 그런데 이러한 변화를 감지하고 조정하여 건강한 뼈로 거듭날 수 있게 하는 세포가 '골세포'임이 최근 과학적으로 증명되었다. 단순한 힘의 변화를 감지할 뿐만 아니라 하나의 내분비기관으로서도 중요한 기능이 있음이 속속 밝혀지고 있어 이에 대한 논의를 해보고자 한다.

골세포의 형태와 기능

골세포는 원래 조골세포에서 분화된 특수한 세포군으로서, 실제 골에서 90%정도를 구성하는 주요 구성원이다. 조골세포가 분화하면서 분비한 세포외 기질(extracellular matrix)이 무기질화(mineralization)되면서 소와(lacunae)라는 작은 공간에 각 세포가 거주하게 된다(그림 1-4-1). 골세포는 수주에서 수개월간 파골세포나 조골세포가 생존하는 것에 비하여 수십 년간을 그 공간에서 생존하면서 다양한 기능을 수행하는 것으로 여겨지고 있다. 그 기능이 잘 알려지지 않았던 이유로는 골세포가 무기질화된 공간에 격리되어 있고, 골세포만을 분리해 내는 방법이 일반화되지 못했으며, 세포주도 한두 가지로 제한적이기 때문이었다. 그러나 최근 그 중요성이 여러 연구를 통해 밝혀지고 있다.

조골세포의 1/3 정도가 골세포로 분화하게 되며, 골세포의 세포 내 구조물들이 소실되면서 체세포가 축소된 모습을 보이며, 가장 특징적인 것으로는 신경세포와 비슷하게 세포돌기가 뻗어 나와 소관(canaliculi)이라는 가는 통로로 주변 골세포와 연결하고 있는 점이다. 세포돌기 간에는 간극연결(gap junction)이라고 불리 우는 연결 단백들로 이루어져서 각종 신호와 물질교류가 된다고 한다. 이러한 골세포간의 연결 외에도 골세포의 세포돌기가 골표면에 자리잡고 있는 조골세포와 파골세포와도 연결되어 있어서, 골역학감지기로서의 기능 외에도 실제 골재형성에도 관련이 되어 있을 것이 예상되었다. 골세포간-조골세포/파골세포의 복잡한 3차원적 구조는 하나의 구조체를 형성하면서 소와-소관 연결(lacuna-canalicular network)에서 세포 간질액의 흐름을 파악하여, 이에 대한 반응을 연결된 세포들에게 전달하는 데 있어서 효과적이며, 이 농보늘의 전체 면적이 약 1,000-5,000 m^2에 날하기 때문에 각종 무기질 항상성을 유지하고 뼈 내에서 무기질화 재료를 조달하는 데 있어서도 매우 신속하게 반응할 수 있다.

조골세포와는 달리 알칼리인산분해효소(alkaline phosphatase)는 표현하지 않으면서 골세포에서만 특이하게 분비하거나 표현하는 물질들이 존재하는데, 최근 다수가 밝혀졌다. 가장 대표적인 표지자로서는 E11/gp38, Fimbrin, PHEX (phosphate regulating gene with homologies to endo peptidases on the X-chromosome), DMP1이 있으며, 이 외에도 FGF23, SOST (Sclerostin), ORP150이 있다. 최근에 더욱 흥미로운 사실은 파골세포 표지인자들도 골세포들이 표현한다는 결과이다. 예를 들어, 산성인산분해효소(acid phosphatase)와 카뎁신K, RANKL이 표현된다.

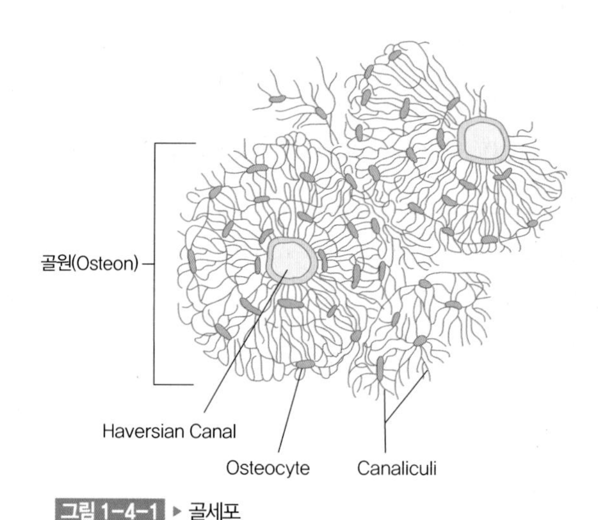

그림 1-4-1 ▶ 골세포

골원 한 개 안에 중심부 하버스관과 이와 이어진 골세포들과 그들을 이어주는 소관들(canaliculi)

역학감응기(Mechanosensor)로서의 골세포

뼈는 주로 체내 심장, 폐, 뇌 등의 주요 기관을 보호하는 구조물로서 여겨졌으나, 실제로는 중력과 근육의 지속적인 수축, 이완에 발맞추어 계속 골재형성을 하는, 느리지만 역동적인 기관 중에 하나이다. 성인 전체 뼈의 10%가 매년 소실되고 새롭게 형성된다. 뼈에 전달되는 역학신호가 약 2,000-3,000 미세긴장(microstrain)이 넘을 경우 뼈가 축적되지만, 이 이하인 경우에는 골소실이 일어나게 되는 것으로 예측되고 있다. 강도 외에도 전달되는 속도, 주기, 에너지 양 등의 여러 가지 요소에 의해서도 뼈의 반응이 달라진다. 예를 들어, 무중력 상태에 들어가는 우주인들은, 폐경 여성이 1년에 1-2%의 골소실이 일어나는 것과 비교하여, 1개월에 2-3%라는 매우 빠른 속도로 골소실이 일어나게 된다. 골이 어떻게 외부에서 가해지는 힘에 반응을 하는가를 이해하는 것은 실제 골소실을 동반하는 많은 뼈 관련 질환에 치료적인 적용이 가능하기 때문에 중요하다.

뼈에서 실제 가해지는 힘에 대해서 세포 각자에게 어떤 식으로 전달이 되는지 아직도 잘 모르지만, 골세포의 소와-소관 연결에 존재하는 세포간질액의 흐름의 변화가 그 중 하나일 것으로 생각되고 있으며, 세포배양실험에서도 배양액을 흐르게 하여 프로스타글란딘이나 nitric oxide를 증가 시킬 수 있음이 여러 연구에서 보여졌다. 그러나 이러한 물리적인 자극이 어떻게 뼈의 세포들에서 생화학적인 반응으로 해석되고 신호전달을 하는지에 대해서 아직도 모르는 부분이 더 많다. 아마도 세포막에 붙어 있는 인테그린 이 세포 밖의 유류에 반응하거나 세포모양이 변화되어 바로 세포 내 세포골격(cytoskeleton)으로 전달되어 핵으로 신호가 가는 것도 하나의 방법일 것으로 생각된다.

이러한 모든 반응이 과연 어떤 세포에서 일어나는 지에 대해서는 조골세포, 골수내 세포 등이 연구되기도 했으나, 가장 다수로 존재하고 소와-소관 연결라는 연결성을 볼 때 골세포가 적합한 감지세포로 수년간 생각되어 왔다. 실제 세포배양실험에서도 골세포를 이용할 경우 가장 예민하게 체액 흐름에 반응을 한다. 어느 것이 가장 주요한 것인지는 연구에 따라서 논란은 있으나, 골세포의 세포체, 세포돌기, 또는 섬모가 뼈에 가해지는 힘을 감지할 수 있는 부분일 것이라고 생각된다. 골세포 돌기에 다수 표현되어 있는 코넥신(Connexin)43라는 단백은 간극연결의 역할을 하면서 돌기간에 hemichannel로서 체액 흐름에 의해서 발생하는 PGE_2등의 경로가 되기도 하여 골세포의 역학감응기로서의 역할에 중요하다.

최근에 디프테리아 독소를 이용하여 백서에서 골세포에만 이 독소에 반응을 하는 수용체를 발현시켜서 골세포만 특이적으로 제거하는 연구에서 보면 골세포 제거 마우스에서는 부하제거에 의한 골소실이 발생하지 않음을 보여주었다. 이로서 골에 가해지는 역학에 반응하는 것이 골세포임이 직접적으로 밝혀졌다.

골세포와 골재형성

여러 가지 정황으로 볼 때 골재형성에서 골세포가 가장 주도적인 역할을 할 것으로 예상된다. 즉, 오래된 뼈에서 미세손상이 발생하게 되면, 이를 주변 골세포가 감지하게 되고, 골세포가 세포자멸사가 되면서 파골세포를 활성화시켜 골흡수가 증가된다. 세포자멸사 촉진 분자들이 미세손상근처에 있는 골세포에서 그 신호가 증가되어 있음이 밝혀졌다. 최근 이를 뒷받침하는 연구로 골세포특이 파괴 기전을 이용해서 마우스에서 골세포가 제거되었을 때 골흡수가 극적으로 증가했다. 세포의 자가 보존을 위한 자가포식현상(Autophagy)도 골세포에서 존재한다. 골세포에 괴사나 세포고사에 대한 신호가 올 때 자가포식작용을 통해서 잠시 세포를 보호하는 작용을 하기도 하고, 오히려 세포구성요소의 파괴라는 역설적인 결과를 낳기도 해서, 골대사에 득실을 줄 수 있는 다소 이중적인 작용일 것으로 생각된다.

이뿐만 아니라 골세포유사 세포주인 MLO-Y4의 경우 조골세포분화 및 중간엽 줄기세포의 분화도 촉진과 파골세포형성에도 관여한다는 보고가 있어, 골재형성에 전체적인 조율역할을 담당하고 있을 것으로 생각된다. 무엇보다도 골세포 특이 물질인 SOST는 기존에 이미 이 유전자에 돌연변이가 발생한 경우 과도한 골형성이 일어나는 Van Buchem병이 알려져 있고, 유전자변형마우스 모델에서도 SOST가 발현이 감소된 경우 골량 증가라는 뚜렷한 표현형을 보인다. 더욱이 골재형성에 큰 영향을 주는 부갑상선호르몬도 SOST의 발현을 억제하여 그 작용이 일어나기 때문에 골세포가 호르몬 신호를 받아서 신호를 전달하는 중요한 세포임을 알 수 있다.

골세포의 내분비기관으로서의 기능

위에서 언급한 골세포의 위치적인 특징, 타세포와의 유기적인 연결성, 표면적의 광대함은 뼈가 담당하는 체내 무기질 항상성을 유지하는 기능에 매우 적합한 조건으로 보인다. 예를 들어 체내 칼슘이 다량 필요한 수유기 중의 백서모델, 혈청 내 칼슘이 증가하는 부갑상선 기능항진증환자, 부동백서모델 모두에서 골세포를 싸고 있는 소와의 면적이 증가한다. 따라서 골세포가 내분비호르몬의 변화를 감지하고, 이에 반응한다는 직간접적인 증거로도 볼 수 있다.

조골세포가 부갑상선호르몬 수용체를 표현하고 있고, 신호를 받은 조골세포가 파골세포를 활성화시키는 기전으로도 칼슘과 관련된 뼈의 역할이 충분히 설명 된다. 그러나 칼슘-부갑상선호르본-비타민D의 대표적인 칼슘축들로만 체내 인산항상성을 완벽하게 설명하기가 어려운 점이 있었다. 저칼슘으로 체내 요구량이 증가할 때 부갑상선호르몬이 증가하고 이에 따라 비타민D의 활성화가 동반된다. 부갑상선호르몬에 의해서 뼈에서는 골흡수를 통해 주로 칼슘을 증가시키고 비타민D는 소장에서 칼슘의 흡수자체를 증가시켜서 항상성을 찾는다. 다만, 비타민D는 인산흡수도 동시에 증가시키게 되며 증가된 골흡수로 인산의 증가도 동반하는 점을 고려한다면 칼슘의 주요 결합 음이온으로서의 인산의 증가는 다소 역설적이다. 이제까지는 부갑상선호르몬이 신장에서 인산재흡수를 억제함으로 인산농도를 조절하는 것으로 보았다. 그러나 놀랍게도 바로 골세포에서만 부갑상선호르몬수용체를 활성화시켜서, 타세포나 기관에 의한 피드백을 배제시켜서 관찰해 보면 바로 골세포에서 주로 생성되는 인산관련호르몬인 FGF23이 의미 있게 증가되고, 이것으로 해서 인산배출을 효과적으로 하면서 비타민D의 과활성을 진정시킬 수 있는 인산항상성의 완벽한 축의 존재를 확인할 수 있었다(그림 1-4-2).

사실 골세포가 인산항상성에 관련이 있을 것이라는 것은 사람에서 발견되는 X염색체 저인산성구루병(X-linked hypophosphatemic rickets)라는 질환과 열성유전 저인산성구루병(Autosomal recessive hypophosphatemic rickets)라는 질환에서 먼저 알려졌다. 각 질환이 골세포에서 특이하게 발현되는 PHEX유전자와 DMP1유전자의 돌연변이에서 기인하며, 해당 마우스모델에서 공히 모두 FGF23의 발현이 증가되어 있고, 골세포가 바로 그 증가의 근원이라는 연구결과가 그 증거이다.

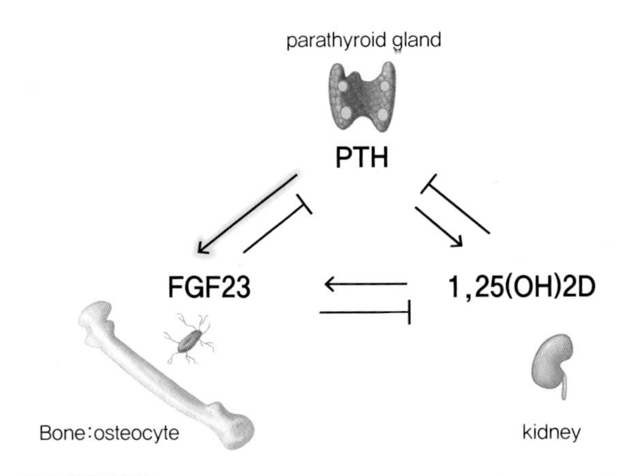

그림 1-4-2 ▸ 골세포에서 부갑상선호르몬 자극에 의해 FGF23이 분비되어 인산항상성을 담당하는 뼈-부갑상샘-신장 축

오스테오칼신은 조골세포에서 특이하게 표현되는 단백으로 이미 골형성표지인자로서 다년간 접했던 익숙한 대상이었다. 지방세포에서 분비되는 렙틴이 에너지 대사뿐 아니라 골재형성에도 조절한다는 결과를 발표했던 Karsenty 등의 연구자들이 더 나아가 뼈와 당 및 에너지 대사에 대한 오스테오칼신의 역할에 대해서 재조명을 하기에 이른다. 오스테오칼신 녹아웃 생쥐의 경우 약간 고혈당을 보이고 체지방이 늘어난 것 외에는 근골격계 표현형이 없었다. 한편, Esp (Osteotesticular protein tyrosine phosphatase, OST-PTP의 유전자) 녹아웃 생쥐가 오스테오칼신 녹아웃 생쥐의 정반대 표현형, 저혈당과 감소된 체지방을 보였고, 나아가 Esp 녹아웃 생쥐에 오스테오칼신 한 유전자만 결핍시켜도 표현형이 교정됨을 보여서 오스테오칼신이 형성되는 뼈와 당 및 에너지 대사와의 관계가 밝혀졌다. 오스테오칼신은 3군데에 감마-카르복시화(γ-carboxylation)가 된다. 인슐린 분비 및 감수성과 관련된 것은 탈카르복시화된 오스테오칼신이고, OST-PTP가 제거된 생쥐에서는 탈카르복시화된 오스테오칼신이 높아지면서 당대사가 개선이 된다. 인슐린이 오스테오칼신의 상위 신호로서 OST-PTP는 조골세포에 존재하는 인슐린 수용체를 탈인산화시키는데, OST-PTP가 없으면 인슐린이 파골세포의 활동을 억제하는 오스테오프로테게린(Osteoprotegerin)를 감소시키는 작용이 활성화되어 골흡수가 증가한다. 활성화된 파골세포의 골흡수과정이 일어나는 과정 중에 산도가 떨어지면서 골무기질에 존재하는 오스테오칼신이 탈카르복시화 되어 혈중으로 분비되어 췌장에서 다시 인슐린의 분비를 촉진하고 체내 인슐린 감수성을 증가시킨다는 것이다. OST-PTP와 유사하게 인간 PTP1B (Tyrosine-protein phospha tase non-receptor type 1)가 조골세포의 인슐린 수용체를 탈인산화시켜 같은 작용을 할 것이라고 추정했다.

오스테오칼신이 진정한 호르몬이며 당 및 에너지 대사와의 관계가 명확해 지려면, 오스테오칼신 수용체가 증명 되야 한다. 수년간의 임상경험에서 당뇨병과 골다공증의 관계는 논란의 여지가 있다. 골흡수 억제제를 쓰는 골다공증 환자가 탈카르복시화 오스테오칼신이 적어짐에 따라 모두 당뇨병 발병 된다는 증거가 확실치 않아서 더 많은 자료가 필요하다고 사료된다.

FGF23과 오스테오칼신에 대한 연구결과는 골세포가 단순하게 체내 호르몬의 변화를 감지하는 것 외에도 골세포 자체가 하나의 내분비기관으로서의 역할을 수행할 수 있다는 중요한 증거다.

참고문헌

1. Bellido T, Ali AA, Gubrij I, et al. Chronic elevation of PTH in mice reduces expression of sclerostin by osteocytes: a novel mechanism for hormonal control of osteoblastogenesis. Endocrinol 2005;146:4577-83.
2. Bonewald LF. The Amazing Osteocyte. J Bone Miner Res 2011;26:229-38.
3. Feng JQ, Ward LM, Liu S, et al. Loss of DMP1 causes rickets and osteomalacia and identifies a role for osteocytes in mineral metabolism. Nat Genet 2006;38:1310–5.
4. Ferron M, Wei J, Yoshizawa T, et al. Insulin signaling in osteoblasts integrates bone remodeling and energy metablosim. Cell 2010;142:296-308.
5. Lee NK, Sowa H, Hinoi E, et al. Endocrine regulation of energy metabolism by the skeleton. Cell 2007;130:456–69.
6. O'Brien CA, Plotkin LI, Galli C, et al. Control of bone mass and remodeling by PTH receptor signaling in osteocytes. PLoSONE 2008;3:32942.
7. Rhee Y, Allen MR, Condon K, et al. PTH receptor signaling in osteocytes governs periosteal bone formation and intra-cortical remodeling. J Bone Miner Res 2001;26:1035-46.
8. Rhee Y, Farrow E, Lee R, et al. FGF23 Gene Expression Is Upregulated by PTH Receptor Activation In Osteocytes In Vitro and In Vivo: A Parathyroid-Bone Link Influencing the Endocrine Function of Osteocytes. Bone 2011;49:636-43.
9. Robling AG, Niziolek PJ, Baldridge LA, et al. Mechanical stimulation of bone in vivo reduces osteocyte expression of Sost/sclerostin. J Biol Chem 2008;283:5866-75.
10. Tatsumi S, Ishii K, Amizuka N, et al. Targeted ablation of osteocytes induces osteoporosis with defective mechanotransduction. Cell Metab 2007;5:464-75.
11. Van Bezooijen RL, Roelen BA, Visser A, et al. Sclerostin as an osteocyte-expressed negative regulator of bone formation, but not a classical BMP antagonist. J Exp Med 2004;199:805-14.
12. Winkler DG, Sutherland MK, Geoghegan JC, et al. Osteocyte control of bone formation via sclerostin, a novel BMP antagonist. EMBO J. 2003;2:6267-76.

1-5 골형성과 재형성

최제용

골형성

골형성은 성숙조골세포가 세포외 기질을 침착하고 그 위에 인산칼슘으로 광화시켜 마치 콘크리트처럼 단단하게 만드는 과정이다. 골형성은 시기에 따라 대략 태생기로부터 성장기에 일어나는 패턴 형성 과정인 모델링 단계와 성인의 뼈 조직에서 일어나는 골재형성 단계로 나눌 수 있다. 모델링은 파골세포와 조골세포가 각기 다른 곳에서 커플링(coupling) 없이 골형성과 골흡수가 일어나고, 골재형성은 같은 국소 부위에서 파골세포와 조골세포의 작용이 커플링으로 진행된다.

인체는 대략 206개의 뼈 조각으로 구성되어 있고 크게 몸통뼈대(axial skeleton)와 사지골로 나눈다. 발생과정을 살펴보면 태생기 때 notochord와 floor plate에서 발현되는 Shh가 골형성의 시작을 매개한다 해도 무방하다. Shh 때문에 몸분절(somite)가 생겨 나중에 뼈분절(sclerotome)이 만들어진다. 뼈 조직은 간엽줄기세포가 어디에 위치하느냐에 따라 크게 세 가지로 나눌 수 있다. 먼저 신경능선(neural crest)에서 유래된 것은 얼굴머리뼈(viscerocranium)가 되고, 뼈분절의 측엽중배엽(paraxial mesoderm)에서는 몸통뼈, 측판중배엽(lateral plate mesoderm)에서 사지뼈이 형성된다(그림 1-5-1).

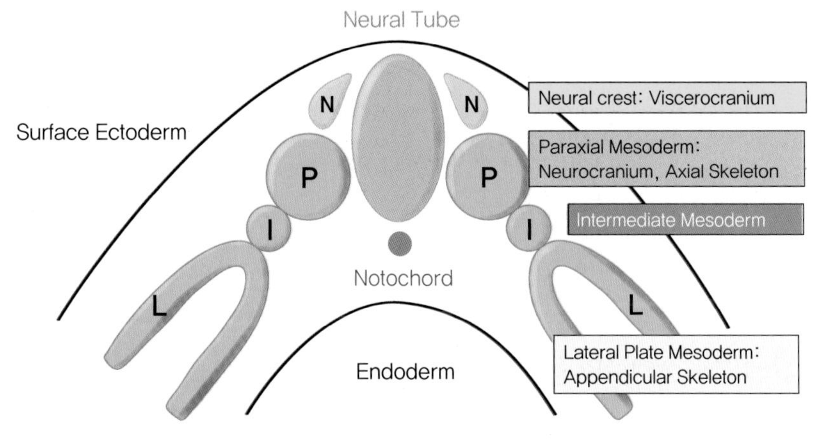

그림 1-5-1 ▶ 태생기 뼈 조직 유래

신경능선(N, neural crest)에서 얼굴머리뼈(viscerocranium), 측엽중배엽(Paraxial mesoderm)에서 몸통뼈(axial skeleton), 그리고 측판중배엽(lateral plate mesoderm)에서 사지뼈(appendicular skeleton)이 생긴다.

골형성을 세포 수준에서 살펴보면 간엽줄기세포를 필두로 앞장에서 설명된 여러 세포들, 즉, 연골세포, 조골세포, 골세포, 파골세포 모두 관여하여 일어난다. 뼈 형성 방식은 크게 두 가지로 나눌 수 있는데 간엽줄기세포가 직접 뭉쳐져 조골세포가 되는 막내골화(intramembranous ossification)와 연골세포로 분화되었다가 나중에 연골이 뼈로 바뀌는 연골내골화(endochondral ossification)로 나눈다. 간엽줄기세포에서 조골세포로 바로 전환되는 막내골화는 주로 편편한 골로 이루어진 두개골이나 팔 다리와 같은 긴 뼈라도 뼈고리(bone collar) 부위에서 보이고, 연골내막골화는 사지골에서 연골부위가 뼈로 전환된 것을 말한다.

골형성은 조골세포의 수와 기능에 달려있다. 조골세포의 수는 조골전구세포의 증식을 조절하거나 조골세포로의 분화를 조절하는 인자들과 조골세포의 사멸을 억제하는 인자들에 의하여 조절된다. PDGF와 FGFs 등은 전구조골세포에 유사분열촉진제로 작용한다. BMP나 Wnt는 간엽줄기세포에서 조골세포로 분화를 유도할 수 있고, IGF1이나 PTH는 조골세포의 기능을 촉진하고 세포사멸을 억제한다. 이러한 BMP, Wnt, 인자들의 활성은 세포외 길항제나 결합 단백질 등에 의하여 조절된다. 골다공증 치료제 중에서 골형성촉진제로 개발되는 것들은 이러한 인자(예, PTH)를 직접 주입하거나 길항제에 대한 항체, 스클레로스틴 항체로 조절하여 개발되고 있다. 또한 간엽줄기세포 단계에서 세포수를 많이 확보하여 외부 인자를 통해 직접 조골세포로 분화 시켜 조직공학적으로 응용하는 중개연구도 많이 진행되고 있다.

조골세포의 기능은 크게 세포외 기질에 칼슘과 인과 같은 무기이온을 침착하는 무기질침착(mineralization), M-CSF, RANKL, OPG 발현을 통한 파골세포 형성, 혈액줄기세포의 기생위치(niche)로서의 역할 등 여러 가지가 있다. 실제 실험에서 손쉽게 측정하는 것은 조골세포에서 유래하는 특정 단백질의 발현 정도로 평가하는 경우가 많다. 예로써 오스테오칼신은 성숙 조골세포에서 많이 만들어지는 단백질로 혈중에서 재거나 실제 세포수준에서 골형성 기능을 판정하는 주요 수단이 된다.

조골세포의 수와 기능 결정은 뼈 조직에서 중요하다고 알려진 여러 신호전달계가 관여한다(그림 1-5-2). 신호전달기전 중 가장 많이 알려진 것은 Hh, Wnt, BMP, FGF, IGF1, Notch, MAPK, PI3K 등 매우 다양한데 그 외 다른 신호전달계도 중요할 것이고 지속적으로 연구가 되고 있는 실정이다. 조골세포 형성에 중요한 인자는 ihh으로 유전적으로 제거하면 연골내골화시 뼈고리 형성과 더불어 조골세포가 형성되지 않는다. 전비대연골세포에서 생성되는 ihh가 Runx2를 유도하고 ihh은 다시 Runx2의 하부 유전자이기도 하여 양성되먹임 구조로 조절된다. 앞 장에서도 기술된 바와 같이 조골세포 형성을 주도하는 전사인자로는 Runx2와 osterix를 둘 수 있다. Runx2가 존재해지 않으면 조골세포가 형성되지 않는다. 마찬가지로 Runx2의 하부 유전자인 오스테릭스를 제거해도 조골세포가 형성되지 않는다. 이는 Runx2는 BMP, Wnt 신호전달계의 하부 유전자이고, 오스테릭스나 그 외 다양한 전사인자들이 핵심적으로 관여하여 조골세포의 기능을 조절한다. 그 외 조골세포 형성과 기능에 관여하는 많은 전사인자들이 밝혀지고 있다.

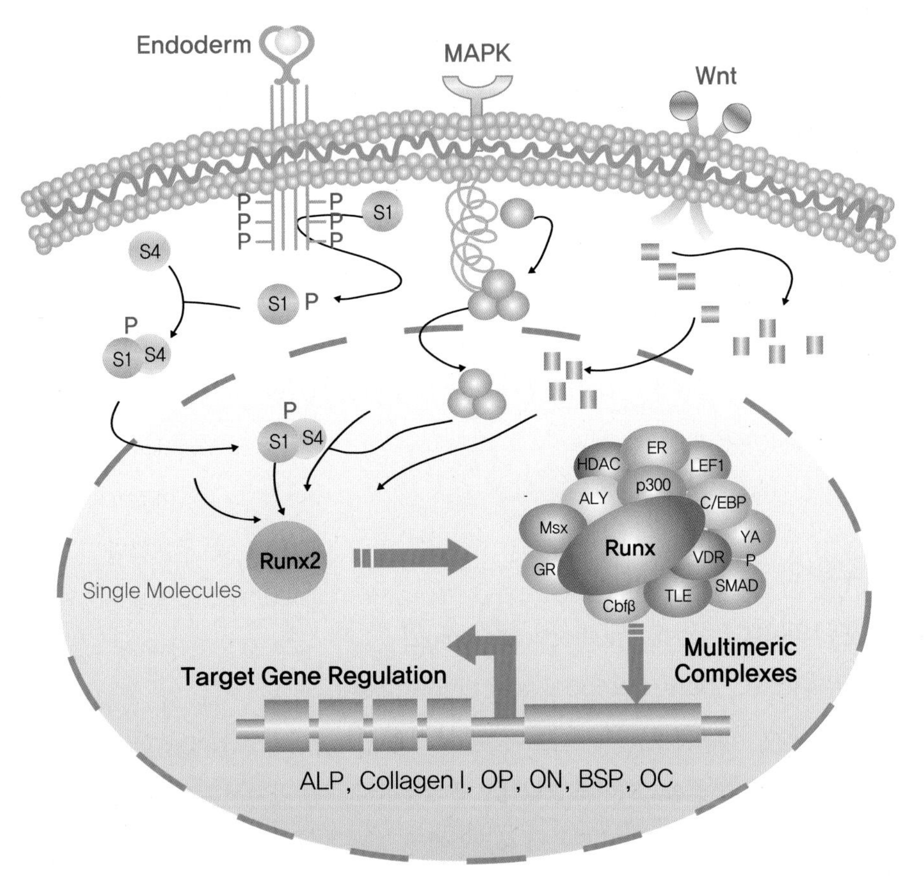

그림 1-5-2 ▸ 조골세포에 작용하는 대표적인 신호전달계

BMP, Wnt, MAPK 경로들은 모두 Runx2를 경유하여 조골세포의 수와 기능을 제어할 수 있다. OC: osteocalcin, OP: osteopontin, ON: Osteonectin, BSP: Bone sialoprotein

골재형성

성인의 골량은 골재형성을 통하여 유지된다. 골다공증은 에스트로겐 부족 등으로 골량이 감소되어 골절의 위험성이 큰 전형적인 골재형성 질환이다. 골재형성은 성인 뼈에서 오래되어 손상된 뼈를 제거하고 그 자리에 새로운 뼈로 채워 주는 재생 과정으로 골흡수와 골형성이 균형을 이루면서 같은 곳에서 일어난다. 골재형성의 목적은 건강한 뼈를 유지하고 체내 무기질 대사를 잘 조절하는데 필요하다. 뼈에 반복적으로 힘이 가해지면 미세한 금이 생기고 이것이 축적 지속되면 골절의 원인이 되므로 손상된 뼈를 제거하고 새로운 뼈로 채우는 골재형성이 필요하다. 또한, 칼슘이나 인이 필요한 경우 골재형성 동안 뼈 속에 있는 무기 이온들을 유리시켜 혈액에 공급한다. 그 외 오스테오칼신 같은 뼈 특이 단백질들이 골재형성 과정 중 분비되어 다른 조직에서 호르몬처럼 작용할 수 있도록 한다. 골재형성이 일어나는 부위는 골막(periosteum), 내피질골(intracortical), 골내막(endocortical), 해면골(trabecular), 골소관 주위(pericanalicular) 등 다양하다. 골재형성은 조골세포, 골세포, 파골세포가 관여하여 국소부위에서 일

어난다. 골재형성 속도나 기전은 부위마다 다르지만 뼈에 미치는 힘이 적거나 과도하던지, 에스트로겐이 부족하면 빨라지는데 골흡수가 일어난 곳에 골형성이 되기 때문에 뼈의 형태는 크게 변하지 않는다. 골흡수는 보통 3주, 골형성은 3개월 걸려 한 주기를 마치는데 보통 4개월이 소요되고, 전체 뼈가 새로운 뼈로 바뀌는 데는 평균 10년이 걸린다. 골재형성을 통한 골량 유지는 골흡수가 증가하면 골형성도 따라서 증가하는데, 이것은 골흡수와 골형성이 커플링을 이루어 진행하기 때문이다. 그동안 골재형성을 조절하는 전신 인자와 새로운 국소 인자들의 분자적 작용 기전 뿐 아니라 조골세포, 파골세포, 골세포의 기능도 많이 연구되어 커플링에 대한 이해의 폭이 더 넓고 깊어졌다. 그러나 골재형성 과정 중 골흡수와 골형성의 양(깊이와 크기)을 결정하거나, 기계적 힘에 대한 뼈세포들의 신호 인지와 처리에 관여하는 요소들에 대해서는 많은 연구가 필요하다

골재형성 부위와 주기

1. 기본세포단위(BMU, basic multicellular unit)와 골재형성부위(BRC, bone remodeling compartment)

골재형성은 조골세포, 파골세포, 골세포로 이루어진 기본세포단위에서 일어난다. 기본세포단위에서 파골세포의 작용이 먼저 일어나고 뒤이어 조골세포가 작용한다. 즉, 골형성은 미리 골흡수가 된 부위에서 일어나기 때문에 조골세포를 흡수된 장소로 불러들이는 것이 중요하고, 이것은 커플링의 핵심 과정이다. 기본세포단위가 현재 시점에서 성인 뼈에 대략 백만 군데 존재하며 한 번의 골재형성 사이클을 4개월(골흡수 3주, 골형성 3개월)로 추정하면 1년에 약 3백만 군데 일어나 10년 정도면 모든 부위가 새로운 뼈로 교체된다. 골재형성의 기본세포단위 개념은 최근 골재형성부위라는 개념으로 전환되고 있는데, 골 재형성부위는 기본세포단위의 세 가지 세포에 골표면세포(canopy of bone lining cell)와 혈관이 추가된 것이다. 현재 골재형성부위 개념은 골수에 인접한 곳에서 기본세포단위 개념보다 더 잘 맞는 것으로 설명되고 있지만 덮개 세포의 정체나 골재형성부위를 만드는 초기 인자가 무엇인지는 아직 알려져 있지 않다.

2. 골재형성 주기

골 재형성 주기는 시작, 골흡수, 전환선 형성, 골형성 및 골형성 완료로 나눌 수 있다(그림 1-5-3).

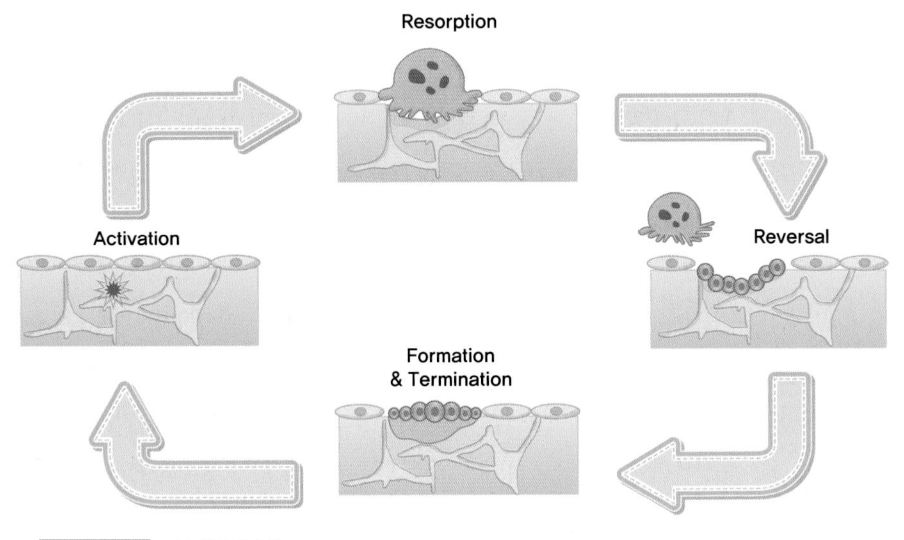

그림 1-5-3 ▶ 골재형성 순서

국소부위 뼈의 손상과 같은 시작 신호가 생기면 골 재형성이 활성화 된다(Activation). 국소부위에 생성된 파골세포가 약 2-3주내로 골흡수를 하고(Resorption), 파골세포가 제거된 후 전환선 위에 조골계 세포들이 나타나 분화된다(Reversal). 분화된 조골세포가 세포외기질과 광화를 통해 새롭게 골형성(Formation and termination)을 하고 마치는데 약 3개월이 소요된다.

1) 시작

골재형성은 국소부위에서 발생하는 미세골절(microcrack), 기계적으로 가해지는 외부 하중 부재, 낮은 혈중 칼슘 농도, 그 외 여러 가지 호르몬이나 사이토카인 농도의 변화로 인하여 시작된다. 조골전구세포/골수기질세포에서는 염증성 시토카인에 의해 MCP1 (CCL2)이나 SDF1 (CXCL12)이 증가하여 MCP1 수용체와 CXCR4를 발현하는 파골전구세포를 불러들이는 역할을 한다.

미세골절이나 외부 하중 부재는 이러한 자극에 반응하는 골세포의 심한 손상이나 사멸을 초래하고 높은 골교체율을 보인다. 손상 받은 골세포의 어떤 신호가 파골전구세포를 끌어들이게 하는지는 잘 알려져 있지 않지만, 골세포가 RANKL을 많이 만드는 것으로 알려져 파골세포 출현과 밀접히 관련되어 있다. 반대로 골세포에서 분비되는 인자 중 파골세포 분화나 골흡수를 억제하는 인자도 있는데, 그 대표적인 것이 TGFβ이다. 예로, 파골세포는 오래된 뼈를 더 잘 흡수하는데 그 이유는 오래된 뼈에서는 살아있는 골세포 수가 적기 때문이다. 또한 인위적으로 골세포 사멸을 유도하면 파골세포가 많이 생겨 골흡수가 증가된다. 파골세포 형성에 중요한 RANKL의 증가나 RANKL 발현 억제인자 감소를 초래하는 여러 가지 조건들은 골재형성의 시작이라고 볼 수 있다.

2) 골흡수

파골세포는 혈액 단구세포로 부터 만들어진다. 조골전구세포는 파골세포 형성에 중요한 RANKL, M-CSF 및 OPG를 생성하여 RANKL/OPG 비가 높게 되면 파골전구세포에서 파골세포를 만들게 된다. 성숙조골세포를 완전히 사멸시켜도 파골세포 형성이나 골재형성에 문제가 없는데 다른 간엽세포나, 조골전구세포 또는 골세포가 RANKL을 생성하기 때문이다. 앞장에서 설명된 것과 같이 RANK 외 OSCAR나 PIR-A 같은 수용체와 연계된 어댑터 단백질인 FcRr 와 DAP12도 파골세포 분화에 중요하다. 조골세포가 파골세포 형성한다는 점은 WNT/LRP5/β-catenin 신호전달계 연구를 통해서도 알 수 있다. LRP5 돌연변이는 위치에 따라 골감소증이나 골다공증을 보이기도 하고 높은 골량을 나타내기도 한다. 높은 골량인 경우 그 기전으로 조골세포의 활성 증가와 파골세포의 활성 감소로 나뉜다. 즉, 조골세포의 WNT 신호계가 파골세포 형성에 중요함을 알 수 있다. WNT 뿐 아니라 콜라겐 스펀지에 BMP2를 넣은 것과 넣지 않은 것을 생쥐 등에 삽입하면 BMP2를 넣은 곳에만 주위에 파골세포가 모여 BMP 신호도 파골세포 형성에 중요함을 알 수 있다.

일단 파골세포가 골재형성부위에서 만들어지면 무기질과 유기질을 함께 흡수하게 된다. 모든 골흡수 호르몬, 시토카인, 프로스타노이드들은 파골세포의 생성 과정을 촉진시키며 생성된 파골세포들은 골흡수를 시작하게 된다. 먼저 파골세포는 그 세포막에 있는 인테그린 αVβ3를 이용하여 세포외 기질인 비트로넥틴, 섬유결합소(fibronectin) 및 오스테오폰틴 같은 유기질의 RGD 모티프를 인지하여 부착하게 된다. 파골세포의 골흡수는 파골세포의 막주름을 통해 pH를 낮추어 무기질을 먼저 제거한다. 무기질이 빠진 후 노출된 유기질은 콜라겐 분해효소나 카텝신K 등에 의해 분해되어 골흡수가 완성된다. 골흡수 깊이는 50 μm까지 이르고, 전체적인 골흡수 과정은 2-4주 걸린다. 파골세포에 의한 골흡수가 어떤 기전으로 끝나는지, 어떤 요인에 의하여 사멸이나 제거가 되는지 잘 알려져 있지 않다. 골기질내 함유된 인자나 골세포가 만드는 골흡수 억제 인자들이 있을 것이다. 또한 파골세포 스스로 음성 되먹임으로 골흡수를 억제할 수 있을 것이다.

3) 전환선 형성

골흡수 과정이 끝나는 시기에는 흡수된 공간의 밑바닥에 단핵세포가 조골전구세포와 함께 나타난다. 이 단계를 좀 더 자세히 살펴보면 파골세포가 골흡수를 멈추는 단계 그리고 사멸되어 제거되는 단계로 나눌 수 있다. 또한 조골전구세포 측면에서 흡수된 부위로 이동하는 단계, 증식, 증식 후 분화되어 골형성을 준비하는 단계로 구분이 가능하다. 이 시기는 골흡수 과정에서 골형성 과정으로 이행되는 전환 단계로서 전환선(reversal line)이 만들어지고 전환선은 염색이나 편광 빛으로 확인할 수 있다. 전환선은 기존의 골기질로부터 새롭게 만들어진 골조직을 구분 짓는 것으로 시멘트선이라고도 한다. 전환선은 골흡수가 끝나고 골형성이 시작되는 지점을 가른다. 전환선에 존재하는 흡수면 성분들이 조골전구세포의 기능 조절에 관여하여 골형성을 증가시킬 수 있다. 예로서 TRAP (tartrate-resistant acid phosphatase)는 흡수면에 부착되어 골형성을 촉진하기도 한다. 조골세포에서 TRAP에 결합하는 단백질 중 하나는 TGFβ 수용체에 결합하는 단백질의 일종인 TRIP1이다. TRIP1이 골 재형성에 어떤 기작으로 기능하는지 아직 알려져 있지 않다. 그런데 전환선에 나타나는 단핵세포들은 흡수면에 골형성을 촉진하는데 있어 중요한 역할을 한다. 이 단핵세포의 정체는 아직 명확하지 않지만, 골표면세포나 조골전구세포 계통일 것으로 본다. 최근 파골세포에서 발현되는 EphrinB2가 조골세포에서 발현되는 EphB4와 결합하여 골형성을 촉진하고, 반대로 조골세포의 EphB4는 EphrinB2와 결합하여 파골세포분화를 억제한다고 밝혀졌다. PTH를 처리하면 골표면세포가 조골세포로 바뀌면서 EphrinB2를 발현하는 것으로 알려져 있다. EphrinB2는 골재형성시 파골세포와 조골세포 간에 국소 조절을 담당하는 전환기의 중요한 유전자로 인식되고 있다.

4) 골형성 및 골재형성의 완료

골재형성의 마무리는 조골세포의 기능과 운명에 달려있다. 조골세포는 성숙기 동안 입방형 세포로 변하며 소포체가 풍부하고 아주 큰 타원형의 핵을 갖게 된다. 조골세포는 서로 연계되어 연속층을 이루는데 세포외기질을 생성하고 광화하여 흡수된 자리를 채우게 된다. 2-4주간의 짧은 골흡수 기간에 비하여 골형성은 3개월 동안 지속된다. 조골세포가 골형성을 시작하는 데는 파골세포의 역할이 필수적이다. 이 때 파골세포의 역할은 골흡수 기능과는 관련이 없는 것으로 보고 있다. 예로 염소 이온 채널을 구성하는 Clc7 유전자에 돌연변이가 있으면 골흡수 기능은 소실되지만 파골세포의 수는 오히려 늘어난다. 이 경우 골형성은 증가된다. 마찬가지로 c-Src 제거나 Oc/Oc 생쥐 경우도 파골세포의 흡수 기능은 떨어지나 파골세포 수가 많아져 골형성이 증가된다. 반대로 c-fos, M-Csf, Rankl 녹아웃 생쥐에서는 모두 파골세포 수가 없거나 적어지는데 이 경우는 골형성 속도가 감소된다. 비스포스포네이트나 RANKL에 대한 항체인 데노수맙으로 골흡수를 억제하여도 골형성이 감소된다. PTH에 의한 골형성도 파골세포가 있을 때 나타나고 없는 경우는 소실된다. 즉, 골형성을 위해서는 골흡수 기능 자체보다는 살아있는 파골세포의 수가 중요하다. 따라서 조골세포에 의한 골형성은 조골세포의 독립적인 활성으로 충분하지 않고 살아있는 파골세포와 소통이 있은 후에 가능하다고 할 수 있다. 골형성을 촉진하는 파골세포 유래 소통 인자를 찾는 연구가 활발할 전망이다.

골형성이 끝난 후 조골세포는 WNT 신호의 β-catenin을 안정화 시키는 공통 신호 기작을 통하여 OPG를 생성, 분비하게 한다. 성숙 조골세포에서 유래된 OPG는 파골세포 형성을 억제한다. 성숙 조골세포는 서서히 납작해지면서 골표면세포로 변하여 광화되지 않은 골기질의 표면을 덮거나 골세포로 변하여 뼈 속에 묻히게 된다. 골세포는 뼈 속에서 세관을 통하여 서로 연결되어 있을 뿐 아니라 골표면에 있는 세포들과도 서로 연결되어 있어서 신호를 주고받는다. 피질골에서 일어나는 재형성도 같은 과정을 따르나 파골세포가 원추 형태로 골흡수를 일으키는 것이 다르다. 골재형성에서 골형성 완료는 어떻게 일어나는지 아직 잘 모른다. 골세포가 직접 조골세포와 간극연결로 접촉하여 억제할 수 있고, 골세포가 골형성을 억제하는 분비단백질들(예: 스클레로스틴, BMP3 등)을 생성하여 조골세포의 활성을 억제할 수도 있다.

골세포와 골재형성의 필요성

골재형성은 뼈에 걸리는 부하가 적거나 과도하게 걸릴 때 속도가 증가된다. 침대에 오래 누워있게 되거나 우주 유영처럼 부하가 적게 걸리는 상황이 되면 파골세포가 활성화되어 골 재형성이 증가되어 골감소가 일어난다. 반대로 뼈에 과부하가 걸리면 미세균열이 생겨 마찬가지로 골재형성이 작동되어 손상된 부분이 제거되는 과정을 겪게 된다. 따라서 뼈에 적절한 기계적 하중이 매우 중요한데 하중 스트레스가 많이 가해지는 부위에만 새로운 골형성이 되어 국소부위에 불균일한 뼈의 증가 같지만, 이러한 적은 골밀도 증가는 하나의 기관으로 볼 때 뼈조직의 골강도가 매우 높아져 전체적으로는 가해지는 하중에 잘 견디게 된다. 이러한 기계적인 하중을 잘 감지하고 처리하는 골세포는 어떠한 기작으로 제어하는지 아직 잘 알려져 있지 않다. 골세포의 특이 단백질로 알려진 E11, 스클레로스틴, PHEX, DMP1, FGF23, MEPE/OF45 등이 일정 역할을 할 것으로 본다. 골세포는 자신을 둘러싸고 있는 미세 환경을 잘 제어해야 생존과 기능수행이 가능하다. 골소관 주위 기질(perilacunar matrix)은 다른 곳과는 다르게 무기질 침착이 덜 되어 있어 필요한 공간이 확보되어 골세포의 기능수행에 문제가 없는 셈이다. 즉, 뼈에 가해지는 기계적 스트레스에 의해 발생하는 유체 전단응력(fluid flow shear stress)을 감지하여 골재형성을 통합 조절한다.

실제 오래된 뼈를 제거하고 새롭게 대체하는데 있어서 파골세포와 골세포의 역할을 뚜렷이 구분하여 연구된 적은 아직 없다. 다만 파골세포는 오래된 뼈를 더 선호하여 흡수하는 것으로 알려져 있고 골세포도 직접 골흡수 기능이 있다는 보고가 있다. 성숙 조골세포를 완전히 제거해도 골재형성에는 크게 지장이 없다. 이것은 조골전구세포나 골세포가 골재형성을 담당할 수 있기 때문일 것이다. 그러나 골세포가 실제 골재형성 주기에서 어느 정도 기여하는지 자세한 연구는 없는 실정이다. 최근 골조직에서 RANKL의 발현 장소가 비대연골세포, 조골세포를 포함하여 골세포에서도 대량으로 만들어진다는 사실이 밝혀져 파골세포 형성 및 활성에 골세포의 역할이 중요해졌다. 더구나 골세포가 스스로 골흡수를 할 수 있다는 사실은 골재형성 전반에 걸쳐서 골세포의 역할이 새롭게 재조명될 필요가 있음을 의미한다. 실제 골재형성을 주도하는 핵심 세포가 골세포일 가능성이 많다. 일단 미세골절이 있거나 오래된 뼈를 인지하고 정보를 제공해 주는 세포는 다름 아닌 골세포이다. 어떤 매개체를 이용하여 파골세포나 조골세포와 소통하는지 알려져 있지 않지만 조골세포와 파골세포처럼 간극연결이나 Ephrin 또는 Notch 신호전달계와 같은 세포와 세포의 직접적인 방법이나 확산 분비되는 전달 물질에 의하여 일어날 가능성이 있다.

골형성과 골흡수의 커플링 조절 인자

골재형성은 국소부위에서 각기 시간과 장소가 다르게 일어나는데 국소부위에 작용하는 국소 및 전신 조절 인자들의 작용이 중요하다. 커플링은 미리 골흡수가 된 부위에서 골형성이 일어남으로 조골전구세포를 흡수된 장소로 불러들이는 것이 중요하다. 커플링 조절은 크게 두 가지 방식으로 나눌 수 있다. 즉,

파골세포 유래 인자가 조절하는 것과 골흡수 시 골조직 유래 인자가 조절하는 것이다. 파골세포 유래 커플링 조절은 파골세포가 조골세포와 인접하여 막 단백질끼리 작용하는 것과 파골세포가 특정 인자를 분비하여 조절하는 것으로 구분할 수 있다. 세 가지 모두 골흡수와 골형성의 커플링 관계를 이루는 중요한 요소들이다(그림 1-5-4).

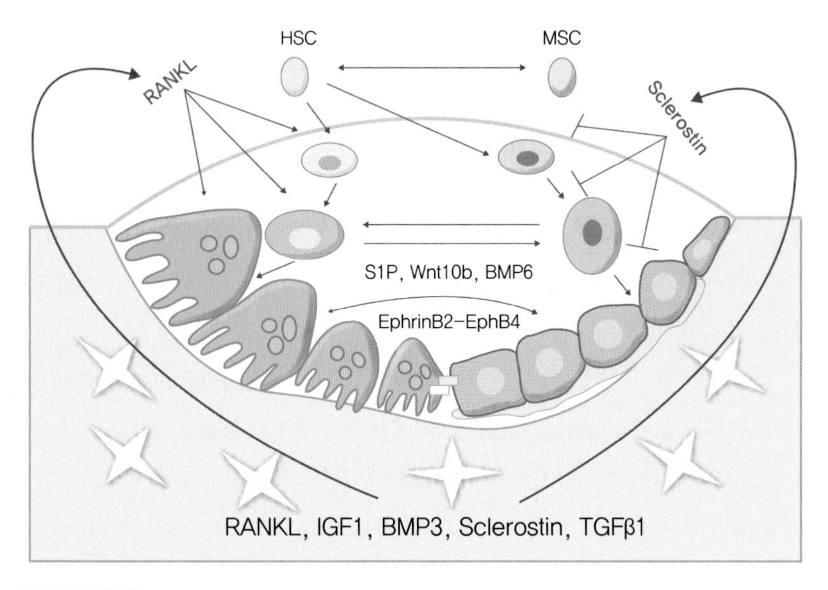

그림 1-5-4 ▸ 골재형성에 관여하는 커플링 인자들

커플링 인자들은 파골세포에서 유래된 것과, 골기질에서 유래된 것으로 나눌 수 있다. 파골세포에서 유래된 인자로는 S1P, Wnt10b, BMP6 등이 있고 골기질에서 유래된 것으로는 IGF1, BMP3, TGFβ1 등이 있다. 또한 파골세포와 조골세포의 직접적인 접촉을 매개하는 EphrinB2-EphB4도 알려져 있고, 최근에는 골세포에서 파골세포 형성 촉진자인 RANKL과 조골세포 분화및 기능 억제자인 스클레로스틴이 발현되어 골 재형성에 관여하는 것으로 밝혀졌다. HSC: hematopoietic stem cells, MSC: mesenchymal stem cells

첫째, 파골세포와 조골전구세포가 직접 접촉하여 세포-세포 신호 전달로 커플링 조절될 수 있다. 파골세포에서 발현하는 EphrinB2가 조골세포의 EphB4와 작용하여 쌍방으로 신호가 전달되어 파골세포의 활성이 억제되고 조골세포의 분화가 촉진 된다. 간극연결에서는 어떻게 되는지 좀 더 자세한 연구와 논의가 필요하다.

둘째, 파골세포에서 분비되는 인자가 조골전구세포를 부르는 주변분비(paracrine)방식을 들 수 있다. 파골세포 유래 Wnt10b, BMP6, S1P 등이 조골세포의 수나 활성을 증가시킨다. SHP2-Ras-MAPK신호경로가 불활성화된 생쥐에게서 파골세포 수와 골흡수, 골형성이 모두 증가하지만 골형성이 골흡수 보다 상대적으로 작아 골소실이 일어난다. 이는 난소를 절제한 쥐에게서 일어나는 양상과 비슷하다고 할 수 있다. 그러나 SHP2-Ras-MAPK 신호경로를 불활성화시킨 생쥐를 IL6$^{-/-}$ 생쥐와 교배하면 비슷하게 골흡수가 증가하지만 골형성의 증가는 일어나지 않는다. 따라서 골흡수 자체만으로는 골형성을 자극하지 못하고 활성화된 파골세포가 골형성을 자극하는데 필수적이며, 이는 아마도 IL6를 통한

작용이 아닌가 생각된다. $Opg^{-/-}$ 생쥐는 과다한 파골세포의 생성으로 심한 골다공증을 보이는 반면 골형성이 상당히 증가하는 것을 볼 수 있는데 이러한 현상은 골기질에서 유리된 성장인자들에 의한 것이라기보다는 파골세포에서 유래된 것이었다.

골화석증에서는 파골세포가 없거나 파골세포가 활성화되지 않기 때문에 골량이 증가한다. 대부분의 경우 커플링에 의한 골형성도 감소한다. 예로, $c\text{-}fos^{-/-}$ 생쥐는 파골세포를 생성할 수 없으므로 골흡수와 골형성이 모두 감소한다. 그러나 c-src 또는 Clc7 녹아웃 쥐는 골흡수는 감소하지만 골형성은 감소하지 않는다. 이 쥐들의 파골세포의 수는 오히려 증가한다. 비슷하게 Clc7 불활성 돌연변이에 의한 상염색체 우성 제 2형 골화석증 환자의 경우 골흡수는 감소되지만 골형성은 감소되지 않는다. 이는 파골세포가 산성화 상태를 만들지 못하기 때문에 골흡수가 일어나지 않지만 골형성에 필요한 어떤 물질 생성은 정상이라는 것을 뜻한다.

PTH가 골형성을 촉진하는 효과도 파골세포의 작용이 필요하여 이를 뒷받침한다. PTH의 골형성 촉진 작용기전은 두 가지로 설명된다. 하나는 조골전구세포의 분화를 촉진하고 또 다른 하나는 조골세포의 사멸을 억제하기 때문이다. 그런데 동물과 사람에게 PTH를 골흡수억제제인 에스트로겐이나 비스포스포네이트와 함께 쓰는 경우 PTH에 의한 골형성 촉진 작용이 현저히 감소되는 것으로 미루어 PTH의 골형성 촉진 작용에는 PTH에 의한 골흡수 촉진 작용이 반드시 필요하다는 것을 나타낸다.

셋째, 골흡수가 일어나는 동안 골기질로부터 유리되는 인자들이 커플링을 조절할 수 있다. 생체 내에서 골형성을 촉진하고 조골세포 증식을 촉진하는 많은 물질들이 골기질에서 추출되는데, 가장 잘 조사된 것이 TGFβ1로 조골전구세포를 오게 하고 조골세포분화를 촉진한다. 그 외, IGF1, IGF2, FGF, BMPs, PDGF 등이 있다. 이들은 골흡수시 유리되어 산성상태에서 활성화되면서 조골전구세포에 작용하여 골형성을 일으킨다고 생각된다. 그러나 골형성과 골흡수의 연계에서 이 인자들의 실질적인 역할에 대하여 여러 의문점들이 있다. 즉 세포들이 커플링 인자들을 어떤 환경에서 어떻게 생성하는지. 생체 내에서 커플링 인자들이 실제로 골형성을 촉진하는지, 그들이 골흡수시 기질로부터 유리될 수 있는지. 골재형성 국소 부위에서 이 인자들이 다량 증가하는 증거가 있는지, 이들이 활성화될 때의 조절 기전이 필요한지 등이다.

골량 유지는 커플링이 균형을 이루어 잘 유지될 때 가능하며, 커플링 기전이 붕괴되면 골량이 증가하거나 감소하게 된다. 성장기에는 골량이 지속적으로 증가하는데 주된 이유는 골흡수 보다 형성이 많기 때문인데, 여러 가지 전신적인 호르몬이나 국소 인자들이 작용한 결과이다. 반대로 커플링이 붕괴되어 골량이 감소되는 경우는 폐경 후 에스트로겐이 부족하거나, 노화, 암 환자에서 고칼슘혈증, 다발골수종 등과 같은 골질환이 생겼을 때 이다. 이런 경우는 여러 원인으로 골흡수가 골형성을 앞질러 원활한 커플링이 되지 않고 골흡수가 우세하여 나타난 현상이다.

골재형성 조절 인자

골재형성의 조절 인자들은 전통적으로 에스트로겐, 부갑상선호르몬, 1,25(OH)$_2$D, 칼시토닌과 같은 전신 호르몬과 여러 가지 국소 호르몬/시토카인 등으로 나눈다. 최근 골재형성을 통하여 뼈에서 나오는 특정 단백질들이 췌장이나 지방 조직 또는 신장에 영향을 주어 골 조직은 마치 호르몬을 생성하는 내분비 기관처럼 기능한다는 것이 알려졌다. 따라서 골조직 세포와 신경 세포간, 골조직 세포와 혈관을 이루는 내피세포간의 상호작용도 중요한 역할을 한다고 볼 수 있다. 골밀도가 낮을수록 혈관 석회화 가능성이 높아지는 것처럼 뼈와다른 여러 장기들이 밀접하게 연관되어 있어 뼈의 항상성 유지가 전신 건강에도 매우 중요함을 알 수 있다.

1. 전신 인자

1) PTH

PTH를 간헐적 혹은 지속적으로 투여하느냐에 따라 골형성과 골흡수를 모두 증가시키나 이와 같은 다른 결과에 대한 기전은 아직 잘 모른다. PTH에 의한 골량 증가는 조골세포의 활성증가와 조골세포 사멸 억제에 기인한다. 또한 PTH를 비스포스포네이트와 함께 처리하면 PTH에 의한 골량 증가 효과가 나타나지 않는 것으로 보아 이를 위해서는 파골세포의 활성이 필요함을 알 수 있다. 파골세포의 협력이 필요한 또 다른 증거로는 IGF1$^{-/-}$ 나 TGFβ1$^{-/-}$ 생쥐에서 PTH의 골량 증가 효과가 보이지 않는다는 점이다. IGF1 이나 TGFβ1은 보통 불활성 상태로 골기질에 존재하는데 파골세포의 활성으로 이들 인자들이 활성형으로 전환되어 골형성을 촉진하게 된다. PTH를 투여하면 조골세포에서 RANKL이 일시적으로 증가되는데 이것 때문에 파골세포가 짧은 기간에 활성화되어 PTH의 골량 증가 효과를 나타낸다는 것이다. 최근 연구에 의하면 이러한 두 가지 작용은 Runx2 표현의 조절을 통하여 나타나는 것으로 여겨진다. 왜냐하면 Runx2는 골형성에 필수적일 뿐 아니라 RANKL 발현도 조절하기 때문이다. 그러므로 파골세포 형성에 대한 PTH의 작용은 RANKL을 발현하는 조골세포계를 통한 간접 작용도 중요하다고 할 수 있다.

2) 1,25(OH)$_2$D

적당량의 1,25(OH)$_2$D는 골량을 정상적으로 유지하는데 매우 중요하고, 부족하면 구루병이나 골연화증을 초래하므로 적절한 농도 유지가 뼈 건강에 중요함을 알 수 있다. 일반적으로 1,25(OH)$_2$D는 성인에서 대체적으로 부족하며 적정량의 혈중 농도 유지는 골다공증 예방에 도움 된다고 알려져 있다. 1,25(OH)$_2$D는 파골세포 형성을 증가시켜 골흡수를 강하게 촉진한다. PTH처럼 파골세포 전구체의 분화와 융합을 촉진시키며, 이 과정은 조골계열세포의 RANKL을 통하여 간접적으로 작용하는 것으로 알려져 있다. 1,25(OH)$_2$D는 직접 성숙된 파골세포를 활성화시키기도 한다. 1,25(OH)$_2$D는 또한 강력한 면역 조절 물질로서 T 세포의 증식과 IL2의 생성을 억제한다. 어떤 환경에서는 단핵세포-대식세포로부터 IL1 생성을 촉진하기도 한다. 1,25$(OH)_2$D에 의한 골량 조절이 VDR을 매개한 것인지 알아본 결과 VDR이 제거된 생쥐의 저칼슘증을 식이로 회복하면 골량이 높아진다. 연골세포나 조골세포에서 VDR 기능 중 하나는 RANKL의 발현을 억제하는 것이다. 이와 같은 결과들은 1,25$(OH)_2$D의 파골세포 촉진 작용과 다른 것이다. 따라서 골흡수에 대한 1,25$(OH)_2$D의 작용은 여러 기전이 복잡하게 작용한 결과이다. VDR에 의존적인 기능과 비의존적인 생물학적 현상도 알려져 있어서 좀 더 자세한 연구가 필요하다.

3) 칼시토닌

칼시토닌은 파골세포에 의한 골흡수를 강력히 억제하는 폴리펩티드 호르몬이다. 하지만 이 작용은 일시적이며 칼시토닌을 지속적으로 처리하면 골흡수 억제작용은 없어진다. 이러한 일시적인 작용은 수용체에 대한 mRNA의 하향 조절에 의한 것으로 여겨진다. 칼시토닌은 파골세포막의 수축을 일으키며, 이는 골흡수 억제 능력과 비례한다. 또한 성숙 파골세포를 단핵세포로 분해한다. 아울러 파골전구세포의 증식과 분화를 억제함으로써 파골세포 형성을 억제하기도 한다. 파골세포에 대한 칼시토닌의 작용은 cAMP에 의해 매개된다.

2. 국소 인자

1) RANKL/OPG/RANK

RANKL/RANK 신호전달계는 파골세포 분화와 기능에 대한 깊이 있는 이해를 가능하게 한 리간드 및 수용체로서 파골세포 생물학의 핵심적인 역할을 담당하고 있다. 역사적으로 OPG가 단순히 TNF 수용체군 중 하나라는 이유로 연구가 되었는데, 과량 발현되는 형질 전환 동물에서 골화석증이 생겼고, 유전자를 제거하면 골다공증이 생겨 OPG가 작용하는 단백질을 찾게 되었다. OPG는 일종의 미끼 수용체로 파골세포에 핵심적인 RANKL의 기능을 억제하는 것으로 밝혀졌다. RANKL은 파골전구세포의 RANK 수용체에 결합하여 작용하는 세포막 리간드로 세포밖 카르복시-말단 부위로 구성된 분비된 형태도 있다. RANKL은 조골세포, 연골세포, 골세포, 혈관평활근 세포 등 다양한 곳에서 발현되며 RUNX2에 의하여 조절되는 것으로 알려졌다.

2) IL1

IL1에는 IL1α와 IL1β가 있고 같은 수용체를 통하여 작용하며 뼈에 대한 작용은 같다. IL1은 활성화된 단핵구세포, 조골세포, 암세포 등에서 분비된다. IL1은 강력한 파골세포 촉진제로서 파골세포의 형성과 분화의 모든 단계에서 작용한다. IL1의 작용은 RANKL을 통하여 일어날 수도 있다.

3) TNFα

폐경이 되면 여러 가지 사이토카인들의 혈중치가 높아지는데 그 중 하나가 TNFα이다. 실제 동물실험에서 난소 절제로 에스트로겐 결핍을 유도하면 T-임파구에서 TNFα 분비가 증가하고, T-임파구가 없는 쥐에서는 난소 절제로 인한 골소실이 예방된다. 또한 에스트로겐 결핍은 IFNγ와 IL7도 증가하는데 IL7이 IFNγ와 TNFα 생산 뿐 아니라 T-임파구의 억제자 중 하나인 TGFβ를 감소시켜 T-임파구의 증식을 촉진한다고 알려졌다. TNFα는 IL1과 함께 파골세포분화를 촉진할 수 있는 인자로 염증성 골소실에 많은 역할을 한다.

4) M-CSF

M-CSF는 기질 세포나 조골전구세포에 의하여 생성되며 정상적인 파골세포 형성에 반드시 필요하다. 따라서 M-CSF 생성이 안 되는 경우 파골세포의 생성도 잘 이루어지지 않아 골화석증이 초래된다. M-CSF는 RANKL과 함께 파골세포에 의한 골흡수를 일으킨다.

5) IL6

IL6는 정상적인 조골세포에서 PTH, 1,25$(OH)_2$D, IL1과 같은 골자극 물질에 의하여 발현되고 분비된다. 파골세포가 IL6를 가장 많이 분비하는 것으로 알려졌다. IL6는 IL1, TNFα 와 같은 시토카인 보다는 파골세포 형성에 약하게 작용한다.

6) TGFβ

TGFβ는 면역세포뿐 아니라 조골계열 세포에서 생성되며 골흡수 과정 중에 골기질에서 유리된다. TGFβ는 파골세포에 다양하게 작용하며, 이는 종에 따라서도 다르게 나타난다. 예로, 갓 태어난 생쥐 두개골을 이용하여 TGFβ를 투여하면 프로스타글란딘을 생성시키고 이로 인하여 골흡수가 증가된다. 그러나 쥐나 사람에게 TGFβ를 투여하면 파골세포 증식과 분화를 억제하여 골흡수를 방해하는 것으로 나타난다. 최근의 연구 결과에 의하면 내인성 TGFβ는 파골세포의 형성을 증가시키는 것으로 알려져 골 재형성에서 골흡수와 골형성 간의 커플링이 일어나는 기전이 TGFβ에 의한 것으로 설명되기도 한다. 즉 낮은 농도의 TGFβ가 골흡수를 증가시키고 골흡수 과정 중에 골 기질로부터 TGFβ가 계속 유리되어 어느 정도 높은 농도가 되면 파골세포의 작용을 억제한다. 동시에 다른 물질들과 함께 작용하여 조골세포를 활성화시켜 골형성을 증가시킨다.

3. 기타

1) 프로스타글란딘

프로스타글란딘은 종에 따라서 파골세포에 다양한 작용을 갖는다. 악성 종양이나 만성 염증에 관계되어 생기는 고칼슘혈증이나 증가된 골흡수에 관여하는 것으로 생각된다. 사람의 골흡수에 미치는 작용은 아직 불확실하다.

2) 류코트리엔

프로스타글란딘처럼 류코트리엔은 아라키도닉산 대사 물질로 파골세포에 의한 골흡수에 관여한다. 이는 아라키도닉산으로부터 5-리폭시지네이스(lipoxygenase) 효소에 의해 생성된다. 이들 중 몇 가지는 실험관내에서 파골세포를 활성화시키는 것으로 나타나며 거대세포종양에서 보이는 골흡수와 관련될 가능성도 있다. Alox5 유전자가 작용하지 않는 생쥐에서 피질골량이 증가한다.

3) 갑상선 호르몬

갑상선 호르몬은 장기배양에서 골흡수를 증가시킨다. 갑상선기능항진증 환자의 경우 골소실의 증가, 파골세포 활성의 증가, 고칼슘혈증이 관찰되기도 한다. 갑상선호르몬이 골흡수를 증가시키는 작용기전은 아직 잘 모른다. 갑상선 호르몬의 트랜스포터인 MCT8은 연골세포, 조골세포 및 파골세포에서 발현된다. 뼈에서는 TRα1이 주로 관여하고, 시상하부나 뇌하수체에서는 TRβ가 관여하는 것으로 알려졌다. 또한 골조직 세포에 TSH 수용체도 발현되어 TSH가 직접 작용할 수도 있어서 매우 복잡하게 조절된다.

4) 글루코코르티코이드

글루코코르티코이드는 골조직 세포들에 직접 작용하거나 신장, 장, 난소와 정소, 신경근육계에 영향을 미쳐 일어나는 간접적인 기전으로 작용한다. 글루코코르티코이드는 조골세포나 골세포의 기능을 억제하고 사멸을 촉진하는데, IGF1이나 TGFβ1의 생성을 억제하고 Dkk1이나 스클레로스틴 발현 증가로 Wnt 신호계도 억제한다. 글루코코르티코이드는 실험관 내에서 파골세포의 형성을 억제하고 장기배양에서 파골세포에 의한 골흡수를 억제한다. 그러나 생체에 글루코코르티코이드를 투여하면 파골세포의 수명이 늘어 골흡수를 증가시킨다. 또 글루코코르티코이드는 파골세포의 막주름형성을 억제하고 파골세포 특이적으로 글루코코르티코이드 수용체를 없애면 글루코코르티코이드 처리 후 나타나는 골형성 억제 기전이 사라져 파골세포를 통하여 조골세포 기능을 조절하는 것으로 알려졌다. 글루코코르티코이드가 뼈에 미치는 영향은 노출 시간에 따라 다소 다르게 나타나는데 초기에는 골흡수를 촉진하고 후기에는 파골세포를 경유하여 골형성을 억제하는 것으로 알려져 있다. 뼈에 대한 글루코코르티코이드의 자세한 기전은 좀 더 깊은 연구가 필요하다.

5) 에스트로겐

에스트로겐은 폐경 후 여성이나 남성에서도 부족시 골량 감소가 초래된다. 최근 에스트로겐의 뼈조직에 대한 작용 기전이 하나 둘씩 밝혀지고 있다. 에스트로겐 부족으로 파골세포 수명 연장, 조골세포와 골세포의 수명 단축으로 골재형성의 균형이 깨지게 된다. 또 한 에스트로겐이 부족하면 말초혈액의 단핵구 세포로부터 IL1, TNFα, IL6와 같은 골흡수 촉진 사이토카인의 생성을 증가시킴으로써 골흡수가 증가된다. 에스트로겐은 골수기질세포나 조골전구세포에 작용하여 OPG를 증가시키고 RANKL의 합성을 낮추어 파골세포 형성을 억제한다. 또한 간엽줄기세포에 작용하여 증식은 억제하지만 조골세포로의 분화는 촉진한다.

골절은 해면골 감소 뿐 아니라 피질골량의 감소도 중요한데, 에스트로겐 부족은 해면골과 피질골 모두에서 골량을 감소시키는 것으로 알려졌다. 에스트로겐에 의한 뼈의 건강은 전신적으로 작용하는 혈중 양도 중요하지만 국소 조직에서 만들어지는 양도 각 조직의 항상성 유지에 중요하다. 예로, 유방암 치료 시 남성호르몬에서 여성호르몬으로 전환시키는 아로마타제에 대한 억제제를 사용하는 경우 골량이 감소된다. 또한 조골세포에 아로마타제를 과발현하면 생쥐의 골량이 늘어난다. 즉, 조골세포가 직접 국소적으로 에스트로겐을 만들어 작용할 수 있고, 국소적인 에스트로겐 합성능은 골량 유지에 중요한 요소임을 나타낸다.

그러나 여성에서 폐경 전 30대 초반부터 해면골의 골량이 감소되는데 이는 에스트로겐 부족과는 상관없는 현상으로 아직 원인이 알려져 있지 않다. 최근 흥미롭게도 골형성을 억제하는 스클레로스틴 혈중 농도가 에스트로겐과 역상관 관계가 있는 것으로 보고되었는데 에스트로겐이 어떤 기전으로 스클레로스틴 양을 조절하는지, 혈중 스클레로스틴 치가 무엇을 의미하는지에 대한 자세한 연구가 필요하다.

6) 안드로겐

안드로겐은 근육과 골량 유지에 중요한 남성 호르몬으로, 남성이 여성보다 높은 골량을 보이는 이유는 안드로겐의 골량 증가 효과 때문이다. 안드로겐 수용체를 생쥐에서 제거하면 골량이 감소되는 것으로 보아 안드로겐 수용체가 골량 유지에 매우 중요함을 알 수 있다. 아울러 조골세포나 파골세포 모두 안드로겐 수용체가 존재하여 정확히 어떤 기전으로 골량을 유지하는지 더 연구가 필요하다.

(7) 약물

많은 약물들이 골흡수를 억제하여 악성 종양과 관련된 고칼슘혈증의 치료제로 이용된다. 플리카마이신, 칼리움 나이트레이트, 비스포스포네이트가 이에 속한다. 칼리움 나이트레이트나 플리카마이신은 파골세포에 독성을 나타내고, 파골전구세포의 증식을 억제한다. 비스포스포네이트는 골흡수가 증가하는 골다공증, 악성 종양과 연관된 고칼슘혈증, 파제트병의 치료제 쓰인다. 모든 비스포스포네이트는 결국 파골세포의 사멸을 일으키는데 작용기전은 구조에 따라 다르다. 질소 함유 비스포스포네이트는 메발로네이트 경로에 작용하는 farnesyl diphsophonate synthase를 억제하여 파골세포의 작용을 억제함으로써 사멸을 일으킨다. 반면에 질소를 함유하지 않은 비스포스포네이트는 세포 내 ATP에 결합하여 파골세포의 사멸을 초래한다. 그러나 비스포스포네이트는 턱뼈괴사(Osteonecrosis of Jaw)나 장골에서 비전형대퇴골골절을 유발하는 것으로 보고되고 있어 주의가 요구된다. 최근 골 재형성에 대한 심화된 이해를 바탕으로 파골세포의 생존을 유지하면서 흡수 기능만 저해하거나 조골세포의 기능을 촉진하는 방법으로 골다공증 치료제 개발이 활발하다. 파골세포 수소 이온 전달 저해제, 카텝신K 저해제, 인테그린 αVβ3 길항제, 스클레로스틴 항체, RANKL 항체 등 다양한 치료제가 개발되고 있고 골형성을 촉진하는 PTH는 임상에 사용되고 있다. 메발로네이트 경로는 골흡수 뿐 아니라 골형성에도 매우 중요한데, 스타틴과 같이 HMG-CoA reductase를 억제하는 약물은 BMP2의 발현을 증가시켜 골형성을 촉진한다.

참고문헌

1. Baron R, Ferrari S, and Russell RG. Denosumab and bisphosphnates: different mechanism of action and effects. Bone 2011;48:677-92.
2. Baron R, Rawadi G. Wnt signaling and the regulation of bone mass. Curr Osteoporosis Rep 2007;5:73-80.
3. Henriksen K, Neutzsky-Wulff AV, Bonewald LF, et al. Local communcation on and within bone controls bone remodeling. Bone 2009;44:1026-33.
4. Jeong JH, Choi JY. Interrelationship of Runx2 and estrogen pathway in skeletal tissues. BMB Rep 2011;44:613-8.
5. Karsenty G, Oury F. Biology without walls: The novel endocrinology of bone. Annu Rev Physiol 2012;74:87-105.
6. Khosla S, Melton LJ III, Riggs BL. The unitary model for estrogen deficiency and the pathogenesis of osteoporosis: is a revision needed? J Bone Miner Res 2011;26:441-51.
7. Manolagas SC, Parfitt AM. What old means to bone. Trends Endocrionol Metab 2010;21:369-74.
8. Martin T, Gool JH, Sims NA. Molecular mechani는 in coupling of bone formation to resorption. Crit Rev Eukaryot Gen Expr 2009;19:73-88.
9. Parfitt AM. Osteonal and hemi-osteonal remodeling: the spatial and temporal framework for signal traffic in adult human bone. J Cell Biochem 1994;55:273-86.
10. Parfitt AM. The mechanism of coupling: A role for the vasculature. Bone 2000; 26;319-23.
11. Pederson L, Ruan M, Westendorf JJ, Khosla S, and Oursler MJ. Regulation of bone formation by osteoclasts involves Wnt/BMP signaling and the chemokine sphingosine-1-phsophate. Proc Natl Acad Sci USA 2008;105;20764-9.
12. Rachner TD, Khosla S, and Hofbauer LC. Osteoporosis: now and the future. Lancet 2011;377:1276-87.

13. Robling AG, Castillo AB, and Turner CH. Biomechanical and molecular regulation of bone remodeling. Annu Rev Biomed Eng 2006;8:455-98.
14. Xiong J and O'Brien CA. Osteocyte RANKL: New insights into the control of bone remodeling. J Bone Miner Res 2012;27:499-505.
15. Zebaze RM, Ghasem-Zadeh A, Bohte A, Iuliano-Burns S, Mirams M, Price RI, Mackie EJ, and Seeman E. Intracortical remodelling and porosity in the distal radius and post-mortem femurs of women: a cross-sectional study. Lancet 2010;375:1729-36.

1-6 최대골량과 골소실

박일형

뼈는 신체부위에 따라 이십대 초 · 중반부터 삼십대 초반의 청장년 시기에 최대골량을 이루고, 그 후는 나이가 듦에 따라 점차 감소한다. 따라서 골다공증의 발생은 두가지 요소에 좌우된다.

첫째, 이십대에서 삼십대 초반에 완성되는 최대골량이 얼마나 높게 형성되었는가와 둘째, 나이가 들면서 진행되는 골소실, 특히 여성의 경우 폐경이후 급격히 증가되는 골소실의 정도가 얼마나 빠르게 진행하느냐에 좌우된다. 이와 같이 최대골량은 정상 성장과정에 의하여 형성되는 골량의 최고치를 의미하며, 골소실률과 함께 골다공증의 중요한 두 가지 형성인자 이다.

최근 골소실이 젊은 나이에서부터 시작된다는 일부 연구결과들이 발표되고 있으며 특히 척추이외의 뼈에서의 골소실은 20대 후반부터 시작된다는 연구결과가 주목되고 있다. 장년기에 발생하는 골다공증 및 이에 따른 골절의 위험 인자에 대해서는 많은 연구가 이루어져 왔으나 최대골량을 높이기 위한 요인들은 상대적으로 관심이 적은 편이었다. 그러나 최고 골량을 결정하는 요인들을 알게 되면 골다공증을 예방할 수 있을 뿐 아니라, 이미 골다공증이 발생한 경우에도 치료에 응용할 수 있다는 점에서 최근 연구가 점차 활발해 지고 있다.

최대골량이 중요한 이유

골밀도 측정을 통한 골량의 표준값을 살펴보면(그림 1-6-1~1-6-4) 인종, 성별, 신체조건에 관계없이 최대골량에 도달한 후 질병이 없는 상태에서의 골소실 비율은 일정함을 알 수 있다. 결국 사춘기를 전후한 급격한 성장기간 동안 골량 역시 최대한 높혀 두어야 함을 알수 있다. 반면 최대골량에 이른 후의 골소실은 체적지수와 신체지방비율등과 깊은 관련이 있다.

골량의 형성 과정

1. 태아기의 골대사

태아에 필요한 칼슘, 인, 마그네슘은 모체에서 제대혈로 능동적으로 운반되며 비타민D는 25(OH)D의 형태로 태반을 통해 태아에게 전해지며 신장에서 1α-수산화 과정을 거쳐 활성형 비타민D로 전환되어 이용되게 된다.

태아에서는 골흡수에 관여하는 부갑상선호르몬의 농도는 낮게 유지되는 반면에 부갑상선호르몬의 길항제 역할을 하는 칼시토닌은 증가되어 있는데 태아의 갑상선에는 성인에서 보다 10배 이상 많은 C-세포가 존재한다. 이와 같이 태아에서는 칼슘 대사에 관여하는 호르몬의 상태가 골흡수를 억제하는 방향으로 맞추어져 있으며 태반유선자극호르몬에 의해 태아의 간에서 생성되는 IGF1은 골의 성장을 자극하고 골량을 증가시키게 된다. 한편 모체로부터 공급받는 높은 농도의 에스트로겐도 골량 증가에 기여하게 된다. 이러한 호르몬 및 무기질 균형으로 결국 골량의 증가가 일어난다.

2. 영유아기 및 소아기의 골대사

출생 직후에는 태반이 제거됨에 따라 일시적으로 저칼슘혈증이 나타나고 이에 반응하여 첫 48시간 동안 부갑상선호르몬의 분비와 비타민D의 농도도 증가한다. 칼시토닌도 출생 직후 글루카곤과 카테콜라민의 자극에 의해 생후 12시간에 최고로 증가하였다가 1주일 경에 감소한다. 에스트로겐은 모체 순환으로부터의 공급이 차단됨에 따라 감소하나 생후 수주일 내에 자체적으로 에스트로겐과 안드로겐을 생산하게된다.

소아에서 부갑상선호르몬과 1,25$(OH)_2$D의 양은 성인에서와 비슷하다. 저농도의 부갑상선호르몬이 골량의 증가에 기여한다는 것을 고려할 때 비타민D의 상승을 동반하지 않는 정도의 부갑상선호르몬의 존재는 골량 증가를 위해 필요할 것으로 추측되며 성장호르몬과 IGF1의 증가 역시 골량의 증가와 골의 성장에 기여하는 것으로 알려져 있다. 골흡수 및 골형성을 반영하는 생화학적 표지자는 모두 성인에 비해 2배가량 증가되어 있다가 사춘기 이후에는 감소하게 된다.

장관을 통한 칼슘의 흡수는 연령에 따른 골대사 정도와 밀접한 연관을 갖고 조절되는데 영아기나 청년기와 같이 빠른 골량의 증가가 있는 시기에는 칼슘의 흡수율이 증가하고 소아기나 성인에서와 같이 비교적 골대사가 활발하지 않은 시기에는 흡수율이 감소한다. 칼슘 균형 유지에서 신장에 의한 조절 기능이 큰역할을 하지 않는다는 점을 고려할 때 장관에서의 칼슘 흡수 조절은 결국 체내 칼슘 균형에 직접적인 영향을 미치게 되며 이는 1,25$(OH)_2$D에 의해 조절될 것으로 생각되고 있다.

소아에서 골량의 증가는 연령의 증가와는 직접 상관관계가 없으나 체중($r=0.75$) 및 키($r=0.60$)와는 상관관계를 보이고 성별에 의한 차이는 5~6세 경부터 나타난다고 한다.

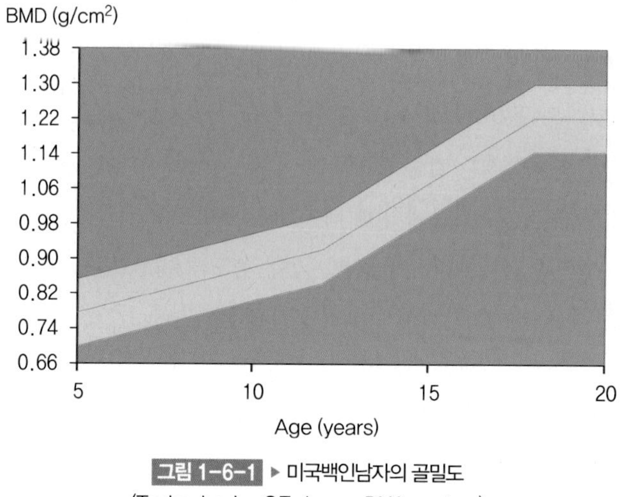

그림 1-6-1 ▸ 미국백인남자의 골밀도
(Today body, GE-Lunar DXA system)

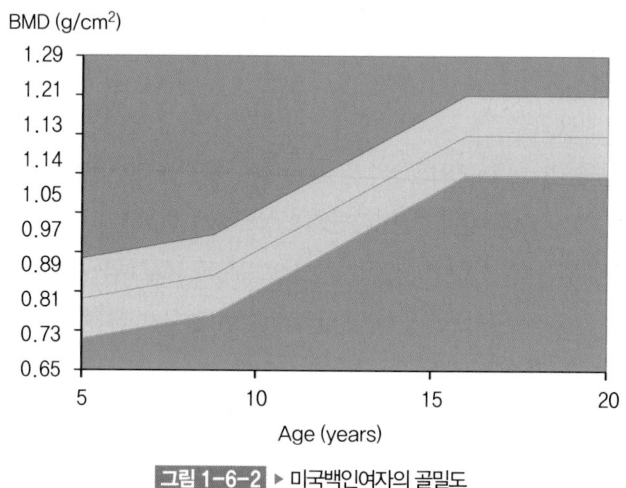

그림 1-6-2 ▸ 미국백인여자의 골밀도
(Today body, GE-Lunar DXA system)

3. 사춘기의 골대사

사춘기 동안에는 칼시트리올의 혈중 농도 상승과 콩팥에서의 인 재흡수 증가에 따라 혈중인의 농도도 증가한다. 이와 같이 칼시트리올의 생성과 인의 재흡수를 동시에 상승시키는 데는 IGF1이 중요한 역할을 한다는 것이 최근 밝혀졌다. 실제로 혈중 IGF1, 칼시트리올, 혈청 인의 농도는 알칼리인산분해효소, 오스테오칼신의 농도와 상관관계가 좋은 것으로 나타나는데, 이에 비해 성선호르몬이나 부신의 안드로젠 등은 골량 증가와 상관관계를 보이지 않는다.

출생 후부터 6세경 까지는 남녀간에 골량이나 골밀도에 있어서 차이가 없다. 다만 남아는 6세이후에도 계속 일정한 비율로 골량이 증가되다가 사춘기 이후에 급격히 증가하는 반면, 여아는 사춘기가 되기 전부터 골량의 급격한 증가가 시작된다(그림 1-6-1, 1-6-2).

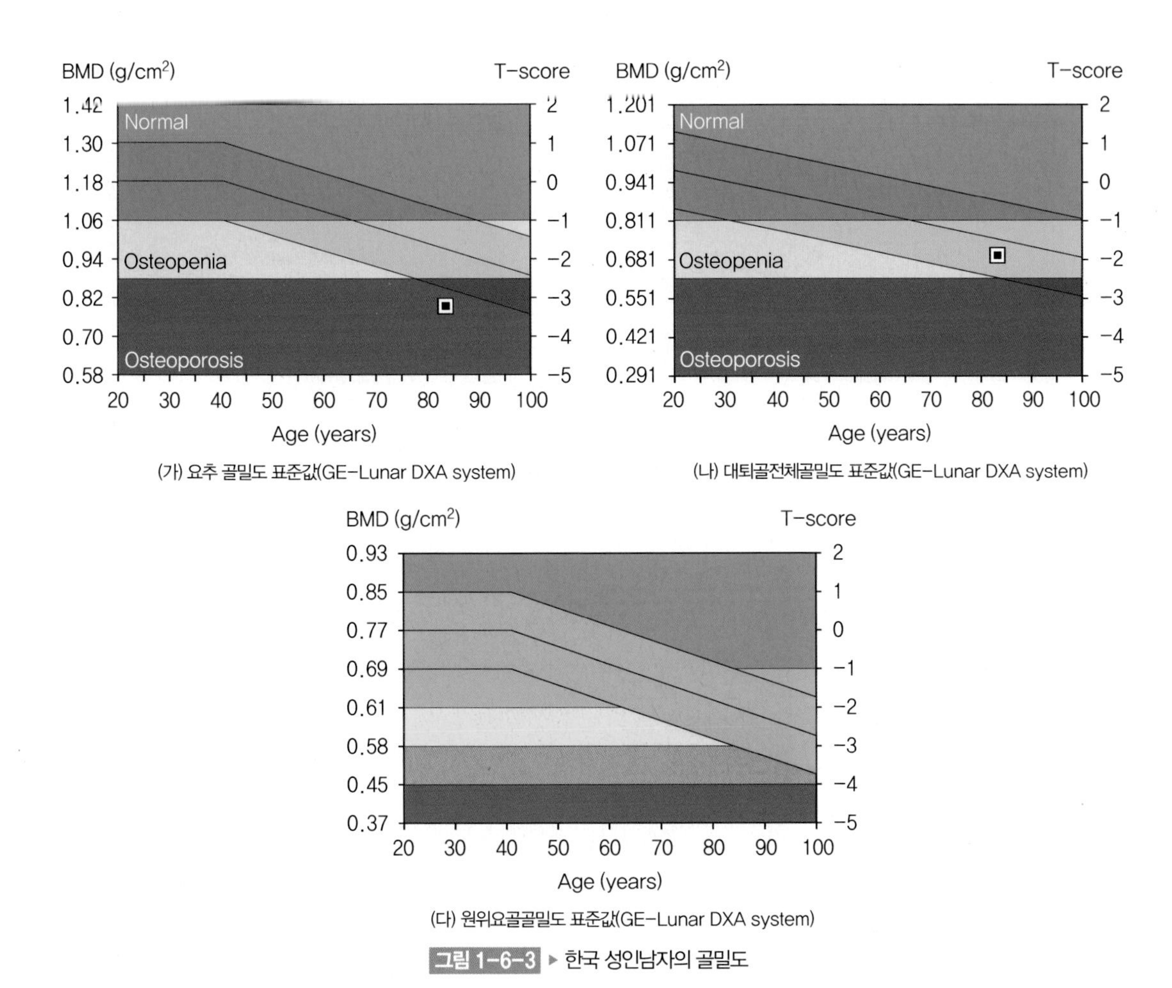

(가) 요추 골밀도 표준값(GE-Lunar DXA system)

(나) 대퇴골전체골밀도 표준값(GE-Lunar DXA system)

(다) 원위요골골밀도 표준값(GE-Lunar DXA system)

그림 1-6-3 ▶ 한국 성인남자의 골밀도

사춘기에 이르러서는 골의 크기가 남성에서 여성보다 더 커지게 되는데 이는 주로 피질골의 두께가 더 두꺼워지기 때문이다. 이에 따라 단위 면적 당 골밀도인 BMD (g/cm^2)는 남성에서 더 크게 되지만 QCT를 이용해 측정한 단위 부피당의 골밀도(g/cm^3)는 별로 차이가 나지 않는다. 사춘기 동안의 성장이 끝난 후 남성의 골밀도가 여성에 비해 큰 이유는 남성에서 골량의 증가율이 여성과 비교하여 더 크기 때문이 아니라 골량의 증가를 이루는 기간이 더 길기 때문인 것으로 생각된다. 실제로 여성에서는 11세부터 14세까지 3년간에 걸쳐 급격한 골량의 증가가 일어나는데 반해 남성에서는 13세에 시작하여 17세까지 4년간에 걸쳐 골량이 급격히 증가하게 된다(그림 1-6-1, 1-6-2). 흥미로운 것은 사춘기 이전까지 척추와 대퇴골에서의 골량 증가는 신장(키)과 밀접한 관련이 있지만 사춘기 이후에는 이 관계가 소실된다는 점이다. 이는 골량을 결정하는 인자들 중 일부는 신장(키)의 증가와는 전혀 관계가 없을 가능성을 시사한다고 하겠다. 한편 키가 급격히 자라는 시기에는 외상에 의한 골절의 발생률도 높은 것으로 알려져 있는데, 이는 주로 각종 위험을 동반한 육체활동이 이 시기에 왕성하기 때문이기도 하지만 키가 급격히 자람에 따라 피질골의 다공성(porosity) 증가도 일부 기여할 가능성이 있다고 하겠다.

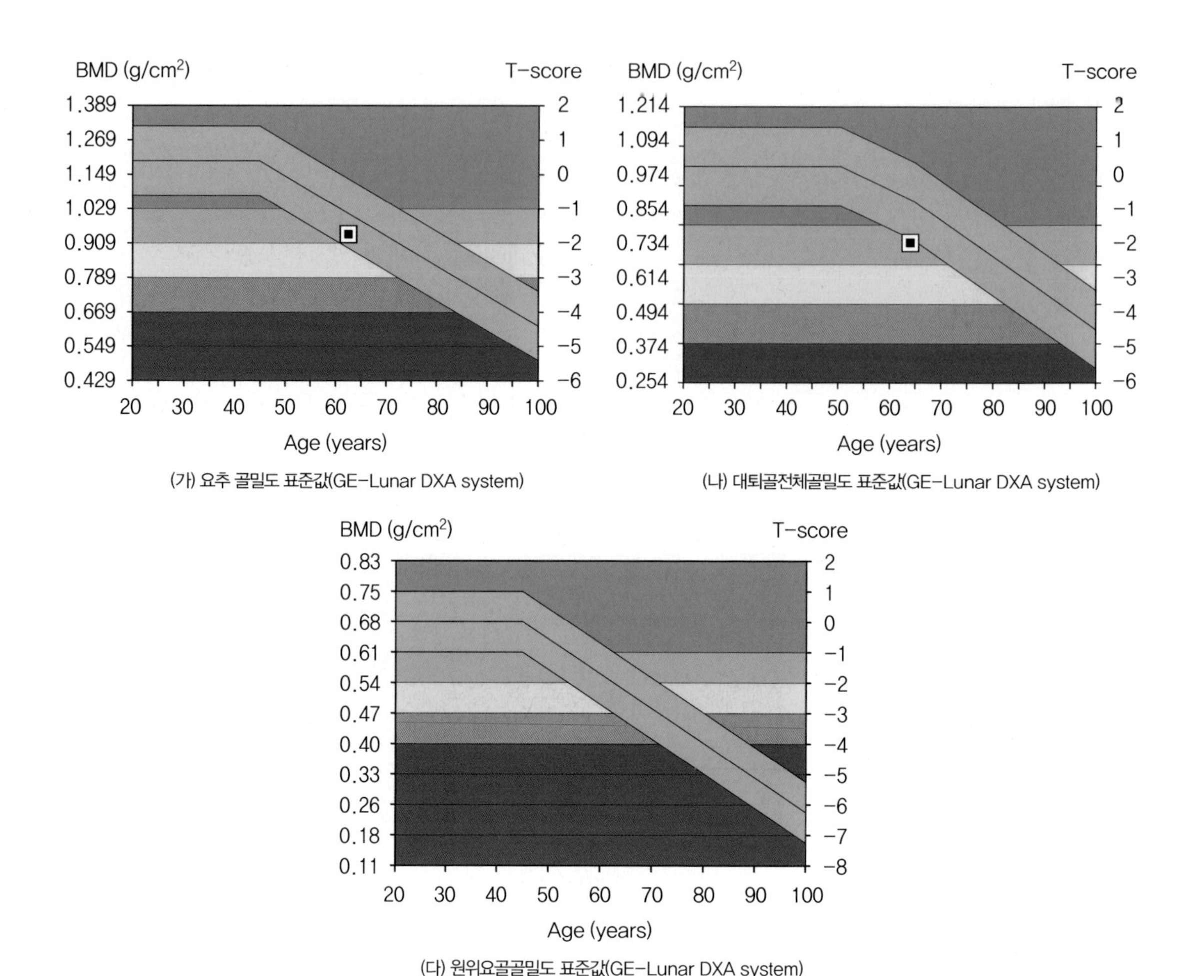

(가) 요추 골밀도 표준값(GE-Lunar DXA system)

(나) 대퇴골전체골밀도 표준값(GE-Lunar DXA system)

(다) 원위요골골밀도 표준값(GE-Lunar DXA system)

그림 1-6-4 ▶ 한국 성인여자의 골밀도

사춘기 이후의 골량 증가를 관찰한 연구에 따르면 여성에서는 골량의 증가가 초경 이후 급격히 감소하여 17~20세 사이에는 거의 증가가 관찰되지 않는다고 한다. 남성에서도 13~17세 사이에 골량의 증가가 두드러지다가 이후에는 급격히 감소하는데 여성과는 달리 17~20세 사이에도 의미 있는 골량의 증가가 계속된다고 한다. 이러한 소위 경화(consolidation)의 차이가 남녀간의 최대골밀도의 차이를 가져오는 것으로 해석된다. 한편 최대골량 도달 후에도 골 내막 측에서의 골흡수와 이에 반응하여 일어나는 골 외막 측에서의 골형성에 의해 골의 외경이 증가하는데 이는 외형상의 차이일 뿐 절대적인 골량이 증가하는 것은 아니다. 그러나 뼈는 내경이 증가하면 골절에 저항하는 힘이 급격히 증가하므로 이는 매우 중요한 변화라 하겠다.

최근 발표된 대규모 국내연구결과에 의하면 최대골밀도 시기를 전후한 젊은 시절부터 골소실이 시작됨이 밝혀지고 있다. DXA로 측정한 한국인 요추골밀도는 남녀 모두에서 젊은 시절부터 점진적으로 감소하는 것으로 나타났으나, 대퇴근위부의 골소실은 부위와 남녀에 따른 차이가 있다고 한다. 남자에서는 대퇴경부의 골밀도는 최대골량 이후 서서히 점진적인 감소를 보였으나, 여성의 대퇴경부와 남녀 모두의 대퇴골전체골밀도는 20대 후반과 40대 후반에서의 2번의 가속된 골소실 양상을 보였고, 50세 이전에 이미 60%에 달하는 골소실이 발생한다고 하였다.

최대골량과 골소실의 결정인자

1. 성별 및 인종

최대골량은 남성이 여성보다 높다. 사춘기까지는 남녀가 비슷한 비율로 골량이 증가되나 사춘기 이후에는 남자가 여자보다 많은 골량을 형성한다. 흑인여성은 백인여성보다 최대골량이 높은데 원인은 밝혀지지 않았다. 흑인여성과 백인여성은 어린 시절부터 골량의 차이가 있다.

2. 호르몬의 영향

여성호르몬은 최대골량에 영향을 준다. 초경이 빠르거나, 경구피임약을 먹는 여성은 골밀도가 높은 경향이 있으며, 극심한 저체중이거나 과도한 운동을 하는 여성은 생리가 없거나 중지되면서 골밀도가 감소하는 경향이 있다.

3. 유전적 요인

1) 쌍둥이 연구와 가족 연구

쌍둥이들을 대상으로 요골 중앙부에서 단광자흡수법으로 골밀도를 측정하였을 때, 이란성 쌍둥이에서 일란성 쌍둥이에 비해 쌍둥이 사이의 골밀도 차이가 더 크게 나타나며, 중수골 형태계측술(metacarpal morphometry)을 이용한 연구에서는 골밀도 결정인자로서 유전적 소인이 차지하는 비중이 70~80%에 이른다고 보고되고 있다. 이중에너지X-선흡수계측법을 이용하여 척추와 고관절의 골밀도를 분석한 연구에서는 일란성 쌍둥이에서의 골밀도 일치율이 0.92 이었던 것에 비해 이란성 쌍둥이에서의 일치율은 0.36으로 유전적 소인이 중요한 역할을 하고 있음이 알려졌다. 또한 이들 연구에서는 유전적 소인의 영향이 대퇴골이나 요골 근위부에서 보다 요추부위에서 더 강하게 나타났는데 이는 환경인자의 영향이 골격부위에 따라 다르게 나타난다는 사실을 시사하는 결과이다.

가족 내에서의 골밀도 차이를 조사한 연구에서도 부모-자식간에 골밀도와 혈청 칼슘 농도의 일치율이 높음이 보고 되었고 골다공증 환자의 젊고 건강한 친척에서도 골다공증의 가족력이 없는 군과 비교하여 골밀도가 감소되어 있음이 보고 된 바 있다.

2) 비타민D 수용체 유전자의 다형성

호주에서 백인 쌍둥이 및 인구집단 연구에서 비타민D 수용체 BsmI 다형성이 유전적으로 골량 형성에 관여하는 비율이 약 75%까지 된다고 발표하여, 비타민D 수용체 다형성과 골밀도가 밀접한 상관관계에 있다고 하였다. 그러나 그 후 발표된 연구들의 결과는 일치되지 않고 있다. 여러 연구결과를 종합해 보면 비타민D 수용체 유전자의 BB형이 bb형에 비하여 골밀도가 2%정도 낮다고 하였으나, 이는 폐경 후 2년 정도의 골소실율에 불과하고, 이러한 결과마저도 연구대상에 따라 다소 상이하므로 결국 비타민D 수용체 유전자가 골량을 결정하는 중요한 유전적인 지표라는 초기 주장들은 현재로서는 상당부분 부정되고 있다.

3) 그 외 최근에 밝혀진 유전적 소인들

일본의 동경대 연구팀은 폐경 후 여성에서 에스트로겐 수용체의 PvuII 및 XbaI 다형성을 조사하여 PPxx유전자형이 낮은 골밀도와 연관이 있음을 보고하였다. 그러나 호주의 Qi 등은 오히려 pp유전자형이 낮은 골밀도와 연관이 있음을 보고하였고, 국내연구에서 한등은 한국 여성에서 폐경 전, 갱년기, 폐경 후 여성군을 대상으로 골밀도나 골대사 지표와 의미 있는 연관관계를 찾을 수 없었고, 또한 폐경 후 여성을 호르몬 대체요법을 하여 일년간을 관찰하였을 때 의미 있는 골밀도 및 골대사 지표 등의 변화를 관찰할 수 없었다고 보고하였다. 최근 동경대 연구팀은 폐경 전, 폐경 후 여성들을 대상으로 하여 이번에는 Xx 유전자형이 폐경 전 여성에서만 의미 있게 골밀도와 관계가 있다고 다시 주장하여 논란이 예상된다.

그 외에도 여러 시토카인, 호르몬 수용체, 콜라겐 유전자 등이 골다공증과 연관되는 유전적 기전으로 주목되고 있으나 아직 확실히 증명된 연구는 없다. 현재까지의 여러 연구 결과들을 종합하여 볼 때 골다공증은 아마도 여러 유전자들이 복합적으로 영향을 미치는 다유전자 질환으로 여겨지고 있다. 즉 각각의 유전자는 매우 적은 효과를 내면서 이러한 유전자들이 연결되어 복합, 상승효과를 나타내는 것으로 추측된다.

4) 골재형성 과정의 조절

혈청 오스테오칼신 농도는 80%가 유전적 소인에 의해 결정된다고 하며 골흡수의 지표가 되는 콜라겐 분해산물의 농도도 유전적 소인에 의해 결정된다는 사실이 보고 된 바 있다. 이는 유전적 소인이 골밀도에 미치는 영향이 골의 재형성 과정을 통해서도 이루어짐을 시사한다.

라. 환경적 요인

1) 생활습관

청소년기의 흡연은 골밀도를 감소시킨다. 실내 위주의 생활도 최대골량이 감소하고 뼈 감소를 촉진시킨다는 연구가 있다. 음주가 뼈에 미치는 영향은 확실하지 않으나 과도한 음주는 골밀도를 감소시키고 청소년기의 음주는 뼈 건강에 좋지 않다는 보고도 있다.

2) 칼슘 및 비타민D 섭취

영아기 에는 모유, 우유 또는 식물성 유제품으로부터 뼈 발달에 필요한 무기질을 섭취하게 된다. 모유는 칼슘과 인의 함량이 비교적 적은 편이지만(칼슘 300 mg/L, 인 150 mg/L) 위장관 흡수율이 높으며 우유와 두유는 반대로 무기질의 함량은 많으나 흡수율이 낮아 결국 실제로 흡수되는 양은 세가지가 비슷한 것으로 알려져 있다.

영유아기 및 소아기에서도 비타민D는 주로 태양광선 조사에 의해 합성되며 여러 식품에 비타민D가 첨가되어 있어 식품을 통해 보충된다. 비타민D 부족을 예방하기 위해 모든 영아식품에는 비타민D를 첨가하도록 되어 있다. 모유에는 비타민D와 25(OH)D가 거의 같은 정도로 포함되어 있는데 모유를 통해 공급할 수 있는 비타민D의 양은 일일 100~200 IU를 넘지 못한다. 신장에서의 1α-수산화 과정은 태아기에서부터 시작되나 간에서의 25-수산화 과정은 출생 후에 시작되는 것으로 알려져 있다.

골량은 태아기에 매우 급속히 증가하다가 생후 6개월에 증가세가 둔화되며 이후에는 1년을 넘길 때까지 꾸준히 증가하게 되는데 이와 같이 낮은 속도의 증가는 장골에 대한 체중 부하가 시작되면서 골재형성이 일어나기 때문으로 풀이된다.

칼슘의 섭취량과 골밀도의 상관관계에 대해서는 많은 연구 결과가 있으나 일치하지 않는 점이 많다. 여러 연구 결과를 종합할 때 칼슘 섭취량에는 두개의 역치가 존재하는 것으로 보인다. 즉, 대개 400~500 mg 정도의 낮은 범위에서는 칼슘섭취와 골량 증가 사이에 의미 있는 상관관계가 관찰되고 1600 mg 정도로 높은 경우에도 둘 사이에 상관관계를 찾을 수 있으나 그 중간에서는 의미 있는 관계가 없다는 것이다. 흥미로운 것은 사춘기 혹은 그 이후에 칼슘을 투여한 경우에는 의미 있는 골밀도의 증가가 관찰되지 않은 반면 사춘기 전에 칼슘을 투여한 경우 의미 있는 증가가 관찰된다는 점이다. 이는 일단 사춘기에 접어들면 호르몬 변화가 골밀도에 미치는 효과가 너무 커서 칼슘 섭취의 차이에 의한 효과가 드러나지 않기 때문으로 풀이된다. 또한 칼슘 섭취에 대한 골밀도의 반응은 골격부위에 따라서도 다르게 나타나 요골간부와 같이 피질골로 구성된 장골에서는 상관관계가 관찰되지만 척추의 해면골이나 대퇴부위에서는 의미 있는 상관관계가 관찰되지 않는다고 한다.

3) 육체적 활동

소아기나 사춘기의 육체적 활동량이 최대골량에 미치는 영향에 대해서는 논란이 많았지만 최근에는 점차 상관관계가 있는 것으로 밝혀지고 있다. 따라서 최대골량을 증가시키기 위해 청소년기에 운동을 권장하고, 장년 이후에는 골소실을 줄이기 위해서 규칙적 운동이 강조되고 있다. 최대골량에 도달한 30대 이후에도 규칙적인 운동을 하는 남녀는 그렇지 않은 사람보다 골소실이 적다는 연구도 있다.

북구 유럽에서 미국으로 이민간 가족에 대한 최근의 골다공증 역학조사에 따르면 상대적으로 육체적 활동량이 적은 미국식 생활에 적응된 가족에서는 북구유럽에 남은 인척에 비해서 체중은 더 무거웠지만 최대골량은 낮고, 골다공증 이환율이 높았다고 한다. 이는 체중증가가 대개 골밀도 증가와 비례함을 고려해 볼때 운동량이 골량 형성에 매우 중요함을 보여준다. 저자의 동물 연구에서도 운동만 시킨 경우에서 골다공증치료약제만 투여한 경우보다 골밀도증가는 낮았지만 형태학적 계측 및 최대 골절저항력은 오히려 더 증가되어 나타났다. 이는 골량과 함께 골질이 강조되면서, 골절 저항에는 골질도 중요함이 밝혀지는 요즘의 연구 결과들과 같은 맥락으로 인식된다.

일반적으로 강한 저항성 운동(근력강화운동, 달리기, 줄넘기 등)은 피질골의 내경을 크게 하고, 해면골의 골소주를 증가시키는 반면, 약한 강도의 운동(걷기, 가벼운 조깅, 등산 등)은 피질골과 골소주의의 두께만 다소 증가시킨다고 보고되고 있다. 체중부하가 없는 운동(예; 수영 등)은 골량 증가에 도움이 되지 않는다고 생각하기 쉽지만 동물실험에서는 가벼운 저항 운동과 비슷한 효과가 입증되고 있다. 이는 근육활동을 통한 이차적인 뼈의 압박 자극 효과로 짐작된다. 체중이 부하되는 운동, 즉, 걷기, 가벼운 등산, 달리기, 계단 오르기, 테니스, 스포츠댄스, 근육강화 헬스운동 등이 뼈에 좋은 운동들이다.

4) 단백질 섭취

여러 임상 연구에서 단백질 섭취와 골량과의 상관관계를 보고하고 있으나 실제로 그 인과관계를 정확히 규명하기는 어렵다. 실험동물에서 단백질 섭취를 제한한 경우에 골연화증은 동반되지 않으나 골량의 감소와 강도의 소실을 가져왔다고 보고 되고 있다. 낮은 단백질 섭취가 골의 구조 유지에 악영향을 미치는 기전으로는 IGF1의 생성을 억제하기 때문으로 이해되고 있다. 단백질 섭취를 제한하는 경우, 간에서 성장호르몬에 대한 저항성이 나타나 IGF1의 생성이 억제된다고 한다. IGF1은 신장에서 인의 재흡수를 촉진시키고 칼시트리올의 생성을 증가시키며 성장판 연골세포의 증식과 분화를 촉진시키는 동시에 장골의 골막하 골형성을 자극하여 골의 외경을 증가시키는 역할을 한다. 따라서 단백질 결핍에 의해 IGF1의 생성이 억제된다면 골의 길이 성장뿐만 아니라 횡적인 증가도 억제될 것이다.

이러한 사실들로 미루어 볼 때 단백질 섭취와 골량과의 상관관계가 존재하는 것으로 생각되지만 사회여건상 어느 정도의 균형식사가 보장된 생활에서는 충분한 영양공급이 이루어지므로 단백질 섭취의 경미한 차이가 골량에 미치는 영향에 대해서는 장기간의 전향적인 연구가 필요하다.

참고문헌

1. American Society of Bone and Mineral Research. Osteoporosis, Fundamentals of clinical practice, 3rd Ed. 1996:71-88.
2. American Society of Bone and Mineral Research. Primer on the metabolic bone diseases and disorders of mineral metabolism. 4th Ed. 1999:262-72.
3. Anon. Consensus development conference: diagnosis, prophylaxis and treatment of osteoporosis. Am J Med 1993;94:646-50.

4. Bonjour JP, Theintz G, Buchs B, et al. Critical years and stages of puberty for spinal and femoral bone mass accumulation during adolescence. J Clin Endocrinol Metab 1991;73:555-63.

5. Christian JC, Yu PL, Slemenda CW, et al. Heritability of bone mass: a longitudinal study in aging male twins. Am J Hum Genet 1989;44:429-33.

6. Cooper GS, Umbach DM. Are vitamin D receptor polymorphisms associated with bone mineral density? A meta-analysis. J Bone Miner Res 1996;11:1841-9.

7. Dalsky GP. The role of exercise in the prevention of osteoporosis. Compr Ther 1989;15:30-7.

8. Gilsanz V, Gibbens DT, Carlson M, et al. Peak trabecular vertebral density: a comparision of adolescent and adult females. Calcif Tissue Int 1988;43:260-2.

9. Gilsanz V, Gibbens DT, Roe TF, et al. Vertebral bone density in children: effect of puberty. Radiology 1988;166:847-50.

10. Halioua L, Anderson JJ. Age and anthropometric determinants of radial bone mass in premenopausal Caucasian women: a cross-sectional study. Osteoporosis Int 1990;1:50-5.

11. Han KO, Moon IG, Kang YS, et al. Nonassociation of estrogen receptor genotypes with bone mineral density and estrogen responsiveness to hormone replacement therapy in Korean postmenopausal women. J Clin Endocrinol Metab 1997;82:.991-5.

12. Johnston CC Jr, Miller JZ, Slemdenda CW, et al. Calcium supplementation and increases in bone mineral density in children. New Engl J Med 1992;327:82-7.

13. Kobayashi S, Inoue S, Hosoi T, et al. Association of bone mineral density with polymorphism of the estrogen receptor gene. J Bone Miner Res 1996;11:306-11.

14. Lee EY, Kim D, Kim KM, et al. Age-Related Bone Mineral Density Patterns in Koreans (KNHANES IV). J Clin Endocrinol Metab 2012;97:3310-8

15. Matkovic V, Jelic T, Warklaw GM, et al. Timing of peak bone mass in Caucasian females and its implication for the prevention of osteoporosis. J Clin Invest 1994;93:799-808.

16. Mizunuma H, Hosoi T, Okano H, et al. Estrogen receptor gene poylmorphism and bone mineral density at the lumbar spine of pre-and postmenopausal women. Bone 1997;21:379-83.

17. Morrison NA, Qi JC, Tokita A, et al. Prediction of bone density from vitamin D receptor alleles. Nature 1994;367:284-7.

18. Smith DM, Nance WE, Kang KW, et al. Genetic factors in determining bone mass. J Clin Invest 1973;52:2800-8.

제2장

골다공증 평가

Osteoporosis

2-1 골강도의 개념과 평가방법

김유미

임상적으로 골다공증 진단시 1994년 제시된 골밀도를 이용한 WHO의 정의를 가장 많이 활용한다. 이는 골다공증을 요추 또는 대퇴골골밀도 T-값이 -2.5 이하로 정의한 것으로 WHO의 정의만으로 골다공증을 정확히 진단하기에 몇 가지 제한점들이 있다. 약 20만 명의 폐경후 여성을 대상으로 시행한 대규모 연구인 NORA (National Osteoporosis Risk Assessment)에 의하면 연구 시작 1년 후 새로 발생한 골절을 분석한 결과 골다공증에서 골절 비율이 가장 높았으나 절대 수로 평가할 때 새로 발생한 골절의 80% 이상에서 T-값이 골다공증 기준인 -2.5보다 높은 것으로 나타났다. 즉, 골밀도 감소가 상대적으로 적은 골감소증군에서의 절대 골절 발생률이 더 높았다. 따라서 T-값을 이용한 WHO의 정의만으로는 골절 예측에 한계가 있다. 이를 극복하기 위하여 2000년 NIH에서는 골다공증을 '골강도의 약화로 골절의 위험성이 증가하게 되는 골격계 질환'으로 새롭게 규정하였다. 이에 본 장에서는 골강도의 개념과 골강도 측정방법에 대하여 알아보고자 한다.

골강도의 개념

NIH의 골다공증 정의는 골절위험성을 결정하는 데에 골강도가 중요한 개념이며 골량(quantity)뿐만 아니라 골질(quality)도 평가되어야 함을 강조하고 있다. 골강도는 뼈가 골절에 대해 변형되고 저항할 수 있는 능력으로 골량과 골질에 의해 결정된다. 골량은 주로 골밀도로 표현되고 골질은 그 밖의 다양한 요소로 구성된다. 실제로 비스포스포네이트의 골절 감소 효과는 골밀도의 증가뿐만 아니라 골질의 개선, 즉 골 미세구조의 개선에 의한 골강도의 증가에 기인한다는 여러 연구가 있다.

뼈가 골절에 대해 변형 및 저항할 수 있는 능력은 골량과 크기, 골량의 공간적 분포(형상 및 미세구조), 및 뼈를 구성하고 있는 물질의 고유 특성에 따라 결정된다. 골질은 크게 구조적 성질(structural property)과 물질적 성질(material property)로 나눌 수 있다. 구조적 성질은 거대구조(macroarchitecture)와 미세구조(microarchitecture)로 구분할 수 있다. 물질적 성질은 무기질과 콜라겐의 구성과 숫자, 크기, 그리고 미세손상(microdamage)의 유무를 포함한다. 골전환율(bone turnover rate)도 골질에 전반적으로 영향을 미치는 주요 요소이다(표 2-1-1). 골전환율이 반영하는 골재형성은 골형성과 골흡수의 조화로 이루어지며 골재형성 과정은 골강도에 영향을 주는 특성의 변화를 유도하게

된다. 따라서, 골재형성에 작용하는 질병이나 약제는 골절에 대한 골저항성에 영향을 줄 수 있다

표 2-1-1 ▸ 골강도를 결정하는 요소들

골강도	
구조적 성질	물질적 성질
1. 거대구조 1) 크기 2) 모양 3) 기하학적 구조 2. 미세구조 1) 해면골 구조 2) 피질골 두께 및 다공성	1. 무기질 1) 무기질과 기질의 비율 2) 결정체의 크기 2. 콜라겐 1) 형태 2) 교차결합 3. 미세손상/미세골절
골전환율	

골강도에 영향을 주는 인자를 결정할 때, 몇 가지 중요한 개념이 고려되어야 한다. 뼈는 대부분의 다른 공학재료와 달리 지속적으로 기계적인 부하 및 호르몬 환경의 변화에 적응하여 자체적으로 뼈를 복구하고 재생할 수 있는 능력이 있다. 즉, 뼈는 기계적인 부하에 대해서 크기, 모양, 기질의 성질을 변화시킬 수 있다. 두 번째 고려해야 할 중요한 개념은 전신 골강도에 영향을 주는 인자들의 계층적 성질이다. 세포적, 기질적, 미세구조적, 및 거대구조적 단계의 특성들이 모두 뼈의 기계적 성질을 결정하는 데에 포괄적으로 작용하여 기여한다. 따라서, 한 단계의 특성 변화가 뼈의 기계적 현상의 변화를 단독으로 예측할 수 없다.

골량

골밀도, 골강도, 골절위험도 간의 연관성은 많은 대규모 연구에서 증명되어 왔다. 골밀도는 골강도의 60-90%를 결정한다. 낮은 골량은 골절위험성의 가장 중요하고 객관적인 예측인자로 알려져 있다. 골량이 감소할수록 골의 강도는 약해지고 적은 충격으로도 골절이 발생하게 된다. 골다공증이 있는 뼈는 외견상 정상적인 뼈와 크기도 동일하고 비슷하게 보이지만, 내부적으로는 피질골이 얇고 골소주의 소실을 동반하여 부러지기 쉽다. T-값이란 성인최대골량과 비교하였을 때의 표준편차로 '성인최대골량의 2.5 표준편차 이하'는 백인 폐경여성 집단을 대상으로 한 역학자료에서 50%의 여성에게 취약골절이 발생한 수치를 근거로 하여 정해졌다. 이러한 WHO기준은 건강하고 호르몬 부족이 없는 폐경전여성, 백인 이외 인종의 여성, 젊은 남성, 또는 소아에서는 적용되지 못한다. 그럼에도 불구하고, 각 개인에서 낮은 골량은 취약골절을 일으키는 가장 중요한 인자이다. 낮은 골량 또는 골밀도가 골절 발생의 강력한 위험 요인임은 명백하나 많은 임상 연구에서 골다공증골절 위험성이나 치료효과를 평가하는 데에 골밀도

검사의 제한적 활용성을 제시하고 있다. 이러한 골밀도검사의 제한성은 골절위험도에 직접적으로 기여하는 골격 취약성이나 골부하에 영향을 주는 다른 요인들에 대한 새로운 관심과 연구의 직, 간접적인 계기가 되었다.

구조적 성질(structural properties)

1. 거대구조(macrostructure)

뼈의 크기는 골절과 밀접한 관련이 있다. 척추의 크기는 골절이 있는 여성에서 적어져 있음이 보고되었고 같은 면적 골밀도를 보이는 사람에서 척추골절이 있는 사람은 대조군에 비하여 뼈의 크기가 감소되어 있음이 관찰된다. 대퇴골의 대퇴축길이(hip axis length)가 골강도의 일부를 반영하여 골절과 연관이 있음도 보고되고 있다. 뼈의 기하학적 분포(geometry)는 골량의 분배와도 관련되어 골량의 분포가 달라짐에 따라서 뼈가 굽힘(bending)과 비틀림(torsion)의 힘에 저항하는 데에도 차이가 생긴다. 골격에 부하되는 하중(load)은 압박 강도(compressive strength), 굽힘 강도(bending strength)와 비틀림 강도(torsion strength)이며 이에 대한 골 저항력은 뼈의 능률(moment)과 긴장성(tension)을 바탕으로 복합적으로 결정된다. 척추에는 압박 강도가 큰 부하를 줄 수 있으며 반면 사지 골격에 대해서는 굽힘과 비틀림 강도가 골 저항력에 가장 중요하다. 따라서 뼈의 기하학적 분포는 골절 발생에 밀접한 관련이 있다.

뼈의 기하학적 구조에서 중요한 면적 관성모멘트(area moment of inertia)는 굽힘에 대한 중립 축(neutral bending axis) 주위로 골량의 분포를 수치화한 개념으로 사지 골격과 같은 원통 기둥에서 면적 관성모멘트는 지름의 4승에 비례한다. 따라서, 장골의 바깥쪽 지름이 조금만 증가되어도 굽힘이나 비틀림 하중에 대한 저항력이 크게 증가할 수 있다. 연령 증가에 따른 골기질 특성 변화 중 많은 부분이 피질골과 해면골의 재분포라는 보고들이 있다. 특히 사지 골격의 경우 골내막 흡수(endosteal resorption)와 골외막 골형성(periosteal apposition)이 동시에 일어나며, 이는 장골의 지름을 증가시키나 피질골 두께는 감소시킨다. 골외막 지름의 증가는 휨이나 비틀림 부하에 대한 저항성을 유지하는 데에 도움이 된다. 그러나 이러한 변화는 골밀도측정에서는 차이를 보이지 않을 수 있다. 즉, 같은 골량이더라도 지름이 골외막쪽으로 증가하는 경우가 골내막쪽으로 증가하는 경우보다 골강도가 더 커지게 된다(그림 2-1-1). 수년간 연령 변화에 따른 뼈의 기하학적 분포의 변화는 여성보다 남성에서 더 유리하게 일어나는 것이 확인되고 있으며 이는 고령 남성에서 여성보다 골절률이 적은 것에 대해 일부 설명력을 가지고 있다.

	A	B	C
Diameter	1.0	2.0	4.0
Areal BMD	1.0	1.0	1.0
Compressive strength	1.0	1.7	2.3
Bendngstrength	1.0	4.0	8.0

그림 2-1-1 ▶ 뼈의 거대구조가 골강도에 미치는 영향

2. 미세구조(microarchitecture)

조직 수준에서 미세구조는 중요한 구조적 성질을 나타낸다. 미세구조는 주로 해면골의 미세구조로 대변된다. 해면골의 미세구조는 방향성, 두께, 간격, 연결성으로 표현될 수 있다. 피질골의 두께와 통합성(integrity)도 관련이 있다. 기계적 관점에서 보면 해면골의 골절도 힘의 방향과 수직방향에서 약해진 요소부위에서 골절이 발생한다. 해면골의 구조 관점에서 보면 두껍지만 서로 떨어져 있고 연결성이 낮은 해면골이 얇지만 가까이 위치한 연결성이 좋은 해면골보다 쉽게 골절이 발생한다. 해면골의 구조는 골강도 측면에서 매우 중요하다. 골다공증이 있는 여성과 남성의 골절빈도를 조사해 보았을 때 비슷한 골량이라고 해도 골절이 있는 사람이 골절이 없는 사람보다 4배정도 해면골의 연결이 끊어진 경우가 많았다. 가상적 모델로 유추한 연구에서도 비슷한 골량감소를 해면골이 소실되는 쪽이 해면골이 얇아지는 것보다 훨씬 더 골절이 쉽게 발생할 수 있음을 보여준다. 즉, 해면골의 연결성을 유지하는 것이 골강도를 유지하는데 매우 중요함을 알 수 있다. 최근에는 미세구조에서 해면골의 변화 이외에도 피질골 다공성(cortical porosity)의 중요성이 강조되면서 골강도와의 연관성에 대한 연구가 이루어지고 있다.

물리적 성질(material properties)

뼈는 무기질인 인회석 결정(apatite crystal)과 유기질인 제1형 콜라겐으로 구성되어있다. 뼈의 석회화 정도(degree of mineralization), 콜라겐의 물리적 특성, 결정의 크기(crystal size), 무기질과 유기질의 비율(mineral-to-matrix ratio) 등이 골강도를 결정하는데 중요하게 작용한다. 연령이 증가할수록 석회화가 증가하며 피질골의 무기질 결정(mineral crystal)의 물리화학적 성질을 보면 결정의 크기가 증가하므로 탄력성(elastic deformation capacity)이 감소한다. 비슷한 골밀도를 보이더라도 고령에서 골절률이 높은 이유 중 하나로 무기질결정의 크기가 골질 개념으로 관여함을 알 수 있다. 또한 연령이 증가함에 따라 콜라겐 그물망(collagen network)이 감소하며 이러한 변화가 뼈의 단단함(toughness)의 감소로 이어짐을 알 수 있다.

1. 무기질(mineral)

뼈의 석회화 정도는 골강도에 영향을 주는 중요한 요소 중 하나이다. 석회화 정도가 증가할수록 골기질이나 미세구조가 비슷하더라도 뼈의 강성(stiffness)과 압박강도가 증가하여 골강도는 증가하는 것을 알 수 있다. Back-scattered electron microscopy로 관찰한 결과 폐경후여성에서 골전환율이 증가한 상태에서 새로 형성된 뼈는 석회화 정도가 낮았고, 골강도가 저하되어 있었다. 골밀도측정은 석회화 정도와 골량의 감소를 구별해 내지 못한다. 즉, 골기질은 그대로 있고 석회화가 감소한 경우와 골기질과 골석회화가 같이 감소한 경우가 비슷한 골밀도 결과로 표시된다. 뼈의 콜라겐 기질은 일정하게 석회화되는 것이 아니라 석회화 정도의 범주를 보인다. 이차적 석회화(secondary mineralization)의 정도에 따라서 석회화 농도가 변화된다.

석회화 정도를 연구하는 도구로 microradiography, back-scattered electron imaging 등이 있다. 석회화는 콜라겐 섬유의 방향을 따라서 일어나며, 석회결정(mineral particle)의 세부구조(ultrastructural organization)는 골강도에 영향을 준다.

2. 콜라겐(collagen)

뼈에는 제1형 콜라겐이 주 성분이며 교차결합(cross-link)을 이루고 있다. 골다공증 환자의 척추 해면골을 보면 연령과 성별이 같은 대조군에 비하여 용출성(extractability)이 증가하고 divalent reducible collagen cross-link 농도가 저하되어 있음을 알 수 있다. 콜라겐의 용출성은 콜라겐 분자가 얼마나 촘촘하게 싸여져 있는지, 분자 간에 비공유결합의 힘 정도, 그리고 콜라겐 분자간의 교차결합 정도에 따라 달라진다. 골다공증 환자는 콜라겐 교차결합이 감소되어 있으며 이로 인해 비슷한 해면골량을 가지고 있음에 불구하고 골강도가 약해져 있고 골절이 발생하는 이유로 생각된다.

3. 미세손상(microdamage)

일생동안 생리적인 정도의 하중도 지속적으로 부하되면 뼈에 피로손상(fatigue damage)를 유발할 수 있다. 미세손상을 측정하는 가장 적합한 도구에 대해 논란의 여지가 있으나 여러 연구에서 손상의 지속적인 축적이 뼈를 약하게 만드는 것으로 의견을 모으고 있다. 또한 미세손상은 골재형성의 활성을 촉진하고 손상된 조직을 복구하게 한다. 이러한 현상은 골재형성이 피로 유발성 미세손상을 복구하는 데에 중요한 역할을 함을 제시해 준다. 뼈가 칼슘 항상성을 유지하고 기계적 부하의 변화에 반응하며 미세손상을 복구하고 구조적으로 악화되지 않을 수 있는 적절한 골교체율에 대해서는 아직 정립되어 있지 않다. 따라서, 연령 증가에 따른 취약 골절에서의 미세손상의 역할은 더 많은 연구가 필요하다.

골재형성(bone remodeling)

뼈는 지속적으로 교체되는 살아있는 기관이다. 건강한 사람에서 골교체는 최대의 골강도를 유지하기 위한 최적의 생리적 상태로 일어난다고 생각된다. 성장기 동안은 골막 쪽에서 새로운 뼈가 생성된다. 새로운 뼈의 생성이 완료되면 최대 골량에 이르게 되고 골재형성이 시작된다. 골재형성은 골내막 쪽에서 일어나며 파골세포에 의해 오래된 뼈는 사라지고 조골세포에 의해 새로운 뼈로 채워지게 된다. 새로운 뼈에서 일차적 석회화가 신속하게 이루어지며, 이차적 석회화는 서서히 일어난다. 골재형성은 골교체율의 변화로 평가되고 있다.

폐경 등의 변화로 인해 골교체율이 증가하면 골흡수가 일어난 공동(resorption cavity)이 증가한다. 골흡수 공동의 수가 증가할 뿐 아니라 깊이가 깊어져 골량의 감소뿐 아니라 해면골의 두께가 감소하고 진행되면 해면골의 연결이 끊어지게 된다. 골재형성의 변화는 골강도에 영향을 주는 인자들의 계층적 성질에 포괄적으로 작용할 수 있다. 골교체율의 평가가 골질 및 골강도에 대한 간접적인 지표로 활용될 수 있는 이유가 바로 여기에 있다.

골강도 측정 방법

뼈에 하중을 주었을 때 뼈의 변형저항을 수치화한 것이 골강도이며, 골강도는 공학적으로 인장 강도, 압축 강도, 굽힘 강도, 비틀림 강도 등으로 평가될 수 있다. 실험적으로 인장 강도는 한쪽 뼈를 서서히 잡아당기는 인장 시험으로 측정하며 압축 강도와 굽힘 강도는 뼈를 축방향으로 압축 및 굽힘 하중을 가하여 측정한다. 비틀림 강도는 둥근 기둥모양의 뼈가 비틀림에 의해 파괴되었을 때 가해진 비틀림 모멘트로부터 계산에 의해 구할 수 있다. 이러한 골강도측정 방법은 실험적으로 가능하며 비침습적인 방법으로 검사할 수 없다. 골질을 평가하기 위한 침습적 방법으로는 골생검을 통한 골조직형태계측이다. 통상적으로 장골(iliac bone)에서 골조직을 얻어서 해부병리학적 방법으로 염색과 현미경 관찰을 통해 피질골 및 해면골의 두께와 연결성, 조골세포 및 파골세포의 개수와 활동정도 및 골형성부위와 골흡수부위의 면적 등을 계수할 수 있다. 또한, 골생검을 통해 얻은 골조직을 micro-CT를 이용하여 해면골 두께, 개수, 피질골 두께 등의 미세구조를 분석할 수 있다. 그러나 침습적인 골생검이 필요하고 별도의 측정기기가 필요하여 연구목적으로 사용 중이다.

골질을 평가할 수 있는 침습적 방법은 제한적으로 사용되므로 비침습적인 검사 방법에 대한 연구가 활발하게 이루어지고 있다. 비침습적 도구로서 크게 세 가지로 나눌 수 있으며 뼈의 물리적 성질을 반영하는 골전환율을 평가하는 도구와 뼈의 거대구조와 미세구조를 측정하는 도구이다. 임상에서 비교적 쉽게 활용할 수 있는 도구로 골전환율을 평가하는 골표지자가 있다. 골표지자로 골형성 지표인 오스테오칼신(OC, osteocalcin), 뼈특이적알칼리인산분해효소(BSALP, bone-specific alkaline phosphatase), P1CP (carboxyterminal propeptide of type 1 procollagen), P1NP (aminoterminal propeptide of type 1 procollagen) 등과 골흡수 지표인 피리디놀린(PYR, pyridinoline), 디옥시피리디놀린(DPD, deoxypyridinoline), 아미노말단 텔로펩티드(NTx, N-telopeptide of collagen type 1), 카르복시말단 텔로펩티드(CTx, C-telopeptide of collagen type 1) 등이 있다. 골전환율이 증가할수록 골절위험성이 증가하는 것으로 보고되고 있지만 환자간 오차 및 일중, 일간변화 등 영향을 주는 요인들이 있어 정확성이 떨어지는 문제가 있다. 골전환율은 골재형성시 콜라겐 변화를 일정 부분 반영하며 골전환율의 변화가 골절위험성의 변화나 약제의 순응도 및 반응 평가에 활용될 수 있다.

비침습적 영상도구로서 대표적인 것은 단순 X-선 사진, 전산화단층촬영(CT), 자기공명영상(MRI)의 3차원 영상 또는 골밀도측정기에 포함한 소프트웨어를 이용하여 거대구조나 미세구조를 평가하는 방법들이다. 즉, 골밀도검사에서 측정되는 대퇴축길이(hip axis length), 단면적(cross sectional area), 단면 관성모멘트(cross-sectional moment of inertia), 경체각(shaft-neck angle) 등 대퇴구조분석(HSA, hip structure analysis)을 통해 대퇴골의 기하학적 구조를 평가할 수 있으며 대퇴골강도 평가에 대한 보조적인 도구로 활용될 수 있다. 또한 해면골 점수(TBS, trabecular bone score)도 최근에 개발되어 해면골 골질 평가의 유용성에 대해 검토중이다.

그 외 정량적 전산화단층촬영(QCT, quantitative CT), 고해상도 정량적 전산화단층촬영(HR-QCT, high resolution-quantitative CT) 등 해상도가 개선된 영상분석들이 개발되어 기존의 평면적인 골밀도측정에 비해 3차원적인 골량 및 해면골 평가가 가능해졌다. 원위요골 및 원위경골을 측정하는 고해상도 말단골 정량적 전산화단층촬영(HR-pQCT, high resolution-peripheral CT)와 고해상도 자기공명영상(HR-MRI, high resolution-MRI) 또한 골질의 측정에 이용 가능하다. 생체외 미세 전산화단층촬영(in vitro micro-CT) 기술에 기초한 생체내 미세 전산화단층촬영(in vivo micro-CT), 미세 자기공명영상(micro-MRI)도 개발 중이다. 주로 공학 분야에서 이용하던 유한요소분석(FEA, finite element analysis)은 생체내 골강도 평가로 개발되어 복잡한 거대구조와 물질적 특성의 다양한 분포들이 외부 자극에 어떻게 대응하는 지를 측정하여 골강도를 분석하는 데에 도움을 준다. QCT를 이용한 여러 FEA연구에서 골강도를 측정하는 데 우수한 효과를 보여 주었다. 더 나아가 HR-pQCT나 MRI를 이용한 생체내 미세 유한요소분석(micro-FEA) 방법이 개발중으로 골강도 평가 방법은 더욱 다양해질 전망이다. 새로운 비침습적 골강도 평가 방법들은 골절위험도 평가에 대한 보다 예민하고 특이적인 해결 방법으로 그 효과가 기대된다.

골강도와 골절위험도

골다공증 골절을 감소시키는 방법은 골절위험도를 감소시키는 세포학적, 분자학적, 생체역학적 기전에 기반을 두어야 한다. 골다공증 골절은 뼈에 대한 부하가 골강도를 초과할 때 발생한다. 따라서, 골절을 예방하기 위한 방안으로 골강도을 증가시키고 유지하는 것뿐만 아니라 뼈에 대한 부하를 줄일 수 있도록 하는 방법을 강구하여야 한다. 전신골강도는 뼈의 크기 및 질량, 골량의 공간적 분포, 뼈를 이루는 성분들의 내재적 특성에 따라 결정된다.

DXA로 평가한 평면적 골밀도는 골량의 입체적인 분포, 피질골, 해면골, 미세구조, 골기질의 내재적 특성 등의 골강도 구성요소들을 일부만 반영한다. 이러한 DXA의 제한점에도 높은 골절위험도를 평가하는 데에 현재까지 가장 유용하게 사용되고 있다. 임상에서 DXA의 제한점을 보완할 수 있는 이용 가능한 모델로 WHO의 10년내 골절위험도를 예측하는 FRAX (Fracture Risk Assessment Tool)을 예로 들 수 있다. 연령, 성별, 체질량지수, 흡연, 음주, 과거 골절력, 가족 골절력, 이차성 골다공증, 류마티스관절염, 글루코코르티코이드 사용 등 10가지 위험인자를 종합적으로 평가하여 골절의 절대 위험도를 평가하는 것으로 한국인에서도 임상적으로 사용 가능하다. 특별한 검사 없이도 임상에서 활용 가능하므로 DXA와 같이 적용할 수 있다. 그 외 뼈의 기하학적 구조, 미세구조, 골강도에 대한 비침습적 평가 방법들은 활발하게 연구 중으로 DXA를 이용한 골밀도측정에 잠재적 부가 검사로 활용하게 될 것이다.

골밀도에 영향을 주는 질병이나 치료 방법은 골강도의 다른 요소들에도 영향을 준다. 결과적으로 골다공증 환자에서의 골절위험도와 치료효과 평가는 골강도에 영향을 주는 인자들에 대한 전체적인 평가가 가장 이상적이다. 따라서, 골강도를 이루는 여러가지 뼈의 특성들을 고려하여 골다공증 골절 발생을 줄이기 위한 새로운 예방법 및 치료 방법들이 강구되어야 하겠다.

참고문헌

1. Akkus O, Adar F, Schaffler MB. Age-related changes in physicochemical properties of mineral crystals are related to impaired mechanical function of cortical bone. Bone 2004;34:443-53.
2. Bouxsein ML, Karasik D. Bone geometry and skeletal fragility. Curr Osteoporos Rep 2006;4:49-56.
3. Bouxsein ML, Seeman E. Quantifying the material and structural determinants of bone strength. Best Pract Res Clin Rheumatol 2009;23:741-53.
4. Bauer JS, Link TM. Advances in osteoporosis imaging. Eur J Radiol 2009;71:440-9.
5. Boivin G, Meunier PJ. The degree of mineralization of bone tissue measured by computerized quantitative contact microradiography. Calcif Tissue Int 2002;70:503-11.
6. Chappard D, Basle MF, Legrand E, et al. New laboratory tools in the assessment of bone quality. Osteoporos Int 2011;22:2225-40.

7. Ciarelli TE, Fyhrie DP, Parfitt AM. Effects of vertebral bone fragility and bone formation rate on the mineralization levels of cancellous bone from white females. Bone 2003;32:311-5.

8. Cui WQ, Won YY, Baek MH, et al. Age-and region-dependent changes in three-dimensional microstructural properties of proximal femoral trabeculae. Osteoporos Int 2008;19:1579-87.

9. Currey JD. Role of collagen and other organics in the mechanical properties of bone. Osteoporos Int 2003;14:S29-36.

10. Dempster DW. The impact of bone turnover and bone-active agents on bone quality: focus on the hip. Osteoporosis Int 2002;13:349-52.

11. Falsenberg D, Boonen S. The bone quality framework: determinants of bone strength and their intterelationships, and implications for osteoporosis management. Clin Ther 2005;27:1-11.

12. Follet H, Boivin G, Rurnelhart C, et al. The degree of mineralization is a determinant of bone strength: a study on human calcanei. Bone 2004;34:783-9.

13. Lee TY, Pereira BP, Chung YS, et al. Novel approach of predicting fracture load in the human proximal femur using non-invasive QCT imaging technique. Ann Biomen Eng 2009;37:966-75.

14. NIH Consensus Development Panel on Osteoporosis Prevention, Diagnosis, and Therapy. Osteoporosis prevention, diagnosis, and therapy. JAMA 2001;285:785-95.

15. Riggs BL, Melton LJ 3rd, Robb RA, et al. Population-based analysis of the relationship of whole bone strength indices and fall-related loads to age- and sex-specific patterns of hip and wrist fractures. J Bone Min Res 2006;21:315-23.

16. Seeman E. Bone quality: the material and structural basis of bone strength. J Bone Miner Metab 2008;26:1-8.

17. Turner CH. Biomechanics of bone: determinants of skeletal fragility and bone quality. Osteoporos Int 2002;13:97-104.

18. Turner CH. Bone strength: current concepts. Ann N Y Acad Sci 2006;1068:429-46.

19. Wang X, Shen X, Li X, et al. Age-related changes in the collagen network and toughness of bone. Bone 2002;31:1-7.

20. Watts NB, Cooper C, Lindsay R, et al. Relationship between changes in bone mineral density and vertebral fracture risk associated with risedronate: greater increase in bone mineral density do not relate to greater decreases in fracture risk. J Clin Densitom 2004;7:255-61.

2-2 이중에너지X-선 흡수계측법

김덕윤

골다공증은 골강도가 약해져 골절이 쉽게 발생하는 질환이다. 골강도를 정확하게 평가하려면 골량 뿐 아니라 뼈의 크기, 구조, 기하학적 특성, 무기질화, 골전환율 등의 정보를 종합해야 하지만 골밀도측정 외에는 임상적으로 사용할 수 있는 방법이 많지 않다. 이런 이유에서 골밀도검사는 골다공증의 진단과 치료효과 판정에 실제적으로 가장 유용한 평가방법이다. 여러 골밀도검사 중 이중에너지X-선 흡수계측법(DXA, dual-energy X-ray absorptiometry)으로 중축골인 척추와 대퇴골골밀도를 측정하는 것이 표준검사로 인정되고 있다. 1987년 처음 소개된 DXA는 검사시간이 짧고 정밀오차가 적으며 골다공증골절이 가장 흔히 발생하는 척추와 대퇴골골밀도를 측정할 수 있는 것이 장점이다. T-값을 기준으로 설정된 골다공증의 WHO 진단기준을 적용할 수 있고 많은 임상연구가 DXA를 이용하여 이루어졌기 때문에 임상 적용에 유리하다. 최근에는 DXA에 해면골점수(TBS, trabecular bone score) 소프트웨어를 적용하여 골구조에 대한 정보를 얻고, 체지방분석 기능을 이용하여 근감소증(sarcopenia)를 평가하는데도 이용되고 있다. 골밀도검사의 적응증은 2-8장에 기술되어 있다.

DXA의 원리

연조직을 투과하는 저에너지와 골조직을 투과하는 고에너지의 X-선을 이용하여 방사선이 인체를 투과할 때 투과물질의 X-선 투과율의 차이를 측정함으로써 투과 물질의 밀도를 산출하는 방식을 이용한다. 초기 DXA는 단일검출기와 pencil beam으로 구성되었지만, 이후 다중검출기와 fan beam을 장착한 장치로 발전하여 검사시간도 수십 초 단위(한 부위당 30초~2분)로 단축되었다. 일정 에너지(40~100 kVp)만을 투과시켜 주는 Kedge filter법이나 직접 두 종류의 에너지를 방출하는 방법이 있다. 측정 정밀도가 요추 0.5~1.5%, 대퇴골, 1~2%로 추적검사에 적합한 수준을 유지하고 있다.

DXA로는 전후요추, 대퇴골, 전신골밀도 외에 상완부, 종골 등 거의 모든 골의 골밀도측정이 가능하다. DXA의 유효 X-선 피폭량은 1 μSv로 단순 흉부촬영의 50분의 1이므로 방사선 안전관리 측면에서 큰 문제가 없는 수준이다.

측정부위와 검사방법

골다공증골절이 흔히 발생하는 요추와 대퇴골 부위를 촬영하며 이 두 부위 중 낮은 골밀도를 기준으로 골다공증을 진단한다. 일정 연령에서 측정부위에 따라 골밀도 결과는 차이를 보이는데 이는 부위에 따라 피질골과 해면골의 조성비가 다르고 골소실 정도에 차이가 있기 때문이다(표 2-2-1). 골재형성은 골표면에서 시작하기 때문에 해면골과 같이 표면적이 넓을수록 골대사가 더 활발하게 일어난다. 척추에는 대퇴골에 비하여 해면골의 비율이 높기 때문에 폐경직후에 골소실이 더 많이 발생한다. 따라서 폐경후여성에서는 해면골의 비율이 높은 척추골밀도가 대퇴골에 비하여 T-값이 낮게 측정되는 경향이 있다.

표 2-2-1 ▶ 부위에 따른 해면골과 피질골의 구성

측정 부위	해면골%	피질골%
Spine AP DPA/DXA	66	34
Spine AP QCT	100	
Spine lateral DXA	++++	
Femoral neck	25	75
Ward's area	++++	
Tcocanteric region	50	50
Os calcis	95	5
Mid radius	1	99
Distal radius	20	80
Ultradistal 5-mm radius	40	60
Phalanges	40	60
Total body	20	80

그러나 노인에서 해면골의 골소실이 지속되어 해면골의 천공 등으로 골교체의 표적이 되는 골표면의 절대 숫자가 감소하게 되는 정도에 이르게 되면 골소실의 절대량이 상대적으로 감소하는 양상을 띠게 된다. 이에 비하여 해면골과 연해있는 내피질골의 골소실은 계속 증가하여 보다 많은 골표면이 노출되고 그 결과 피질골의 골소실이 더욱 증가된다. 내피질골의 소실로 인하여 내피질골이 마치 해면골처럼 보이게 되는 소주화(trabecularization) 현상이 발생하고, 피질골 내부에서는 다공증(porosity)이 증가하여 뼈가 약해지고 골절이 쉽게 발생하게 된다. 내피질골의 소실을 보완하기 위하여 골막의 부가성장이 일어나서 뼈의 직경이 커짐으로써 외력에 대한 강도를 유지하려는 노력이 일어나지만 피질골의 다공증과 골소실로 인한 골강도 감소를 따라가지 못하는 경우가 대부분이다. 65세 이상 고령에서는 척추의 퇴행성변화로 인하여 실제보다 척추골밀도가 높게 측정되고 대퇴골의 지속적인 골감소로 인하여 대퇴골골밀도가 더 낮은 결과를 보이는 경우가 많다. 요추와 대퇴골의 골밀도검사가 불가능한 경우와 피질골 소실이 뚜렷한 부갑상선기능항진증에서는 요골의 원위 1/3 부위를 측정한다.

1. 요추골밀도측정

척추는 해면골이 풍부하여 폐경후 여성에서 골대사 변화를 예민하게 반영한다. 척추골밀도를 정확하게 측정하기 위해서는 환자를 검사대 가운데 정확하게 위치시키고 T12와 L5의 중간 부위가 반드시 포함되도록 한다(그림 2-2-1). 이런 영상을 얻기 위해서는 12번째 늑골과 장골능이 영상에 포함되었는지 확인한다.

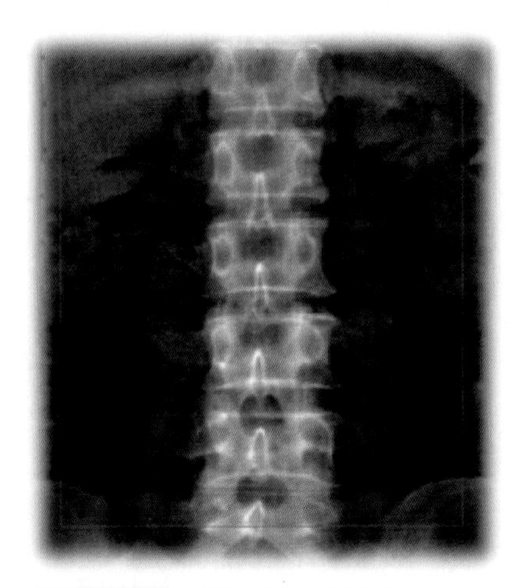

그림 2-2-1 ▸ 척추골밀도 촬영 범위

척추가 영상의 중앙에 위치하고 T12부터 L5까지 촬영하고 장골능과 12번째 늑골이 포함되어야 한다.

각 요추의 위치를 정확하게 평가하는 것이 중요한데 일반적으로 장골능과 일직선상에 L4-L5의 추간판이 지나가는 것과 L4가 다른 요추에 비하여 X 모양으로 관찰되는 것을 참고한다. 요추 부위를 검사대에 평행하게 위치시키기 위해 사용하는 다리 거치대(leg block)는 항상 일정한 각도를 유지하도록 한다. 연조직에 의한 효과를 감산하기 위하여 주위 연조직에 관심영역(ROI, region of interest)을 그리는데 이 부위에 조영제, 칼슘 제제, 요로결석 등이 포함되면 골밀도 수치에 영향을 미치므로 평가 시 배제한다.

L1에서 L4까지의 평균치를 기준으로 진단한다. 가장 낮게 측정된 한 부위의 골밀도만을 기준으로 진단해서는 안되며, 적어도 평가가능한 부위가 2 부위 이상 포함되어야 한다. 65세 이상에서는 퇴행성 변화로 실제보다 높게 측정되는 오차가 흔히 발생하므로 주의를 요한다. 따라서 압박골절, 퇴행성 변화, 수술로 인한 변화 등 측정오차가 발생할 우려가 있는 부위를 배제한 후 진단한다(그림 2-2-2, 표 2-2-2). 정상에서는 L1에서 L4로 가면서 골밀도가 증가하는데 이런 경향이 역전되거나 T-값이 주위 요추와 1 표준편차 이상 차이를 나타내면 퇴행성 변화 등 판정에 적합하지 않은 부위일 가능성이 높다. 이런 변화로 평가할 수 있는 요추가 한 부위 밖에 남지 않은 경우에는 척추골밀도 대신 대퇴골이나 요골골밀도 결과를 기준으로 진단한다.

표 2-2-2 ▸ DXA 골밀도의 측정오차 원인

참값보다 높게 측정		
- 척추의 퇴행성 변화	- 척추골절	- 대동맥석회화
- 경화성(osteoblastic)	- 금속(장신구, 수술장비 등)	- 척추혈관증
- 강직척수염	- 대퇴골의 불충분한 내전(internal rotation)	
- 과체중	- 스트론튬 치료	
참값보다 낮게 측정		
- 척추후궁절제술(laminectomy)	- 용해성(osteolytic) 골전이	- 저체중

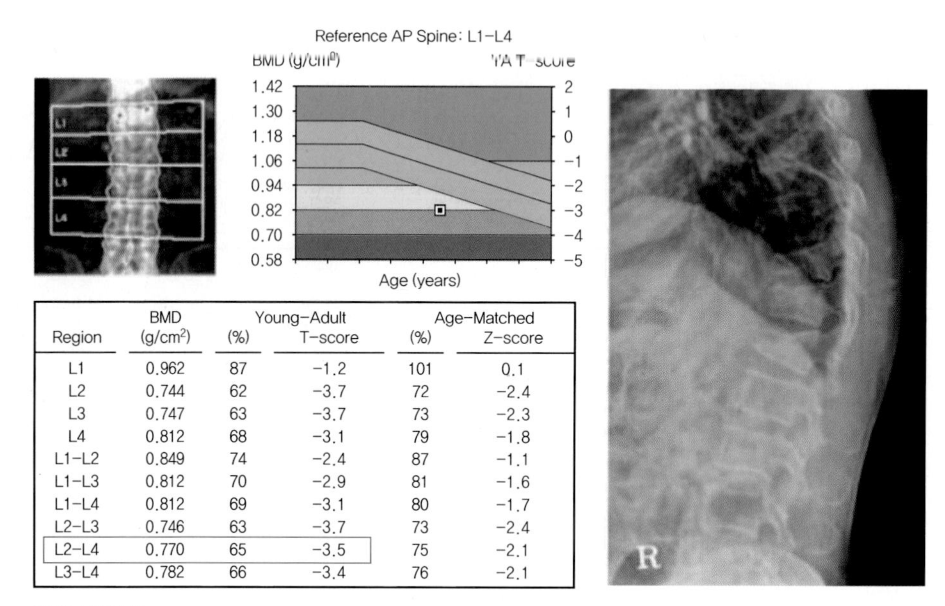

Region	BMD (g/cm²)	Young-Adult (%)	Young-Adult T-score	Age-Matched (%)	Age-Matched Z-score
L1	0.962	87	-1.2	101	0.1
L2	0.744	62	-3.7	72	-2.4
L3	0.747	63	-3.7	73	-2.3
L4	0.812	68	-3.1	79	-1.8
L1-L2	0.849	74	-2.4	87	-1.1
L1-L3	0.812	70	-2.9	81	-1.6
L1-L4	0.812	69	-3.1	80	-1.7
L2-L3	0.746	63	-3.7	73	-2.4
L2-L4	0.770	65	-3.5	75	-2.1
L3-L4	0.782	66	-3.4	76	-2.1

그림 2-2-2 ▸ 척추골밀도의 평가

L1-L4의 평균골밀도를 기준으로 평가하는 것이 원칙이나 L1의 압박골절이 관찰되므로 평가에서 제외하고 L2-L4의 T-값 -3.5를 기준으로 골다공증 진단한다.

2. 대퇴골골밀도 측정

대퇴골골절의 발생을 예측하는데 유용하며, 대퇴골전체, 경부 두 곳의 골밀도 중 낮은 부위를 기준으로 진단한다. Ward 부위는 대사변화를 잘 반영하지만 정밀도가 나쁘고 골다공증이 과잉진단될 위험성이 있어 사용하지 않는다. 대퇴골 촬영에는 올바른 자세가 매우 중요한데 이는 결과에 영향을 미치기 때문이다. 대퇴골을 영상의 세로 중심축에 일직선으로 곧게 위치하도록 하며 소전자부(lesser trochanter)가 약간 보일 정도가 올바른 자세이다(그림 2-2-3). 이를 위해서는 발고정기를 이용하여 다리를 15~20°정도 내전(adduction)시켜야 한다. 이 위치에서 측정된 골밀도가 가장 낮은 수치를 나타낸다. 불충분하거나 과도한 내전은 골밀도측정에 영향을 주며 추적 검사 시에도 중요한 측정오차로 작용한다.

화면 내에 좌골과 대전자부가 포함되어야 하며 경부의 관심영역은 전자부나 좌골 부위를 포함하지 않도록 한다. 부득이하게 좌골 부위가 포함되면 소프트웨어를 이용하여 이 부위를 제거하고 측정한다. 회사에 따라 대퇴골경부의 관심영역 설정은 차이가 있으므로 직접 비교할 수 없다. 일반적으로는 측정 편의상 왼쪽 대퇴골을 촬영하는 경향이 있으나 좌, 우 대퇴골 중 어떤 부위를 측정해도 좋으며, 병소가 없는 부위를 선택하는 것이 중요하다. 양측 대퇴골을 동시에 측정하는 것이 골다공증 진단의 민감도를 증가시킨다는 의견이 있으나 아직 충분히 검증되지 않았으며 경과 추적에는 양측 전체 대퇴골의 평균을 이용할 수 있다. 최근에는 DXA로 비전형대퇴골골절(atypical femur fracture)을 조기진단하려는 목적으로 비전형대퇴골골절이 흔히 발생하는 부위까지 확장하여 영상을 얻기도 하는데 이 경우 골밀도 수치에는 영향을 미치지 않는다.

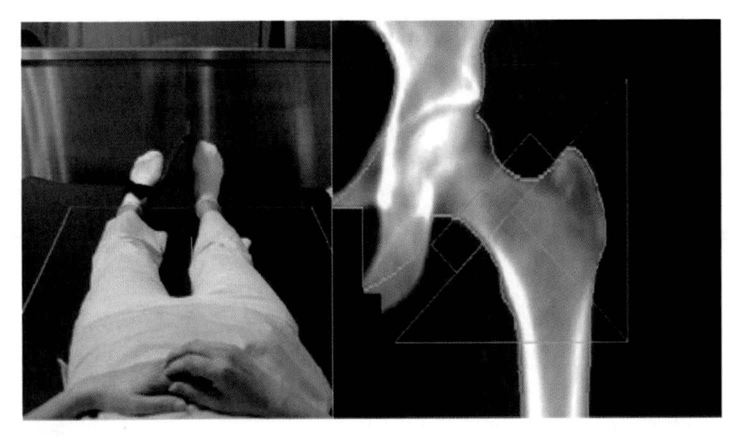

그림 2-2-3 ▸ 대퇴골골밀도측정

영상의 세로 중심축에 일직선으로 곧게 위치하도록 하며 소전자부(lesser trochanter)가 약간 보일 정도로 다리를 15~20° 내전(adduction)시킨다. 골밀도 결과는 대퇴골경부와 대퇴골전체골밀도 중 낮은 부위를 기준으로 판정한다.

골밀도 결과의 해석

골밀도는 연령, 성별, 종족간의 정상 평균값과 비교하여 해석한다. T-값은 '(환자의 측정값-젊은 집단의 평균값)/표준편차'로 골절에 대한 절대적인 위험도를 나타내기 위해 골량이 가장 높은 젊은 연령층의 골밀도와 비교한 값이다. 따라서 골밀도측정기에 따라 측정단위나 절대수치가 달라도 비교가 가능하다. WHO에서는 T-값 -2.5이하를 골다공증, 골절이 동반된 경우 심한 골다공증(severe osteoporosis)이라 정의하고, -1.0이하에서 -2.5전까지는 골감소증(osteopenia)으로 명명하였다. 이에 비하여 Z-값은 '(환자의 측정값-동일 연령집단의 평균값)/표준편차'로 같은 연령대의 평균 골밀도와 비교한 수치이며 폐경전여성과 50세 이전 남성에서는 T-값이 아닌 Z-값을 적용한다. Z-값이 -2.0보다 낮으면 '연령 기대치이하(below the expected range for age)'라 평가하고 이차성 골다공증일 가능성에 대한 검사를 고려한다. 골밀도 결과만으로 골다공증과 골연화증 등 다른 대사성골질환을 감별할 수 없으므로 임상적 판단을 요한다. 최근 미국에서는 T-값 -2.5 이외에도 골다공증골절이 있거나 골밀도 검사에서 골감소증인 경우 FRAX로 측정된 10년내 주요골다공증 위험도가 20%이상이거나 대퇴골골절 위험도가 3% 이상인 경우를 모두 골다공증으로 정의하고 있다.

골밀도검사는 같은 기종으로 측정된 경우에도 소프트웨어 버전, 영상 처리의 미세한 차이 등으로 같은 환자에서도 다른 결과를 나타낼 수 있다. 특히 골밀도측정기의 제조 회사가 다른 경우에는 측정 원리와 분석 방법의 차이로 인하여 절대 수치가 다르게 측정되고 정상 대조군의 차이에 따라 T-값도 경미한 차이를 보이므로 해석에 주의해야 한다. 정상인 골밀도 자료를 서양인 자료와 비교할 경우 T-값은 실제보다 낮게 측정되기 때문에 반드시 한국인의 정상자료를 사용해야 한다.

추적 검사

1. 추적 골밀도검사 시 유의사항

추적 검사결과를 평가할 때는 전번 검사와 동일한 조건에서 얻어진 결과인지를 먼저 확인한다. 동일한 척추 부위를 선택하고 같은 면적의 관심영역이 설정되었는지 확인하고 퇴행성 변화나 압박골절이 새로 발생한 부위는 없는지 비교 관찰한다. 대퇴골에서는 환자의 위치가 일정하지 않고 경부의 관심영역이 달리 설정되거나 테두리 선정이 잘못된 경우가 흔히 발생한다. 임상적으로 예상했던 결과와 다른 소견을 보일 때는 오차 가능성을 우선적으로 고려해야 한다. DXA의 단점은 연부조직의 분포에 따라 측정오차가 발생하는 것이다. 따라서 추적검사기간 동안 환자체중이나 체지방 조성 등이 크게 변화하면 골밀도에 영향을 줄 수 있다. 검사자의 잦은 교체는 정밀도에 지대한 영향을 초래하므로 전담근무체제를 유지하고, 정기적인 교육 프로그램에 참여하도록 한다.

2. 최소유의변화값(LSC, least significant change)

추적 검사에서 관찰되는 골밀도 변화가 검사자나 골밀도측정기의 오차 범위를 상회하는 유의한 변화인지를 평가하기 위해서는 LSC를 이용한다. LSC를 구하기 위해서는 최소한 30명 이상에서 2번씩 골밀도를 측정하거나, 15명에서 3번씩 측정한 후 ISCD 홈페이지(www.iscd.org)에서 얻을 수 있는 엑셀 파일에 자료를 입력하면 정밀도와 LSC를 구할 수 있다. 정밀도에 2.77을 곱하면 95% 신뢰구간에서의 LSC를 계산할 수 있다. 예를 들어 정밀도가 1%이면 LSC는 2.77%로 1년 후 골밀도 변화가 2.77% 이상이어야 유의한 변화이다(그림 2-2-4). 일부에서는 95% 신뢰구간이 임상에서 사용하기에 너무 엄격한 기준이기 때문에 90% 신뢰구간을 적용하자는 의견을 제시하기도 한다.

국제적 기준에 따르면 각 검사자마다 허용되는 최소 정밀도는 척추, 1.9%(LSC=5.3%), 대퇴골 전체, 1.8%(LSC=5.0%), 대퇴골경부, 2.5%(LSC=6.9%)로 이보다 낮은 수치를 보여야 한다.

표 2-2-4 ▶ 정밀도 오차에 따른 추적검사에서의 의미있는 변화량

정밀도 오차(%)	90% Two-tailed 신뢰구간(%)	90% One-tailed 신뢰구간(%)
1	2.3	1.8
2	4.7	3.6
3	7.0	5.4

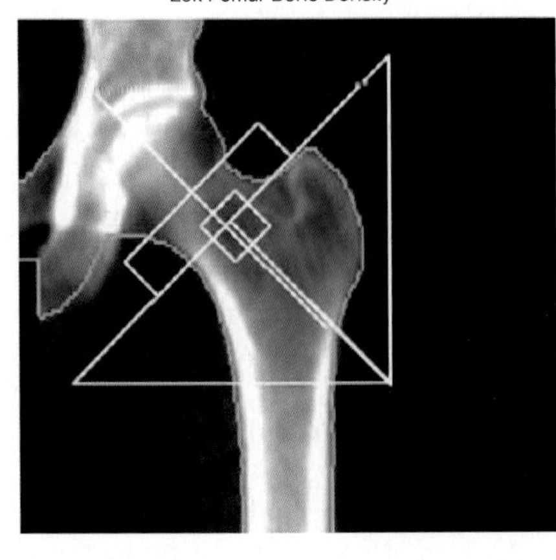

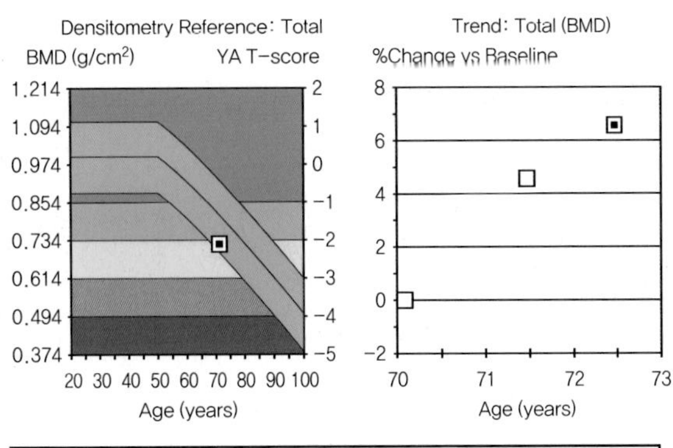

Region	BMD[1] (g/cm²)	Young-Adult[2] (%)	Young-Adult[2] T-score	Age-Matched[3] (%)	Age-Matched[3] Z-score
Neck	0.635	67	−2.6	86	−0.9
Wards	0.433	52	−2.9	84	−0.6
Troch	0.548	75	−1.7	86	−0.8
Shaft	0.898	-	−	−	−
Total	0.713	73	−2.2	89	−0.7

Hip Axis Length Comparison (mm)

Left=6.7

−30 −20 −10 mean 10 20 30

(Left = 104.7 mm) (Mean = 99.0 mm)

COMMENTS:

Trend: Total

Measured Date	Age (years)	BMD[1] (g/cm²)	Change vs Previous (g/cm²)	Change vs Previous (%)
2011-01-24	72.4	0.713	0.013	1.9
2010-01-21	71.4	0.700	0.030	4.5
2008-09-09	70.1	0.670	−	−

그림 2-2-4 ▸ 대퇴골골밀도의 추적 검사

이 검사센터의 대퇴골 전체 골밀도의 LSC가 0.024 g/cm2일 때 두 번째 검사 (71.5세)시 첫 검사의 골밀도보다 0.030 gm/cm2으로 LSC 보다 높은 증가를 나타내어 유의한 변화로 판정할 수 있고 세 번째 검사 (72.5세)는 두 번째 검사보다 0.013 g/cm2 증가하였으나 LSC 범위 내의 변화이므로 유의한 변화로 판정할 수 없다.

3. 골다공증 치료 후 골밀도가 감소한 경우에 대한 평가

골다공증 약물치료 후 예상과 달리 골밀도가 오히려 감소된 경우에는 다음을 확인하여 측정 오차와 임상적 요인을 확인해야 한다.

(1) 같은 골밀도측정기로 같은 조건에서 얻어진 결과인가?

동일한 관심영역, 스캔 모드 등

(2) 골밀도측정과 기술적 평가에서 기술적 오류는 없는가?

환자의 위치 선정, 소프트웨어의 올바른 적용 등

(3) 최소유의변화값(LSC)을 상회하는 유의한 변화인가?

(4) 검사 기간 사이에 체중 변화, 해부학적 구조 변화, 수술 등 골밀도 결과에 영향을 미칠 만한 변화가 있는가?

(5) 골다공증 치료제를 제대로 복용하였는가?

(6) 약제 흡수에 장애 요인은 없는가?

(7) 칼슘과 비타민D를 충분히 공급하였는가?

(8) 골다공증 치료제 외에 골밀도에 영향을 미칠 약제나 이차성 골다공증은 없는가?

이상의 가능성을 배제한 후에야 약물치료에 대한 무반응성(non-responder)의 가능성을 고려해 볼 수 있다.

4. 골밀도검사 간격

골밀도측정의 적절한 검사 간격은 일정 기간 동안 예상되는 골밀도 변화와 이런 변화를 예민하게 감지해낼 수 있는 골밀도검사의 정밀도에 의해 결정된다. 추적검사 기간은 예상되는 골밀도 변화가 골밀도 측정의 정밀도나 LSC 이상일 때로 설정한다. 예를 들어 정밀도가 1%이면 95% 신뢰구간을 적용할 때 LSC는 정밀도에 2.77배를 곱한 것이므로 1년 후 골밀도 변화가 2.77% 이상이어야 유의한 변화로 평가할 수 있다. 역으로 1%의 변화를 확인하려면 3년 후에 검사해야 하는 셈이다.

1) 골다공증 환자에서 골밀도검사 간격

골다공증 치료제에 따라 골밀도를 증가시키는 정도에 차이가 있으나 치료 1~2년 후에는 골밀도측정기의 정밀도를 상회하는 변화를 기대할 수 있다. 따라서 많은 국제단체에서 적절한 골밀도검사 간격을 1~2년으로 제시하고 있다. 글루코코르티코이드-유발 골다공증과 같이 짧은 기간 내 많은 변화가 예상되는 경우에는 6개월의 검사 간격이 적합하다.

2) 골다공증이 없는 고령 여성에서 적절한 골밀도검사 간격

골다공증 치료를 받지 않는 일반인에서 연간 골소실율은 약 0.5~1% 정도이므로 이들에서 1~2년 내의 골밀도 변화는 골밀도측정의 정밀도 범위 내 변화일 가능성이 높기 때문에 더 긴 추적검사 기간이 적합할 것으로 추정된다. 2011년 U.S. Preventive Task Force에서는 골다공증이 없는 고령 여성에서의 골밀도 변화는 골밀도의 정밀도에 비하여 낮은 수준이기 때문에 골다공증의 선별검사 목적으로 골밀도의 변화를 보려면 2년 이상의 기간이 경과해야 한다고 하였고 기타 전문 단체의 의견을 종합하면 2~5년 정도의 검사 간격을 권장하고 있으나 이에 대하여는 신뢰할만한 전향연구가 없다. 2012년 발표된 SOF (the Study of Osteoporosis Fracture) 연구에서는 T-값이 -2.0이하인 골감소증에서 대퇴골골밀도가 정상인군에서의 적절한 골밀도검사 간격이 17년으로 제시된 바 있으나 이에 대하여는 전향 연구가 추가적으로 필요하다.

척추골절평가(VFA, vertebral fracture assessment)

VFA는 DXA 검사 시 척추측면사진을 추가로 얻어 자동으로 분석되는 소프트웨어를 이용하여 척추골절을 진단하는 방법이다. 척추골절은 그림 2-2-5와 같은 방법으로 평가한다. 단순방사선검사에 비하여 방사능 노출이 50-100배 이상 적고, 골밀도검사와 동시에 시행할 수 있으며 자동분석법을 사용할 수 있는 것이 장점이다.

골다공증골절 병력이 있으면 재골절 가능성이 매우 높으며 척추골절은 임상적으로 확인되지 않는 경우가 흔하므로 주의가 필요하다. 국내에서는 아직 VFA를 의료급여항목으로 인정하지 않고 있어 척추 방사선검사가 주로 사용되고 있다.

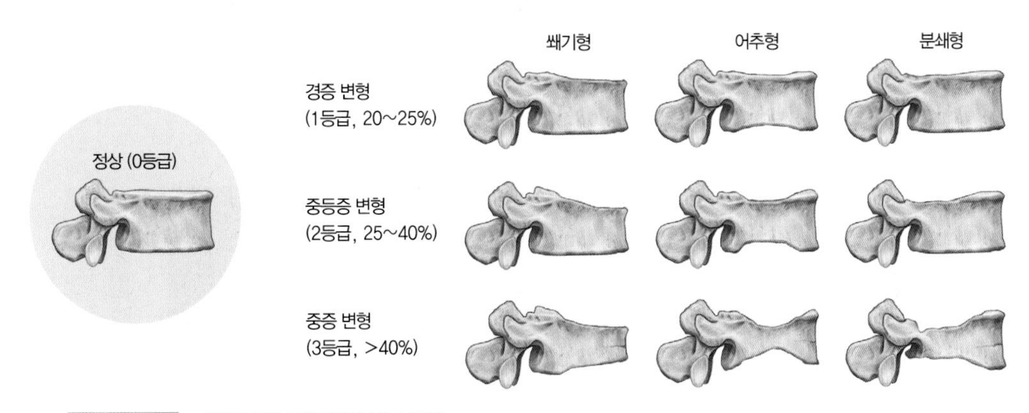

그림 2-2-5 ▸ 척추골절의 반정량적 평가 방법

대퇴골기하학(hip geometry)

대퇴골의 CSA (cross-sectional area)나 HAL (hip axis length), FSI (femur strength index)와 같이 뼈의 크기와 기하학적 정보가 골강도를 반영함이 잘 알려져 있으나 실제 임상에서 많이 사용되지는 않으며 QCT 등에서 얻는 정보에 비하여 정확도가 낮다.

HAL은 폐경후 여성에서 대퇴골골절 위험을 잘 반영한다. CSA, OD (outer diameter), SM (sectional modulus), NSA (neck-shaft angle), BR (buckling ratio), CSMI (cross-sectional moment of inertia)등이 대퇴골골절의 위험과 연관이 있으나 임상적으로 대퇴골골절의 위험을 평가하거나 치료 시작 및 추적 목적으로 사용하기에는 제한점이 있어 권장되지는 않고 있다.

해면골점수(TBS, trabecular bone score)

2차원 DXA 영상을 수식 변환과정을 통하여 3차원 입체영상으로 재구성하고, 각 픽셀 단위의 변이를 계산하는 TBS 소프트웨어를 이용하면 뼈의 미세구조를 간접적으로 반영하는 수치를 얻을 수 있다(그림

2-2-6). TBS 수치가 높으면 뼈의 구조가 그만큼 더 튼튼함을 나타내고, 수치가 낮으면 뼈의 구조가 취약하고 같은 골밀도라도 골강도가 더 낮음을 시사한다. 폐경과 연령 증가에 따라 TBS 수치는 감소되고 골절이 있는 경우 더 많이 감소되었다. TBS의 측정원리 상 해면골의 두께나 숫자 등 골조직의 지표를 직접 반영하는 방법은 아니지만, 폐경후 여성과 50세 이상의 남성에서 척추, 대퇴골 및 주요 골다공증골절 위험도와 연관이 있음이 증명되어 임상적 유용성이 기대되고 있다. 최근에는 FRAX에서도 TBS결과를 반영하여 골절위험도를 산출할 수 있도록 개정되었다. 당뇨병과 글루코코르티코이드-유발 골다공증 등에서 골밀도와 독립적으로 골절위험성을 반영한다는 연구결과가 보고되고 있다. 임상적 유용성이 충분히 입증된다면 향후 DXA 검사 시 골밀도 외에 TBS 수치도 함께 고려하여 골절위험도를 평가하는 방법이 개발될 가능성이 높다.

SPINE TBS REPORT

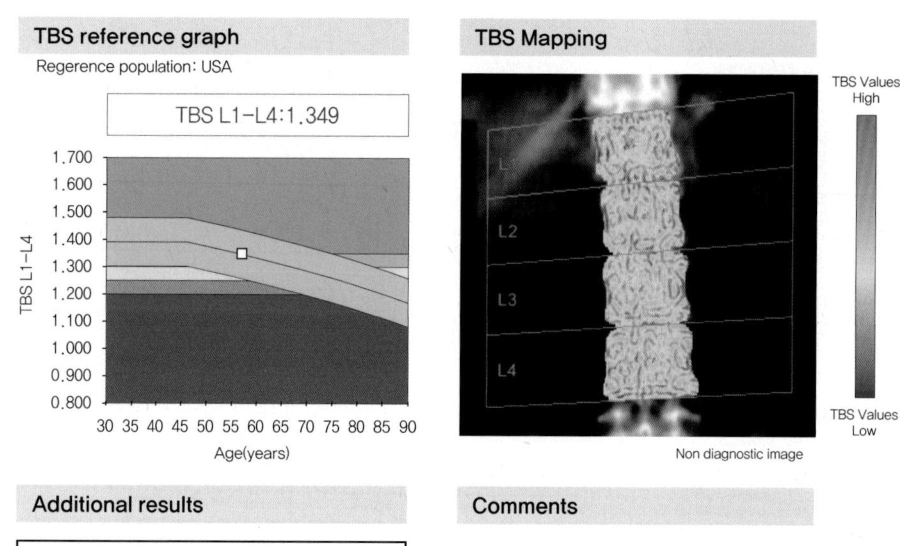

Region	TBS	BMD	BMD T-score
L1	1.218	0.892	-1.4
L2	1.384	0.948	-1.5
L3	1.387	1.072	-0.5
L4	1.407	1.025	-0.8
L1-L4	1.349	0.988	-1.1
L1-L3	1.330	0.974	-1.1
L1-L2	1.302	0.920	-1.5
L2-L4	1.393	1.107	-0.9
L2-L3	1.386	1.013	-1.0
L3-L4	1.397	1.047	-0.7

그림 2-2-6 ▸ 해면골점수(TBS, trabecular bone score)

TBS 수치가 높으면 뼈의 구조가 더 튼튼함을 나타내고, 수치가 낮으면 뼈의 구조가 취약하고 같은 골밀도라도 골강도가 더 낮음을 시사한다.

골밀도측정기의 질관리

제조회사에서 정한 지침에 따라 팬텀을 이용하여 질관리를 정기적으로 시행한다. 팬텀은 hydroxy apatite로 조성되어 뼈를 반영하는 부분과 물에 해당되는 epoxyresin으로 연부조직을 반영하도록 되어 있으며 평가 목적에 따라 여러 종류의 팬텀이 사용되고 있다. 팬텀 측정치가 평균치의 1.5% 이상 혹은 2회 연속 측정에서1.0% 이상의 변화를 나타내면 측정기의 오차 가능성이 있으므로 기계점검을 의뢰한다.

DXA 기기 간의 교차 보정(cross-calibration)

DXA 시스템의 측정기법은 동일한 조건에서 하드웨어만 교체할 때는 10번의 팬톰(phantom)스캔을 시행하여 교차보정을 시행한다. 평균치가 1% 이상 차이가 나면 제조회사의 서비스를 요청한다. 다른 회사의 DXA로 교체하거나 같은 제조회사의 DXA라도 측정기법이 다른 기종으로 바꿀 때에는 다음과 같은 방법으로 교차 보정을 시행한다. 교체전 기종으로 30명의 환자에서 검사를 시행하고 교체후 기종으로 동일인에서 60일 이내에 재검사를 시행한다. ISCD 홈페이지(www.iscd.org)에서 얻을 수 있는 교차보정프로그램을 이용하여 평균 골밀도간의 관계와 LSC를 측정한다. 각 측정 부위마다 교차보정식을 따로 적용한다. 이와 같은 방식으로 교차보정되지 않는 상황에서는 다른 골밀도측정기의 결과를 직접 비교할 수 없다.

참고문헌

1. Baim S, Binkley N, Bilezikian JP, et al. Official Positions of the International Society for Clinical Densitometry and executive summary of the 2007 ISCD Position Development Conference. J Clin Densitom 2008;11:75-91.
2. Broy SB, Cauley JA, Lewiecki ME, et al. Fracture risk prediction by non-BMD DXA measures: the 2015 ISCD official positions. Part 1: hip geometry. J Clin Densitom 2015;18:287-308
3. Diez-Perez A, Gonzalez-Macias J. Inadequate responders to osteoporosis treatment: proposal for an operational definition. Osteoporos Int 2008;19:1511-6.
4. Gourlay ML, Fine JP, Preisser JS, et al. Bone-density testing interval and transition to osteoporosis in older women. N Engl J Med 2012;366:225-33.

5. Khan AA, Colquhoun A, Hanley DA, et al. Standards and guidelines for technologists performing central dual-energy X-ray absorptiometry. J Clin Densitom 2007;10:189-95. Martineau PM, Bazarjani S, Zuckier LS. Artifacts and incidental findings encountered on dual-energy X-ray absorptiometry: Atlas and analysis. Sem Nucl Med 2015; 45:458-69

6. Nelson H, Haney E, Dana T, et al. Screening for osteoporosis: an update for the U.S. Preventive Services Task Force. Ann Intern Med 2010;153:99-111.

7. Patel R, Blake GM, Rymer J, et al. Long-term precision of DXA scanning assessed over seven years in forty postmenopausal women. Osteoporos Int 2000;11:68-75.

8. Siris ES, Adler R, Bilezikian J, et al. The clinical diagnosis of osteoporosis: a position statement from the National Bone Health Alliance Working Group. Osteoporosis Int 2014;25:1439-43

9. Silva BC, Broy SB, Boutroy S, et al. Fracture risk prediction by non-BMD DXA measures: the 2105 ISCD official positions. Part 2 : Trabecular Bone Score. J Clin Densitom 2015;18:309-30

11. Tanner SB. Dual-energy X-ray absorptiometry in clinical practice: new guidelines and concerns. Curr Opin Rheumatol 2011;23:385-8.

12. Zebaze RM, Ghasem-Zadeh A, Bohte A, et al. Intracortical remodelling and porosity in the distal radius and post-mortem femurs of women: a cross-sectional study. Lancet 2010;375:1729-36.

2-3 정량적전산화단층촬영

김경민

골량을 측정하는 방법으로 앞서 소개된 이중에너지X-선 흡수계측법(DXA, dual-energy X-ray absorptiometry) 이외에 정량적전산화단층촬영(QCT, Quantitative computed tomography)이 있다. QCT는 정량적으로 골밀도를 측정하는 방법으로 이처럼 CT를 이용하여 골량을 측정하는 방법은 1970년대부터 소개되어 왔다.

원리

QCT는 조직을 통과한 X-선 흡수 정도에 따라서, 골밀도를 평가하는 방법이다. 즉, 뼈나 기타 조직을 통과한 X-선의 흡수 차이에 따라 각 조직의 Housefield Units (HU) 값이 구해지게 된다. HU은 선형 척도로 공기는 -1000, 지방은 -200, 물은 0, 근육은 30, 그리고 뼈는 300에서 3000 HU으로 정해져 있다. 이때, 기준 팬톰(phantom)으로서 골밀도 전환수치를 알고있는 고체(hydroxyapatite) 혹은 액체(K_2HPO_4) 팬톰을 같이 스캔하게 되고, 따라서 기준 팬톰의 HU에 대비하여 척추와 대퇴골의 측정된 HU으로 골밀도 값을 구하는 것이 QCT를 통한 골밀도측정의 원리이다. 초기에는 단면(single-slice) QCT로 척추를 8-10 mm의 두께 간격으로 단면 영상을 촬영하여 척추 단면의 관심부위(region of interest)를 지정하여 척추골밀도를 측정하는 방법이었다(그림 2-3-1). 최근에는 영상기술의 발달로 다양한 방향에서 좀 더 얇은 두께로 척추의 단면 영상을 촬영하여 이를 3차원적으로 재구성하여 척추골밀도를 측정하는 3D QCT가 소개 되었다. 이러한 3D QCT의 발전은 대퇴골의 3차원적인 정량적 골밀도측정까지 가능하게 하였다.

방사선 노출량

방사선 노출량은 구하고자 하는 영상의 해상도, 촬영부위나 크기에 따라서 달라질 수 있다. 초기의 단면(single-slice) QCT로 L1-L3 촬영 시에는 50-100 uSv 정도로 방사선 노출량이 낮으나, 3D QCT는 일반적으로 척추 촬영 시 1.5-2.3 mSv, 대퇴골 1.0-3.0 mSv 정도로 DXA 촬영 시의 방사선 노출량인 0.5-5 uSv보다는 높다. 그러나 이러한 수치는 일반적인 복부 CT 촬영 시 방사선 노출량과 비교 시 큰 차이가 없다.

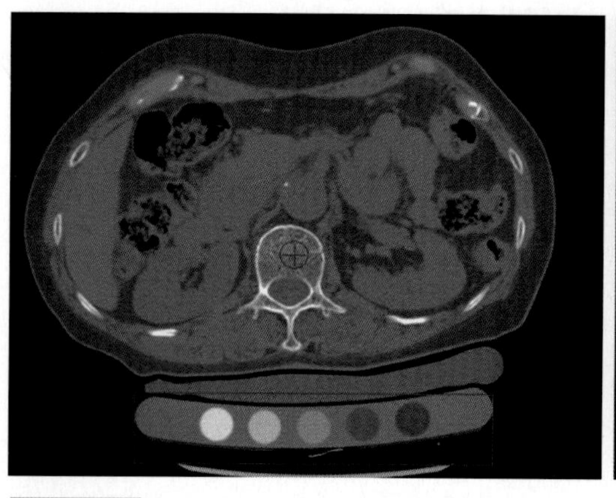
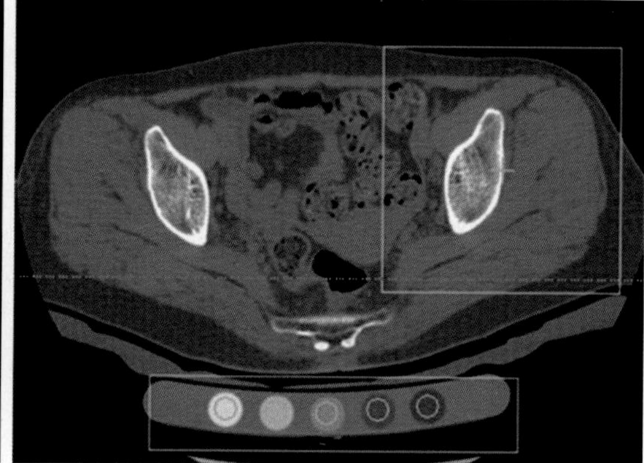

그림 2-3-1 ▶ QCT를 통한 척추와 대퇴골의 골밀도측정

척추 QCT

척추골밀도 촬영에 있어서 단면(single-slice) QCT는 L1-L3 혹은 T12-L3를 측정하게 되며, 3D QCT는 주로 L1-L2를 촬영하게 되며 최소 2개 이상의 척추를 평가하도록 되어 있다. 척추의 단면 영상을 구할 때, 과거에는 8-10 mm의 두께로 척추 영상을 구하였지만 최근에는 발달된 영상기술로 1-3 mm의 얇은 두께로 척추단면을 촬영하게 된다. QCT를 통한 척추골밀도측정은 척추의 피질골와 해면골을 분리해서 해면골의 골밀도를 중심으로 척추골밀도를 측정한다. 따라서 DXA와 비교해서 골극 등의 퇴행성 척추변화나 대동맥의 석회화, 환자의 과도한 비만 등에 영향을 덜 받는다는 장점이 있다. 또한, 뼈의 회전률이 빠른 해면골만을 분리하여 평가할 수 있기 때문에 약물에 대한 효과를 비교적 빠르게 평가할 수 있다는 장점이 있다. 그러나, DXA처럼 기준이 되는 수치가 대규모 연구를 통해서 각 인종별로 제공되지 않는다는 점과, 아직까지 스캔 장비에 따른 포괄적인 표준화 방법 등이 명확하게 제시되지 못한다는 단점이 있다. DXA는 2차원적인 면적 밀도를 측정하는 데 반해서 QCT는 3차원적인 용적 밀도를 제시하므로 그 단위가 mg/cm^{3}으로 제시된다.

대퇴골 QCT

대퇴골 QCT의 장점은 2차원적인 면적 밀도 뿐만 아니라, 3차원적으로 재구성한 대퇴골의 용적 밀도를 해면골과 피질골로 나누어서 제공한다는 것이다. 즉, QCT의 대퇴부 촬영 시, DXA 대퇴골의 골밀도와 아주 흡사한 수치의 2D 면적 밀도를 제시한다. 추가적으로 다면적으로 촬영된 영상의 3차원적인 재구성을 통하여 대퇴골 전체 뿐만 아니라 경부, 전자부 등의 각 부위별 해면골과 피질골 각각의 용적 밀도를 제시한다(그림 3-2). 뿐만 아니라 골질의 지표 중 하나인 대퇴골의 구조적인 특징(geometry)에 대한 정보도 제공한다. 뼈의 구조적인 특징은 일반적으로 대퇴경부의 두께나 피질골의 두께, 대퇴골 길이, 대퇴골 각도 등이 해당하며 이러한 값들을 통하여 대퇴골의 강도와 관련된 다양한 수치들을 구할 수 있다는 장점이 있다.

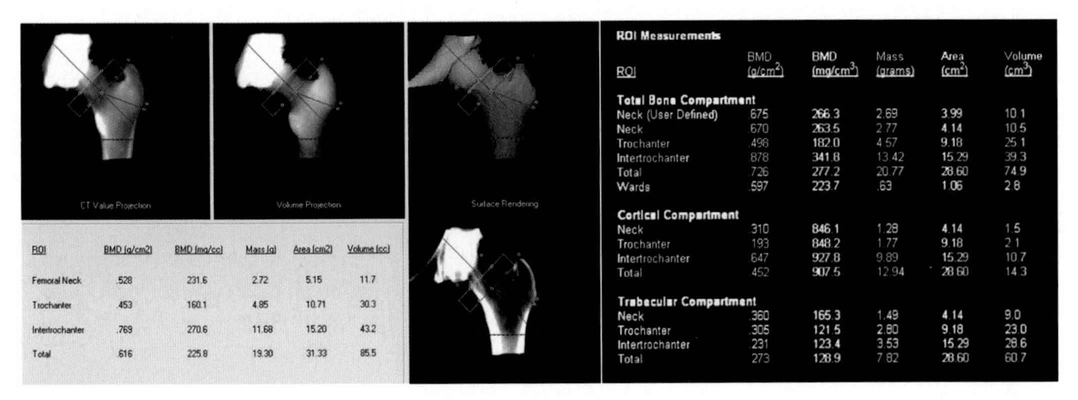

ROI	BMD (g/cm2)	BMD (mg/cc)	Mass (g)	Area (cm2)	Volume (cc)
Femoral Neck	.528	231.6	2.72	5.15	11.7
Trochanter	.453	160.1	4.85	10.71	30.3
Intertrochanter	.769	270.6	11.68	15.20	43.2
Total	.616	225.8	19.30	31.33	85.5

ROI Measurements

ROI	BMD (g/cm^2)	BMD (mg/cm^3)	Mass (grams)	Area (cm^2)	Volume (cm^3)
Total Bone Compartment					
Neck (User Defined)	.675	266.3	2.69	3.99	10.1
Neck	.670	263.5	2.77	4.14	10.5
Trochanter	.498	182.0	4.57	9.18	25.1
Intertrochanter	.878	341.8	13.42	15.29	39.3
Total	.726	277.2	20.77	28.60	74.9
Wards	.597	223.7	.63	1.06	2.8
Cortical Compartment					
Neck	.310	846.1	1.28	4.14	1.5
Trochanter	.193	848.2	1.77	9.18	2.1
Intertrochanter	.647	927.8	9.89	15.29	10.7
Total	.452	907.5	12.94	28.60	14.3
Trabecular Compartment					
Neck	.360	165.3	1.49	4.14	9.0
Trochanter	.305	121.5	2.80	9.18	23.0
Intertrochanter	.231	123.4	3.53	15.29	28.6
Total	.273	128.9	7.82	28.60	60.7

그림 2-3-2 ▸ 대퇴골의 QCT촬영을 통한 면적 및 용적측정 골밀도평가

말단골(peripheral) QCT

일반적인 척추와 대퇴골의 QCT이외 척골이나 경골 등의 말단골 부위의 QCT도 최근에 개발되었다. 일반적인 QCT와 마찬가지로 체적 용적 밀도로 측정되며 척골이나 경골의 말단 부위의 해면골과 피질골을 분리하여 골밀도를 구할 수 있다는 장점이 있으며 체적 용적 골밀도 뿐만 아니라 구조적 변수들을 이용한 다양한 골강도 관련 지표들이 동시에 제공된다는 장점이 있다. 그러나 말단골 QCT는 아직까지 골다공증의 진단이나 치료에 대한 반응을 관찰하기에는 적합하지 않다는 단점으로 임상에서 널리 사용되기에는 한계가 있다.

골다공증의 진단 및 치료반응 평가

QCT를 통한 골다공증의 진단에는 척추 QCT 수치를 통해 진단 가능하며 L1-L3중 2개 이상의 척추를 평가한 수치의 평균이 80 mg/cm^3미만인 경우를 골다공증으로 진단하여, 80-110 mg/cm^3을 골감소증이라고 진단한다. 110 mg/cm^3이상인 경우 정상 골밀도로 판단할 수 있다. 대퇴골 촬영 시 주어지는 면적 골밀도의 경우에는 DXA 면적골밀도와 거의 흡사한 수치를 보이는 것으로 되어 있으나 아직 QCT의 대퇴골골밀도의 면적이나 체적 용적 골밀도 수치가 골다공증의 진단기준 값으로 사용되어 지지는 않는다. 국내 골다공증 약제의 보험 기준은 척추 체적 용적 골밀도 기준 80 mg/cm^3이하로 정해져 있다. 또한, QCT는 치료 약제 시작 전 골다공증의 초기 진단 뿐만 아니라 약제 사용 이후 치료반응 평가에도 사용될 수 있다.

정확도와 재현성

QCT의 정확도와 재현성은 비교적 높은 편이다. 척추 부위 촬영 시 단면(single-slice) QCT의 변동 계수는 1.4-4.0%, 3D QCT의 변동 계수(coefficient of variance)는 1.3-1.7% 로 DXA의 척추 촬영 변동 계수인 0.5-1.5%보다 크며, 대퇴골 촬영 시 변동계수는 1.6-3.3% 정도로 DXA의 대퇴골 변수 계수인 2.2-2.5%보다 다소 높다.

표 2-3-1 ▸ 각 영상의 정확도(Coefficient of Variance)의 비교

	정확도(Coefficient of Variance, %)
단면(single-slice) QCT L-L3	1.4-4.0
3D QCT L1-L2	1.3-1.7
대퇴골 QCT	1.6-3.3
peripheral QCT	1.4-1.8
척추 DXA	0.5-1.5
대퇴골 DXA	2.2-2.5

금기

일반적인 CT촬영과 마찬가지로 임산부의 경우 촬영을 해서는 안되며, 최근 고밀도 조영제를 사용한 시술이나 영상 촬영을 시행한 경우에는 골밀도 수치에 영향을 주게 되므로 충분한 기간이 지난 이후에 촬영할 것을 추천한다. 또한 방사선 비투과성 카테터나 튜브 등과 같은 물질을 체내에 삽입하고 있는 경우에도 골밀도 수치에 영향을 주게 되므로 촬영 시 주의를 요한다.

참고문헌

1. Adams JE. (Quantitative computed tomography. European journal of radiology 2009;71:415-24
2. Crabtree N, Ward K. Bone Densitometry: Current Status and Future Perspective. Endocrine development 2015;28:72-83
3. Damilakis J, Maris TG, Karantanas AH. An update on the assessment of osteoporosis using radiologic techniques. European radiology 2007;17:1591-602.

4. Engelke K, Adams JE, Armbrecht G, et al. Clinical use of quantitative computed tomography and peripheral quantitative computed tomography in the management of osteoporosis in adults: the 2007 ISCD Official Positions. Journal of clinical densitometry : the official journal of the International Society for Clinical Densitometry 2008;11:123-62.
5. Engelke K, Lang T, Khosla S. Clinical Use of Quantitative Computed Tomography (QCT) of the Hip in the Management of Osteoporosis in Adults: the 2015 ISCD Official Positions-Part I. Journal of clinical densitometry : the official journal of the International Society for Clinical Densitometry 2015;18:338-58.
6. Guglielmi G, Lang TF. Quantitative computed tomography. Seminars in musculoskeletal radiology 2002;6:219-27.
7. Guglielmi G, van Kuijk C, Li J. Influence of anthropometric parameters and bone size on bone mineral density using volumetric quantitative computed tomography and dual X-ray absorptiometry at the hip. Acta radiologica (Stockholm, Sweden : 1987) 2006;47:574-80.
8. Khoo BC, Brown K, Cann C. Comparison of QCT-derived and DXA-derived areal bone mineral density and T scores. Osteoporosis international : a journal established as result of cooperation between the European Foundation for Osteoporosis and the National Osteoporosis Foundation of the USA 2009;20:1539-45.
9. Link TM, Lang TF. Axial QCT: clinical applications and new developments. Journal of clinical densitometry : the official journal of the International Society for Clinical Densitometry 2014;17:438-48.
10. Pickhardt PJ, Bodeen G, Brett A. Comparison of femoral neck BMD evaluation obtained using Lunar DXA and QCT with asynchronous calibration from CT colonography. Journal of clinical densitometry : the official journal of the International Society for Clinical Densitometry 2015;18:5-12.
11. Yu EW, Thomas BJ, Brown JK. Simulated increases in body fat and errors in bone mineral density measurements by DXA and QCT. Journal of bone and mineral research : the official journal of the American Society for Bone and Mineral Research 2012;27:119-24.

2-4 말단골밀도측정법

김덕윤

말단골밀도측정법은 대부분 가격이 저렴하고 공간을 적게 차지하며 측정방법이 비교적 간단하기 때문에 일차진료기관이나 검진센터에서 이용하기 편리하다. 또한 이동이 쉽기 때문에 역학조사나 의료봉사 등의 목적에도 적합하다. 그러나 말단골밀도측정법의 종류가 매우 다양하기 때문에 표준화하기 어렵고, 골다공증을 진단하는 기준도 명확하지 않다. 또한 추적검사에 적합한 정도로 정확도가 개선되지 않아 문제점으로 지적되고 있다. 2002년 국제임상골밀도학회(ISCD)에서 말단골밀도측정법의 이용에 대하여 다음과 같이 언급하였다. 첫째, 골다공증의 진단에 현재 사용되는 WHO의 T-값 진단기준은 말단골밀도측정법에 적용할 수 없고 둘째, 각 기기마다 골다공증 진단에 적합한 수치가 설정되어야 하며 셋째, 치료 후 변화를 판정하거나 추적검사에는 사용할 수 없고 넷째, 폐경후 여성에서 가장 유용하게 사용될 수 있다. 이는 말단골밀도측정법이 경제적이고 편리하게 사용할 수 있는 한편 제한점이 있음을 보여 주고 있다.

방사선흡수계측법(RA, radiographic absorptiometry)

초기에는 광밀도측정기(photodensitometry)로 불려졌던 방법으로 오래 전부터 사용되어 왔다. 단순 X-선으로 중수골이나 지골을 촬영할 때, 알루미늄 합금으로 된 참조 쐐기(reference wedge)를 함께 촬영하여 비교함으로써 골밀도를 간접적으로 평가한다. 최근에는 광밀도측정기를 컴퓨터화하여 정확도와 정밀도가 향상되었다. 흔히 2, 3, 4번째 지골을 촬영하며 결과는 g/cm^2와 T-값으로 표시한다. 중수골에서 측정하는 방법은 DXR (Digital X-ray Radiogrammetry)이라 불리우기도 한다(그림 2-4-1). 미국 국민건강영양조사(NHANES I)에서 45세 이상의 백인 여성 1,559명의 손 부위 X-선 사진을 방사선 흡수계측법으로 재분석한 결과 대퇴골골절의 발생을 잘 예견한 것으로 나타났다.

EPIC (Early Postmenopausal Intervention Cohort)연구에서 308명의 여성을 대상으로 방사선 흡수계측법으로 지골 골밀도를 측정한 결과 DXA와 SXA로 다양한 골격 부위에서 측정한 골밀도와 우수한 상관관계를 보였다($044<r<0.72$, $p<0.001$). 말단 지골에서 시행되므로 임상적으로 중요한 중축골의 골밀도를 반영하지 못하며, T-값을 사용할 수 없는 한계가 있으나 장비 가격이 저렴하고 쉽게 이용할 수 있는 것이 장점이다.

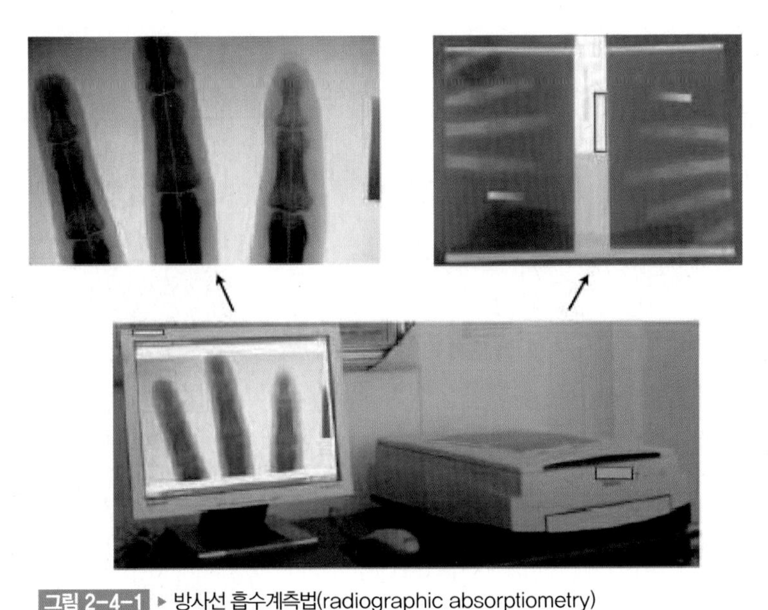

그림 2-4-1 ▸ 방사선 흡수계측법(radiographic absorptiometry)

2, 3, 4번째 지골의 X-영상을 알루미늄 합금으로 된 참조 쐐기와 함께 촬영한 후 컴퓨터로 수학적 관계를 이용하여 골의 무기질량을 계산한다.

말단골 이중에너지X-선흡수계측법 (pDXA, peripheral dual-energy X-ray absorptiometry)

1. 측정원리와 방법

말단 골밀도측정만을 목적으로 개발된 pDXA는 기기가 저렴하고 쉽게 측정할 수 있으며 공간을 적게 차지하기 때문에 일차 진료에서 많이 사용된다(그림 2-4-2). 상완부나 종골에서 골밀도를 측정하며 검사 시간이 짧기 때문에 집단 선별 검사에도 유용하다.

상완부에서는 원위요골(radius), 초원위(ultradistal)요골, 1/3 부위 등을 측정하였으나 최근 ISCD에서는 피질골이 풍부한 요골 중간 33% 부위를 측정하도록 권장한다. 원위요골과 초원위요골에서는 관심영역이 조금만 이동되어도 피질골과 해면골의 비율이 급격하게 달라지기 때문에 측정오차가 발생할 위험성이 크기 때문이다. 오른손잡이에서는 우측에서 측정한 골밀도치가 좌측보다 10% 이상 높게 측정되므로 일반적으로 왼쪽 상완부에서 골밀도를 측정한다. 요골에서 측정된 골밀도가 척추 및 대퇴골골밀도와 0.5~0.7 정도의 중등도 상관관계를 나타낸다(그림 2-4-3). 이는 동일인에서도 측정부위에 따라 골의 조성과 대사 정도에 차이가 있기 때문이다.

DXA로도 상완부 골밀도를 측정할 수 있는데 이 경우에는 상완부를 측정할 수 있는 소프트웨어와 팔고정 기구(positioner)가 필요하다.

Dual x-ray and laser (DXL, PIXIMus)는 통상적인 이중에너지 방사선에 레이저를 추가하여 특정 부위의 두께를 측정하여 뼈와 연부조직, 지방조직을 정확하게 구분할 수 있으며 종골에서 흔히 시행된다(그림 2-4-4).

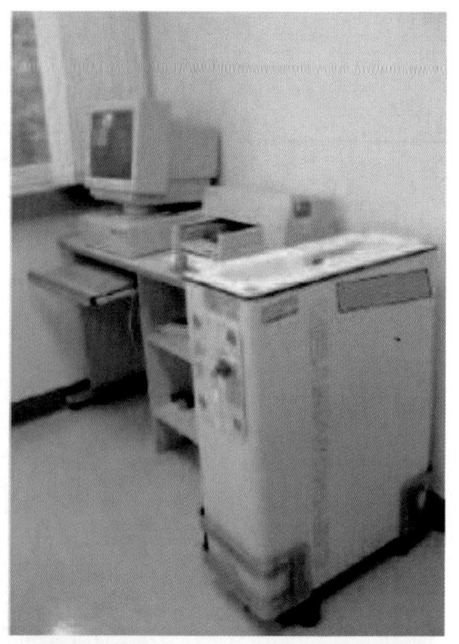

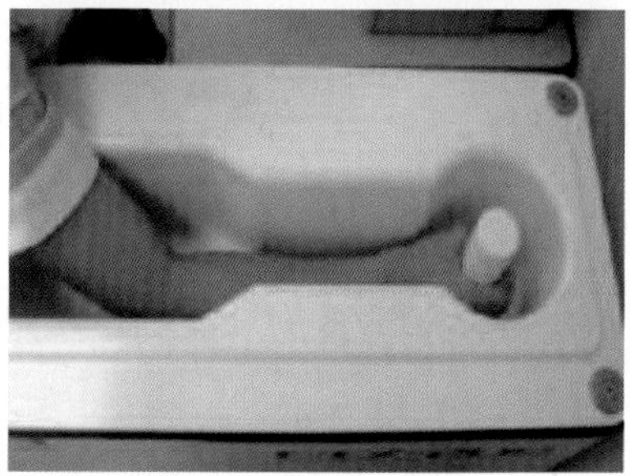

그림 2-4-2 ▸ pDXA 촬영 장면

2. 임상적용

1) 골절 예측

폐경여성에서 척추를 포함한 전반적인 골절 평가에 사용될 수 있다. 그러나 척추골절을 예견하는 능력이 중축골 DXA와 QUS에 비하여 낮으며 남성에서는 자료가 부족하다. 요골에서 측정된 pDXA 결과가 골절위험인자와 함께 골절위험도가 낮게 평가되면 임상적 평가가 더 이상 필요 없으므로 골다공증의 스크리닝 검사로 사용될 수 있다. 요추부에서 측정한 DXA의 T-값이 -1.0일 때 이와 유사한 골절위험도를 나타내는 pDXA의 T-값은 -1.75로 요추에 비하여 종골에서 측정된 T-값이 더 낮은 수치를 나타냈다. 국내에서 사용되는 pDXA 대부분에서 이와 유사한 문제점이 발생한다. 따라서 각 기기마다 골절 역치와 골다공증 진단에 대한 자료가 설정되어야 한다.

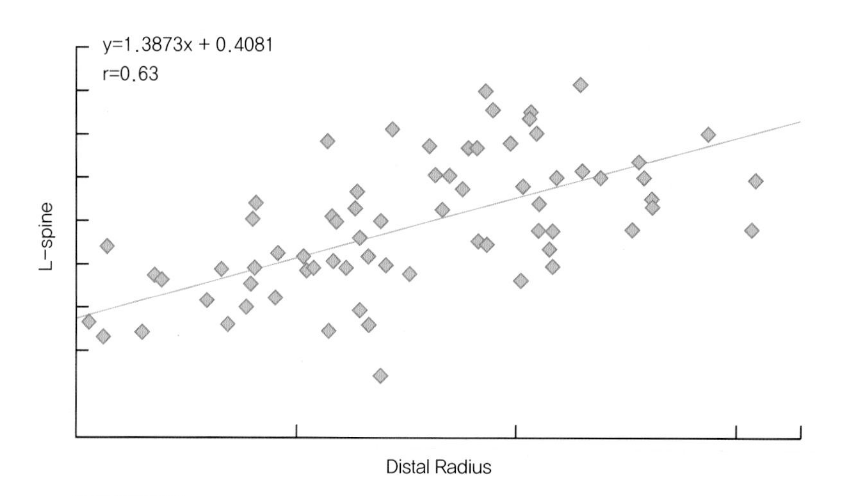

그림 2-4-3 ▸ pDXA와 DXA의 상관관계

pDXA로 측정한 요골 원위부 골밀도와 DXA로 측정한 척추골밀도 사이에 중등도의 상관관계를 보이고 있다.

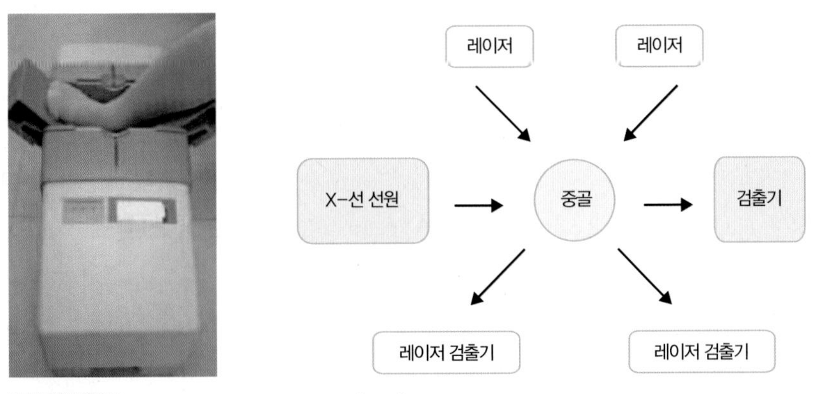

그림 2-4-4 ▸ Dual X-ray and Laser (DXL)

2) 치료 결정

척추와 대퇴골골밀도측정을 이용하는 것이 권장되나 불가능할 경우에는 위험인자와 함께 평가하여 골절위험도가 충분히 높은 경우 치료를 고려한다. 각 기종마다 이 기준은 따로 설정되어야 한다.

3) 치료 효과 평가

말단골밀도측정법의 정밀도가 치료후 1~2년 내에 예상되는 골밀도 변화범위 내에 있기 때문에 실제 골밀도 변화가 측정오차와 구분되지 않는다. 따라서 ISCD에서는 말단골밀도측정법이 추적 검사에 적합하지 않다고 정의하였다. 일부 말단골밀도측정법의 정밀도가 요추골밀도측정과 유사한 1~2% 정도를 나타내고 있어 추적 검사시 사용할 수 있다는 단편 연구들이 보고된 바있다.

정량적초음파측정법(QUS, quantitative ultrasound)

1950년대에 이미 초음파를 이용하여 뼈의 물성 평가가 시도되었으나 1984년 Chris Langton이 대퇴골골절을 경험한 골다공증 여성의 종골에서 초음파의 광역음파감쇠(broadband ultrasound attenuation, BUA)를 측정한 이후 본격적으로 개발되었다. 그 결과 1990년대부터 여러 종류의 초음파측정기가 임상적으로 이용되고 있다.

가격이 저렴하고 검사가 간편하며 공간을 적게 차지하는 말단골밀도측정기의 공통적인 특징에 추가하여 방사선 장애가 없는 것이 장점이다. 미국 FDA에서 인정된 검사방법으로 10여종 이상이 상품화되어 사용되고 있다.

1. 측정원리

일반적으로 사람이 잘 들을 수 있는 음파영역은 15~20 kHz이며, 20 kHz 이상은 초음파로 불리

운다. 임상적으로 흔히 이용되는 초음파 영상기기는 1~10 MHz 영역의 초음파를 이용하는데 비하여 QUS에서는 해면골에서 음파가 많이 감쇠되기 때문에 0.1~1 MHz의 낮은 영역을 이용한다. 대부분의 초음파측정기는 탐촉자가 발신용과 수신용으로 나누어져 측정대상을 사이에 두고 마주보는 형태를 취한다(그림 2-4-5). 피질골의 초음파 속도(speed of sound, SOS)만을 측정하는 기계는 탐촉자가 초음파를 발신하고 동시에 반향된 초음파를 수신하는 형태를 취하기도 한다. QUS의 종류에는 물이 필요한 경우(immersion technique; waterbath; wet type)와 coupling gel이 필요한 경우(contact technique; dry type)의 두 종류가 있다(그림 2-4-6). 이밖에도 QUS 기종마다 초음파의 음역 범위가 다르고 탐촉자의 종류, 크기도 다양하다. 같은 종골을 측정하더라도 기종마다 측정하는 부위가 달라지므로 QUS 기종간의 결과를 직접 비교할 수 없다.

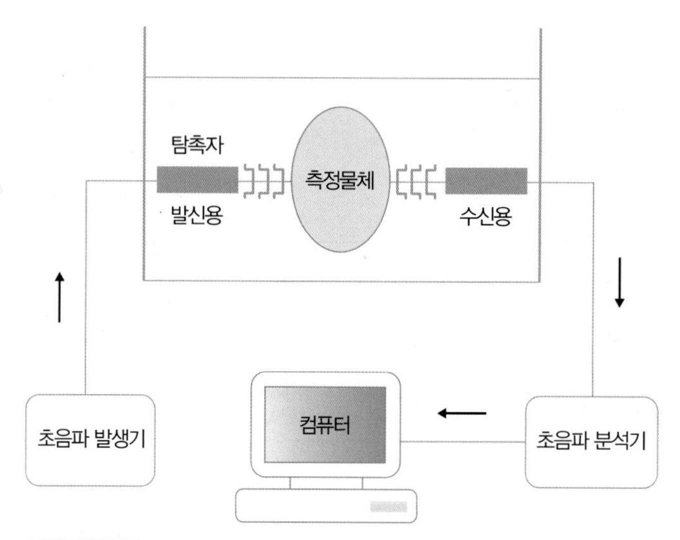

그림 2-4-5 ▸ 정량적 초음파측정법(QUS)의 모식도

발신용 탐촉자에서 0.2~0.6(1.5)MHz의 초음파가 나와 측정 물체를 통과한 후, 수신 탐촉자에서 초음파의 속도와 감쇠정도를 측정하여 골밀도와 구조를 예측한다.

2. 측정치

1) 음파 속도(SOS, speed of sound)

뼈를 통과하는 음파의 속도는 뼈의 밀도와 질에 의해 영향을 받으며 초음파가 골조직을 전파해 나가는 속도는 m/s 단위로 표시된다. 초음파의 속도는 매질에 따라 상이하여 피질골에서 3,000~3,600 m/sec, 해면골에서는 대략 1,650~2,300 m/sec를 보인다. SOS는 골의 탄성도와 골의 세기를 반영하며 수치가 높을수록 뼈가 강하다고 평가한다. 즉 조직의 연결성이 좋을수록 통과 속도가 빨라지며 골다공증과 같이 연결성이 나쁜 경우 속도가 늦어진다.

2) 광역 음파 감쇠(BUA, broadband ultrasound attenuation)

음파가 뼈를 통과하면서 그 에너지가 반사와 흡수에 의해 소실되어가며, 음파의 진동(oscillation)이 감소하는 양상을 나타낸다. 뼈의 구조가 치밀하고 골밀도가 높을수록 음파 에너지가 많이 감소하고, 그 단위는 dB/MHz로 나타낸다. 이 감쇠는 0.2~0.6 MHz(200~600 KHz)의 저주파 영역에서는 주파수에 따른 직선형 감쇠를 보이고, 고주파 영역에서는 비선형(nonlinear)으로 증가한다.

3) 합성 변수(composite parameter)

SOS와 BUA의 두 변수를 이용한 합성 변수를 사용하기도 하는데 Lunar사의 기기는 'stiffness index', Hologic사의 기기는 'QUI (quantitative ultrasound index)'로 명명하였다. Stiffness index는 '[0.67×BUA+0.28×SOS]−420', QUI는 '0.41×(BUA+SOS)−571'로 계산된다. 합성 변수의 장점은 온도에 대한 영향이 상대적으로 적고 정밀 오차를 감소시키며 SOS, BUA 두 개의 변수를 함께 고려하여 단순화시킨 것이다. 그러나 인위적인 단위로 뼈의 어떤 특성을 반영하는지 명확하지 않은 것이 단점이다.

4) 측정치와 골질

초음파는 그 특성상 매질의 조성, 밀도와 구조에 의해 영향을 받는다. 따라서 골강도 중 골량 외의 다른 특성을 반영할 것으로 기대되어져 왔다. 초기 연구 결과 종골의 QUS 측정은 골밀도와 중등도의 상관관계를 나타내며 골밀도와는 독립적으로 골의 강도를 반영한다고 알려졌다. 즉 SOS는 골밀도와 해면골의 수, 연결 정도, 방향 등과 같은 골의 미세구조와 연관이 있고 BUA도 해면골의 분리정도와 연결 정도에 의해 영향을 받는다. BUA는 같은 골조직에서 해면골의 방향에 따라 수치가 달라지며 이는 동일한 골밀도임을 고려하면 조직의 구조적인 측면을 반영하는 것으로 이해되었다. 이런 사실은 실험적 환경에서 증명되었으나 실제 임상에서는 한 방향으로만 측정하는 제한점 때문에 대부분의 QUS 연구에서 골밀도와 독립적으로 뼈의 구조를 반영한다는 증거는 많지 않다.

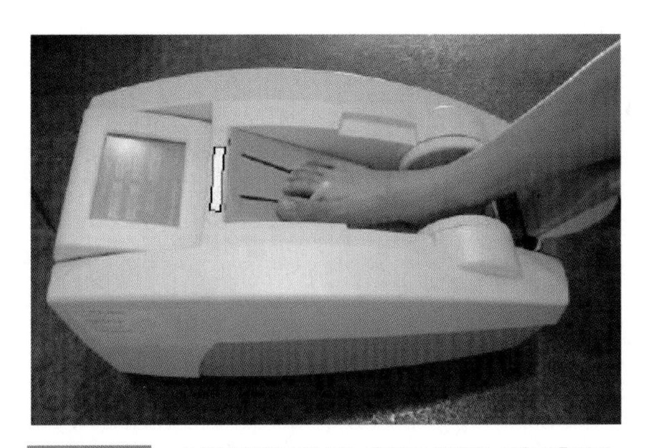

그림 2-4-6 ▸ 수조가 내장되어 있는 형태의 정량적 초음파측정법

3. QUS 변수와 DXA로 측정된 골밀도와의 연관성

QUS는 골밀도와 측정변수가 다르기 때문에 동일한 부위에서 측정한 골밀도 결과와 일치하지 않는다. 종골에서 동시에 측정된 골밀도와 QUS 측정치는 r=0.6-0.8의 비교적 높은 상관관계를 나타내지만, 종골에서 측정된 BUA와 DXA로 측정된 요추 골밀도는 r=0.32-0.42, 대퇴경부와는 r=0.34-0.49로 비교적 낮은 연관성을 나타낸다. 동일한 QUS로 측정된 SOS와 BUA사이에도 r=0.53-0.75 정도의 중등도 상관관계를 보인다.

4. 정밀도

QUS는 DXA기종에 비하여 정밀오차가 높다. 정밀오차가 높으면 치료후 경과 관찰에 사용할 수 없어 임상적 이용에 제한을 받는다. 정밀오차에 영향을 주는 요인으로는 연부조직의 두께, 발뒤꿈치(heel)의 두께, 종골의 이소성(heterogeneity), 측정부위의 해부학적 변이, 탐촉자의 위치, 측정시 발의 위치 및 각도, 수조 온도 등 여러 인자가 관여하며 각 기종마다 정밀오차에 차이가 있다.

5. 임상적용

1) 골절 예측

QUS는 폐경후여성에서 중축골 DXA와 독립적으로 척추, 대퇴골을 포함한 전반적인 골다공증 골절위험을 예측하는 능력이 검증되었다. 65세 이상 남성에서는 대퇴골을 포함한 비척추골절의 위험을 예측할 수 있다. 여러 단면연구(cross-sectional study)에서 BUA가 1 표준편차 감소하면 척추골절 위험도가 1.4~3.7 배 증가하며 SOS도 유사한 정도의 변화를 나타냈다. 종단연구(longitudial study)에서도 BUA와 SOS의 1 표준편차 감소는 대퇴골골절의 상대위험도를 각각 2.0, 1.7 배 정도 높인다고 알려져 있다. QUS와DXA의 결과가 다르게 나오는 경우는 매우 흔하며 이는 측정오차가 아닌 실제 결과로 받아들여야 한다. QUS로 측정된 골밀도와 위험인자에서 골절위험도가 낮게 평가되면 더 이상의 진단과정과 약물치료가 필요하지 않다는 임상적 의의를 갖게 된다. pDXA와 동일하게 QUS에서 얻어진 T-값도 DXA에서 측정된 수치에 비하여 낮은 수치를 보이고 결과적으로 골다공증을 과잉진단할 위험이 있으므로 적절한 보정이 필요하지만 만족스러운 해답은 아직 제시되고 있지 않다. 동일인에서 QUS를 측정해도 기종에 따라 T-값이 달라지는 것도 큰 문제이다.

2) 치료 여부 결정

치료를 결정함에 있어 척추와 대퇴골 DXA 결과를 이용하는 것이 우선적으로 권장된다. DXA를 사용할 수 없어 QUS를 치료 여부 결정에 사용할 때는 임상적 위험인자와 함께 각 기기마다 정해진 골절 역치를 기준으로 골절위험성이 충분히 높을 때 치료를 시작한다.

3) 치료효과 평가

pDXA의 경우와 같이 정밀도의 한계로 인하여 추적 검사에 적합하지 않다.

말단골 정량적 전산화단층촬영(pQCT, peripheral QCT)

1. 측정원리

상완부 등 말단골에서 골밀도를 측정할 수 있도록 특별하게 제작된 QCT이다. 따라서 QCT의 기존 장점 외에 적은 공간에서 보다 간편하게 사용할 수 있고 방사선양도 적은 것이 장점이다. 또한 피질골과 해면골을 분리하여 평가할 수 있고 뼈의 구조에 대한 중요한 정보를 제공하는 것이 다른 골밀도측정법과의 차별점이다.

최근에는 HR (high resolution)-pQCT가 개발되어 조직검사 수준의 3차원 정보를 제공하며 유한요소분석(finite element analysis)을 적용한 시뮬레이션으로 골강도를 평가하는 연구가 활발하게 진행되고 있다. HR-pQCT보다 해상도가 우수하여 뼈의 구조를 삼차원적으로 정확하게 평가할 수 있는 micro-CT는 골생검을 통하여 검체를 얻어야 하기 때문에 임상에서의 이용도는 상대적으로 낮은 편이며 실험동물 등 연구목적에 주로 사용되고 있다.

2. 임상적용

1) 골절 예측

폐경여성에서 측정된 상완부 pQCT는 대퇴골골절을 예측하는 능력이 검증되었으나 척추골절을 예측할 수 있다는 증거는 충분하지 않다. 남성에서의 자료도 부족하다. pQCT에 대한 정상인 자료는 현재까지 스위스, 독일, 이탈리아, 유럽, 일본에서 발표된 바 있다.

2) 치료 결정

골다공증의 치료를 결정함에 있어서 척추와 대퇴골 DXA 결과를 이용하는 것이 권장된다. pQCT를 치료 여부 결정에 사용할 때는 임상적 위험인자와 함께 각 기기마다 정해진 골절 역치를 기준으로 골절위험성이 충분히 높을 때 치료를 시작한다.

3) 치료효과 평가

요추에서 측정된 해면골골밀도는 연령에 따른 골밀도 변화와 질환 또는 치료에 따른 변화를 평가하는데 사용될 수 있다. 상완부에서 측정된 골밀도는 연령에 따른 골밀도 변화를 평가할 수 있다.

고해상도자기공명영상(high resolution magnetic resonance imaging)

고해상도MRI 영상을 통하여 뼈의 미세구조와 기하학적 정보를 얻을 수 있다. 이를 통하여 골강도와 골절위험도를 예측할 수 있으나 아직 더 많은 연구가 필요하다. 기술적인 이유로 손목이나 경골말단, 종골 등에서 시행된다. QCT에 비하여 방사선 노출이 없고 뼈와 골수의 구분이 더 명확한 것이 장점이나 영상획득이나 처리과정에서 높은 기술수준을 요구하며 신호 대 잡음비(signal-to-noise ratio)와 해상도, 환자의 움직임에 의한 인공음영 등은 개선되어야 할 부분이다.

참고문헌

1. 김수열, 원장원, 임희진 등. 이중방사선 흡수법을 이용한 원위요골 골밀도측정의 유용성. 대한가정의학회지 1999;20:79-88.
2. 박지선, 진욱, 박소영 등. 골밀도측정에 있어서 말단부 골밀도측정법의 유용성: 중축골 이중에너지방사선흡수법과의 비교. 대한영상의학회지 2010;62:555-61.
3. 양승오, 김영일, 정태흠 등. 디지털 방사선 계측법을 이용한 한국여성의 정상 골밀도. 대한골대사학회지 2003;10:169-74.
4. Blake GM, Fogelman I. Peripheral or central densitometry: Does it matter which technique we use? J Clin Densitom 2001;4:83-96.
5. Frost ML, Blake GM, Fogelman I. Can the WHO criteria for diagnosing osteoporosis be applied to calcaneal quantitative ultrasound? Osteoporos Int 2000;11:321-30.
6. Gonnelli S, Cepollaro C, Montagnani A. Heel ultrasonography in monitoring aldendronate therapy: a four-year longitudinal study. Osteoporos Int 2002;13:415-21.
7. Huang C, Ross PD, Yates AJ, et al. Prediction of fracture risk by radiographic absorptiometry and quantitative ultrasound: a prospective study. Calcif Tissue Int 1998;63:380-4.
8. Kullenberg R, Falch JA. Prevalence of osteoporosis using bone mineral measurements at the calcaneus by dual X-ray and laser (DXL). Osteoporos Int 2003;14:823-7.
9. Malavolta N, Mule R, Frigato M. Quantitative ultrasound assessment of bone. Aging Clin Exp Res 2004;16:23-8.
10. Miller PD. Bone mineral density - clinical use and application. Endocrinol Metab Clin North Am 2003;32:159-79.
11. Miller PD, Njeh CF, Jankowski LG, et al. What are the standards by which bone mass measurement at peripheral skeletal sites should be used in the diagnosis of osteoporosis? J Clin Densitom 2002;5:S39-45.

12. Miller PD, Siris ES, Barrett-Connor E, et al. Prediction of fracture risk in postmenopausal white women with peripheral bone densitometry: evidence from the National Osteoporosis Risk Assessment. J Bone Miner Res 2002;17:2222-30.
13. Mussolino ME, Looker AC, Madans JH, et al. Phalangeal bone density and hip fracture risk. Arch Intern Med 1997;157:433-8.
14. Njeh CF, Fuerst T, Diessel E, et al. Is quantitative ultrasound dependent on bone structure? A reflection. Osteoporos Int 2001;12:1-15.
15. Polidoulis I, Beyene J, Cheung AM. The effect of exercise on pQCT parameters of bone structure and strength in postmenopausal women - a systematic review and meta-analysis of randomized controlled trials. Osteoporos Int 2012;23:39-51.
16. Ravn P, Overgaard K, Huang C, et al. Comparison of bone densitometry of the phalanges, distal forearm and axial skeleton in early postmenopausal women participating in the EPIC study. Osteoporos Int 1996;6:308-13.

2-5 기타 영상의학적 진단

박지선

골다공증은 다양한 원인에 의해 골밀도가 감소하는 발생하는 질환으로 여러 영상진단법이 이용될 수 있다. 골밀도 감소를 정량적으로 측정하는 진단법에는 이전 장에서 언급된 이중에너지X-선흡수계측법, 정량적전산화단층촬영, 정량적골초음파 등이 있다. 이 외에 골다공증으로 인한 골밀도 감소 소견을 정성적 혹은 반정량적으로 분석하고, 골다공증의 대표적 합병증인 다양한 골절 및 부전골절(insufficiency fracture)이나 골의 형태변화를 볼 수 있는 영상진단법인 단순방사선촬영, 전산화단층촬영(CT, computed tomography), 자기공명영상(MRI, magnetic resonance imaging), 골스캔이 있으며 이 장에서는 이 네 가지 영상검사에 대해 다루고자 한다.

골다공증골절이나 골의 형태변화는 분명한 외상력이나 특별한 임상증상을 갖지 않고 서서히 진행하기 때문에 다른 목적으로 촬영한 영상검사를 통해 우연히 발견되는 경우가 적지 않다. 또한, 골다공증골절에 의한 영상소견은 발생 부위 및 시기에 따라 다양하게 보일 수 있으며, 주로 고령에서 발생하는 골다공증이 간혹 악성종양과 감별이 필요한 경우가 있으므로 이러한 영상소견을 숙지하는 것이 중요하다.

단순방사선촬영과 전산화단층촬영(CT, Computed Tomography)

단순방사선촬영과 CT는 방사선을 이용한 영상진단장치로 골다공증의 영상소견이 유사하다. 따라서 보다 흔히 사용하는 단순방사선촬영의 영상소견을 중심으로 CT 소견을 함께 기술하고자 한다. 이에 앞서 이 두 가지 영상기법의 골다공증 진단에 대한 장단점을 정리해 본다면, 단순방사선촬영은 저선량을 사용하여 넓은 범위에 걸친 골의 전반적인 상태를 파악할 수 있고 쉽게 시행할 수 있는 경제적인 영상검사로 가장 널리 이용되지만, 진단적 정확도가 낮고 여러 요인들에 의해 다소 주관적인 평가를 할 수 있다. 이에 비해 CT는 단층촬영인 만큼 골음영의 감소 및 골소주의 형태변화를 좀더 객관적으로 파악할 수 있고, 작은 골절 유무, 골절선의 범위, 골절로 인한 형태변화 등을 보다 정확하게 확인할 수 있지만, 방사선노출이 많다. 또한, 심한 골다공증에서 발생한 부전골절, 전위가 없거나 골수부종만이 보이는 초기 혹은 미세 압박골절의 경우 CT로도 역시 진단이 어려울 수 있다.

골다공증의 단순방사선소견은 골음영의 감소, 골피질의 얇아짐, 거친 골소주(coarse trabeculae)와 함께 척추체 형태의 변화, 각종 부전골절 등이 있다. 이중 골음영의 감소는 골감소가 30~80%정도까지 발생해야 단순방사선촬영사진에서 인지할 수 있다고 알려져 있으며, 사진촬영의 기술적 요인과 주변 연부소식의 상태에 따라 달라질 수 있고 평가가 주관적이라는 제한점이 있다. 따라서 골다공증의 진단을 위한 목적으로 단독으로 사용하지는 않으며, 단순방사선촬영사진에서 골다공증을 진단할 때는 골피질이나 골소주의 형태, 동반된 골의 형태변화나 골절 여부를 함께 고려할 필요가 있다.

골다공증 중 주로 노년기 폐경 후에 발생하는 전신성골다공증은 몸통골격(axial skeleton)과 사지장골(long tubular bones)의 근위부(proximal portion)을 침범한다(그림 2-5-1A). 이에 비해 신체의 일부에 국한된 국한성 혹은 국소성골다공증은 사지골격(appendicular skeleton)의 이상과 관련이 있다. 침범한 사지골격의 균일한 골음영의 감소는 장기간 움직이지 못한 경우인 반면, 연골하부(subchondral) 혹은 골간단(metaphysis)에 띠모양의 골음영 감소와 골단(epiphysis)의 고르지 않은(patch) 골음영 감소는 급격하게 발생한 경우이다(그림 2-5-2).

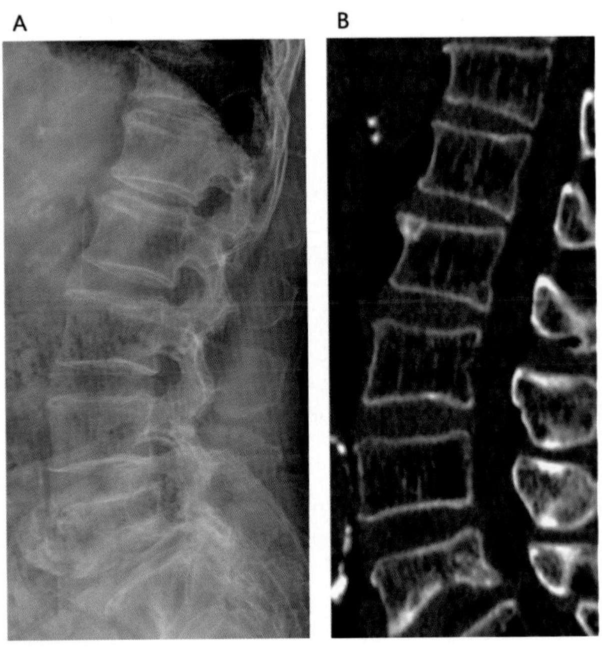

그림 2-5-1 ▸ 요추부 골다공증의 단순방사선촬영(A)과 CT재구성영상(B).

골음영의 감소, 얇은 피질골, 거친 골소주가 보이고 CT에서 수직방향의 골소주가 강조되어 보인다. L5의 압박골절과 함께 척추체 하부 연골종판에 연하여 증가된 음영이 관찰된다.

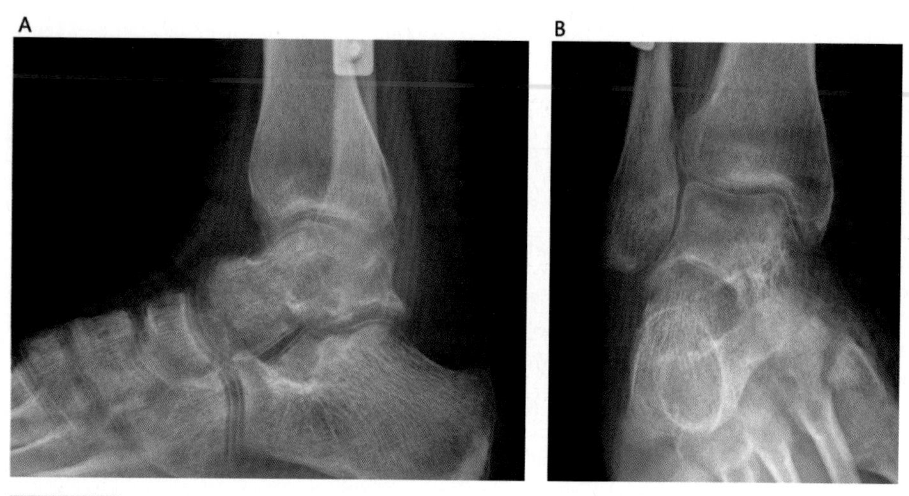

그림 2-5-2 ▸ 사지골격의 급성 국소성 골다공증

경골(tibia)과 비골(fibula)의 원위부 골간단과 거골(talus)과 종골(calcaneus) 등 족근골의 연골하부를 따라 띠모양의 골음영 감소가 관찰된다. 환자는 비골골절로 3개월간 발목고정을 했다.

1. 몸통골격

1) 척추

척추에서 골다공증의 진단기준은 골음영의 감소, 골소주의 변화, 척추체 형태의 변화, 압박골절(compression fracture) 및 부전골절이다(그림 2-5-1).

① 골음영의 감소

골다공증에서 척추체의 골음영이 감소하면 엑스선 투과성(radiolucency)이 증가된다. 단순방사선촬영사진에서 척추체의 골음영을 평가할 때 추체의 골음영과 인접한 연조직이나 추간판의 음영을 비교하여 척추체의 음영이 같거나 낮으면 골음영의 감소로 판단한다. 그러나, 골감소의 정도가 미미한 초기 골다공증의 경우 단순방사선촬영사진만으로 골음영의 감소를 인지하기 어렵고, 척추체의 압박골절에 의한 가골(callus)이나 척추의 퇴행성변화에 의한 연골종판의 경화성 변화 혹은 뼈돌기(osteophyte) 등에 의한 골음영 증가가 동반된 경우 골음영 평가에 좀 더 유의해야 한다.

② 골소주의 변화

골다공증이 진행되면 빽빽하게 차 있던 골소주는 점차 얇아지고 일부는 소실되는데 이는 수평방향의 골소주에서 좀 더 뚜렷하게 발생하여 상대적으로 남아있는 수직방향의 골소주가 강조되는 양상을 보이게 되며, 수직 줄무늬를 보이는 척추체 혈관종과 유사하다. 또한, 척추체의 상하 연골종판을 포함한 피질골이 얇아지지만 뚜렷해진다. 이들 소견은 골다공증처럼 골감소증을 보이지만 골소주의 경계, 피질골과 해면골의 경계가 불분명해지는 골연화증(osteomalacia)과 구분되는 소견이다.

척추부 골다공증에 대한 반정량적 분석인 Saville index가 이용되기도 하며, 이는 골음영의 감소와 골소주의 변화를 기준으로 골감소증의 정도를 등급화한 것이다(표 2-5-1).

표 2-5-1 ▸ Saville의 척추 골감소증 등급

등급	척추체의 단순방사선소견
0	정상 골음영
1	미미한 골음영 감소, 연골종판이 뚜렷해지기 시작
2	수직방향 골소주 뚜렷해짐, 연골종판 얇아짐
3	2등급보다 골음영 더 감소, 연골종판 흐려짐
4	허상(ghost) 같은 척추체, 연부조직보다 낮은 골음영, 골소주 안보임

③ 척추체 형태의 변화 및 압박골절

척추체의 형태변화는 일회성의 외상 혹은 서서히 진행되는 반복적인 미세골절과 이와 동반된 구조적인 리모델링에 의해 다양한 모양으로 만들어지게 된다. 척추체를 전방부, 중간부, 후방부로 구분하여 전방부에 국한된 높이감소인 쐐기형(wedge), 중간부가 함몰된 어추형(biconcave), 후방부를 포함한 모든 부위에 심하게 압축이 가해진 압궤형(crush)로 나눌 수 있으며, 높이감소는 인접한 척추체의 높이에 비해 20% 이상의 높이감소를 보일 때로 정의한다(그림 2-5-3, 2-5-4). 또한, 척추체 압박골절에서 약화된 골조직과 함께 연골종판이 파괴되고 추간판 디스크의 일부가 척추체로 이탈(herniation)된 Schmorl's node가 함께 관찰될 수 있다. 한편, 간혹 후방부에 비해 전방부의 높이가 약간 낮은 쐐기형 척추체와 쐐기형 압박골절과의 감별이 필요할 때가 있다. 특히 흉추부에서는 정상적인 척추후만(kyphosis)에 의해 후방부에 비해 전방부의 높이가 1~3 mm 정도 낮은 쐐기형 척추체를 흔히 볼 수 있으며, 4 mm 이상 차이가 있으면 압박 골절로 간주하고, 흉추부 외의 부위에서는 2 mm 이상의 차이를 압박골절로 간주한다.

쐐기형 척추변형 혹은 압박골절은 흉요추 이행부위에서 흔하며, 어추형 척추변형은 주로 요추에서 흔하다. 심한 골다공증 환자에서도 제7흉추 상부의 압박골절은 흔치 않으므로, 이보다 상부에 척추체의 압박골절이 있거나 편평형척추(vertebra plana)로 관찰될 경우 기저질환으로 골전이(bone metastasis), 호산성육아종(eosinophilic granuloma), 결핵성척추염(tuberculous spondylitis) 등을 감별해야 한다. 또한, 불분명한 골피질, 골파괴성 병변이 의심될 경우 악성 기저질환을 염두해 두고 CT 혹은 MRI를 시행해야 한다(그림 2-5-7A).

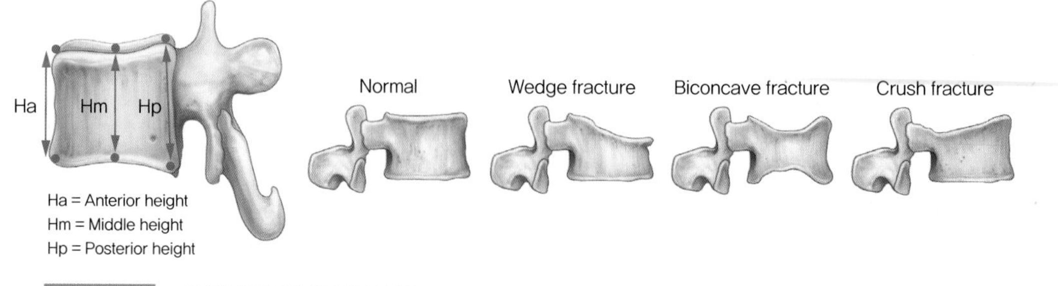

그림 2-5-3 ▸ 척추체 압박골절의 유형 모식도.

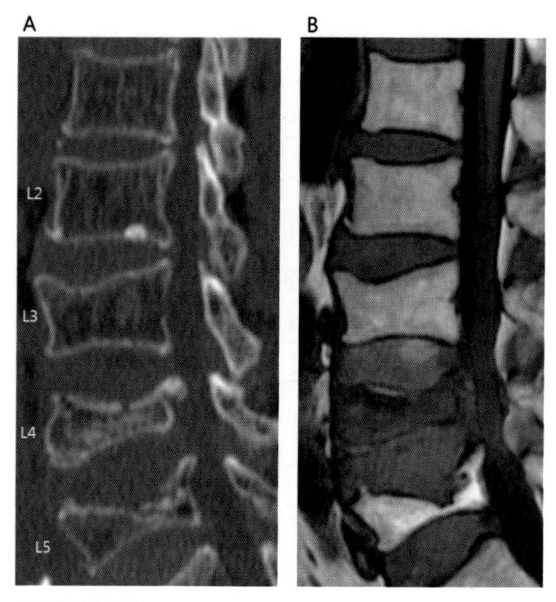

그림 2-5-4 ▸ 다양한 척추체 압박골절. A. CT. B. MRI. Anterior wedging of L2, Wedge fracture of L3, Crush fracture of L4, Biconcave fracture of L5

④ 부전골절

여러 개의 연속된 척추체 압박골절이 있을 때 그 중 가장 상부에 인접한 척추의 극상돌기(spinous process)의 부전골절이 비스듬한 주행으로 관찰되기도 한다. 이외에도 부위별로 척추부 단순방사선 촬영사진에 함께 포함된 주변의 골구조물인 천장골(sacroiliac bone), 치골(pubic bone), 비구(ace tabulum)의 상부, 대퇴골경부, 흉골 등에 발생한 부전골절 여부를 확인해 보아야 한다.

2) 척추 외 몸통골격

골다공증 환자에서는 간혹 몸통골격에 해당하는 골반뼈나 흉골에 부전골절이 발생한다. 부전골절이 잘 발생하는 대표적인 골반뼈로는 천골의 척추체 및 연(alae), 치골, 장골(ilium)의 천장관절(sacroiliac joint)에 연한 내측부위, 비구의 상부 등이 있다. 부전골절은 단순방사선촬영에서 희미한 선형 혹은 반점의 경화성 병변 혹은 국소적 혹은 불규칙한 방사선투과성 병변으로 관찰되며 시기에 따라 소견이 매우 경미하여 가골이 형성되기 전에는 놓치기 쉬우나 호발부위와 골절선의 주행방향을 면밀히 관찰하면 진단정확도를 높일 수 있다(그림 2-5-9A). 한편, 치골의 부전골절은 때로 심한 골용해(osteolysis)와 골분절(fragmentation)을 동반하여 악성종양과 유사하게 보일 수 있고(그림 2-5-8C), CT나 MRI와 같은 추가 영상검사를 통해 감별할 수 있다.

이외에도 여러 개의 늑골 골절이 관찰될 수 있다.

2. 대퇴골 근위부

대퇴골 근위부를 침범한 골다공증의 반정량적 분석을 위해 대퇴골 근위부의 4가지 골소주 집단(principal or secondary compressive group, principal or secondary tensile group)을 분석한 Singh index가 있다(그림 2-5-5). 초기 골다공증에서 골소주의 흡수가 발생하면 principal compressive, principal tensile group이 강조되어 보이는데 이는 이들 구조물의 경계를 불분명하게 만드는 주위의 얇은 secondary group의 골소주가 흡수되기 때문이다. 골소주의 흡수가 증가하면서 tensile group은 수가 감소하고, 더 진행하면서 principal tensile group이 사라지면서 principal compressive group만이 남게 된다. 하지만, 여러 연구의 결과가 일치하지 않고, 다른 정량적 영상진단장치와 연관성이 높지 않으며, 판독자간의 차이도 커서 현재는 잘 이용하지 않는다.

대퇴골 근위부인 경부 내측 피질 혹은 경부전체를 침범하는 부전골절이 발생하기도 하며, 골절편의 전위가 없는 경우 소견이 경미하여 놓칠 수 있으며 때로는 뼈돌기와의 감별이 필요하여 주의를 요한다. 양측 대퇴골의 비교와 다양한 방향의 단순방사선촬영, CT가 감별에 도움이 된다. 이외에도 대퇴골 전자간부위(intertrochanteric portion)의 골절이 발생할 수 있다.

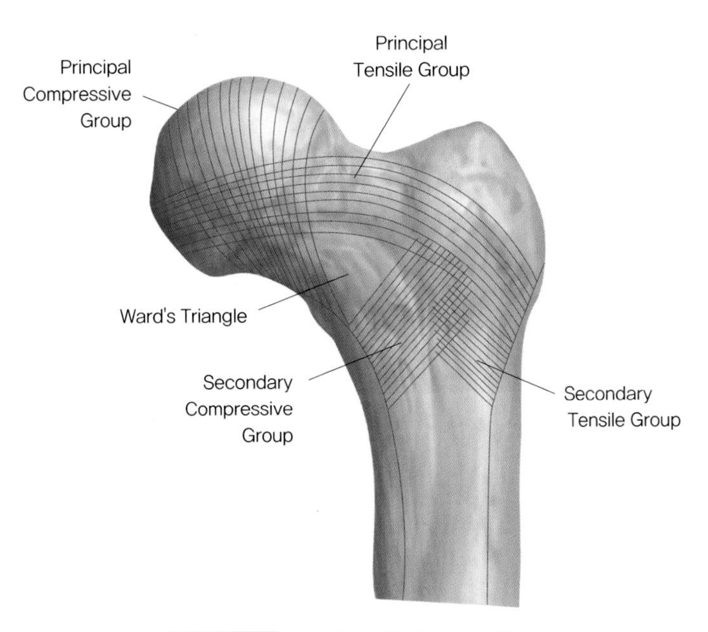

그림 2-5-5 ▸ 대퇴골 근위부의 골소주 집단.

3. 기타

1) 관상골(tubular bone)

골다공증의 피질골 변화는 세 부위에서 발생한다. 골내막의 골흡수에 의해 피질골이 얇아지거나 조개모양의 미란(endosteal erosion)이 보이고, 피질골 내의 골흡수에 의해 줄무늬모양을 보이며, 골막에서의 골흡수에 의해 골막하미란(periosteal erosion)이 나타난다. 이는 주로 제2중수골(2nd metacarpal bone)의 골간부위를 확대해서 관찰한다.

골다공증 환자에서 흔히 발생하는 관상골의 골절 부위로는 요골(radius)의 원위부, 상완골경(humeral neck), 경골(tibia)의 근위부와 원위부, 대퇴골 근위부 등이다.

2) 사지해면골

골다공증 초기에 사지해면골 중 손목이나 발목뼈에서 다양한 변화를 보인다. 균질한 미만성 혹은 점상의 골음영 감소가 관절 주위에서 심하고, 선 혹은 띠 모양의 골음영 감소가 연골하부와 골간단부에 나타난다.

자기공명영상(MRI, magnetic resonance imagine)

골다공증에서 MRI는 척추압박골절, 각종 부전골절을 진단하고 평가하는 중요한 영상진단방법이다. 대개 골절의 유무와 정도를 평가하는데 있어 CT가 MRI보다 유용하지만, 골감소가 매우 심한 골다공증 환자에서 골절선이 명확하지 않고 골절편의 이동이 없는 부전골절이나 척추체 높이의 감소가 거의 없는 초기 압박골절의 진단에는 MRI가 CT보다 유용하다.

그러나, MRI는 고가의 검사비용, 긴 촬영시간, 제한된 검사부위 등의 단점이 있고, 현재 일반적으로 시행하는 MR 영상으로는 골음영의 감소나 골소주 변화를 관찰하는데 제한적이므로 골절을 동반하지 않은 골다공증의 진단이 어려울 수 있다. 최근 골량을 측정하고 골강도를 정량적으로 평가하고자 하는 시도가 실험적으로 이루어지고 있다.

1. 척추압박골절

척추압박골절의 진단에서 MRI의 주된 역할은 급성과 만성을 구별하고, 신경학적 증상을 초래할 수 있는 골 및 연부조직의 형태학적 변화를 자세히 평가하며, 골다공증성 척추압박골절로 대표되는 양성압박골절(benign compression fracture)과 전이암(metastasis)이나 각종 혈액암(hematologic malignancy)을 동반한 악성압박골절(malignant compression fracture)을 감별하는 데 있다.

급성 척추압박골절은 골수부종(marrow edema)에 의해 T2강조영상이나 short tau inversion recovery (STIR)영상에서 고신호강도를 보이며, 이는 약 1~3개월 정도 지속된다(그림 2-5-4B). 시간이 경과한 만성 척추압박골절은 대부분 주변 정상 척추체와 유사한 정도의 골수 신호를 보이지만, 때로는 골괴사에 의한 저신호강도를 보이거나 외상후 Schmorl's node와 동반된 주변부의 국소적 신호강도변화를 보일 수 있다.

가장 중요한 MRI의 역할은 척추압박골절이 양성인지 악성인지를 감별하는 것이다. 먼저 양성압박골절은 저신호강도의 불규칙한 골절선과 T2 고신호강도의 선이 주로 연골종판에 평행하게 관찰되고 주변부에 골수부종이나 출혈, 응축된 골소주 등에 의해 다양한 신호강도를 보이며 주로 불균질한 조영증강을 보인다(그림 2-5-6). 연조직 종괴의 형성이 드물고 신호강도의 변화는 주로 척추체에 국한되는 양상이다. 이외에도 확산강조영상(diffusion weighted image)에서 저신호강도를, ADC map에서 고신호강도를 보이는 것으로 알려져 있다. 이에 비해 악성압박골절은 골절선이 명확하지 않으며 척추체 전체를 차지하는 신호강도의 변화를 보이고 이는 척추체 후경(pedicle)과 같은 후방요소까지 연장되기도 한다. 또한 종괴효과를 시사하는 척추체 후방의 볼록한(convex) 형태를 보이거나, 경막외(epidural) 혹은 척추주변(paravertebral) 연조직 종괴(soft tissue mass)를 동반할 수 있다(그림 2-5-7). 확산강조영상에서는 고신호강도를, ADC map에서는 저신호강도를 보인다. 하지만, 이러한 영상소견들 하나하나가 감별에 특이적인 소견은 아니므로 전체적인 MR 영상소견들은 종합하는 것은 물론 때로는 단순방사선촬영사진이나 CT의 영상소견을 함께 고려하여 진단하는 것이 감별의 정확도를 높일 수 있다.

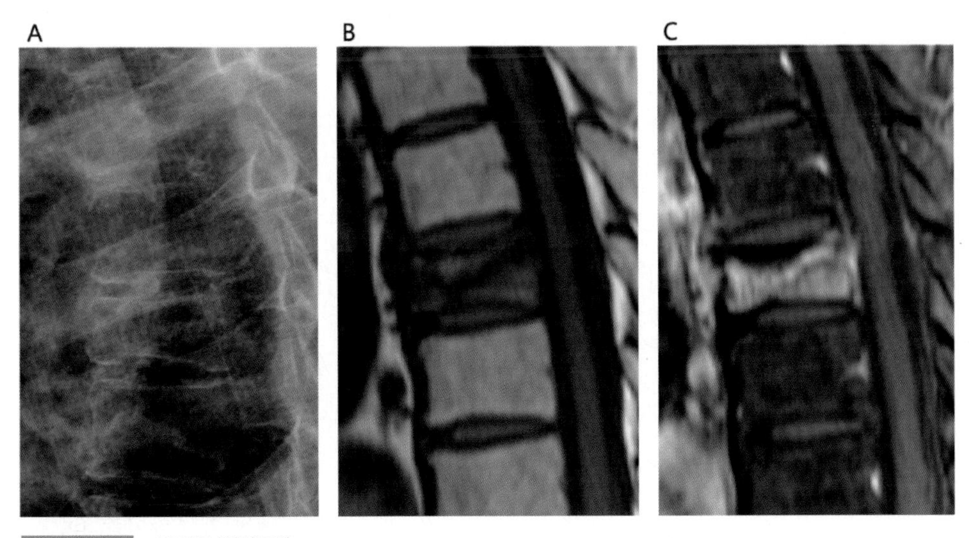

그림 2-5-6 ▸ T7 양성압박골절.

A. 단순방사선촬영에서 T7의 높이감소가 보이며 피질골은 얇아져 있으나 분명한 선으로 관찰된다. B. T1강조MR영상에서 연골종판에 평행한 저신호강도의 골절선이 보이고 주변부에 흐릿한 저신호강도 띠모양의 병변이 동반되어 있다. 일부 정상 지방골수에 의한 고신호강도가 유지되어 있다. C. 조영증강 지방억제T1강조MR영상에서 불균질한 조영증강을 보인다.

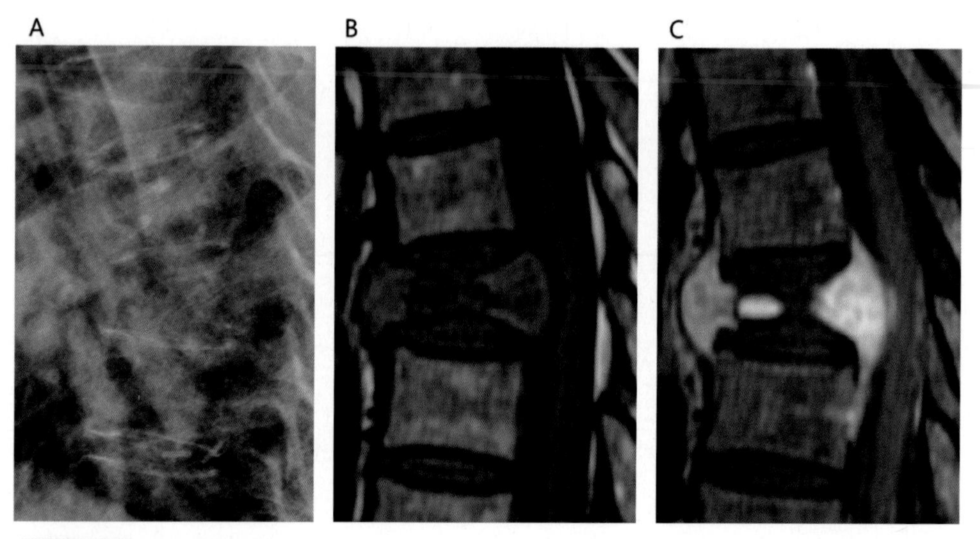

그림 2-5-7 ▸ T7 악성압박골절.

A. 단순방사선촬영에서 T7의 높이감소와 함께 척추체 전방 및 상하부 연골종판의 전방부의 피질골이 보이지 않는다. B. T1강조MR영상에서 T7 척추체 전체에 걸친 저신호강도와 전후방으로 불룩한 연조직종괴가 관찰된다. C. 조영증강 지방억제T1강조MR영상에서 균질한 조영증강, 연조직종괴에 의한 척수압박, 경막의 조영증강의 소견이 보인다.

2. 각종 부전골절

MRI는 초기 부전골절에서 보이는 골수부종과 출혈을 영상화하므로 다른 영상검사법에 비해 진단적 예민도가 높다. 골다공증과 동반된 부전골절의 대표적 호발부위는 골반뼈에 속하는 천골의 척추체 및 연, 천장관절에 인접한 천골과 장골, 치골, 비구의 상부 등이다. 다른 골절의 영상소견처럼 부전골절의 MR영상소견은 저신호강도의 골절선과 함께 고신호강도의 주변부 골수부종이다. 하지만, 치골결합(symphysis pubis) 부위에서 발생한 부전골절의 경우 심한 골파괴와 함께 연부조직 종괴를 동반하기도 하고, 일부 부전골절은 골절선이 불분명한 광범위의 골수부종으로 나타나 악성종양으로 오인할 수 있다. 그러나, 대부분의 경우 부전골절의 호발부위인 점, 비교적 특징적인 비정상신호강도 병변의 분포, 저신호강도의 골절선으로 다른 질환과의 감별이 가능하다.

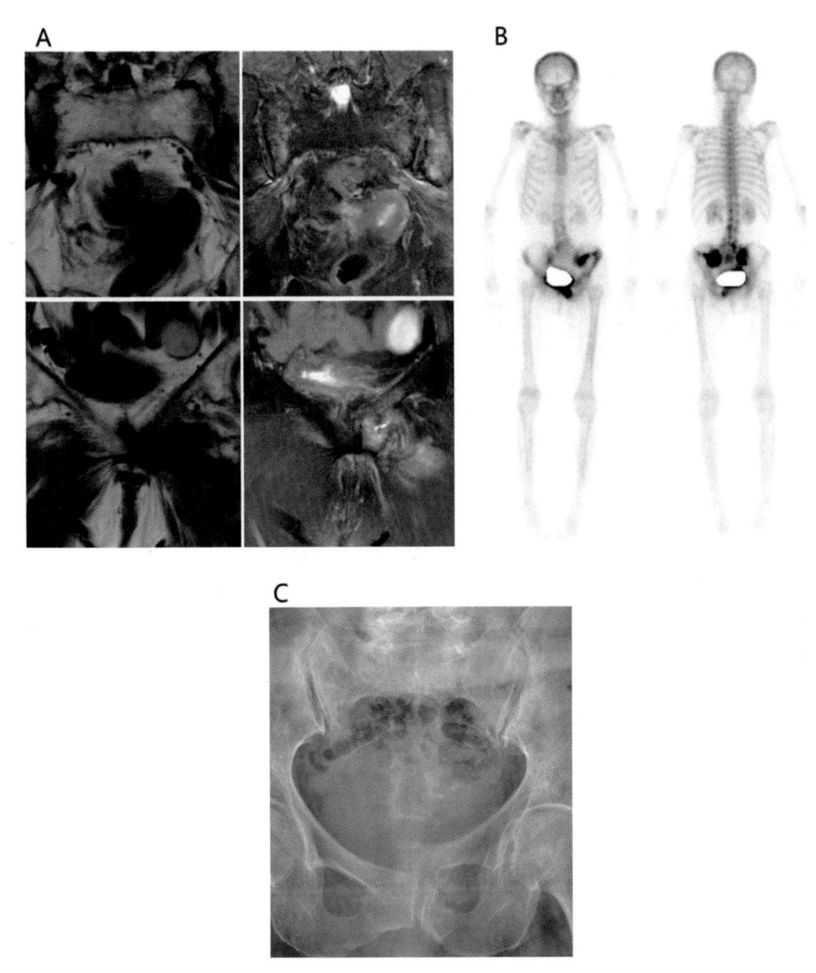

그림 2-5-8 ▸ 골반뼈 부전골절.

A. 천골의 양측 연(alae)과 천장골관절에 인접한 장골에 수직방향의 골절선이 T1강조영상에서 저신호강도로 보이고, 지방억제T2강조영상에서 고신호강도의 골수부종으로 관찰된다. 좌측 치골결합부위에 주변 연조직 병변을 동반한 골수부종이 있다. B. 전신골스캔에서 양측 천골연과 장골에 섭취증가가 있다. C. 2년 후 촬영한 단순방사선사진에서 좌측 치골결합부위의 심한 골파괴가 관찰된다.

골스캔

전신골스캔은 골다공증성 척추압박골절이나 다양한 부전골절을 한눈에 진단할 수 있으며, 때로는 다른 영상진단에서 놓치거나 불분명한 병변을 확인할 수 있는 보완적인 영상진단법이다(그림 2-5-8B).

부전골절이 천골의 척추체 및 연을 침범하면 H모양의 섭취증가가 보이며 이를 '혼다징후'라 한다(그림 2-5-9B). 골스캔에서 척추체 압박골절로 인한 섭취증가는 대개 18~24개월 후에 소실되므로 MRI와 함께 골절의 발생시기를 예상할 수 있는 방법이다.

A

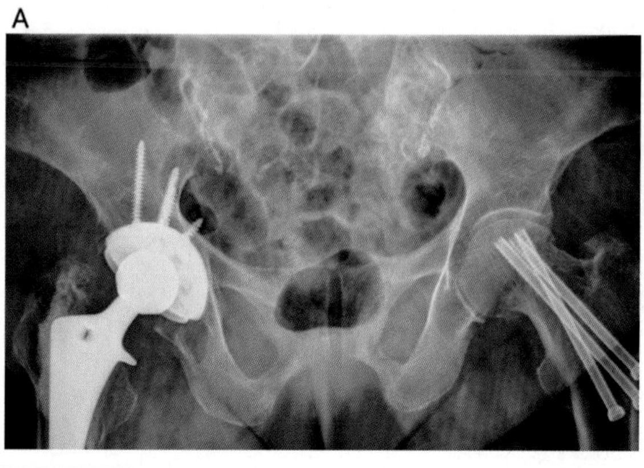

B

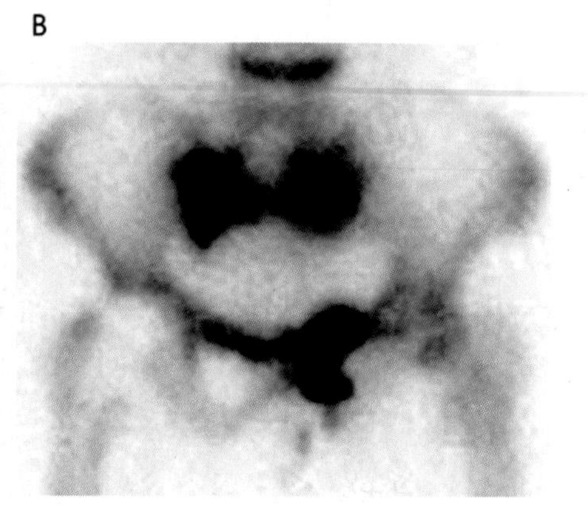

그림 2-5-9 ▸ 골반뼈 부전골절.

A. 골반부 단순방사선사진에서 천골의 양측 연(alae)을 따라 골경화성 병변이 보인다. B. 골스캔에서 천골의 양측 연 이외에도 양측 치골에 섭취증가가 뚜렷하게 보인다.

참고문헌

1. Cuénod CA, Laredo JD, Chevret S, et al. Acute vertebral collapse due to osteoporosis or malignancy: appearance on unenhanced and gadolinium-enhanced MR images. Radiology 1996;199:541-9.
2. Genant HK, Wu CY, van Kujik C, et al. Vertebral fracture assessment using a semiquantitative technique. J Bone Miner Res 1993;8:1137–48.
3. Krestan CR, Nemec U, Nemec S. Imaging of insufficiency fractures. Semin Musculoskelet Radiol 2011;15:198-207.
4. Mayo-Smith W, Rosenthal DI. Radiographic appearance of osteopenia. Radiol Clin North Am 1991;29:37-47.
5. Resnick D. Diagnosis of bone and joint disorders, 3rd ed. Philadelphia: Saunders, 2005:541-62.
6. Rosenberg AE. The pathology of metabolic bone disease. Radiol Clin North Am 1991;29:19-36.
7. Ryan PJ, Fogelman I. Osteoporotic vertebral fractures: diagnosis with radiography and bone scintigraphy. Radiology 1994;190:669-72.
8. Singh M, Nagrath AR, Maini PS. Changes in trabecular pattern of the upper end of the femur as an index of osteoporosis. J Bone Joint Surg Am 1970;52:457-67.

2-6 생화학적 골표지자

김상완

골교체는 골형성과 골흡수라는 상반된 활동을 특징으로 하고 있다. 골의 성장이 멈춘 후 노화가 일어나는 동안의 골재형성 과정에서는 골흡수가 골형성에 선행한다. 두 활동은 기본세포단위(basic multicellular unit)에 결합되어 나타난다. 골흡수 시에 파골세포에 의해 골 무기질의 용해와 골기질의 이화작용이 일어나므로 골흡수 공간이 형성되고 기질의 구성요소들이 유리된다. 골형성 시에는 조골세포에 의해 골기질이 합성되고 골흡수 공간이 채워져 무기질화가 일어난다.

표 2-6-1 ▸ 생화학적 골표지자

	골형성표지자
혈액	Bone specific alkaline phosphatase (BSAP)
	N-terminal propeptide of type I procollagen (PINP)
	C-terminal propeptide of type I procollagen (PICP)
	Osteocalcin (OC)
	골흡수표지자
소변	Hydroxyproline
	Free and total pyridinolines (Pyd)
	Free and total deoxypyridinolines (Dpd)
	N-terminal cross-linking telopeptide of type 1 collagen (NTX-I)
혈액	C-terminal cross-linking telopeptide of type 1 collagen (CTX-I)
	C-terminal cross-linking telopeptide of type 1 collagen generated by matrix metalloproteinases (CTX-MMP, ICTP)
	Isoform 5b of tartrate-resistant acid phosphatase (TRAP5b)

생화학적 골표지자는 골형성표지자와 골흡수표지자가 있다(표 2-6-1). 최근 국제골다공증재단과 국제임상화학 및 진단의학협회의 전문가 패널들은 골형성과 골흡수의 기준 표지자로 각각 PINP(N-terminal propeptide of type I procollagen)와 혈청 CTX-I(C-terminal cross-linking telopeptide of type 1 collagen)를 제시하였다. PINP은 피브릴을 형성하기 전의 제 1형 프로콜라겐의 해독 후 분할에 의해 형성된다. 혈중 PINP는 주로 골에서 유래되며 일중 변동을 보이지 않고 골형성을 자극하는 치료에 의해 빠르게 증가된다. 혈중 CTX-I은 제1형 콜라겐의 분해 산물이며 주로 골내에

존재하며 골흡수억제제에 의해 급속하게 감소한다. 하지만 CTX-I은 강한 일중 변동을 보이므로 측정을 위해서는 아침 금식 상태에서 채혈이 필요하다. BSAP와 TRAP5b(Isoform 5b of tartrate-resis tant acid phosphatase)는 각각 조골세포와 파골세포에 의한 대사작용을 반영하는 효소들이다.

분석 및 분석 전 변동성

분석의 변동성(analytical variability)은 측정내(intra-assay) 및 측정간(inter-assay) 변동 계수에 의해 평가되며 골표지자의 종류, 측정 방법, 검사실 직원의 숙련도에 의해 좌우된다. 골표지자를 측정하는 몇 가지 방법들(방사면역측정, 면역방사계측적 측정, 효소면역측정, 화학발광)이 가능해졌다. 자동화 분석기를 통해 연구 및 진료를 위해 빠르고 편리하고 정확하게 골표지자를 측정할 수 있다. 더구나 진료 현장에서 바로 소형화된 기구를 통해 요 크레아티닌을 보정한 NTX-I(N-terminal cross-linking telopeptide of type 1 collagen) 을 측정할 수도 있다.

분석전 변동성(preanalytical variability)은 골표지자의 측정에 매우 강력한 영향을 미친다. 분석전 변동성은 매우 많은 요인들을 포함한다(표 2-6-2). 일중 변동은 골표지자의 변동성에 강력한 영향을 주는데 혈중 골흡수표지자는 야간 후반부에 최고를 보이며 오후에는 최저를 나타낸다. 음식 섭취 역시 골흡수에 영향을 미치게 된다. 혈중 CTX-I 는 식후에 감소하는데 이것은 포도당이 글루카곤 유사펩티드2를 유도하기 때문이다. 따라서, 아침 공복 상태에 채혈이 시행되어야한다.

골대사는 비타민D와 칼슘 상태에 의해 영향을 받게 되는데 골표지자는 비타민D 결핍 노인에서 증가한다. 겨울에 비타민D는 최저를 나타내는데 특히 노인의 경우 겨울에 외출 횟수가 현저히 줄게 되어 골표지자의 계절적 변동성은 노인들에서는 매우 분명하게 나타난다. 반대로 비타민D가 충분한 젊은이들에서는 계절적 변동성은 최소화된다.

골표지자는 골전이가 있는 환자들에서 일반적으로 증가되며 그 수치는 골전이의 범위가 관련성이 있다. ICTP와 a-a-CTX-I (CTX-I의 원형)은 골침범의 가장 예민한 표지자로 간주된다.

골표지자는 최근의 골절에 의해서도 영향을 받는데 골절 후 처음 1시간 동안 스트레스와 관련한 코르티솔의 증가에 의해 오스테오칼신 (OC, osteocalcin)은 감소된다. 그 이후에 골형성과 골흡수가 증가되는데 이것은 골절의 치유를 반영한다. 골표지자는 골절 후 4개월 동안 증가된 상태로 있다가 그 후 1년까지 감소하게 된다.

내인성 및 외인성 코르티코이드는 골형성을 억제하는데 골표지자 중 OC의 감소가 가장 빠르며 그 뒤를 이어 PICP(C-terminal propeptide of type I procollagen)와 PINP가 약간 감소한다. 골흡수는 증가할 수 있는데 이에 대한 연구결과는 논란이 있다. 저용량의 프레드니솔론(5 mg/일)은 골형성을 감소시키지만 골흡수를 감소시키지 않는다. 흡입형 코르티코이드는 용량 및 약제의존적으로 OC를 감소시켰으나 다른 골흡수표지자에는 유의한 영향을 미치지 않는다.

유방암 치료에 사용되는 방향효소 억제제는 아직 남아 있을 수 있는 에스트로겐의 분비를 감소시킨다. 전립선암에서 사용되는 GnRH 작용제는 안드로겐의 분비를 억제하고 17베타-에스트라디올을 감소시킨다. 결과적으로 두 약제는 골교체를 가속화하여 골량을 감소시킨다. 두 경우 모두 비스포스포네이트를 동시에 투여하면 예상되는 골절환를 억제할 수 있다.

경구피임약을 복용하는 폐경전여성들은 골표지자의 값이 낮다. 그러나, 골표지자 값의 변화는 복합 경구피임약의 성분에 따라 다소 다르다.

티아졸리딘디온은 간엽세포를 지방세포로 분화시키고 조골세포의 분화를 억제한다. 티아졸리딘디온은 골형성을 억제하지만 골흡수는 변화가 없거나 약간 증가한다. 조골세포의 초기 단계에 발현되는 PINP와 BSAP(bone specific alkaline phosphatase)가 성숙 조골세포에서 발현되는 OC보다 더 빠르고 즉각적으로 감소한다.

표 2-6-2 ▸ 골교체의 분석전 변이성(preanalytical variability)의 결정인자

교정가능 인자들	
일중 변동	
생리 주기	
계절 변동	
금식 및 음식 섭취(특히 CTX-I)	
운동 및 신체적 활동	
교정이 어려운 인자들	
연령	
성	
폐경 상태	
비타민D 결핍증과 이차성 부갑상선기능항진증	
장단기 일간 변동	
골교체의 항진이 특징인 질환	일차성 부갑상선기능항진증
	갑상선중독증
	말단비대증
	파제트병
	골전이
골교체의 분리가 특징인 질환	쿠싱병
	다발성 골수종
골교체의 감소가 특징인 질환	갑상선기능저하증
	부갑상선기능저하증
	뇌하수체기능저하증
	성장호르몬 결핍증
신장 손상	
최근 골절	

우울증	
운동이 제한되는 만성질환	뇌졸중
	반신마비
	치매
	알츠하이머병
	근감소증
약제	경구 코르티코스테로이드
	흡입 코르티코스테로이드
	방향화효소 억제제
	경구 피임약
	성선자극호르몬유리호르몬
	항경련제
	티아졸리딘디온
	헤파린
	비타민K 길항제

골표지자의 참고범위

골표지자의 참고범위는 많은 연구에서 각각 다른 결과로 보고되었다. 참고범위는 선정된 대상의 특성(연령, 성, 모집 방법, 포함 및 제외 기준), 지리학적 위치, 측정 방법, 실험실의 전문성, 그리고 통계학적 접근에 따라 결정된다. 이러한 점들을 고려할 때, 실제 진료에서 참고범위는 해석에 주의가 필요하다.

골전환율과 골량의 감소

젊은 성인에서는 BMU마다 대체되는 골량은 흡수에 의해 제거되는 골량과 거의 동일하다. 폐경 후와 골량의 감소가 촉진되는 경우에서는 골흡수표지자가 급속하게 증가한다. 더 많은 수의 골흡수 공간을 채우기 위해 골형성도 증가하므로 골형성표지자도 증가한다. 형성된 골량은 흡수된 것보다 적기 때문에 결과적으로 BMU 수준에서의 골량의 감소가 일어난다. 따라서, BMU 수의 증가는 폐경 후 골표지자 값 및 골량 감소의 주요 결정인자가 된다.

대부분의 연구에서 기저 골표지자의 증가는 급속한 골량 감소와 관련되어 있지만 특정한 골표지자 값에 대해 개별적인 골량의 감소는 매우 넓은 분포를 보인다. 따라서, 병태생리학적 관점에서는 골전환 속도가 골량의 감소를 결정하는 것처럼 보이지만 임상적인 관점에서는 개인의 급격한 골량의 감소를 예측하는데 골표지자를 사용할 수는 없다.

골전환율과 골절위험

몇몇 전향적 코호트 연구와 환자-대조군 연구에서 골표지자의 증가가 연령, 골밀도, 이전의 골절과 독립적으로 골절을 예측할 수 있다고 제시하였다. 이러한 관련성은 폐경후여성과 노령여성에서는 관찰되었지만 남성이나 낙상이 가장 강력한 골절의 예측인자인 취약한 노인들에서는 관찰되지 않았다. 골표지자는 주요 골다공증골절(척추, 대퇴골, 다발성 골절)에 대해서는 예측적이지만 비주요(minor peripheral) 골다공증골절은 예측적이지 않다. 골절위험은 주로 요중 골흡수표지자들에 의해 예측되었고 몇 개의 연구들에서는 BSAP가 골절위험을 예측하는데 사용되었으나 OC, PINP, PICP 에 대해서는 연구결과가 없다.

높은 골전환율은 낮은 골밀도, 급속한 골량 감소, 그리고 해면골 부분(해면골의 천공과 감소, 해면골 연결성의 불량)과 피질골 부분(피질골의 얇아짐과 다공성의 증가)의 불량한 골미세구조와 관련되어 있다. 결과적으로 골은 더 큰 스트레스를 유지하다가 골조직의 피로가 누적되고 마침내 골의 재료적, 기계적 특성의 악화를 가져오게 된다. 골흡수 공간은 스트레스를 유발하여 해면골의 국소적 취약성을 가져온다. 골교체율의 증가는 최근에 형성된 일부 무기질화된 골의 증가와 관련성이 있으며 이 골은 역학적 저항성이 충분하지 않다. 골재형성 주기가 단축되면 골기질 단백질의 해독 후 수정(교차 연결과 제1형 콜라겐의 베타 이성질화) 단계를 위한 시간이 적어지게 된다. 폐경후여성을 대상으로 한 연구에서 제1형 콜라겐의 이성질화의 감소는 다른 예측인자와 독립적으로 골절위험의 증가와 관련성이 있었다.

골표지자의 잠재적인 임상적인 유용성은 중요하다. 골표지자는 골흡수억제제로부터 최대 효과를 경험할 수 있는 대상을 찾는데 도움이 되며 치료의 비용-효과를 향상시킬 수 있다. 그러나 골표지자와 골절위험에 대한 긍정 또는 부정적인 결과는 모두 주의깊게 해석되어야 한다. 위에서 언급했듯이 골표지자 결과는 신기능과 검체 수집에 따라 정확하지 않을 수 있다. 특히, 요중 골흡수표지자는 근육량이 적고 낙상 위험이 큰 환자들에서 과다하게 측정될 수 있다.

골절예측을 위한 골표지자의 임상적인 이용은 유망하게 보이지만 추가적인 검체의 수집시간과 골표지자의 선택, 요중 표지자의 표기, 임상적으로 유효한 역치의 결정, 골절 유형, 골표지자가 유효한 추적 기간 등의 표준화가 요구된다.

골전환율과 감시

골표지자는 골전환에 대한 약제의 대사적 효과를 반영하므로 적절한 용량을 결정하는데 도움이 되며 골밀도의 증가 및 골절위험의 감소를 예측할 수 있다. 따라서, 골표지자는 임상적으로 골다공증의 치료에도 도움이 될 수 있다.

1. 대사적 효과

치료에 따른 골표지자의 변화는 약제의 작용기전에 따라 결정된다. 골흡수억제제는 골흡수표지자를 빠르게 감소시킨다. 치료 전에는 활성화 되어 있는 BMU에서 골형성이 지속되므로 골형성표지자는 변화가 없다가 치료동안에 더 적은 수의 BMU가 형성되어 조골세포가 채워지게 되므로 골형성표지자는 감소한다. 치료 초기에는 골흡수는 감소하지만 골형성은 변하지 않으며 골밀도는 급속하게 증가한다. 골흡수억제제 치료동안 골표지자의 변화는 약제의 투여 경로와 용량, 골흡수 억제 정도, 그리고 세포 수준에서의 작용 기전에 따라 다르다. 예를 들면, 정맥주사 비스포스포네이트나 피하주사 데노수맙은 경구 약제보다 골표지자를 빠르게 감소시킨다. 현재 개발 중인 약제인 카뎁신K 억제제는 골표지자 측면에서 흥미로운 골흡수억제제이다. 카뎁신K 억제제는 파골세포에 의해 발현되는 시스테인 단백분해효소이며 산성 조건에서 콜라겐을 분해시킨다. 카뎁신K 억제제는 제1형 콜라겐의 이화 작용을 억제함으로 골흡수를 억제한다.

골흡수동안 콜라겐은 처음에는 기질금속단백분해효소(matrix metalloproteinases, MMPs)에 의해, 다음에는 카뎁신K에 의해 분해된다. MMPs는 CTX-MMP를 유리시키고 다음에 카뎁신K가 CTX-MMP를 분해시켜 CTX-I를 유리시키고 아미노 말단에서 NTX-I을 만든다. 따라서, 카뎁신K 억제제는 CTX-I과 NTX-I을 감소시킨다. 반대로, CTX-MMP는 더 이상 이화되지 않고 혈중 농도가 증가한다. 따라서, 혈중 CTX-MMP는 카뎁신K 억제제에 의한 골교체의 효과를 반영하지 못한다.

비스포스포네이트와 데노수맙과 달리, 카뎁신K 억제제는 조골세포의 활성은 감소시키지만 조골세포의 수는 감소시키지 않는다. 따라서, 파골세포의 수를 반영하는 TRACP5는 비스포스포네이트와 데노수맙 치료동안에는 감소하지만 카뎁신K 억제제 치료동안에는 변하지 않거나 오히려 증가하기도 한다. 파골세포는 조골세포 전구세포에게 신호를 보내 조골세포의 모집과 분화를 자극하므로 카뎁신K 억제제 치료동안 골형성의 감소는 비스포스포네이트와 데노수맙의 치료와 비교하여 뚜렷하지 않다.

강력한 골형성 자극제인 인간 재조합 부갑상선호르몬(1-34[테리파라티드], 1-84)은 골형성을 급속하게 증가시키고 다음에 골흡수를 증가시킨다. 치료 초기에는 골형성은 증가되지만 골흡수는 여전히 낮은 상태로 유지된다. '골동화 기간(anabolic window)'라고 불리는 이 시기동안 골밀도의 가장 빠른 증가를 보이며 이런 현상은 주로 해면골에서 관찰된다. 최근에 개발 중인 인간 항스클레로스틴 항체는 제1상 연구에서 급속하고 용량-의존적인 골형성의 증가를 보이며 혈중 CTX-I의 경도의 감소를 보였다. 스트론튬도 치료 초기에 혈중 BSAP와 혈중 CTX-I를 각각 경미하게 증가시키고 감소시켰으나 그 이후 치료기간동안 두 표지자 모두 정체되었다.

2. 골표지자와 골다공증의 새로운 치료

치료와 관련된 골표지자의 변화가 골밀도에 비해 훨씬 빠르기 때문에 골흡수억제제의 적절한 용량을 결정하는데 골표지자는 유용하다. 일반적으로 골흡수억제제의 용량이 높을수록 골표지자는 크게 감소하며 골표지자가 크게 감소하는 것과 골밀도의 증가는 관련성이 있다. 경피 17베타 에스트라디올, SERM, 그리고 경구 비스포스포네이트는 용량-의존적으로 골흡수(3개월 후 최대)와 골형성(6개월 후 최대)을 억제하며 골밀도를 증가시킨다. 카뎁신K 억제제에서는 보다 급속한 경향이 관찰된다. 피하주사 데노수맙이나 정맥주사 비스포스포네이트의 첫 투여 용량은 골흡수의 매우 빠른 용량-의존적 감소를 유도한다. 부갑상선호르몬(1-84) 치료 중에도 용량-의존적으로 요추 골밀도와 골형성골표지자가 증가했다.

골표지자는 같은 약제의 다양한 용량에 따른 치료적 동등성을 평가하는데도 유용하다. 같은 약제를 다른 용법으로 치료받는 두 환자군에서 골표지자의 동일한 감소는 두 용법의 효능이 동일함을 시사한다.

3. 골표지자와 골다공증 치료제의 효능

폐경후여성에서 기저 PINP가 높을 수록 알렌드로네이트에 의한 비척추골절의 상대 위험도는 크게 감소하였다. 하지만 다른 골표지자나 척추 골절에 대해서는 동일한 결과가 관찰되지 않았다. 리세드로네이트나 테리파라티드에 의한 골절의 상대 위험도 감소는 치료전 골표지자와 관련이 없었다. 하지만, 그 연구들에서도 골표지자가 증가되어 있는 치료전 폐경후여성에서는 골절의 발생이 높았다. 따라서, 골절의 절대 위험도의 감소 효과는 치료전 골표지자가 증가되어 있는 여성에서 가장 컸다.

골흡수억제제에 의한 골밀도의 변화는 골절에 대한 효능을 가늠하는 차선의 대리 인자이다. 그러나, 6-12개월내 골표지자가 감소하는 것은 장기간 골밀도의 증가 및 골흡수 억제치료의 2-3년간의 항골절 효과와 관련성이 있다. 테리파라티드 치료에 의해 초기에 골표지자가 증가하는 것은 이후의 골밀도(특히 해면골의 용적 골밀도)의 증가와 양의 관련성을 보였지만 단기간의 골표지자의 변화는 골절위험과 관련성이 없었다.

4. 골다공증 치료중단 후 골표지자

비스포스포네이트는 골내에 축적되고 대사되지 않는다. 따라서, 비스포스포네이트의 축적 용량이 낮을수록 골표지자는 빠르게 기저 수준으로 되돌아간다. 수년간 투여하던 알렌드로네이트를 중단하면 골표지자는 서서히 조금씩 증가하고 골밀도는 감소한다. 반대로, 여성호르몬 치료나 데노수맙, 카뎁신K 억제제는 골에 축적되지 않는다. 그러므로, 이 약제들을 중단하면 골표지자는 급격하게 증가하여 치료 전 수준을 초과하기까지 한다. 이러한 증가는 골밀도의 감소로 이어지고 골절위험이 증가할 수 있다. 1년간 부갑상선호르몬(1-84) 치료 후 골표지자는 기저 수준으로 돌아갔고 해면골의 용적측정 골밀도도 감소하였다. 데노수맙을 중단하고 1년간 치료하지 않은 사람들을 같은 약제로 치료를 다시 시작하였을때 골표지자는 계속 치료를 받은 사람들의 수준까지 빠르게 감소하였다. 테리파라티드 치료 중단 후 12개월동안 치료하지 않은 상태에서 다시 같은 약제로 치료를 재개하면 골표지자는 증가한다. 그러나, 이러한 증가는 전에 치료를 받지 않은 환자들을 대상으로 처음 치료한 경우에 비하면 훨씬 적다.

골다공증 치료 중단후 골표지자의 변화가 이후의 골절위험과 관련되어 있는지에 대한 추가적인 연구가 필요하다.

5. 병합치료와 골표지자

다른 두 가지의 골다공증 약제들의 병합 치료는 주로 폐경후여성에서 연구되었다. 알렌드로네이트와 부갑상선호르몬(1-84)를 함께 투여하면 골흡수표지자(혈중 CTX-I)를 빠르게 감소시켰으나 알렌드로네이트 단독 투여보다 덜하였고 일시적으로 골형성표지자는 증가했으나 부갑상선호르몬(1-84) 보다 덜 하였다. 그 후 골형성은 감소되어 기저 수준 이하에 남아있게 되었다. 이 병합 치료동안 골표지자의 시간경과는 알렌드로네이트에 의해 주로 결정되었는데 이것은 병합 치료군과 알렌드로네이트 단독 치료군에서의 골밀도의 변화가 동일하다는 결과와 상통한다.

골흡수억제제 치료 후 골표지자에 대한 부갑상선호르몬의 효과는 골교체의 억제 정도에 따라 결정되는데 골교체의 억제는 그 자체가 골흡수억제제와 치료기간에 따라 좌우된다. 알렌드로네이트의 장기간 치료 후 테리파라티드를 투여할 경우가 랄록시펜 치료 후에 테리파라티드를 투여할 경우보다 골표지자가 느리게 증가한다. 테리파라티드에 의한 골표지자의 증가는 전에 알렌드로네이트를 투여받은 여성들보다 리세드로네이트를 투여받은 여성에서 더 컸다. 부갑상선호르몬(1-84) 후 알렌드로네이트를 투여할 경우 알렌드로네이트만 투여받은 여성들과 비슷한 정도의 골표지자의 뚜렷한 감소를 보였다. 이러한 골교체의 강력한 억제작용은 부갑상선호르몬(1-84) 치료 동안 형성된 골흡수를 예방하여 골밀도의 추가적인 증가를 가져온다. 최소 6개월동안 알렌드로네이트로 치료받은 폐경후여성들을 대상으로 데노수맙을 투여할 경우 추가적인 골표지자의 감소와 골밀도의 증가가 관찰되었다.

6. 골표지자와 개인 수준에서의 치료 감시

골흡수억제제의 치료 감시 목적은 골표지자의 감소 정도를 평가하는 것이다. 최소유의변화(least significant change, 2.8 × 골표지자 측정내 변이 계수)를 초과하는 골표지자의 변화는 임의의 변화 범위를 초과하므로 치료의 실제 생물학적 효과를 반영할 수 있다. 이상적으로는 치료동안 골표지자는 폐경전여성의 평균이하 수준으로 감소되어야 한다. 골다공증 치료 동안의 낮은 순응도는 골절의 위험을 증가시킨다. 리세드로네이트를 복용하는 폐경후여성에서 NTX-I의 감시는 일반적인 관리에 비해 복약의 지속성을 향상시키지 못했다. 순응도가 좋을수록 골교체는 평균적으로 더 크게 감소한다. 하지만, 그 관련성은 임상적으로 유용할 정도로 충분히 강력하지 않다. 흥미롭게도 골흡수억제제 치료의 지속성은 NTX-I의 유의한 감소와 같은 긍정적인 정보를 제공받은 여성들에서 더 좋았다고 한다. 아직 비전형대퇴골골절이나 하악골 괴사의 고위험군을 찾아내는데 골표지자가 유용한지에 대한 근거는 충분하지 않다. 치료의 중단과 재개를 시사하는 골표지자의 역치를 확립하는 것도 아직은 연구결과가 부족하다.

남성에서의 골표지자

1. 연령에 따른 골표지자의 변화

소년 시기의 급속한 성장은 소녀보다 늦게 나타나지만 오래 지속된다. 따라서, 남성은 성장판이 닫힌 후 최대골량의 형성 시기가 여성보다 늦다. 일반적으로 남자가 여자보다 키가 크므로 남성들의 뼈가 더 길고 몸의 크기를 보정한 후에도 더 넓다. 20-25세의 남성들의 골표지자는 여성보다 더 높은 값을 보이는데 그 이유는 더 길고 큰 뼈에서 골전환이 더욱 왕성하기 때문이다. 골표지자는 그 이후 감소하여 50-60세 때 가장 낮은 값을 보인다. 60세 이후에는 골형성표지자는 변화가 없거나 약간 증가하며 골흡수표지자는 증가한다. 더 고령인 경우, 요중 DPD와 혈중 CTX-MMP는 연령이 증가함에 따라 증가하지만 혈중 CTX-I은 변화가 없는데 이러한 사실은 제1형 콜라겐의 분해에 관여하는 효소들의 상대적인 활성을 반영한다.

골전환이 증가된 남성들의 피질골의 미세구조는 불량하며 골밀도도 낮다. 이것은 남성에서 고령에 의한 골감소가 적어도 부분적으로는 골흡수의 증가에 의한 것이라는 것을 시사한다. 골표지자가 증가된 남성노인들은 급속한 골감소를 보이지만 그 연관성은 상대적으로 낮다. 환자-대조군 연구에서 CTX-MMP의 증가와 임상적 골절의 증가가 관련되어 있었지만 대규모 전향적 코호트 연구들에서 골표지자는 노인들에서의 골다공증 골절을 독립적으로 예측하지 못하였다. 흥미롭게도 여성과 마찬가지로 남성 노인에서도 CTX-I의 a/b 비는 다른 예측인자와 독립적으로 비외상성 골절을 예측하는 인자였다.

2. 골표지자와 골다공증 치료

성선기능저하증에서 테스토스테론 보충요법을 통해 생물학적으로 유용한 테스토스테론이 정상 혈중 농도에 도달하는 경우 골교체가 억제된다. 테스토스테론 보충요법 동안 골흡수는 빠르게 감소하지만 단위 크레아티닌당 요중 골표지자의 감소는 근육량의 증가와 일부 관련될 수도 있다. 골형성은 테스토스테론 보충요법을 시작하면서 증가하여 그후 안정되다가 결과적으로 감소한다.

경구 및 정맥주사 비스포스포네이트는 폐경후여성에서와 같은 정도로 골표지자를 감소시킨다. 이러한 효과는 고령, 성선기능저하증, HIV 감염자, 심장이식 후, 그리고 뇌졸중 후 남성에서도 관찰된다. 하지만, 전립선암으로 안드로겐 박탈치료를 받은 경우 데노수맙에 의한 골표지자의 감소는 폐경후여성보다 적었다.

남자에서 테리파라티드 치료는 1개월 후 골형성표지자(PINP)와 3개월 후 골흡수표지자를 증가시켰다. 한편, 정상 성선기능을 가진 골다공증 남자에서 테리파라티드의 중단 후 골표지자의 지속적인 감소가 관찰되었다. 6개월간 알렌드로네이트로 치료받은 남성을 대상으로 테리파라티드를 투여하였을 때 골형성표지자의 증가는 테리파라티드만을 투여받은 경우보다는 적었으며 혈중 NTX-I도 약간 증가하였다.

참고문헌

1. Amory JK, Watts NB, Easley KA, et al. Exogenous testosterone or testosterone with finasteride increases bone mineral density in older men with low serum testosterone. J Clin Endocrinol Metab 2004;89:503-10.
2. Bauer DC, Garnero P, Harrison SL, et al. Biochemical markers of bone turnover, hip bone loss, and fracture in older men: The MrOS study. J Bone Miner Res 2009;24:2032-8.
3. Black DM, Greenspan SL, Ensrud KE, et al. The effects of parathyroid hormone and alendronate alone or in combination in postmenopausal osteoporosis. N Engl J Med 2003, 349:1207-15.
4. Black DM, Schwartz AV, Ensrud KE, et al. Effects of continuing or stopping alendronate after 5 years of treatment: The Fracture Intervention Trial Long-term Extension (FLEX): A randomized trial. JAMA 2006;296:2927-38.
5. Bone HG, McClung MR, Roux C, et al. Odanacatib, a cathepsin-K inhibitor for osteoporosis: A two-year study in postmenopausal women with low bone density. J Bone Miner Res 2010;25:937-47.
6. Eastell R, Hannon RA, Garnero P, et al. Relationship of early changes in bone resorption to the reduction in fracture risk with risedronate: Review of statistical analysis. J Bone Miner Res 2007; 22:1656-60.
7. Eastell R, Vrijens B, Cahall DL, et al. Bone turnover markers and bone mineral density response with risedronate therapy: Relationship with fracture risk and patient adherence. J Bone Miner Res 2011;26:1662-9.
8. Finkelstein JS, Leder BZ, Burnett SM, et al. Effects of teriparatide, alendronate, or both on bone turnover in osteoporotic men. J Clin Endocrinol Metab 2006;91:2882-7.
9. Garnero P, Cloos P, Sornay-Rendu E, et al. Type I collagen racemization and isomerization and the risk of fracture in postmenopausal women: The OFELY prospective study. J Bone Miner Res 2002;17:826-33.
10. Glover SJ, Eastell R, McCloskey EV, et al. Rapid and robust response of biochemical markers of bone formation to teriparatide therapy. Bone 2009;45:1053-8.
11. Ivaska KK, Gerdhem P, Akesson K, et al. Effect of fracture on bone turnover markers: A longitudinal study comparing marker levels before and after injury in 113 elderly women. J Bone Miner Res 2007;22:1155-64.
12. McClung MR, Lewiecki EM, Cohen SB, et al. Denosumab in postmenopausal women with low bone mineral density. N Engl J Med 2006;354: 821-31.

13. Meunier PJ, Roux C, Seeman E, et al. The effects of strontium ranelate on the risk of vertebral fracture in women with postmenopausal osteoporosis. N Engl J Med 2004;350:459-68.

14. Miller PD, Delmas PD, Lindsay R, et al. Early responsiveness of women with osteoporosis to teriparatide after therapy with alendronate or risedronate. J Clin Endocrinol Metab 2008;93:3785-93.

15. Padhi D, Jang G, Stouch B, et al. Single-dose, placebo-controlled, randomized study of AMG 785, a sclerostin monoclonal antibody. J Bone Miner Res 2011;26:19–26.

16. Smith MR, Egerdie B, Hernández Toriz N, et al. Denosumab in men receiving androgen-deprivation therapy for prostate cancer. N Engl J Med 2009;361:745-55.

17. Schafer AL, Vittinghoff E, Ramachandran R, et al. Laboratory reproducibility of biochemical markers of bone turnover in clinical practice. Osteoporos Int 2010;21:439-45.

18. Vasikaran S, Cooper C, Eastell R, et al. International Osteoporosis Foundation and International Federation of Clinical Chemistry and Laboratory Medicine Position on bone marker standards in osteoporosis. Clin Chem Lab Med 2011;49:1271-4.

19. Vasikaran S, Eastell R, Bruyère O, et al. Markers of bone turnover for the prediction of fracture risk and monitoring of osteoporosis treatment: A need for international reference standards. Osteoporos Int 2011;22:391–420.

2-7 조직학적 진단

박용구

골조직의 생검 방법

골다공증을 진단하기 위해서는 여러 가지 진단 기법이 사용되고 있으나, 그 중 가장 정확한 방법인 조직학적 진단을 위해서는 생검을 실시하여야 하며, 또한 적절한 포매, 절삭, 염색이 필요하다.

생검은 Bordier 생검침이나 Gauthier 생검침을 사용하며 최소한 내경이 6~8 mm 정도(최근에 나오는 것은 7.5 mm로 되어 있음)가 적합한 생검 크기이다. 항상 생검침의 끝은 매우 날카로워서 이것이 매우 쉽게 장골을 관통할 수 있어야 한다. 생검침 마모로 인한 표본의 압축이나 골절이 생기지 않게 되어 적절한 조직형태를 유지할 경우 정확한 계측이 가능하다.

생검 조직을 떼어낼 때 기구를 골을 향하여 관통해서 더 밀어내는 것이 아니라, 매우 부드럽게 전후방으로 돌려서 떼어 내어야 하며, 생검 골표본을 기구에서 떼어 낼 때 생검 내침의 중앙을 통하여 sound를 집어넣고 가볍게 쳐내어 생검 골조직을 빼낸다.

생검 골조직을 고정할 때는 냉장고에 넣어서 미리 차게 만든 고정액을 사용한다. 대개 고정액은 섭씨 4℃ 냉장고에 보관하다 사용하는데 통상적으로 70% 에탄올을 사용한다. 70% 고정액이 가장 좋은 이유는 탈수가 자연스럽게 이루어지며 포르말린을 고정액으로 사용하였을 경우에 시행하는 24시간 수세하는 과정을 피할 수가 있다. 또한, 포르말린을 사용할 때는 조직의 종창(swelling)이 오고, 탈수과정 동안 위축이 되어 골수와 해면골 면이 서로 떨어지는 위축현상이 발생할 수 있다. 실험실에서 2차로 70% 에탄올로 표본을 옮기고 한 시간 동안 밀폐된 용기 내에서 진공상태를 유지한다. 그 후 표본을 24시간 냉장고에 보관한다. 24시간 후에 95% 에탄올로 표본을 옮기고 한 시간 진공상태를 유지한 후에 다시 24시간 냉장고에 보관한다. 100% 에탄올로 표본을 옮기고 한 시간 동안 진공상태를 실시하여, 24시간 냉장고에 보관하며 100% 알코올에서 진공상태를 유지하는 것과 냉장보관을 6회 반복한다. 이러한 과정을 거쳐서 고정의 과정이 끝나게 되면 그 후 methyl methacrylate에 표본을 옮기고 한 시간 동안 진공상태를 유지한 후 48시간 동안 냉장고에 보관한다. 48시간 후에 methyl methacrylate 바꾼 후에 다시 한 시간 진공을 유지하고 또 48시간 냉장고에 보관하고 5일째 되는 날 포매한다.

포매는 포매용으로 제작한 용기에 표본을 옮기고, 섭씨 60℃ 부란기에서 적당히 투명하게 녹인 MMA 또는 GMA를 표본에 붓고 polyscience의 JB4 embedding kit component B number 0227을 잘 혼합하여 용기에 같이 넣는다. 이 component B는 MMA 5 mL 당 약 50 ㎕ 정도 사용한다. 그 후 진공용기에서 약 10분간 진공상태를 유지한 후에 약간의 포매 용액을 더 가하고, 10~15분간 질소가스를 진공용기 내에 들어가도록 하고 약 10~15분 후에 이것을 차단한 후에 용기의 주변을 테이프로 완전히 밀봉하여 24시간 포매의 화학반응이 일어나게 실온에 방치한다.

시약제조

1. Methylmethacrylate (monomer inhibited)

제조회사 fisher chemical un 1247 lot number 911696

이 제품은 inhibited 형태로 제공되기 때문에 uninhibited 형태로 만들어 사용하여야 한다. 유리 원주를 사용하여 uninhibited 형태로 만들게 되며, 유리 원주는 내경 4.5 cm이고 길이는 63 cm이다. 이 유리 원주 안을 47 cm까지 알루미나로 채운다(Alumina for chromatography, Sigma, A-8878 1 ㎏). 원주의 윗부분에서 methyl methacrylate를 붓고, 아래로 떨어지는 uninhibited methyl methacrylate를 모아서 4℃ 냉장고에 보관하게 된다.

2. Polyethylene glycol (PEG)의 제작

1) PEG600 (polyscience cat no. 06520)

100 g으로 상품화되어 나오며, 이 100 g을 전자레인지에 넣고 1분 20초 동안 가열해서 녹인다.

2) PEG6000 (polyscience cat no. 19234)

42.86 g을 마이크로웨이브 오븐에 넣고 2분30초 동안 가열해서 다 녹인다. PEG6000에 PEG600을 넣고 잘 섞은 후 함석쟁반에 알루미늄 호일을 깔고 그 위에 붓는다. 그 후 완전히 굳은 후에 이PEG를 적당한 크기로 부수어 병에 제습제를 같이 넣고 4℃ 냉장고에 보관한다.

3) Uninhibited hydroxyethyl methacrylate (Sigma cat H-8633 500 m L)

커다란 유리병에 알루미나(Sigma Cat. A-8878)를 넣고 2-Hydroxyethyl methacrylate를 알루미나 위에 약 두 배 내지 세 배 정도가 될 때까지 붓는다. 잘 흔들어서 4℃에 보관하고 자주 흔들고 약 2~3일간 보관하면서 반복하여 자주 흔든다. 알루미나가 잘 가라앉기를 기다렸다가 상층액이 unin hibited 형태이기 때문에 그것을 잘 따라낸 후에 3000 rpm에서 15분정도 원심 분리하여 부유한 알루미나를 다 제거하여 순수한 uninhibited 만을 4℃ 냉장 보관한다.

① Dibuthyl phthlate
Sigma cat D-2270

② Benzoyl peroxide

Polyscience cat no. 3968

JB 4 embedding kit component B

polyscience Cat. no. 0226

이상과 같은 시약이 준비되면 실제 사용하는 GMA를 만든다.

3. GMA ; methacrylate glycol mixture

500 mL uninhibited methyl methacrylate

50 g polyethylene glycol PEG

40 mL uninhibited 2-hydroxyethyle methacrylate (GMA or glycol)

25 mL Dibuthyl phthalate

약간의 열을 가하면서 잘 녹을 때까지 잘 젓는다.

위의 PEG가 완전히 녹으면 전체 볼륨을 계산해서 전체 볼륨 mL×0.008 g하면 Benzoyl peroxide를 첨가해야 할 분량이 나오게 된다.

4. Methyl Metacrylate (MMA)

54 mL uninhibited methyl methacrylate

5 g PEG

2.5 mL Dibuythyl phthalate

약간의 열을 가하면서 PEG를 다 녹인 후 전량을 측정한다.

그 후에 볼륨 mL당 0.008 g Benzoyl peroxide를 첨가하여 실제 포매할 때 사용하게 된다.

절삭을 하기 위해서는 Reichard-Jung의 Polycut S의 활주형(Sliding) 절삭기와 회전형(Rotary) 절삭기가 있다. 회전형 절삭기인 경우는 대퇴골두와 같은 큰 표본을 절삭하기에는 비교적 사용이 불편하나, Polycut S와 같은 활주형의 절삭기는 작은 표본뿐 아니라 큰 표본을 절삭하는 데에도 용이하게 사용할 수 있다. 좋은 세포학적 구조물을 보기 위해서는 적절한 표본의 두께는 4~5 ㎛이나 현실적으로는 10 ㎛정도를 사용한다. 10 ㎛정도 두께에서 세포학적 구조물을 자세히 관찰할 수 있다. 반면에 형광현미경으로 관찰하기 위해서 약 10~15 ㎛의 절편이 적당하다. 절삭할 당시 50% 에탄올을 붓을 이용하여 표본의 절삭면에 가볍게 도포하면서 절삭을 하면 절편이 부서지지 않고 균일한 두께의 절편을 얻을 수 있다.

비탈회골 조직의 절삭표본을 염색하여 현미경으로 관찰하면서 칼슘이 침착하여 있는 골과 유골 사이의 비교적 명확하고 신뢰도 있는 결과를 얻을 수 있고 가능하면 좀 더 자세한 세포학적 차이를 구할 수 있다. 이미 상술한 바와 같이 좋은 염색법을 위해서는 고정과 포매가 잘 된 좋은 표본이 필요하다. 가장 중요한 것은 플라스틱 용매가 조직을 충분히 녹여서 조직 내로 잘 침투되는 것이고 그리고 절삭을 잘하고 염색을 하는 과정이다. 가장 좋은 염색법 중 하나는 칼슘이 침착한 뼈와 유골을 구별하는 것은 von-Kossa은 염색법이다. 그러나 이것은 시간이 오래 걸릴 뿐만 아니라 세포학적인 면을 관찰할 수 없기 때문에 더 이상 사용되고 있지는 않다. 가장 흔히 골조직을 다루는 실험실에서 널리 사용하는 염색법은 Goldner's modification of Masson trichrome법이다. 과거에 이 방법은 유골을 잘 구별해 내지 못하고 시간이 오래 걸리는 단점이 있었으나 최근에 개선된 방법에 의하여 유골을 잘 분리할 수 있고 비교적 좋은 세포학적 구조를 관찰할 수 있는 장점이 있다. 또 다른 방법으로 Solochrome Azur 염색법은 알루미늄 독성이 있는 경우에 꼭 시행하여야 하며 과거에 많이 시행하던 Villanueve 염색법은 시간이 매우 오래 걸릴 뿐만 아니라 염색결과도 썩 좋지 않기 때문에 더 이상 사용하고 있지 않다. 또한, 단순한 염색을 Toluidine blue 염색을 실시하여 유골을 잘 구분해 낼 수 있다.

5. Goldner's Masson Trichrome 염색을 위한 준비 시약

1) Ponceau-Acid-Fuchsin-Orange g

Acid Fuchsin Ponceau de xylidene stock solution

Acid Fuchsin 0.3 g

Ponceau de xylidene 0.6 g

Glacial acetic acid 0.9 mL

Distilled water

Total volume to 90 mL

2) Orange G stock solution

Orange g 1 g

Distilled water 100 mL

3) Working solution 1 part ① + 1 part ② + 8 parts H2O

Light green staining solution

Light green 0.2 g

Glacial acetic acid 0.2 mL

Distilled water 100 mL

4) Phosphomolybdic acid staining solution

1 g Phosphomolybdic acid / Distilled water 100 mL

6. 염색법

① 절삭된 표본을 50% 에탄올을 이용하여 편평하게 한다.

② Weigert hematoxyin으로 5분간 염색한다.

③ 약간 따뜻한 흐르는 물(tap water)을 이용하여 조직절편이 희게될 때까지 수세한다.

④ Ponceau-acid-Fuchsin-orange g solution으로 3분간 염색한다.

⑤ 1% acetic acid를 이용하여 청명해질 때까지 수세한다.

⑥ 1% phosphomolybdic acid로 3분간 염색한다.

⑦ 1% acetic acid로 청명할 때까지 수세한다.

⑧ Light green으로 3분간 염색한다.

⑨ 1% acetic acid로 수세

⑩ 증류수로 수세

⑪ 70%, 95%, 100% 에탄올에서 탈수

⑫ 50:50으로 혼합한 에탄올 : xylene을 이용하여 청명과정을 거치고

⑬ Xylene을 이용하여 청명한 후 polymount를 이용하여 봉입한다.

7. 알루미늄을 위한 Acid Solochrome Azurin염색

① 조직 절편을 50%알코올로 편평하게 한다.

② Mordant 시약을 가한 후 실온에서 18시간 염색한다.

③ 95% 메탄올로 수세한다.

④ 95%메탄올로 약 20분간 탈수과정을 거친다.

⑤ 통상의 과정을 거쳐서 봉입한다.

8. Toluidine blue 염색

1) 완충액(Buffer)

Citric acid 0.63 g

Disodium phosphate 0.3 g

H_2O 400 cc pH 3.7

2) Toluidine blue stain

완충액 100 cc

Toluidine blue 2 g

여과하여 1M NaOH로 pH를 3.7로 맞춘다.

3) 염색법

① 절삭표본을 물에 함수시킨다.

② Toluidine blue 염색액을 넣고 약 10분 동안 염색을 한다.

③ 완충액으로 2회 수세를 한다. 각각 1분이면 충분하다.

④ 탈수과정을 거쳐서 청명과정을 거쳐 봉입한다. 약 20분이 소요된다.

9. Von-Kossa staining

1) 용액

Silver nitrate 5 g

dH_2O 100 mL

여과하여 냉장 보관한다.

Sodium carbornate and formaldehyde

Sodium carbornate 5 g

Formaldehyde 25 mL

dH_2O 75 mL

Methyl green pyronin

2) 염색

① 절삭한 표본을 물에 함수시킨다.

② 5% silver nitrate를 이용하여 검정색이 돌 때까지 약 30분간 염색한다.

③ 증류수를 이용하여 3회 수세한다.

④ Sodium carbornate in formaldehyde 용액을 이용하여 약 2분간 탈색한다.

⑤ 흐르는 물에 가볍게 약 10분간 수세한다.

⑥ Methyl green pyronin를 이용하여 약 20분간 염색한다.

⑦ 증류수를 이용하여 1분에 약 2회씩 수세한다.

⑧ 95% 알코올을 이용하여 약 1분간 탈수하여 청명 과정을 거쳐 봉입한다. 약 1시간 15분이 소요된다.

현미경적 소견

이와 같이 염색된 조직은 현미경하에서 관찰하게 된다. 통상적인 골다공증 환자의 골조직 표본에서는 골조직이 감소된 소견을 관찰할 수 있다. 즉 해면골 두께는 가늘고, 해면골과 해면골 사이의 연결이 단절되어 있다. 이러한 결과로 자유 부유 해면골, 골섬(free-floating trabeculae, bone island)의 형태를 관찰할 수 있다(그림 2-7-1).

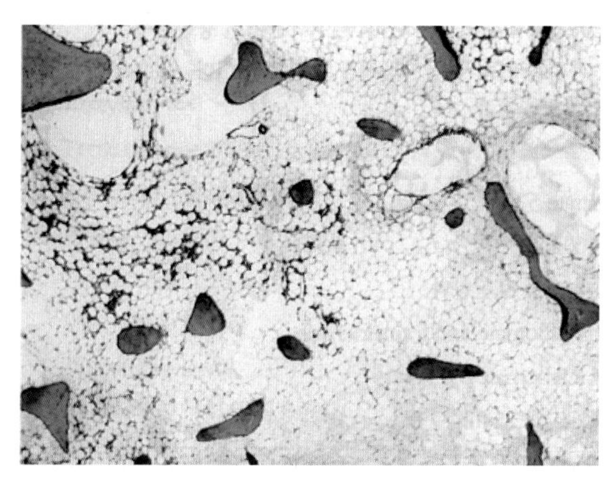

그림 2-7-1 ▸ 골조직 표본 – 골조직이 감소된 소견

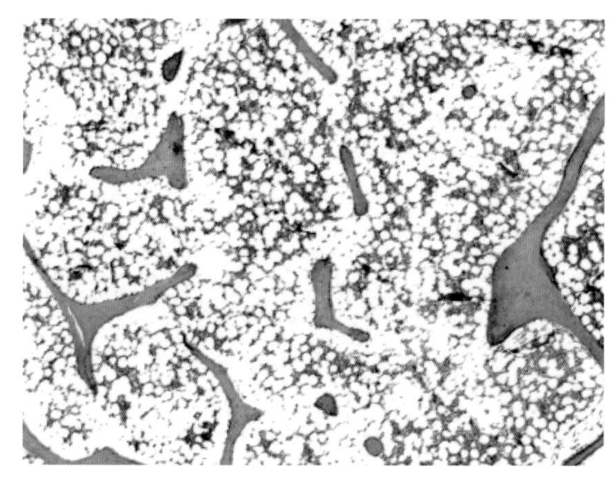

그림 2-7-2 ▸ 골조직 표본 – 해면골이 원주로 대치된 소견

또한, 해면골이 아주 가는 원주로 대치된 것을 관찰할 수 있다(그림 2-7-2). 피질골 또한 매우 얇아지는데 이러한 변화는 특히 큰 관절에 인접한 연골아래의 피질골에서 잘 관찰할 수 있다. 피질골 내측에서 발생한 골미란(erosion)으로 인해서 하버시안관이 확장되고, 이러한 낭성변화가 증가하여 결과적으로 피질골 내에 많은 수의 낭성 변화를 관찰할 수도 있다.

골다공증 환자에서 발생하는 병적 골절에 중요한 요인 중의 하나가 구조적인 변화이다. 특히 이러한 변화가 척추추간부에서 가장 두드러지게 나타난다. 정상 해면골의 구조는 벌집과 유사한 구조를 하고 있다. 이 벌집 모양의 구조물은 크게 수평 또는 수직의 해면골이 서로 연결되어 구성하고 있다. 통상 수직해면골은 약 200 ㎛이고 수평해면골보다 더 두껍다. 수평해면골의 수직해면골보다는 가늘고 짧지만, 해면골이 힘을 유지하는데 매우 중요한 역할을 하고 있다.

골다공증 환자의 척추 추간부에서는 수평해면골의 수가 심하게 감소된다. 그러나 골다공증의 경우 수평해면골의 감소로 인하여 이러한 지지를 받지 못하는 수직해면골이 발생하고, 그로 인해서 척추 체간부내에 많은 수의 미세골절이 흔히 발생하게 된다. 실제 부검 예를 통해서 관찰해보면 골다공증 환자의 척추 체부에서는 약 200~450개의 치유가 진행 중이거나 또는 치유된 해면골 미세골절을 관찰할 수 있다. 이러한 미세골절이 수복과정보다도 지나치게 발생하면 결과적으로 척추체간부가 붕괴된다. 비탈회 골조직 표본을 이용하여 골조직 형태계측학적으로 분석을 해 보면 다음과 같은 결과를 관찰할 수 있다.

1. 해면골의 상실, 미세구조 및 해면골 연결성의 상실

1) 해면골 부피(trabecular bone volume BV/TV)

정상인에 비해 약 35% 정도의 감소가 있다. 이 BV/TV는 전체 해면골을 전부 측정한 것으로 골다공증의 해면골 상실을 전부 반영하지 않을 수도 있다.

2. 해면골 두께, 해면골 수, 해면골 단절

〈trabecular thickness (Tb.Th), trabecular number (Tb.N), trabecular separation (Tb.S)〉

정상인에 비해 해면골 두께는 약 10% 정도 감소되고, 해면골 수는 약 28% 정도 감소되며, 해면골 단절은 약 30%로 크게 측정된다.

3. 별부피

골다공증 표본에서 최근에 제시된 새로운 계측학적 개념은 별부피(star volume)이다. 이것은 그림에서 보는 바와 같이 골수의 임의의 중앙점에서 어느 방향으로 연결한 선이 만나는 점까지의 거리의 평균값이다. 단 중간에 다른 해면골을 거쳐가거나, 방해되는 해면골이 없어야 한다. 평균 별부피는 약 200이다.

Vesterby의 연구에 의하면 이 별부피는 요추와 장골능에서 남녀 모두 나이가 증가함에 따라 비례해서 증가함을 보고하였다. Sr.V는 약 36%정도 증가된다(그림 2-7-3).

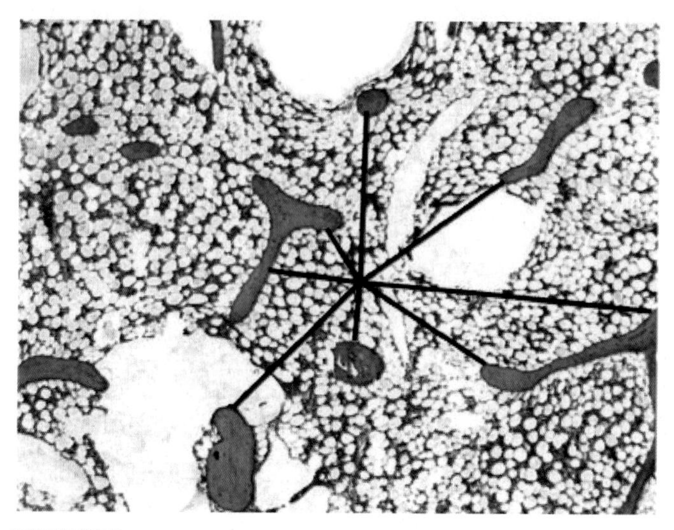

그림 2-7-3 ▸ 별부피

4. 결합선의 축척

2차적인 하버시안골은 1차로 생성된 층판골에 비해서 신장강도나 기질성품이 모두 떨어진다. 결과적으로 신장강도가 떨어진다는 것은 결합선이 상대적으로 축척되는 것을 의미하게 된다. 통상적인 광학 현미경하에서 결합선의 축척은 리본형태로 관찰된다.

참고문헌

1. Vesterby A. Star volume of marrow space and trabeculae in in iliac crest: sampling procedure and correlation to star volume of first lumbar vertebrae. Bone 1990;11: 149-55.
2. Vesterby A, Gundersen HJ, Melsen F. Star volume of marrow space and trabeculae of the first lumbar vertebra: sampling efficiency and biological variation. Bone 1989;10:7-13.
3. Vesterby A, Gundersen HJ, Melsen F, et al. Marrow space star volume in the iliac crest decreases in osteoporotic patients after continuous treatment with fluoride, calcium, and vitamin D2 for 5 years. Bone 1991;12:33-7.
4. Vesterby A, Gundersen HJ, Melsen F, et al. Normal postmenopausal women show iliac crest trabecular thickening on vertical sections. Bone 1989;10:333-9.

2-8 골다공증 진료의 실제 검사와 치료 반응 평가

김하영

골다공증 진료의 실제 검사

골다공증은 골강도의 저하로 인해 가벼운 충격에도 쉽게 부러질 수 있는 위험을 안고있는 뼈의 상태로 골다공증의 관리는 골절의 고위험군을 치료하여 이러한 취약성 골절을 예방하는 것이다. 골다공증은 골절이나 2차적인 구조의 변화가 동반되기 전까지는 아무런 증상이 없는 것이 특징이기 때문에 예방과 치료가 가능함에도 많은 환자들이 골다공증 초기의 적절한 시기에 진단되지 못하고 있는 실정이다. 지금까지는 골다공증의 검진에 대한 일치되는 의견이 없어 각 나라별 기준에 따라 이루어지고 있는데 일반적으로 폐경후여성과 50세 이상의 남성에서는 위험인자에 대한 평가를 해볼 것을 권고하고 있다.

1. 임상 증상

1) 척추 골절

골다공증의 가장 흔한 임상 양상으로 약간의 충격이나 아무런 충격이 없어도 발생할 수 있는데 특히 흉추 8번 이하의 척추에 흔하게 나타난다. 대부분이(약 2/3) 무증상이어서 가슴이나 복부 방사선검사 시 우연히 발견되는 경우가 많다. 압박골절과 관련한 통증은 무거운 물건을 들거나 심한 운동 후에 갑자기 혹은 서서히 발생하며 일반적으로 4~6주 이상 압통이 지속되는 경우는 흔하지 않다. 다발성 척추압박골절이 생기면 척주후만증(kyphosis)을 유발할 수 있고 신장의 감소를 초래하게 된다.

2) 다른 부위의 골절

대퇴골골절은 대퇴경부골절과 대전자부골절이 대표적이며 50대 이후에 발생 빈도가 급격히 증가되고 여성이 남성에 비해 약 2~3배 많다. 대퇴골골절 경우는 외상력이 뚜렷하며 동통 및 하지 기능장애가 심하여 대부분이 임상적으로 진단된다. 그 외 골다공증과 관련된 골절로는 손목 부위의 콜레스 골절(Colles'fracture), 근위 상완골의 견관절골절 등이 있다.

2. 위험인자 평가

폐경후여성과 50세 이상의 남성에서는 골다공증의 위험도를 평가하여 골밀도검사 시행여부를 결정하는 것이 필요하다. 자세한 병력 청취와 이학적 검사 및 검사실 검사등을 통해 낮은 골량을 초래할 수 있는 이차성 원인을 배제하고, 진료실에 내원하는 환자 개개인의 골절위험을 평가하는 것이 중요하다. 골절의 발생에는 낮은 골량 뿐아니라 낙상도 중요한 요인이 되므로 병력청취를 통해 표 2-8-1, 2-8-2에 나열한 골소실 및 낙상에 대한 위험인자를 평가해야 한다. 골소실의 위험 인자로는 생활인자로 칼슘 섭취량, 운동 및 생활 습관, 흡연력, 음주력 등이 있고, 그 외 키 또는 체중의 변화, 월경 주기 및 산과력, 기존의 취약 골절의 과거력 또는 가족력, 그리고 골대사에 영향을 줄 수 있는 다른 대사성골질환 또는 내분비질환 여부에 대한 분석이 포함되어야 한다. 대부분의 낙상은 근력저하, 불안정한 보행, 혼돈상태, 특정 약물 같은 하나 또는 그 이상의 위험 인자와 연관이 있고, 여러 연구들에 의하면 이러한 위험인자들에 주의를 기울임으로써 낙상발생률을 감소시킬 수 있음을 보여주고 있다. 이차성 골다공증이 의심되는 경우는 해당 질환에 적절한 치료법이 있기 때문에 골밀도만으로 골다공증을 진단하기 전에 병력청취, 신체검사를 통해 배제되어야 한다.

표 2-8-1 ▸ 골다공증의 위험인자

생활습관 및 영양	낮은 칼슘 섭취, 비타민D 부족증, 카페인 과다 섭취, 고나트륨 섭취, 하루 3단위 이상의 알코올 섭취, 흡연, 장기간의 활동 저하, 비활동성, 낙상, 저체중
유전성 질환	골형성 부전증, 호모시스틴뇨증 등
성선기능저하증	터너증후군, 클라인펠터증후군, 조기폐경, 뇌하수체기능저하증, 시상하부성 무월경(신경성 식욕부진, 격심한 운동 등)
내분비대사 질환	쿠싱증후군 ,부갑상선기능항진증, 갑상선기능항진증, 부신기능저하증, 고프로락틴혈증, 당뇨병
소화기 질환	흡수 장애. 위절제술, 염증성장질환(크론씨병, 궤양성 대장염), 간경변증
골수 질환	다발성골수종, 림프종, 백혈병, 용혈성 빈혈
류마티스 질환	류마티스 관절염, 강직성 척추염, 전신성 홍반루프스
기타	만성 신부전, 장기 이식, 만성폐쇄성폐질환, 심부전, 우울증 등
약제	글루코코르티코이드, 항경련제(카바마제핀, 페니토인, 페노바비탈). 항응고제(헤파린, 와파린), 과량의 갑상선 호르몬제, 성선자극호르몬 분비호르몬 작용제(GnRH agonist), Depomedroxyprogesterone, 항암제, 면역억제제(싸이클로스포린 A), 항우울제(SSRI 등), 알루미늄-함유 제산제, 방향화효소 억제제, 항결핵제, Thiazolidinediones(TZDs), Proton pump inhibitors(PPIs)

표 2-8-2 ▸ 낙상의 위험인자

환경적 요인	어두운 조명, 미끄러운 욕조와 마루, 높은 문지방
질병 요인	고령, 여성, 부정맥, 기립성저혈압, 낮은 시력, 약물 (항경련제, 수면제, 안정제), 과거의 낙상력, 비타민D 부족
신경,근육 요인	신경질환, 척추변형, 약화된 근력

3. 골밀도검사

골밀도검사는 현재 임상적으로 골다공증 진단에 가장 유용한 기준으로 사용되고 있다. 미국의 National Osteoporosis Foundation (NOF)에서는 모든 65세 이상의 여성과 70세 이상의 남성에서 골밀도검사를 통한 골다공증의 검진을 권고하고 있고 그 전에는 골절이 있거나 임상적 위험인자가 있는 경우 검사를 권고하고 있다. 영국에서는 폐경후여성과 50세 이상의 남성에서 임상적 위험인자를 이용해 구한 골절위험도가 정해진 수준 이상인 경우에 한해서 골밀도검사를 시행할 것을 권고하고 있다. 대한골대사학회에 권고하는 골밀도검사의 적응증은 다음과 같다.

- 6개월 이상 무월경을 보이는 폐경전여성
- 골다공증 위험요인이 있는 폐경 이행기 여성
- 폐경후여성
- 골다공증의 위험요인이 있는 70세 미만 남성
- 70세 이상 남성
- 골다공증골절의 과거력
- 방사선 소견에서 척추골절이나 골다공증이 의심될 때
- 이차성 골다공증이 의심될 때
- 골다공증의 약물 요법을 시작할 때
- 골다공증 치료를 받거나 중단한 모든 환자의 경과 추적

4. 검사실 검사

일차성 골다공증의 경우 혈액과 소변의 일반적인 검사는 대부분 정상이기 대문에 검사실 검사는 이차성 골다공증 여부를 확인하기 위해 주로 사용된다. 치료를 시작하기 전에 표 2-8-3의 기본 검사는 일반적으로 시행하는 것이 증상이 없는 부갑상선기능항진증, 갑상선질환, 고칼슘뇨증 및 비타민D 부족증 등을 진단하는데 도움이 되며, 적절한 적응증이 있는 경우 추가적인 검사가 필요하다. 골다공증의 약물 치료시 치료에 대한 반응을 조기에 평가하여 치료에 대한 환자의 순응도를 높이기 위해 골표지자를 치료 전, 후로 측정할 수 있다. 골조직검사는 무기질화의 장애, 신성 골이영양증, 골수 질환 및 악성 질환에 의한 이차성 골다공증을 진단하는데 도움이 될 수 있다.

표 2-8-3 ▶ 이차성 골다공증의 진단에 필요한 검사

기본 검사	추가 검사
일반혈액검사(CBC), 적혈구침강속도(ESR), C-반응단백(CRP)	부갑상선호르몬 - 혈청 칼슘 농도가 증가 또는 감소시, 크레아티닌 청소율이 낮은 경우
혈청 칼슘, 인	24시간 소변 유리코티솔 또는 1mg 덱사메사손 억제 검사 : 쿠싱 증후군 의심시
공복혈당	혈청 및 소변 단백 전기영동 검사: 빈혈 또는 ESR 증가시
신기능 검사 (크레아티닌 청소율등)	유즙분비호르몬 (프로락틴)
간기능 검사	골생검
갑상선기능검사 (TSH, 유리T4)	
24시간 소변 칼슘 및 크레아티닌	
혈청 25(OH)D 농도 측정	
황체형성호르몬(FSH), 난포자극호르몬 (FSH), 테스토스테론(남성), 에스트로겐 (여성)	

5. 골절위험도 평가

골밀도는 골절 발생을 예측함에 있어 예민도가 높으나 특이도는 낮은 것으로 알려져 있다. 또한 T-값이 -2.5로 동일하더라고 50세 여성과 70세 여성에서 향후 10년 내 골절이 발생할 확률을 비교하면 70세 여성에서 훨씬 더 높은 것처럼 T-값은 연령에 따른 임상적 의미를 전혀 반영하지 못한다. 따라서 WHO의 진단기준을 골다공증의 치료기준으로 그대로 적용하는 것은 치료가 필요한 많은 환자들을 놓칠 수 있다. 이를 보완하려는 목적에서 WHO에서는 대규모 역학연구를 통하여 대표적인 골다공증골절의 위험인자를 선정하고, 각 위험인자 간 상호작용을 분석하여 10년 내 골절위험도(10-year fracture probability)를 계산하는 FRAX™ (fracture risk assessment tool)를 개발하여 2008년 초에 공개하였다. 12개의 전향적 코호트 연구에 포함된 대상자는 총 60,000명으로 1,000건의 대퇴골골절을 포함한 총 5400건의 골절자료를 기준으로 골절의 절대위험도를 평가하였고, 여기에 포함된 위험인자는 표 2-8-4와 같으며 대퇴골경부골밀도는 정확도를 올리기 위해 선택적으로 넣게 되어 있다. 인터넷 상에서 www.scef.ac.ul/FRAX에 접속하면 골절위험도를 계산할 수 있고 최근에는 아이폰용 유료어플(itunes.apple.com/us/app/frax/ id37014612-mt-8)도 개발된 상태이다. 골절위험이 나라마다 다르기 때문에 현재까지 골절과 사망의 유병율 자료를 가진 한국을 포함한 57개국에서 FRAX™모델이 개발된 상태이며, 30개국 언어로 이용이 가능하다. 현재 FRAX™ 은 여러 치료 가이드라인에서 골다공증의 치료대상을 선정하는 평가기준으로 활용되고 있으나 실제 임상에서 적용할 때는 장점만큼이나 제한점도 고려를 해야 한다.

1) FRAX™ 에서 거론되는 임상적 위험인자

① 기존의 골절 병력

FRAX™에서는 기존의 골절 병력을 유/무로만 평가하도록 되어있다. 골절의 위험도가 기존의 척추골절의 개수와 관련이 있다는 것은 잘 알려져 있으나 다른 부위의 골절의 개수와의 관련성은 명확하지 않다. 또한 척추, 고관절, 전완부의 골절이 보다 다른 부위보다 중요한 것으로 알려져 있으나 이를 정량화하기가 어렵다. 그로 인해 과거 골절의 부위, 개수, 심한 정도를 FRAX™ 에 포함시켜야 한다는 점에는 명확한 증거가 부족하지만, 심한 다발성 척추골절이 있는 경우 골절위험도가 낮게 평가될 가능성은 있음을 주지해야 한다.

② 대퇴골골절의 가족력

FRAX™에서는 부모의 대퇴골골절 과거력을 유/무로 평가하도록 되어 있다. 부모의 다른 부위의 골절이나 직계 가족의 골절력 또한 골절위험도 예측에 도움이 된다는 연구 결과들이 있으나 아직까지는 이에 대한 정확한 근거가 부족한 상황이다. 향후에는 대규모의 역학 연구에서 밝혀지고 있는 유전 마커들의 기여도를 분석하는 것이 중요해 질 것으로 사료된다.

③ 스테로이드 사용병력

FRAX™에서는 3개월 이상 경구 글루코코르티코이드를 사용한 경우(3개월 이하는 해당되지 않음), 평균 용량과 기간에 대한 위험도가 계산되는데 이때의 평균 용량은 프레드니손 2.5~7.5 mg/day정도에 해당한다. 그러나 하루 프레드니손 7.5 mg에 해당하는 용량 이상을 사용한 경우 골절위험이 보다 증가한다는 보고가 있어, 이런 경우 골절 위험도가 낮게 평가될 수 있다. 최근 영국에서는 이를 보정하기 위해, 대퇴골골절에서는 하루 프레드니솔론 2.5 mg 미만이면 0.65, 7.5 mg 이상인 경우 1.2 를 FRAX™ 로 산출된 골절위험도에 곱하고, 주요 골다공증 골절에 대해서는 각각 0.8과 1.15를 곱해서 사용량에 따른 골절위험도를 산출하도록 하고 있다. 하루 프레드니솔론 15 mg 이상의 고용량을 사용하는 경우에 대해서는 아직 근거자료가 부족해서 추가적인 보정이 필요할 것이라고만 여겨지고 있다. 한편 부신기능저하증 환자에게 적정 용량의 글루코코르티코이드를 보충하는 것은 골절위험을 증가시키지 않으므로 FRAX™ 에 포함되어서는 안 된다.

④ 흡연

FRAX™ 에서는 현재 흡연 여부만을 평가하도록 되어 있는데 흡연이 용량 의존적으로 골절위험에 기여한다는 연구 결과도 있다. 이들은 골절위험도가 흡연의 가능성이 높은 남성에서 여성보다 높고, 대퇴골골절의 위험도가 나이에 따라 증가하며, 골절위험도가 현재 흡연자보다 담배를 끊은 경우에서 더 낮다는 점 등을 근거로 제시하고 있으나, 이를 정량화하기가 어려워서 적용하기가 어려운 상태이다.

⑤ 음주

FRAX™ 에서는 하루 3단위 이상의 알코올 섭취 유/무를 평가하도록 되어 있는데, 나라마다 1단위의 알콜량이 8~10 g 사이에서 약간씩 다를 수 있다. 음주량도 골절위험도를 용량 의존적으로 증가시킨다는 사실이 메타 분석에서 알려지고 있어, 주량이 많은 경우는 골절위험도가 낮게 평가될 가능성이 있음이 고려되어야 한다.

⑥ 류마티스 관절염

류마티스 관절염은 이차성 골다공증의 원인 중에서 골밀도와 독립적으로 골절위험도를 증가시키는 것으로 알려져 FRAX™에선 따로 평가하도록 되어 있다. 류마티스 관절염이 심해서 거동에 제한이 오는 경우는 FRAX™ 결과는 실제보다 골절위험도가 낮게 평가 될 위험성이 있다.

2) FRAX™ 에 포함되지 않은 위험 인자들

① 낙상

낙상은 FRAX™에는 포함되어 있지 않은데, 이는 아직까지 낙상과 골절과의 관련성에 대한 연구결과가 상반된 경우가 많고, 이를 정량화하기가 어렵기 때문이었다. 그러나 평균보다 자주 넘어지는 경우는 FRAX™에 의해 제시되는 것보다 골절 가능성이 더 높음을 주지해야 한다.

② 골표지자

뼈의 대사적 활성도를 반영하는 골표지자의 증가가 골밀도와 독립적인 골절의 예측인자라는 많은 연구가 있었다. 그러나 표지자는 아직까지 기준치 및 측정방법의 표준화가 이루어지지 않았고, 골절과의 관련성에 대한 연구결과도 일치하지 않는 경우가 많아 FRAX™에는 포함되지 못했다.

③ 척추골밀도의 이용

FRAX™ 에서는 대퇴골경부골밀도만 사용하도록 되어있는데, 이 부위의 골밀도를 사용할 수 없을 때는 대퇴골전체골밀도로 대체할 수는 있으나, 척추골밀도를 사용해서는 안 된다. 이는 나이에 따른 T-값의 변화나 골밀도의 변화에 따른 골절위험의 증가 정도가 부위마다 다르기 때문이다. 또한, 척추는 퇴행성 변화가 많고, 척추골밀도에 대한 국제적인 기준치에 대한 정보가 부재하기 때문이다. 그러나 척추골밀도가 더 낮은 경우 FRAX™ 의 결과는 척추골절의 위험도를 과소평가할 우려가 있다. 최근 캐나다에서 발표된 연구에 따르면 척추와 대퇴골골밀도의 T-값 차이가 1.0만큼 차이가 날 때마다 FRAX에서 계산된 골절위험도에서 10% 가감할 경우 골절 예측능이 향상되는 것으로 알려졌다. 또한, 초음파 측정기나 QCT 등으로 측정된 말단골밀도 값도 사용할 수 없다.

3) FRAX™ 의 임상적 이용

FRAX™ 는 치료를 받지 않는 환자에서 치료 대상을 선정하는 목적으로 사용할 수 있으며, 약제의 치료 반응을 평가하는데 사용 할 수 없다. NOF와 ISCD의 지침에 따르면 여성호르몬, SERM, 칼시토닌, 부갑상선호르몬 및 데노스맙은 1년 이내 복용력이 없어야 하고, 비스포스포네이트의 경우는 2개월 이하로 사용한 경우는 제외하고 2년 동안 복용하지 않은 경우에 해당한다. 칼슘과 비타민D 보충요법은 FRAX™ 에서는 치료로 간주되지 않는다.

FRAX™ 은 10년 내 골절위험도를 산출하는 도구일 뿐 골다공증의 치료기준의 설정은 각 나라의 골다공증골절 발생율과 평균 수명, 의료 경제 수준등에 따라 달리 설정되어야 한다. 개정된 미국의 NOF 치료 지침에서는 50세 이상의 남성과 폐경후여성에서 치료를 받은 적이 없고 골감소증(T-값: -1.0~-2.5)인 경우 10년 내 대퇴골골절 위험도가 3% 이상이거나 주요 골다공증 골절위험도가 20% 이상인 경우를 치료기준으로 설정하였다. 이와는 달리 일본에서는 10년 내 골절위험도가 15% 이상일 때를 치료기준으로 하였고, 영국에서는 연령에 따라 10년 내 골절위험도 기준을 달리 적용하고 있다. 국내에서는 아직 이에 대한 기준이 마련되지 않아 연구가 필요한 실정이다.

대퇴골골절의 발생률과 사망률 등의 역학적 자료를 토대로 FRAX™모델이 만들어진 나라에서도, 대퇴골골절의 발생률이 변화하게 되면 새로운 모델이 필요하게 되며, 이러한 자료가 부족한 나라는 동일 인종이면서 역학자료가 유사하다고 판단되는 국가의 자료를 이용하게 되어 있다.

FRAX™ 가 아직까지 많은 제한점을 가지고 있긴 하지만, 임상적 위험인자를 추가하여 골밀도측정만으로 정확하게 평가할 수 없는 골절위험도를 평가하는데 유용한 도구인 것은 분명하다. 실제 임상에서 FRAX™ 를 적용할 때 골다공증의 치료 여부가 명확한 경우에는 필요하지 않으며 골다공증 치료 여부를 판단하기 어려운 골감소증의 경우 판단에 도움을 줄 수 있는 도구로 여기는 것이 바람직하다. 또한 반영되지 않은 위험인자나 가중치 등을 함께 고려하여 신중하게 평가할 필요가 있다.

표 2-8-4 ▸ FRAX™에 포함된 위험인자

나이	류마티스 관절염
성별	이차성 골다공증
기존의 골다공증성 골절(형태적 척추골절 포함)	부모의 고관절골절력
대퇴골 경부 골밀도	현재 흡연
낮은 체질량 지수	음주(하루 3단위 이상의 알코올)
경구 글루코코르티코이드(prednisone 5mg/d 이상에 해당하는 용량을 3개월 이상 사용)	

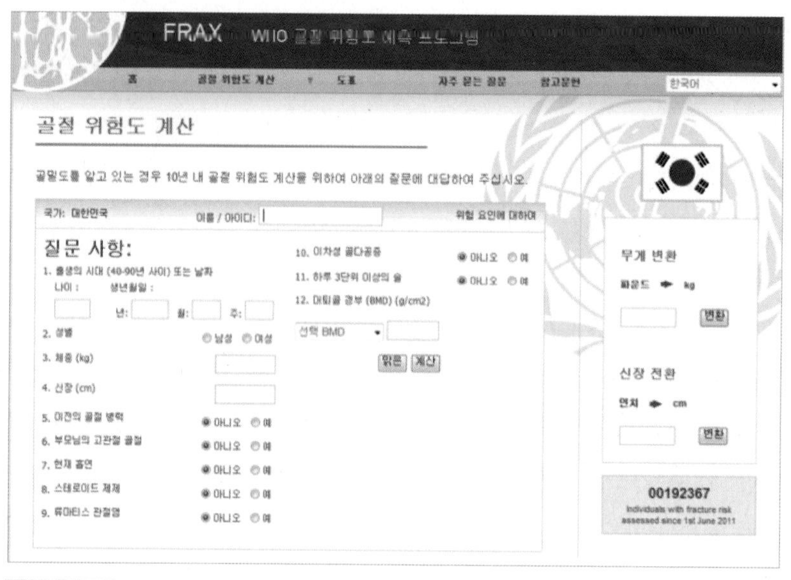

그림 2-8-1 ▸ FRAX™

: www.shef.ac.kr/FRAX에서 국가를 선택한 후 환자 정보를 입력하면 10년 내 골절위험도를 얻을 수 있다.

6. 척추영상검사

척추골절은 대부분이(약 2/3) 무증상이어서 가슴이나 복부 방사선사진 검사 시 우연히 발견되는 경우가 많다. 그러나 척추골절이 있으면 골밀도검사와 무관하게 골다공증의 진단이 가능하며, 추가적인 골절의 예방을 위한 약물 치료가 반드시 필요하다. 골밀도, 연령 및 임상적 위험인자와 독립적으로 방사선 사진 상 발견된 척추 골절은 새로운 골절 발생의 강력한 위험인자이다. 하나의 척추골절은 다른 척추골절 발생 위험을 5배, 고관절 및 다른 부위의 골절 발생위험은 2~3배 증가시키는 것으로 알려져 있다. 증상이 없는 척추골절을 조기에 발견하기 위해서는 흉요추 측면 방사선 사진이 유용하며 최신 기종의 골밀도 기계에 내장되어 있는 척추골절평가(VFA, vertebral fracture assessment) 기능을 이용할 수 있다.

치료반응 평가

골다공증 치료제는 골강도를 증가시켜 골절을 예방하는 것을 목적으로 하므로 치료효과를 평가하기 위해서는 치료 전후의 골강도의 변화를 살펴보는 것이겠지만 이를 직접 측정하는 것은 불가능하므로, 실제 임상에서 가장 많이 사용되는 방법은 골밀도와 골표지자 검사이다.

1. 골밀도

골밀도 추적 검사 결과를 평가할 때는 지난번 검사와 동일한 조건에서 얻어진 결과 인지를 먼저 확인해야 한다. 임상적으로는 사용되는 측정기기의 종류, 질환의 상태, 예상되는 골밀도 변화의 정도, 치료 방법의 종류에 따라서 추적검사의 빈도와 기간을 정해야 할 것이다. 현재 사용되는 DXA의 정밀도 오차가 대개 1.0~1.5% 이내이므로 1년 정도의 추적 검사가 3~5% 정도의 골밀도 변화를 유의하게 측정할 수 있으며, 기계의 정밀도가 우수하면 그만큼 경과 추적기간이 짧아도 된다. 현재 국내의 의료보험은 1년에 한번씩의 골밀도측정을 급여대상으로 인정하고 있지만, 글루코코르티코이드 사용 등 급격한 골소실이 예상될 때에는 좀 더 자주 골밀도를 측정하는 것이 필요하다. 골다공증 관련 국내외 학회에서는 치료를 시작하거나 변경한 후 1~2년마다 시행할 것을 권장하고 있고, 치료효과가 있음이 확인되면 검사 기간간격을 좀 더 길게 하는 것을 고려할 수 있다. 실제 임상에서 치료 중 골밀도 변화가 검사자나 골밀도측정기의 오차 범위를 넘어서는 유의한 변화인지를 평가하기 위해서는 측정부위에 대한 최소 유의변화(LSC, least significant change)를 계산하여야 하며, ISCD 홈페이지(www.iscd.org)에서 얻을 수 있다. 골밀도 추적 검사를 시행 시 LSC 이상의 변화는 치료효과로 간주되고 이보다 작은 변화는 측정 오차로 여겨질 수 있다. 일반적으로 약제의 효과를 판정하기 위한 골밀도측정은 요추 부위가 유용하다. 왜냐하면 해면골의 골교체율이 높아서 약제에 대한 반응이 요추 부위에서 뚜렷하며, DXA의 경우에 요추 부위의 정밀도가 다른 부위에 비해 상대적으로 뛰어나므로 가장 짧은 시기에 골밀도의 변화를 예민하게 측정할 수 있기 때문이다. 대부분의 말단골골밀도측정법은 정밀도가 치료 후 1~2년 내에 예상되는 골밀도 변화 범위 내에 있기 때문에 실제 골밀도의 변화가 측정오차와 구분되지 않는다. 따라서, ISCD에서는 말단골골밀도측정법이 추적검사에 적합하지 않다고 정의하였다.

2. 골표지자

골다공증 치료제의 효과 판정시 골밀도 변화는 최소한 1~2년의 오랜 시간이 필요하고 변화도 크지가 않다는 제한점이 있는 데 반해 골표지자는 치료 시작 후 짧은 시간 내에 현저하게 변하므로 치료의 반응에 대한 정보를 일찍 제공할 수 있다. 골흡수억제제 투여 후 골흡수표지자는 4~6주 내에 감소하고 골형성표지자는 2~3개월 안에 유의하게 감소하여 치료 후 2~3개월이면 최저 수준에 도달하게 되어 치료를 받는 동안 일정하게 유지된다. 골형성촉진제 치료는 1개월 이내 골형성표지자를 급격히 상승시키고 이후 이후 골흡수표지자가 천천히 상승하면서 골동화 기간(anabolic window)를 제공한다. 여러 연구에서 골흡수억제제를 투여한 초기의 골표지자 감소 정도가 향후 발생할 골절위험을 유의하게 예측한다고 보고된 바 있고, 골형성촉진제는 투여 후 1~3개월에 골형성표지자의 증가가 골절위험감소와 연관이 있다는 보고가 있으나 아직 명확한 근거는 부족하다. 또한 임상에서 골표지자의 사용은 일중 및 계절간의 측정값의 변화가 크다는 제한점을 가지고 있어, 이를 국제적으로 표준화해서 해결하기 위해 IOF (International Osteoporosis Foundation)와 IFCC (International Federation of Clinical Chemistry and Laboratory Medicine)에서는 골형성표지자로 혈중 PINP, 골흡수표지자로는 혈중 CTX를 사용할 것을 권장하고 있다. 치료 시작 전과 치료 3~6개월 후에 추적 검사를 시행해서 치료에 대한 반응을 평가하는데 골다공증 치료제 투여 후 골표지자의 감소 정도는 치료제의 종류에 따라 다양할 수 있다. 임상적으로 의미있는 골표지자의 변화는 폐경전여성의 중간값(median) 이하로 감소한 경우 또는 검사법의 최소유의변화값(LSC) 이상 즉, 혈액 골표지자 30% 이상, 소변 골표지자 50% 이상 감소한 경우를 의미한다. 골다공증 치료를 시작한 후 첫 12개월 동안의 치료 중단율이 높은 점을 고려한다면, 조기에 이러한 정보를 제공하는 것이 치료 순응도를 높이는데 도움이 될 수 있다.

참고문헌

1. Bergmann P, Body JJ, Boonen S, et al. Evidence-based guidelines for the use of biochemical markers of bone turnover in the selection and monitoring of bisphosphonate treatment in osteoporosis: a consensus document of the Belgian Bone Club. Int J Clin Pract 2009;63:19-26.
2. Black DM, Arden NK, Palermo L, et al. Prevalent vertebral deformities predict hip fractures and new vertebral deformities but not wrist fractures.
Study of Osteoporotic Fractures Research Group. J Bone Miner Res 1999;14:821-8.
3. Cooper C, Cole ZA, Holroyd CR, et al. Secular trends in the incidence of hip and other osteoporotic fractures. Osteoporos Int 2011;22:1277-88.
4. Fujiwara S, Nakamura T, Orimo H, et al. Development and application of a Japanese model of the WHO fracture risk assessment tool (FRAX). Osteoporos Int 2008;19:429-35.
5. Funck-Brentano T, Biver E, Chopin F, et al. Clinical utility of serum bone turnover markers in postmenopausal osteoporosis therapy monitoring: a systematic review. Seminars Arthritis Rheumatism 2011;41:157-69.
6. Hans DB, Kanis JA, Baim S, et al. FRAX: Position Development Conference Members. Joint Official Positions of the International Society for Clinical Densitometry and International Osteoporosis Foundation on FRAX. Executive Summary of the 2010 Position Development Conference on Interpretation and use of FRAX in clinical practice. J Clin Densitom 2011;14:171-80.
7. Kanis JA, Borgstorm F, De Laet C Johansson H, et al. Pfleger B, Khaltaev N. Assessment of fracture risk. Osteoporos Int 2005;16:581-9.
8. Kanis JA, on behalf of the World Health organization Scientific Group. Assessment of osteoporosis at the primary health care level. Technical report. WHO Collaborating Centre, University of Sheffield, UK. 2008 Available at http://www.shef.ac.uk.
9. Kanis JA, Johansson H, Oden A, et al. Guidance for the adjustment of FRAX according to the dose of glucocorticoids. Osteoporos Int 2011;22:809-16.

8. Kanis JA, Johnell O, Oden A. Smoking and fracture risk: a meta-analysis. Osteoporos Int 2005;16:155-62.

10. Kanis JA, Johansson H, Johnell O. Alcohol intake as a risk factor for fracture. Osteoporos Int 2005;16:S737-42.

11. Kanis JA, McCloskey EV, Johansson H, et al. Case finding for the management of osteoporosis with FRAX--assessment and intervention thresholds for the UK .Osteoporos Int 2008 ;19:1395-1408.

12. Kanis JA, Johansson H, Oden A, et al. The effects of a FRAX revision for the USA. Osteoporos Int 2010;21:35-40.

13. Leslie WD, Lix LM, Johansson H, et al. Spine-hip discordance and fracture risk assessment: a physician-friendly FRAX enhancement. Osteoporos Int 2011;22: 839-47.

14. Masud T, Binkley N, Boonen S, et al. Can falls and frailty be used in FRAX? J Clin Densitom 2011;14:194-204.

15. National Osteoporosis Foundation. Clinician' guide to prevention and treatment of osteoporosis. 2014 Available at www.nof.org/professionals/clinical-guidelines

16. National Osteoporosis Guideline Group (NOGG). Osteoporosis: Clinical guideline for prevention and treatment. 2014 Available at https://www.shef.ac.uk/NOGG/downloads.html

17. Oliver B, Jean-Yves R. Monitoring of osteoporosis therapy. Besr Prac Res Clin Endocrinol Metab 2014;28:835-41

18. Stone KL, Seeley DG, Lui LY. BMD at multiple sites and risk of fracture of multiple types: long-term results from the study of osteoporotic fractures. J Bone MinerRes 2003;18:1947-54.

19. U.S. Preventive Services Task Force. Screening for osteoporosis: U.S. preventive services task force recommendation statement. Ann Intern Med. 2011;154:356-64

20. van Staa TP, Leufkens HG, Abenhaim L, et al. Use of oral corticosteroids and risk of fractures. J Bone Miner Res 2000;15:993-1000.

21. Vasikaran S, Eastell R, Bruyère O et al. Markers of bone turnover for the prediction of fracture risk and monitoring of osteoporosis treatment: a need for international reference standards. Osteoporos Int 2011; 22:391–420

제 3 장

골다공증 분류와 병태생리

O s t e o p o r o s i s

3-1 골다공증의 분류

오기원

골다공증은 원인, 연령, 임상적 특징에 따라 일차성 골다공증과 이차성 골다공증으로 분류한다(표 3-1-1). 일차성 골다공증은 성인에서 골다공증을 일으킬 수 있는 다른 질환이 동반되지 않은 상태에서 발생하는 골다공증이다. 일차성 골다공증은 여성에게 폐경 후에 여성호르몬 박탈로 인하여 발생되는 제1형 골다공증(폐경후골다공증)과 고령의 남녀에게 칼슘과 비타민D의 부족으로 인하여 발생되는 제2형 골다공증(노년골다공증)으로 나누어진다. 이차성 골다공증은 발병 연령에 상관없이 골다공증을 유발시키는 원인질환이 선행되어서 발생한 골다공증이다. 이차성 골다공증은 원인질환의 치료가 골다공증 치료의 가장 중요한 요소이며, 원인질환 자체가 치료를 필요로 하는 경우가 대부분이므로 원인을 찾는 데 노력을 기울여야 한다.

표 3-1-1 ▶ 골다공증의 분류

일차성 골다공증(원발성 골다공증)	폐경후골다공증(제1형 골다공증)
	노년골다공증(제2형 골다공증)
이차성 골다공증	
남성 골다공증	

일차성 골다공증(원발성 골다공증)

일차성 골다공증에서 골소실의 발생에는 두 가지 주된 병태생리적인 기전이 있다. 첫째는 폐경후골다공증으로 알려져 있으며 여성호르몬 결핍으로 인하여 발생하고 주로 해면골에 영향을 미치며 척추 및 손목 골절과 연관된다. 두번째는 노년골다공증으로 알려져 있으며 칼슘과 비타민D의 부족으로 인하여 발생하고 주로 피질골에 영향을 미치며 고령의 여성과 남성모두에서 고관절골절과 연관된다. 최대 골량이 형성된 이후부터는 연령 증가에 따라 매년 0.5%씩의 생리적인 골량 감소가 발생하는 것으로 알려져있다. 연령 증가에 따른 골소실은 골대사에 관련된 호르몬과 사이토카인의 영향 및 골조직의 세포 수와 기능의 변화의 결과이다.

1. 폐경후골다공증(제1형 골다공증)

여성에서는 폐경후 급격한 여성호르몬의 감소로 빠른 골소실과 골다공증이 발생되며, 이를 제1형 골다공증(type I osteoporosis) 또는 폐경후골다공증(postmenopausal osteoporosis)으로 명칭한다. 최대 골밀도에 도달한 후 골밀도는 수년간 안정된 상태로 유지되다가 감소하게 되며, 여성의 경우 골소실은 폐경전부터 시작된다. 폐경후 여성은 골소실의 속도가 현저히 항진된다. 폐경후 처음 5~10년간 해면골이 피질골보다 빠르게 소실되며, 골소실률은 매년 각각 2~4%와 1~2%에 이른다. 여성은 이 기간 동안 피질골의 10~15%와 해면골의 25~30%가 소실되며, 여성호르몬 보충요법으로 폐경 후 골소실을 예방 할 수 있다. 여성들 개인 간에 폐경 후 골소실률은 상당한 차이가 있으며, 일부 여성의 경우 더욱 심한 골소실이 발생한다. 폐경후 여성에게 연령에 따른 예측보다 많은 골소실로 골다공증이 발생한 경우 이를 제1형 골다공증 또는 폐경후골다공증이라고 한다.

폐경후골다공증에서는 여성호르몬 감소에 따른 항진된 골흡수로 인하여, 부갑상선호르몬의 분비가 억제되고 활성형 비타민D 생산이 감소되어 장내 칼슘 흡수가 제한되며 신장에서 칼슘 배설이 증가된다. 골교체는 뼈의 표면에서 시작되기 때문에, 여성호르몬 결핍에서는 피질골보다는 넓은 표면 면적을 가진 해면골에서 더욱 선택적으로 골소실이 발생하고, 임상적으로 이에 따라 폐경후골다공증에서는 척추골의 골절이 초기에 흔히 발생한다. 여성호르몬 결핍에 따른 골소실의 기전은, 새로운 골교체 단위의 활성화와 골형성과 골흡수 사이의 불균형이 과대해지는 것으로, 두 가지 다르지만 상호 관련된 기전에 기인한다. 여성호르몬 결핍이 골소실을 일으키는 기전과 여성호르몬의 골격에 대한 효과는 RANKL (receptor activator of nuclearfactor-kappa B ligand)와 RANKL의 세포 표면 수용체 인 RANK (receptoractivator of nuclear factor-kappa B), 그리고 RANKL의 수용성 decoy 수용체인 OPG (osteoprotegerin)를 매개로 한다. RANKL는 조골전구세포 표면에서 발현되고 RANK는 파골전구세포 표면에서 발현된다. 대식세포집락자극인자(macrophage colony-stimulating factor, M-CSF)의 존재 하에서 파골전구세포의 RANK에 RANKL이 결합하게 되면 파골전구세포에서 성숙한 파골세포로의 분화가 촉진된다. OPG는 조골세포를 포함한 많은 세포에서 만들어지는 단백으로, RANKL에 결합하여 파골세포 발생을 억제한다. 여성호르몬 결핍에 의해 조골전구세포의 OPG 생산이 감소하고 RANKL 발현이 증가하여, 파골세포 발생이 항진되고 골흡수가 증가한다. 이와 반대로 여성호르몬을 투여하면 조골세포의 OPG 생산이 증가하고, 동물실험에서는 합성 OPG 투여에 의하여 난소절제술에 따른 골소실을 예방할 수 있었다.

여성호르몬 결핍은 IL1, IL6, TNF 등의 골흡수 시토카인의 골격계내 생산을 증가시키고, IGF1과 TGFβ 등의 골형성 성장인자의 골격계내 생산을 감소시킨다. 또한 여성호르몬 결핍은 부갑상선호르몬의 골흡수 작용에 대한 감수성을 증가시킨다. 파골세포 및 파골전구세포 뿐만 아니라 조골세포와 골세포에서도 여성호르몬 수용체가 존재하며, 여성호르몬은 세포자멸사의 속도를 조절하여 골조직 내의 세포들의 수명을 결정하는데 중요한 역할을 한다. 여성호르몬이 박탈된 상황에서는 조골세포의 수명은 감소하게 되는 반면에 파골세포의 수명과 활동성은 증가하게 된다.

2. 노년골다공증(제2형 골다공증)

여성에게 폐경후 빠른 골소실이 진행된 후에도 남은 수명 동안에 좀 더 완화된 속도로 골소실이 진행된다. 정상적인 노화에 따른 골다공증은 남녀모두에게 발생하며 제2형 골다공증(type II osteoporosis) 또는 노년골다공증(senile osteoporosis)으로 명칭한다. 제2형 골다공증에서는 피질골과 해면골이 동반되어 감소되기 때문에 대퇴골, 골반, 척추골, 손목, 상완골, 경골 등 모든 부위에 골절이 발생한다. 제2형 골다공증의 중요한 병인은, 첫째, 신장에서 활성형 비타민D 합성 장애와 활성형 비타민D에 대한 장내 감수성 감소로 인한 칼슘 흡수장애 및 이로 인한 이차성부갑상선기능항진증, 둘째, 노화에 따른 조골세포의 골형성능 감소로 설명되고 있다. 제1형 골다공증과 제2형 골다공증의 구분은 임의적인 면이 있어 두 질환 사이에는 상당히 중복되는 부분이 있다. 실제적인 예로 고령에서도 에스트로겐 치료에 의하여 골소실이 예방될 수 있다.

노년골다공증의 병인에는 다양한 호르몬이 중요한 역할을 한다. 연령증가에 따른 골소실에 가장 중요한 호르몬은 비타민D이며, 노인 인구집단에서 비타민D 결핍은 위도에 관계없이 광범위하게 나타난다. 노인 인구집단에서 비타민D 결핍의 원인으로는 비타민D 섭취의 부족, 일광 노출의 부족, 피부에서 전구 비타민D 합성의 기능의 저하, 신장에서 1알파 수산화효소의 활성도 저하, 장관내 칼슘 흡수능의 감소 등이다. 비타민D 결핍에 따라 이차성부갑상선기능항진증이 발생하고 이에 따라 파골세포의 골흡수가 항진된다. 한편 여성호르몬 결핍도 고령의 여성뿐만 아니라 남성에서도 골소실에 중요한 역할을 한다. 혈중 여성호르몬 농도의 감소에 따라 RANKL이 활성화되고 파골세포의 세포자멸사가 억제되어 파골세포의 형성과 활성화가 증가한다. 혈중 성장호르몬 농도는 30대 이후부터 매년 1%씩 점진적으로 저하되며, 골대사에 대한 성장호르몬의 대부분의 효과를 중개하는 IGF1의 혈중 농도도 연령 증가에 따라 감소된다. 이에 따라 노인에서는 성장호르몬/IGF1 신호전달체계의 이상을초래하여, 조골세포 분화와 증식에 장애를 일으키고 세포자멸사를 증가시키며 무기질화를 지연시킨다.

조골세포와 지방세포는 공통적인 전구 간엽줄기세포를 가지고 있으며, 노화에 따라 조골세포 발생은 감소하는데 반하여 지방세포 발생은 증가하고, 이에는 PPARγ (peroxisome proliferator-activated receptor-gamma)가 상호간의 조절에 핵심적인 역할을 하고 있다. PPARγ유전자가 결손 된 쥐에서는 높은 골량이 관찰되고, 골수세포 배양에서는 지방세포는 감소하고 조골세포는 증가한다. 최근의 PPARγ작용제 임상연구에서는 노인성 골다공증에서 골수 지방의 역할을 확인할 수 있다. PPARγ작용제 투여자에서는 골소실과 골절 위험도 증가가 관찰되어, 연령증가에 따른 골소실은 뼈의 비만(obesity of bone)으로 표현되고 있다. 연령 증가에 따라 호모시스테인과 산화부하가 증가하는 것으로 알려져 있다. 혈중 호모시스테인 농도의 증가는 골밀도 감소와 연관된 것으로 알려져 있으며, 혈중 호모시스테인 농도가 증가된 군에서는 골다공증성 골절 위험도가 증가되는 것으로 보고되고 있다. 호모시스테인이 골대사에 영향을 미치는 기전으로는 호모시스테인이 교원질 교차결합을 억제하고 뼈의 무기질화에 장애를 일으키는 것으로 생각된다. 뼈에 대한 노화의 해로운 효과에 대한 난소와 같은 다른 기관의 외부 영향은잘 알려져 있으나, 골조직 자체의 노화에 대하여는 잘 알려져 있지 않다. 수명이 짧은 파골세포나 조골세포와 달리 무기질화된 기질에 매몰되어있는골세포는 50년까지도 생존하며, 골세포의 세포자멸사는 골조직의 노화에 의존적이다. 노화에 따른 변화 중 산화부하의 증가는 골량과 골강도를 감소시키는 기본적인 기전으로 골세포의 세포자멸사의 중요한 원인 중 하나이다.

이상과 같이 연령 증가에 따라 발생하는 노년골다공증의 원인으로는 비타민D, 여성호르몬, 성장호르몬/IGF1, PPARγ, 호모시스테인, 산화부하 등이 복합적으로 작용한다.

이차성 골다공증

이차성 골다공증의 원인으로는 내분비질환, 위장관질환, 골수질환, 결합조직질환, 약물 등이 포함된다(표 3-1-2). 여성에서의 폐경과 남성과 여성 모두에서의 노화에 따른 원인 이외에도 다양한 질환이 골다공증을 일으킬 수있다. 젊은 여성인 경우 고프로락틴혈증, 신경성 식욕부진, 시상하부성 무월경증 등에서 여성호르몬 결핍이 발생하며 정상적인 폐경후와 유사한 골소실이 관찰된다. 성선기능저하증은 남성에게도 중요한 이차성 골다공증의 원인이다. 부갑상선기능항진증, 갑상선기능항진증, 쿠싱 증후군, 성장호르몬 결핍 등도 이차성 골다공증의 중요한 원인이 되는 내분비질환으로 앞의 두 질환은 골흡수가 항진되며 뒤의 질환들은 골형성과 장내 칼슘흡수가 저하된다. 간담도질환에서는 저골교체 상태의 골감소증이 흔히 발생하며 일부에서는 골연화증과 칼슘 및 비타민D의 흡수장애로 인한 이차부갑상선기능항진증도 관찰된다. 골수질환에서는 골교체에 영향을 미치는 사이토카인의 국소적인 효과와 골흡수를 자극하는 전신적인 인자의 분비에 의하여 골다공증이 발생한다. 골형성부전증과 같은 결합조직질환에서는 최대골량이 감소한다. 글루코코르티코이드, 과도한 갑상선호르몬, 면역억제제, 헤파린, 항경련제, 알코올 등의 약물에 의해서도 골다공증이 발생한다. 알코올은 조골세포에 독성을 가지며, 면역억제제, 헤파린 등은 파골세포의 골흡수능을 증가시킨다. 항경련제는 비타민D 감소, 이차성부갑상선기능항진증, 장내칼슘흡수의 직접적인 억제와 조골세포 기능억제 등의 복합적인 작용으로 골다공증 및 골연화증이 발생한다. 활동이 고정된 환자나 류마티스관절염 환자는 골흡수가 항진되고, 제1형 당뇨병환자는 골형성능이 저하된다.

이차성 골다공증은 다양한 질병이나 약물로 인하여 골형성의 장애를 초래하거나 골소실이 증가되는 경우에 발생한다. 이차성 골다공증은 독자적인 병인을 가지며 공통적인 임상적 특징이 없기 때문에, 원인에 따라 개별적인 진단 및 치료가 시행되고 있다. 중요한 이차성 골다공증에 대한 구체적인 논의는 다음 장들에서 자세히 언급될 것이다.

표 3-1-2 ▶ 이차성 골다공증의 원인

내분비질환	• 부갑상선기능항진증 • 쿠싱증후군 • 비타민D 결핍 • 고프로락틴혈증	• 갑상선기능항진증 • 성선기능저하증 • 성장호르몬 결핍 • 제1형 및 제2형 당뇨병
위장관질환	• 위절제술 • 염증성장질환 • 만성폐쇄성황달	• 흡수장애증후군 • 일차성담관성간경화
골수질환 및 악성종양	• 다발성골수종 • 용혈성빈혈 • 림프종	• 전이성종양 • 백혈병
결합조직질환	• 류마티스관절염 • 전신성홍반루프스 • 호모시스틴뇨증	• 강직척추염 • 골형성부전증
약물	• 글루코코르티코이드 • 성선자극호르몬 분비호르몬작용제(GnRH agonists) • 방향화효소억제제 • 면역억제제(cyclosporine, tacrolimus) • 항암제 • 항경련제 • 알코올	• 과량의 갑상선호르몬 • Thiazolidinediones • 항응고제(헤파린, 와파린) • 항우울제

남성 골다공증

남성 골다공증은 일차성 골다공증과 이차성 골다공증으로 분류한다. 남성의 일차성 골다공증에는 특발성 골다공증과 노인성 골다공증이 포함된다. 최대 골량의 획득에 지장을 주거나 비정상적인 골량 소실을 일으키는 골다공증의 위험인자가 존재하는 경우 이차성 골다공증으로 정의된다. 이차성 골다공증을 제외한 골다공증이 일차성 골다공증에 해당된다.

남성에서 일차성 골다공증은 70세 이후의 노인성 골다공증과 70세 이전에 원인이 발견되지 않은 특발성 골다공증으로 나누어진다. 남성에서 이차성 골다공증은 골다공증의 위험인자인 생활습관, 영양상태, 다양한 질환과 약물 등이 관련된다. 이차성 골다공증은 전체 남성 골다공증의 60%를 차지한다. 여성과 달리 남성에서는 성호르몬의 급격한 감소가 나타나지 않으며 남성에서 골소실은 70세 이후에 주로 발생하고 점진적으로 진행한다. 남성에서 피질골의 골소실은 50세 이후부터 발생하며 테스토스테론과 에스트라디올의 감소 및 골재형성의 항진과 관련이 있고 해면골의 골소실은 더 조기에 시작되며 IGF1과 관련된다.

남성에서 골다공증의 주요한 위험인자로는 만성 글루코코르티코이드 투여 및 쿠싱증후군, 과음, 흡연, 성선기능저하증, 칼슘 섭취 부족, 비타민D 결핍, 골다공증 골절의 가족력 등이 있다. 남성에서 골다공증의 기타 위험인자는 저체중, 운동 부족 및 과다한 운동, 항경련제, 갑상선기능항진증, 부갑상선기능항진증, 제1형 및 제2형 당뇨병, 만성간질환, 만성신질환, 흡수장애, 염증성장질환, 고칼슘뇨증, 류마티스관절염, 강직척추염, 종양, 와파린 등이 있다. 남성에서 낮은 골량이 관찰되면 자세한 병력청취와 진찰을 통해 골소실의 위험인자를 찾도록 하고 생활습관, 칼슘 및 비타민D 등의 영양상태 파악, 운동 정도 및 가족력을 살펴보고 남성 골다공증과 관련된 검사를 시행한다.

참고문헌

1. 대한골대사학회. 골다공증. 제4판. 서울: 군자출판사; 2013
2. 대한골대사학회. 골다공증의 진단 및 치료 지침 2015. 서울: 아이비기획; 2015
3. Cosman F, de Beur SJ, LeBoff MS, et al. Clinician's Guide to Prevention and Treatment of Osteoporosis. Osteoporos Int 2014;25:2359-81.
4. Dennis K, Anthony F, Stephen H, et al. Harrison's Principles of Internal Medicine. 19th ed. McGraw-Hill; 2015.

3-2 골다공증의 역학

하용찬

골다공증은 가장 흔한 대사성 골질환의 하나로 골절의 위험이 높은 골격계 질환이다. 인구의 고령화로 연령의 증가와 관련이 있는 골다공증 골절은 환자 및 의사 모두가 관심을 가져야 할 질환이고, 이미 서구에서는 의료비 등 여러 면에서 사회적 문제로 대두되고 있다. 골다공증 환자는 대퇴골, 척추, 손목, 상완골 등에서 작은 충격에 의해서도 골절이 발생하게 된다. 이러한 골절을 예방하기 위하여 최근 들어 골다공증의 진단 및 치료분야가 급속도로 발전하고 있다. 그러나 이러한 연구와 임상적 응용을 위하여 많은 비용이 요구되므로 골다공증이 중요하다는 사회적 인식이 필요하다. 골다공증 분야에 종사하는 의사들도 골다공증이 얼마나 중요한지를 설명할 수 있는 구체적인 자료 구축의 필요성을 제기하고 있다. 그러므로, 골다공증과 이로 인한 골절이 미치는 사회적 영향, 빈도 및 비용에 관한 자료에 대한 연구가 필요하다. 최근, 국내에서 아직 골다공증의 역학에 대한 연구보고가 점점 증가하고 있다. 골다공증은 골강도의 손상으로 골절의 위험이 증가되는 골격계 질환으로 정의되고 있다. 골강도는 골밀도와 골의 질로 결정된다. 골의 질을 현재로서는 측정할 수 없으므로 위의 정의로 골다공증의 진단과 빈도를 추정하기에는 임상적 이용 가치가 떨어진다. 골강도의 80%까지 골밀도에 의존하므로 골밀도의 측정이 진단에 유용한 도구가 된다. 그러므로 현재 골다공증의 정의는 골밀도에 의존하고 있다. 1990년대 초반, 대퇴골과 상완골 부위를 측정하여, 세계보건기구는 젊은 성인군 평균치의 2.5 표준편차 이하의 골밀도를 골다공증이라 정의하였고, 골밀도가 젊은 성인군의 평균치보다 아래 1과 2.5 표준편차 사이를 골감소증(osteopenia) 혹은 낮은 골량(low bone mass) 이라 하였고 이들 여성들을 중간정도의 위험군이라고 제시하였다. 미국 골다공증재단(NOF, National Osteoporosis Foundation)의 지침서는 골밀도가 젊은 성인 평균치보다 2.0 표준편차 이상 아래인 여성들에게서 치료를 해야 하는 것을 권장하여 골다공증이 되기 전에 치료해야 됨을 제시하고 있다. 세계보건기구에서 정의한 골다공증의 기준이 전 세계적으로 이용되고 있으나, 이는 백인여성을 대상으로 한 것이므로 남성과 타 인종에게 적용하는 데에는 문제점이 있을 수 있다. 골다공증의 진단은 젊은 성인군의 평균치와 비교에 의해 정의되기 때문에, 어느 인종의, 어떤 시대의 젊은 성인군의 평균치와 비교하는가에 따라 진단이 달라질 수 있으며, 유병률도 상당한 차이를 보일 수 있다는 점에 주의해야한다. 특히 한국인에게 골다공증 기준을 그대로 적용하여도 되는지에 대한 조사가 광범위하게 이루어지지 않은 상태이므로 한국인을 대상으로 한 연구가 필요하다. 그러나 한국인을 대상으로 한 자료가 연구 발표되기 전까지는 세계보건기구에서 제시한 기준을 적용하는 것이

합당할 것으로 보인다

골다공증 위험인자

골다공증의 위험인자는 조절 가능한 위험인자와 조절 불가능한 인자로 구분할 수 있다. 골다공증의 발생은 연령이 증가하면서 같이 증가되고, 비록 진단 및 치료지침이 백인여성에 국한되어 연구되었지만 타 인종 혹은 타 종족의 여성들에게도 마찬가지로 위험이 높을 것으로 사료된다. 아시아 계 미국 여성들은 뼈의 크기 차이를 보정한 후에도 백인 여성들보다 골밀도가 낮다. 그렇지만, 백인 여성들보다 흑인 여성들의 골밀도가 높고, 히스패닉 계 미국 여성들은 타 백인 여성들보다 다소 골밀도가 높은 것으로 관찰되었다. 지역사회 기반 코호트를 통해 한국인 남녀의 골밀도와 타 인종과의 골밀도를 비교한 결과에서도 이와 같은 인종간의 골밀도의 차이가 관찰되었다(그림 3-2-1).

골다공증과 골절이 여성들에게서 흔하지만 남성들에서도 연령이 증가하면서 골다공증의 발생 위험이 증가된다. 골다공증 및 골절의 가족력도 중요한 위험인자이며 유전 및 환경적 요소들이 골다공증의 발생에 중요한 역할을 한다. 수술적 혹은 자연적 폐경은 빠른 골소실을 초래하는데 폐경 후 5년 이상 동안 1년에 2~3% 정도 소실되는 것으로 보고되어있다. 에스트로겐뿐만 아니라, 테스토스테론 결핍도 골다공증의 위험인자이지만 에스트로겐에 비하면 상대적으로 역할이 적다. 조절이 가능한 위험인자로는 성호르몬 부족, 칼슘섭취, 비타민D 섭취, 체중, 육체적 활동, 흡연 및 만성적 글루코코르티코이드 등의 사용이 있다.

연령 증가와 골밀도 변화

한국, 일본 및 대만여성들과 한국 및 일본남성들의 척추, 대퇴골골밀도의 연령별 변화를 관찰한 연구에서 한국 및 일본여성과 남성들의 경우 최고 골밀도에 도달한 후 연령이 증가하면서 감소됨이 보고되었다. 국내에서는 13개 대학병원에서 정상인을 대상으로 QDR2000, XR26 및 XR36을 이용하여 2~4번 요추부 골밀도를 측정한 결과 연령 증가와 역관계가 있음이 관찰되었다. 36~40세 사이에 최고 골밀도에 도달하였고 이후 5년마다 2% 씩 감소되고 폐경 후에는 감소 정도가 3배 정도로 증가되었다. 지역사회 기반 코호트를 통해 분석한 한국인 남녀의 연령에 따른 골밀도의 감소에서도, 폐경 후 여성에서의 급격한 골밀도 감소가 관찰되었다(그림 3-2-1).

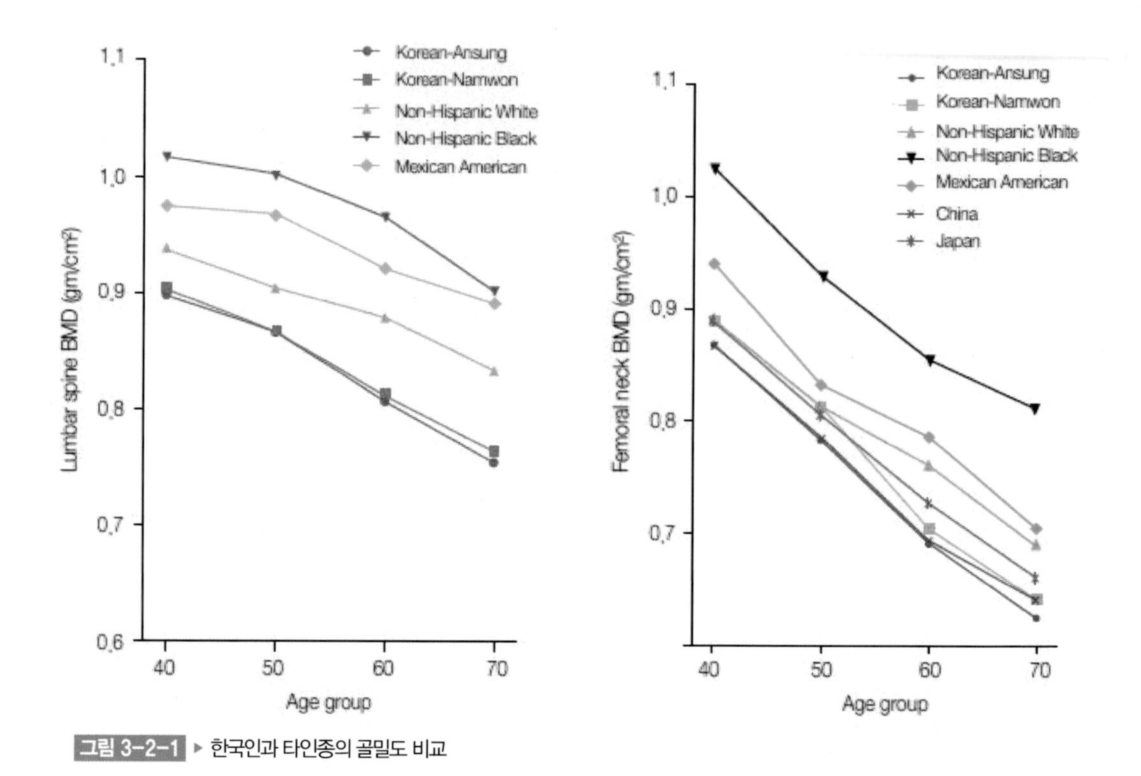

그림 3-2-1 ▸ 한국인과 타인종의 골밀도 비교

골다공증 유병률

국민건강영양조사에 따르면 30세 이상 성인의 골다공증 유병률은 2002년 1.2% 에서 2007년 5.1% 로 5년 사이 4배 정도 증가하였다. 2009년 국민건강영양조사에 따르면 50세 이상 성인의 골다공증 유병률은 남자 8.1%, 여자 38.7% 로 여자가 남자에 비해 4배 이상 높았으며, 인지율 26.4% 과 치료율 12.7% 이 다른 만성질환의 관리지표에 비해 낮은 수준이었다. 건강보험심사평가원 보고서에 따르면 건강보험심사청구자료에서 골다공증으로 의료이용이 있었던 50세 이상 환자 수는 2005년 107만 명, 2006년 120만 명, 2007년 133만 명, 2008년 146만 명으로 급격히 증가하는 양상이었다. 2010년에 발표된 국내 지역코호트 기반 연구 결과에 따르면 50세 이상 성인의 요추 골다공증 유병률은 여성은 24.0%, 남성은 12.9% 이었다. 최근 발표된 국내 지역사회 기반 코호트와 국민건강영양조사 결과의 골다공증 유병률은 표 3-2-1과 같다.

표 3-2-1 ▶ 국내 골다공증 유병률 현황

	대상	모집단규모(명)	지역	골다공증	
				요추	대퇴
여성	50세 이상	2, 851	국민건강영양조사	27.0	22.4
	50-79세	1, 991	경기도 안성	24.0	5.7
	50-79세	2, 338	전북 남원, 전남 영광, 무안	40.1	12.4
남성	50세 이상	2, 095	국민건강영양조사	6.0	3.3
	50-79세	1, 547	경기도 안성	12.9	1.3
	50-79세	1, 810	전북 남원, 전남 영광, 무안	6.5	5.9

골절 위험인자

골강도는 골밀도로 설명이 되며, 골절 위험은 골밀도의 1표준편차 감소 시 약 2배씩 증가한다. 그러므로 골밀도 측정이 골다공증을 평가하는데 표준 진단법이 된다. 골밀도 이외에, 비 외상성 골절의 병력이 향후 골절의 가장 중요한 위험인자이다. 45세 이후에 대퇴골, 늑골, 손목 및 척추골절 발생은 1년 내 골절 발생 위험이 1.72~2.14배 높다고 한다. 골다공증 혹은 골절의 가족력도 골절 발생 위험 증가와 관련이 있다. 척추이외의 대부분의 골절들은 낙상이 원인이다. 낙상은 남녀 모두 연령이 증가하면서 중요한 위험 인자이다. 낮은 골밀도와 관련이 있는 흡연은 골절위험과 독립적으로 관련이 있다. 나쁜 건강, 허약, 치매, 알코올 중독증, 체중감소, 저하된 악력, 제한된 활동, 신경안정제 사용, 갑상선기능항진증 병력, 의자에서 기립자세로의 불가능, 보행 장애 및 시력저하들도 골절의 위험을 증가시킨다.

골다공증 골절의 빈도

척추, 대퇴골 및 손목의 골절이 골다공증으로 인한 주된 골절 부위로 생각되고 있다. 이외에 근위부 상완골, 쇄골, 골반, 근위부 경골 및 원위부 대퇴골의 골절들도 낮은 골밀도와 관련이 있다. 골다공증의 주된 골절이면서도 골절 진단기준이 일치하지 않고 발견이 어렵기 때문에 척추골절의 역학자료를 쉽게 얻을 수 없다. 그렇지만 척추골절은 새로운 척추골절 및 대퇴골골절의 예측인자이고 3년 이내에 대퇴골골절의 위험이 2.8배, 타 부위 척추골절은 5배의 위험이 있으며 첫 번째 골절 후 1년 이내에 두 번째 골절의 위험은 20% 까지 된다.

대퇴골골절은 구체적으로 골다공증의 척도가 될 수 있는데 대부분의 환자들이 치료를 위하여 입원을 하므로 발생 빈도 및 국가 간 비교가 용이하다. 아시아 국가의 대퇴골골절 빈도는 다양한 편으로, 남성 및 여성 100,000명마다 발생 정도가 각각 홍콩은 180 및 459, 싱가포르 164 및 442, 말레이시아 88 및 218, 그리고 태국은 114 및 459로 보고되었다. 싱가포르 및 홍콩에서의 발생이 태국 및 말레이시아에서의 비율보다 높았다. 일본의 경우 남녀 100,000명에서 1986년에는 각각 40.7 및 114.1이었는데, 1994년에는 57.1 및 145.2로 변하였다. 중국 센양에서의 역학 연구는 50세 이상 여성은 67, 남성에게서는 81로 보고하였다. 대퇴골골절의 원인으로 단순 낙상, 자전거 사고, 자동차 사고까지 포함시켰지만 다른 아시아 국가보다 발생 빈도가 낮았다.

한국의 골다공증 골절 역학자료를 살펴보면, 건강보험심사평가원 보고서에 따르면 2008~2012년 건강보험심사청구자료를 분석한 결과, 50세 이상의 골다공증 골절 발생은 2008년 15만 건, 2009년 16만 건, 2010년 20만 건, 2011년 20만 건, 2012년 22만 건으로 연평균 10.5% 씩 발생수가 증가하는 것으로 나타났으며, 전체 골다공증 골절 발생 건 중 78.1 %가 여성에서 발생하였다. 골다공증 골절의 발생률(2008년, 인구10만 명당) 이 높은 부위는 척추(남성 424명, 여성 1419명), 손목(남성 160명, 여성 653명), 발목(남성 145명, 여성 241명), 대퇴골(남성 95명, 여성 199명), 상완골(남성 47명. 여성 109명), 쇄골(남성 85명, 여성 54명)순이었다. 또한, 골다공증 골절의 발생은 50세 이후 급격히 증가하는 양상을 보여, 인구 1만 명당 발생률은 50대에서는 50여 명, 60대에는 110여 명, 70대에는 270여 명, 80세 이상에서는 460여 명으로 나타났다. 부위별로 연령에 따라 발생률을 살펴보면, 발목골절의 경우 고 연령군으로 갈수록 발생률이 감소하는 반면, 대퇴골, 상완골 및 손목골절은 연령이 높아질수록 발생률도 높아졌다. 특히, 척추 및 대퇴골골절의 발생률은 60세 이후 급격히 증가하는 양상을 보였다(그림 2). 한편 70% 이상 무증상으로 알려진 척추골절의 50세 이상 성인의 유병률은 안성 코호트에 대한 조사에 따르면 남성은 12.1% 여성은 16.5%로 나타났다. 전라남도 광주지역을 대상으로 50세 이상의 성인남녀에서 대퇴골골절 발생률이 3.4/10,000명이었고, 같은 지역에서 10년 후 다시 대퇴골골절 빈도를 조사한 결과 50세 이상에서 10,000명당 13.4로 4.1배 증가되었다고 하였다. 2011년 제주도지역의 50세 이상에서 발생한 대퇴골골절에 대한 역학조사에서 100,000명당 남녀에서 각각 87 및 198의 발생률이 관찰되어 호남지역에서의 보고와 유사하였다. 1개 도시를 대상으로 조사한 골절조사에서 65세 이상 남녀에서 손목골절은 100,000명당 426명, 척추골절은 162명, 대퇴골골절은 238명이 발생하는 것으로 보고되었지만 척추골절은 보고가 안 되는 경우가 있어 더 많을 것으로 추정된다. 아직 골절 발생의 경우 자료가 제한적이어서 외국과 비교하기가 어렵지만, 대퇴골골절 발생률은 미국, 유럽보다는 낮은 것으로 사료된다.

50세 여성이 죽을 때까지 골다공증 골절을 최소 한번 이상 경험할 확률인 전생애위험도(lifetime risk) 는 28.97% 로 남성의 10.68% 에 비해 2.7배가량 높게 나타났다. 특히 사망률이 높은 대퇴골골절의 전 생애 위험도는 50세 여성 9.06%, 남성 3.25% 였다(표 3-2-2).

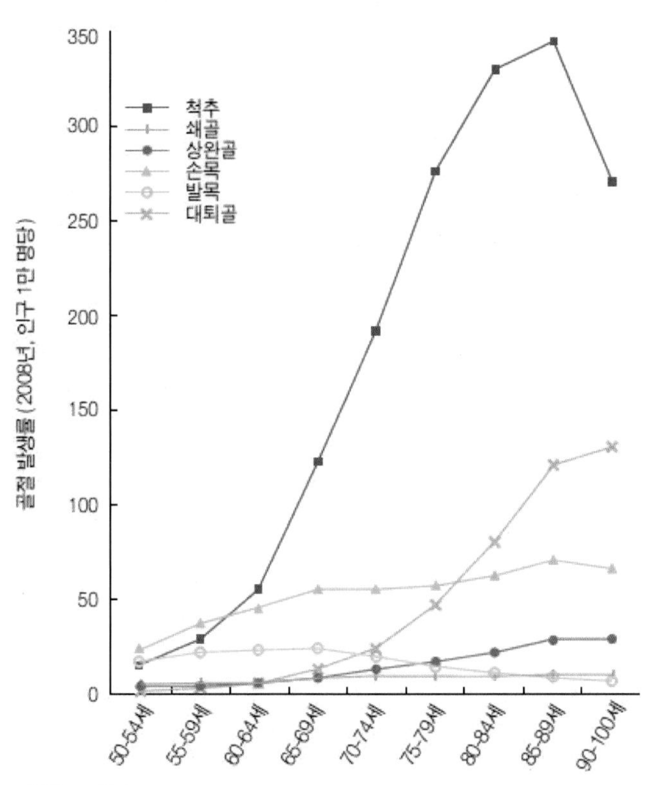

그림 3-2-2 ▸ 부위에 따른 연령별 골절 발생률(2008년, 건강보험심사평가원)

표 3-2-2 ▸ 골다공증 골절 전생애 위험도(%)

	50세인 경우				65세인 경우			
	전체	남	여	여/남비	전체	남	여	여/남비
골다공증 골절	22.22	10.68	28.97	2.7	20.52	10.23	27.21	2.7
척추	15.15	7.13	21.07	2.6	15.61	7.44	20.97	2.8
쇄골	6.98	3.72	9.33	3.0	7.43	3.98	9.65	2.4
상완골	7.21	3.54	9.87	2.5	7.71	3.91	10.16	2.6
손목	9.46	4.21	13.41	2.8	9.28	4.32	12.53	2.9
대퇴골	6.62	3.25	9.06	2.6	7.72	4.11	10.06	2.4
발목	7.65	4.02	10.32	3.2	7.19	3.67	9.46	2.6

골다공증 골절의 영향

골다공증 골절은 사망, 이환 및 비용이라는 측면에서 문제가 된다. 골다공증 골절과 연관된 사망이 증가된다는 연구보고들이 있다. 외국의 보고에 의하면 대퇴골골절 후 1년 이내 사망률이 20~24% 이고, 발생은 낮지만 골절 발생 후 사망률은 남성에게서 더 높다. 척추골절의 경우 65세의 백인여성들에게서 척추 골절이 없는 경우보다 사망률이 1.23배 높고, 이는 아마도 악성질환, 폐질환과 관계가 있다고 보고하였다. 다른 보고에서는 척추골절이 있는 경우 5년 생존 기대치가 16%, 대퇴골골절의 경우 18% 감소한다고 하였고, 여성에게서 척추골절은 사망률이 8.6배, 대퇴골골절은 6.7배 증가한다는 보고도 있다. 이환의 경우, 미국여성 50세인 경우 향후 대퇴골골절이 발생할 확률은 17%, 척추골절은 32% 라는 연구보고가 있다.

건강보험심사평가원 자료로 분석한 50세 이상 남성이 대퇴골골절 경험 후 1년 내 사망할 확률은 22.6%로 여성 17.3% 에 비해 1.3배 높았다. 대퇴골골절 이후 3개월 내 사망률은 남성이 10.9%, 여성이 8.4% 로 1년내 사망자의 절반 정도가 3개월 이내에 사망하는 것으로 나타났다.

기능적 장애는 골절 후에 흔하다. 손목골절이 발생한 여성들의 대부분이 통증, 행동장애, 기형 및 일상생활의 수행능력 장애를 포함하는 장기간의 후유증을 경험한다. 척추골절은 기형뿐만 아니라, 통증, 폐기능 저하, 중력의 중심 이동으로 인한 균형과 보행장애, 소화장애 및 자신감 소실 등을 경험하고 우울증도 흔하게 나타난다. 그 결과로 지속적인 장애 및 삶의 질 저하와 같은 문제를 초래한다. 대퇴골골절은 가장 심한 병적상태로 사망하지 않는 경우도 50% 까지는 보조기구 등의 도움 없이는 걷지 못하고, 33% 까지는 독립적인 생활을 하지 못하는 것으로 보고되었다. 계단 오르기, 샤워 혹은 욕조에 들어가고 나오는 행동들의 제약, 우울증상과 인지장애가 골절 후 흔하게 나타난다. 골절의 경제적 영향은 외국의 경우 상당한 것으로 알려져 있다. 비용적인 측면은 골절마다 경우가 다양하고 치료에 따른 비용이 차이가 있어 아직 국내에서는 이에 대한 자료가 보고되어 있지 않지만 골절의 빈도 증가는 의료비 부담이 증가될 것으로 사료된다.

골다공증 관련 치료비와 의료이용

골절 건수의 증가와 함께, 치료비 역시 2001년보다 2003년에는 17% 가 상승하여 빠른 증가 경향을 보이고 있다. 골다공증 골절의 치료비용연구에 의하면 손목관절, 척추, 대퇴골골절의 각 부위별 추정치료 비용은 2003년 기준 각각 343만 원, 637만 원, 711만 원 정도로 산정되었고, 노동 능력의 일시적 제한에 따른 생산성 손실이 각 부위별로 934만 원, 755만 원, 664만 원으로 추정되었다. 결국 골다공증으로 인한 손목 관절, 척추, 대퇴골골절 후 발생한 사회경제적 손실(간병비, 교통비 및 생산성 손실 등 포함)은 각각 1,277만원, 1,397만 원, 1,675만 원으로 이를 발생 건수로 곱하면 2003년 한 해 동안 국내에서 연간 의료비용만 4,390억 원, 생산성 손실비용 6,100억 원으로 합계 1조 495억 원의 사회경제적 손실이 발생한 것으로 추정되었다. 2009년 건강보험심사평가원의 보고서에 따르면 골다공증 환자의 총 건강보험 진료비도 2008년 575억 원으로 2004년의 389억 원에 비해 47.8 % 증가한 것으로 나타나 이로 인한 사회적 부담도 지속적으로 증가할 것임을 알 수 있다.

2008년 조사된 국민건강영양조사 결과 지역사회 50세 이상의 골다공증 유병률은 19.3% 였다. 이를

2008년 추계인구수로 외삽하면 약 251만 명이 골다공증인 것으로 추산된다. 2008년 건강보험 심사 청구자료로 조사한 의료이용 골다공증 환자는 146만 명으로 국민건강영양조사 추산 골다공증 환자 중 58 %(=146만/251만) 정도만 의료이용이 있었던 것으로 나타났다. 이는 발견되지 않아 치료받지 못하고 있는 골다공증 환자가 상당수 있다는 것을 시사한다.

참고문헌

1. 국민건강영양조사. 2007, 2008, 2009.
2. 노성만, 정재윤, 윤택림 등. An epidemiological study of hip fracture A comparison between 1991 and 2001. 대한골대사학회지 2003;10:109.
3. 박일형. 한국의 골다공성 골절의 사회경제적 비용연구. 대한골대사학회 연수강좌 2007.
4. 신찬수 등. 건강증진연구사업 보고서. 보건복지부 2006.
5. 신현호, 김상용, 손석준. 일도시 노인 인구의 골다공증 골절 발생률 추정. 대한골대사학회지 2001;8:159-71.
6. 장선미 등. 골다공증질환의 의료이용 및 약제처방 양상에 관한 연구. 건강보험심사평가원 2009.
7. 조남한, 한인권, 김효민 등. 한국 대퇴골골절 발병률 현황 파악: 1995년 공무원-교원의료보험자료분석 대한골대사학회지 1999;6:104-12.
8. 하용찬, 김상림, 구경회 등. 제주도지역 고관절 주위골절에 대한 역학연구. 대한정형외과학회지 2004;39:131-6.
9. Choi YJ, Oh HJ, Kim DJ, et al. The prevalence of osteoporosis in Korea adults aged 50 years or older and the higher diagnosis rates in women who were beneficiaries of a national screening program; the Korean National Health and Nutrition Examination Survey 2008-2009. J Bone Miner Res 2012;27:1879-86.
10. Cui LH, Choi JS, Shin MH, et al. Prevalence of osteoporosis and reference data for lumbar spine and hip bone mineral density in a Korean population. J Bone Miner Metab 2008;26:609-17.
11. Hagino H, Yamamoto K, Ohshiro H, et al. Changing incidence of hip, distal radius, and proximal humerus fractures in Tottori Prefecture, Japan. Bone 1999;24:265-70.
12. Ha YC, Park YG, Nam KW, et al. Trend in hip fracture incidence and mortality in Korea: a prospective cohort study from 2002 to 2011. J Korean Med Sci. 2015 ;30:483-8.
13. Lau EMC, Lee JK, Suriwongpaisal P, et al. The incidence of hip fracture in four Asian countries: The Asian Osteoporosis Study (AOS). Osteoporos Int 2001;12:239-43.
14. Lim S, Koo BK, Lee EJ, et al. Incidence of hip fractures in Korea. J Bone Miner Metab 2008;26:400-5.

15. Marquez MA, Melton LJ 3rd, Muhs JM, et al. Bone density in an immigrant population from Southeast Asia. Osteoporos Int 2001;12:595-604.
16. National Institutes of Health Consensus Development Panel on Osteoporosis Prevention, Diagnosis, and Theraphy. JAMA 2001;285:785-95.
17. Rowe SM, Yoon TR, Ryang DH. An epidemiological study of hip fracture in Honam, Korea. Int Orthop 1993;17:139-43.
18. Shin CS, Choi HJ, Kim MJ, et al. Prevalence and risk factors of osteoporosis in Korea: a community-based cohort study with lumbar spine and hip bone mineral density. Bone 2010;47:378-87.
19. Sugimoto T, Tsutsumi M, Fujii Y, et al. Comparison of bone mineral content among Japanese, Koreans, and Taiwanese assessed by dual-photon absorptiometry. J Bone Miner Res 1992;7:153-9.
20. Woo J, Li M, Lau E. Population bone mineral density measurements for Chinese women and men in Hong Kong. Osteoporos Int 2001;12:289-95.

3-3 여성호르몬과 골대사

임용택

해면골의 소실은 여성에서 에스트로겐의 혈중 농도가 정상 범위에 있는 가임기 여성의 30대 초반부터 시작되는 것으로 알려져 있으며 이는 골소실이 성호르몬 이외의 기전에도 영향을 받을 것으로 추정된다. 에스트로겐은 골대사의 주된 내분비 인자로 난소기능장애가 시작되면서 혈중 에스트로겐의 농도는 감소하게 된다. 가임 여성에서의 무월경은 에스트로겐 결핍상태의 시작을 의미하며 최대골량을 이루어야 하는 연령층에서 최대골량의 형성 장애를 초래하게 되어 골소실을 일으키게 되며 궁극적으로는 골다공증의 위험성을 증가시킬 수 있는 상황에 이르게 된다. 따라서 이러한 관점에서 골다공증 예방을 위하여 젊은 여성에서의 무월경에 대한 평가와 처치는 적극적일 필요가 있을 것으로 사료된다. 이러한 여성에서의 골감소증 혹은 골다공증은 조기에 발생되는 골다공증 혹은 조기의 골감소라는 개념에서 접근하는 것이 타당하다.

에스트로겐과 골대사

에스트로겐은 α, β 에스트로겐 수용체를 통하여 여성 생식기관의 발달과 유지에 관여하며 골대사에 관여하여 골건강을 유지하는 데에 중요한 역할을 하는 것으로 알려져 왔다. 에스트로겐의 골보호효과(osteoprotective effects)는 조골세포형성에 영향을 주는 IGFs를 통하여 이루어 질 수 있는 것으로 알려져 있으며 IGFs는 성장호르몬의 영향 하에 골성장을 도모하게 된다. 골격을 유지하기 위하여 해면골과 피질골에 생기는 미세균열의 보수 및 재형성은 골세포, 파골세포, 조골세포를 포함하는 BMU에서 일어나게 된다. 골재형성은 파골세포에 의한 골흡수로부터 시작하며 골재형성은 골흡수와 골형성 간의 커플링으로 이루어진다.

에스트로겐의 골대사에 대한 주된 영향은 골세포를 통한 골재형성의 억제이며 에스트로겐은 조골세포에 직접적인 영향을 주어 골흡수를 억제한다. 에스트로겐의 결핍 상태에서 골혈성이 골흡수를 따를 수 없으므로 골소실이 발생하게 된다. 에스트로겐 결핍은 조골세포에 대한 직접적인 영향으로 세포자멸사, 산화스트레스, NF-kB (nuclear factor- kB) 활성도의 감소와 같은 기전으로 골형성의 결핍을 초래하게 된다. 에스트로겐은 조골세포의 세포자멸사를 억제하며 조골세포의 수명을 증가시켜 조골세포의 기능을 증진하게 된다. 에스트로겐은 골세포에 작용하여 골재형성 활성화를 억제하고 파골세포에 작용하여 골흡수를 억제하게 된다. 에스트로겐의 투여는 혈액과 골수의 스클레로스틴을 감소시키게 된다.

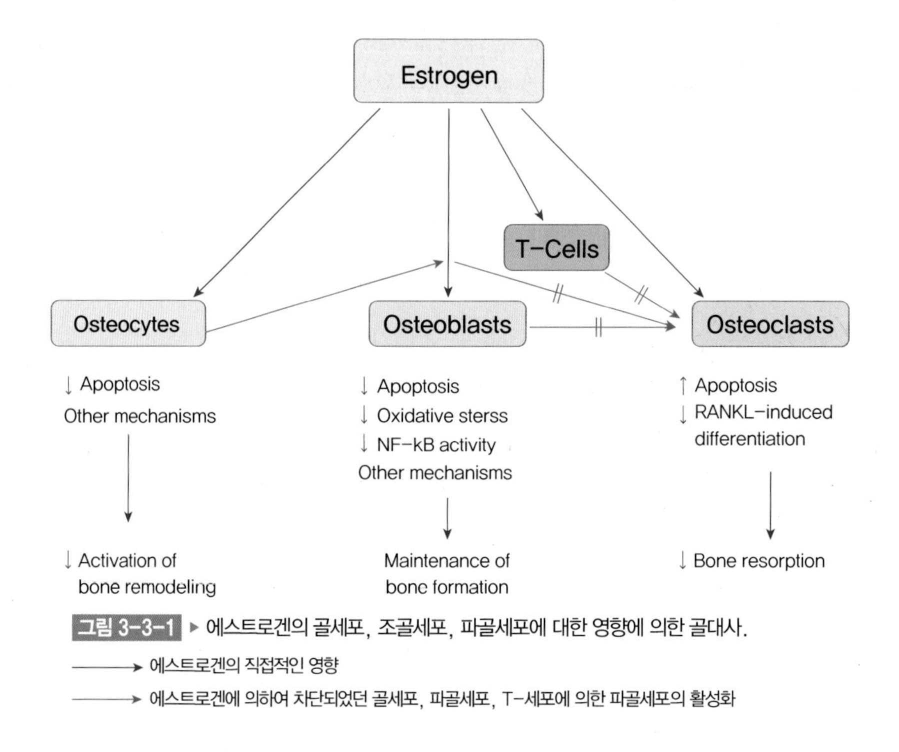

그림 3-3-1 ▸ 에스트로겐의 골세포, 조골세포, 파골세포에 대한 영향에 의한 골대사.

⟶ 에스트로겐의 직접적인 영향

⟶ 에스트로겐에 의하여 차단되었던 골세포, 파골세포, T-세포에 의한 파골세포의 활성화

젊은 여성: 정상 최대 골량 확보를 위한 중요한 시기이다

젊은 여성 특히 청소년기의 여성은 골형성에서 중요한 시기로 이 시기의 칼슘 섭취, 비타민D 의 섭취, 영양, 운동과 같은 가변적인 인자와 마찬가지로 임상의의 입장에서는 고프로락틴혈증, 난소 기능 부전으로 인한 무월경을 인지하는 것이 중요하다.

청소년기 여성에서 전체 골량의 90%는 16.9±1.9세에 형성되며 초경 이후에는 체내 칼슘의 흡수와 골형성은 감소하는 것으로 알려져 있다. 십대 청소년에서의 생활 습관과 연관된 인자는 무월경에 이르게 할 수 있으며 이로 인하여 골량의 저하를 가져 올 수 있다. 시상하부성 무월경과 연관되는 고위험인자는 저열량섭취와 과도한 운동이다. 영양실조에 의한 에스트로겐 결핍과 무월경은 최대 골량의 성취에 위험을 줄 수 있으며 이로 인하여 비가역적인 골량 저하를 초래할 수 있다. 신경성 체중 감소를 동반하는 최소 6개월간의 무월경으로 식욕부진증 혹은 스트레스와 연관되지 않는 경우에도 척추에서 표준편차의 2배 이하로 골량이 감소될 수도 있다.

골량 예측에서 유전적인 인자가 골량 차이의 80%를 설명할 수 있으며 흡연은 칼슘 섭취를 감소시키고 과다한 음주는 골형성을 억제하는 바와 같이 생활 습관에 따른 인자도 중요한 역할을 하는 것으로 알려져

있다.

청소년기는 최대 골량 확보라는 측면에서 중요한 시기이며 이 시기의 적절한 칼슘 섭취, 비타민D 섭취, 영양, 운동은 골량 증가에 중요한 인자이며 임상가의 입장에서 사춘기 여성에서 저에스트로겐 혈증과 연관될 수 있는 무월경, 희발월경과 같은 월경장애를 인지하는 것이 중요한 처치일 것으로 생각되며 신경성식욕부진증의 진단 기준에는 맞지 않으나 다이어트 혹은 과다한 운동과 연관되는 무월경의 경우를 골량의 감소와 연관될 수 있는 상황으로 인지하여 의학적인 상담을 제공하는 것이 중요하다. 이러한 무월경과 연관되는 임상 상황은 골다공증과 연관될 수 있는 위험 인자라는 개념을 갖는 것이 골량 감소와 연관될 수 있는 위험한 상황에 대한 진단 지연을 예방하여 여성의 골 건강을 유지할 수 있도록 하는 데에 도움이 될 수 있다.

여성에서 골감소증 혹은 골다공증을 예방 혹은 조기 진단하기 위하여는 사춘기 여성에서는 최대 골량을 성취하기 위한 식이요법 및 운동요법이 필요하며 가임 연령층에서는 임신 및 수유와 연관된 골소실의 조기 진단이 필요하고 주폐경기 및 폐경기 여성에서는 골소실의 유무를 진단하여 적절한 조처를 취하는 것이 타당하다.

무월경의 정의

원발성 무월경은 정상적인 2차 성징이 있으면서 16세까지 월경이 없는 경우를 지칭하며 2차 성징이 없는 경우에는 14세까지 월경이 없는 경우를 칭하게 된다.

속발성 무월경은 정상적인 월경이 있다가 6개월 이상 월경이 없는 경우를 칭하게 된다. 청소년기에 3개월이상 무월경에 이른 경우에는 무월경의 원인에 대한 임상적인 평가가 필요하다. 초경이후 2-3년 동안에는 시상하부-뇌하수체-난소 축의 미성숙으로 인하여 월경 주기가 불규칙할 수 있으며 초경직후 1년 동안에 월경 주기 90일은 95 백분위수에 속할 수 있으므로 비정상적인 월경 주기로 의학적인 평가가 필요하다.

무월경과 연관되는 경우

무월경은 청소년 부인과 임상 영역에서 흔히 접할 수 있는 문제이며 폐경전 여성의 4%에서 3개월 이상의 무월경을 경험하게 된다. 이들 중 55%는 에스트로겐의 결핍을 관찰할 수 있는 바와 같이 무월경은 에스트로겐의 결핍을 의미하며 이에 대한 적절한 처치가 이루어 지지 않는 경우에는 가임기 여성에서의 최대 골량의 감소와 직결된다. 이는 골감소증의 과정을 거치게 되며 적절한 조치가 이루어 지지 않고 방치되는 경우에는 여성 일생의 후반기에 골다공증으로 인하여 골건강에 중대한 위험을 초래하게 될 수 있으므로 무월경의 감별진단, 개별 질환에서의 골량과의 관계 및 골량 유지를 위한 처치가 중요하다.

무월경은 다양한 원인에 의하여 일어날 수 있는 임상 상황으로 원발성 무월경과 연관되는 Mayer-Rokitansky-Kuster-Hauser 증후군 혹은 transverse vaginal septum과 같은 경우에는 정상적인 2차 성징과 정상적인 에스트로겐 및 테스토스테론 농도를 나타내는 해부학적인 이상의 경우에는 무월경에 의한 골량의 감소를 초래하지 않을 것으로 추정된다. 다낭성난소증후군에 의한 무월경의 경우에도 에스트로겐 결핍 상황은 아니므로 골량의 감소가 아닌 남성 호르몬의 증가에 의한 골량의 증가가 관찰될 수 있다. 이러한 경우에는 만성 무배란, 남성호르몬의 혈중 농도 증가, BMI의 증가 등으로 골격에 대한 보호 작용이 이루어 지는 것으로 이해된다.

그러나 약물에 의한 난소 기능 부전, 고프로락틴혈증, 조기 난소 부전과 같은 경우는 에스트로겐 결핍으로 인한 골소실을 초래하게 된다. 따라서 치료의 방향은 무월경과 함께 수반되는 상황에 따라 달라지게 된다.

원발성난소기능부전의 경우에 여성호르몬요법은 자각 증상의 완화와 골량 감소를 예방하는 데에 도움이 되는 것으로 알려져 있으나 신경성식욕부진증 혹은 운동연관성무월경의 경우에서의 여성 호르몬 보충 요법의 역할에 대하여는 정론이 없는 상태이다.

1. 치료 목적에 의한 무월경 (Therapeutic Amenorrhea)

치료 목적에 의한 무월경라는 용어는 1960년부터 사용되기 시작하였으며 백혈병 여성 에서의 항암 요법에 의한 무월경, 재생불량성빈혈, 자궁내막증과 같은 양성 부인과 질환의 치료제인 성선자극호르몬방출호르몬작용제 투여 시에 골량의 감소가 올 수 있으며 미국에서 많이 사용되고 있는 DMPA (depot medroxyprogesterone acetate)와 같은 주사형태의 피임제제의 경우에도 최대골량 형성에 장애를 초래할 수 있을 것으로 알려져 있다.

피임제 혹은 자궁내막증의 치료제로 사용되는 DMPA의 투여 시에 골량의 감소는 DMPA를 투여하지 않은 대조군에서 1년 후에 골량의 증가가 1.20 ~ 2.85%이며 2년 후에는 9.49%까지 증가하는 것과 비교할 때에 치료군에서는 1년 후에 골량의 감소가 3.02%이며 치료 2년의 기간에는 6.81%의 골량 감소가 있는 것으로 알려져 있다.

표 3-3-1 ▸ 골량 감소와 연관될 수 있는 무월경

시상하부성 결손/영양결핍	• 신경성 식욕부진증, 여성운동선수 증후군
뇌하수체 이상	• 고프로락틴혈증 • 뇌하수체저하증
성선기능저하증	• Premature ovarian failure (POF) • Turner syndrome • Thalassemia major, Galactosemia와 같은 전신 질환
의원성 무월경	• GnRH agonist analog therapy (GnRHa analog) • Depot medroxyprogesterone acetate (DMPA)

2. 고프로락틴혈증

고프로락틴혈증이 있는 폐경전 여성에서 특히 프로락틴종이 있는 여성과 60명의 건강한 여성 대조군의 말단골에서의 초음파 골밀도검사 결과, 골밀도의 감소가 보고되었으며 이는 고프로락틴혈증이 골량의 감소와 연관된다는 보고를 재확인하였다 할 수 있다.

3. 조기폐경 (Premature ovarian failure)

자연적인 조기폐경 여성 50명에서의 연구 결과에서 조기폐경 진단 전에 참여 여성의 50% 이상에서 3-4회의 진료를 받았으나 조기폐경이 진단되지 않았으며 25%에서는 조기폐경의 진단이 5년이나 지연되었다는 점에서 월경 주기의 불순은 난소 기능 부전에 따른 에스트로겐 호르몬의 결핍을 의미할 수 있으므로 이에 대한 인식이 진단의 지연을 예방할 수 있으며 이들 여성에서의 골량 보전에 도움이 될 것으로 생각된다.

4. 희발월경

최근의 시상하부-뇌하수체-난소 축의 기능 부전으로 인한 희발월경 혹은 무월경이 있는 여성에서 원인질환, 제한적인 식사 혹은 과다한 운동과 같은 상황이 없음에도 불구하고 요추 골밀도의 감소가 보고된 점은 최대 골량 획득에 중요한 연령 층에서의 희발월경으로 인한 골소실을 예방하는 것이 중요할 것으로 사료된다.

5. 신경성식욕부진증

신경성식욕부진과 여성 운동선수에서와 같이 제한된 영양 섭취 시에는 골소실이 연관될 수 있다. 신경성식욕부진 환자에서의 골형성의 감소와 함께 골흡수 증가가로 인한 골량 감소는 다인성 인자에 의한 것으로 알려져 있다. 시상하부의 기능 장애가 일어나며 신경전달물질, 신경내분비 및 신경펩타이드 시스템의 장애가 일어나게 되는데 이러한 장애가 직접적으로 골소실을 유발한다.

여성운동선수증후군(Female athlete triad)은 섭식장애, 무월경, 골다공증을 포함한 증후군으로 열

량섭취제한을 하는 운동선수에서 활동 에너지와 섭취 에너지 간의 불균형으로 이하여 시상하부-뇌하수체-난소 축의 기능 장애를 초래하게 되어 이러한 문제는 최근 청소년 및 미혼 여성에서의 신경성 식욕부진증의 진단 기준에 부합되지는 않으나 과다한 다이어트에 의한 무월경도 골량의 저하를 가져오게 된다. 현대의 젊은 여성에서는 흔한 경우로서 무월경이 초래되고 이로 인한 저에스트로겐 혈증이 일어나게 되며 이로 인하여 골흡수의 증가와 최대 골량의 감소 등으로 이어져 골소실이 초래되나 이러한 골소실은 무월경에 의한 저에스트로겐 혈증 외에도 여러 인자에 의하여 결정될 것으로 생각된다.

폐경후골다공증

폐경기 이행기에는 정상 혈중 농도의 85-90%가 감소하게 된다. 폐경기를 전후한 혈중 에스트로겐의 감소는 골흡수 증가로 이어지면서 골흡수와 골형성의 부조화가 지속되어 폐경후 골다공증을 초래하게 되고 골다공증성 골절에 이르는 심각한 상태를 초래하게 된다. 폐경 여성에서의 여성호르몬요법으로 에스트로겐은 직접적으로 골세포, 파골세포, 조골세포에 작용하여 골재형성의 억제, 골흡수의 감소, 골형성의 유지에 관여하게 된다.

참고문헌

1. ACOG Practice Bulletin No. 141: Management of menopausal symptoms. Obstet Gynecol 2014;123:202-16.
2. Albright F. Post-menopausal osteoporosis. Trans Assoc Am Physicians 1940;55:298-305.
3. Finkelstein JS, Brockwell SE, Mehta V, et al. Bone Mineral Density Changes during the Menopause Transition in a Multiethnic Cohort of Women. J Clin Endocrinol Metab 2008; 93:861–8.
4. Gordona CM, Nelson LM. Amenorrhea and bone health in adolescents and young women Curr Opin Obstet Gynecol 2003;15:377-84.
5. Hansen MA, Overgaard K, Riis B, et al. Role of peak bone mass and bone loss in postmenopausal osteoporosis: 12 year study. BMJ 1991;303:961–4.
6. Khosla S, Atkinson EJ, Melton LJ 3rd, et al. Effects of age and estrogen status on serum parathyroid hormone levels and biochemical markers of bone turnover in women: a population-based study. J Clin Endocrinol Metab. 1997;82:1522–7.
7. Khosla S, Oursler MJ, Monroe DG. Estrogen and the skeleton. Trends Endocrinol Metab 2012;23:576-81.

8. Recker RR, Lappe JM, Davies KM, et al. Change in bone mass immediately before menopause. J Bone Miner Res 1992; 7:857–62.
9. Sowers MR, Greendale GA, Bondarenko I, et al. Endogenous hormones and bone turnover markers in pre- and perimenopausal women: SWAN. Osteoporos Int 2003;14:191-7.

3-4 임신, 수유와 관련된 골다공증

김 탁

임신과 수유 시 골소실 기전

임신 및 수유중에 골밀도의 변화는 감소하거나, 변화가 없거나 심지어는 증가한다는 보고까지 다양한 연구결과가 발표되어 있다. 연구결과가 다른 이유는 모두다 전향적인 무작위 대조연구가 아니기 때문에 오류를 배제하지 못하여 생긴 결과로 생각되지만 대표적인 이유로는 첫째, 연구된 인구집단이 다르고 둘째, 측정방법도 달랐으며 셋째, 측정부위도 제각각이었으며 넷째, 임신기간이나 수유기간도 다르게 비교되었고 미산부인지 경산부인지도 구별이 되지 않았기 때문으로 생각된다. 따라서 현재로서는 결론을 내리기 어렵지만 그래도 임신 및 수유중에 골밀도가 감소된다는 결과에 무게가 실리고 있다.

임신중에는 하루 1200 mg의 칼슘을 공급하더라도 골밀도의 감소가 나타나서 척추 골밀도는 3.0-3.6%, 대퇴골골밀도는 1.1- 3%정도 감소한다. 반면 경골의 골밀도는 3.4% 정도 증가하는데 이는 임신중의 체중증가와 계속되는 활동과 관계가 있을 것으로 생각된다.

수유중에는 보통 8개월정도의 무월경이 초래되는데 이로 인하여 저에스트로겐혈증 상태가 지속되고 수유로 인하여 하루 210 mg의 칼슘이 모유를 통하여 빠져나가서 골밀도의 감소가 일어난다. 수유를 시작한지 첫 3개월이 지나면 척추 골밀도는 4% 감소하는데 수유를 중단한 후 6개월이 지나면 거의 원상태로 회복된다.

임신기간 동안 태아는 골격의 형성과 정상 생리기능을 위해 약 25-30 g의 칼슘을 필요로 하는데 대부분의 칼슘 필요량은 태아골격이 형성되는 임신 3분기에 집중되어 있으며, 수유 중에는 6개월간 이보다 더 많은 양의 칼슘을 필요로 한다. 임신과 수유 시 모두 칼슘 필요량이 증가하지만 각각에 대한 모체의 적응에는 차이가 있다. 임신 중 모체의 칼슘 대사 변화에 관여하는 주요 장기는 부갑상선, 장관, 태아태반 단위이다. 태반에서 일차적으로 유도된 1,25$(OH)_2$D는 장관에서 약 두 배 가량 칼슘과 인의 흡수를 증가시켜 임신 기간 동안 칼슘 농도를 조절하는 주요한 조절 인자가 되고 태아의 칼슘 항상성 유지는 주로 부갑상선호르몬 관련 펩타이드(PTHrp)에 의존한다.

모체의 칼슘 대사

1. 칼슘 농도

체내에서 약 40%의 칼슘이온은 알부민 및 다른 단백질과 결합하여 혈장에서 순환하고, 10%는 다른 이온과 결합하고, 나머지 50%는 유리상태로 존재하는데 이 유리형태의 칼슘 이온이 대사적 활성화 상태이다. 임신 기간 동안 총 칼슘 농도는 감소하지만, 활성화 상태인 이온화된 칼슘의 수준은 유의하게 변하지 않는다. 총 칼슘 농도의 감소는 혈장량의 증가와 결합 단백질의 감소에 기인할 것으로 생각되며, 단백질 결합 칼슘의 감소를 반영한다. 임신 시 총 칼슘 농도의 정상 상위한계는 9.5 mg/dL이다.

2. 칼슘 흡수 및 배설

장관으로부터의 칼슘 흡수는 임신 제 2삼분기, 제 3삼분기부터 유의하게 증가하고, 수유와 이유기에 임신 전의 수준으로 감소한다. 장관의 증가된 칼슘 흡수는 모체의 골격에 저장되는 대신 태아 골격의 무기질 침착에 필요한 칼슘의 필요량을 만족시킨다. 장관으로부터의 칼슘 흡수 증가는 모체의 칼슘 배설도 증가시켜, 소변 칼슘배설은 임신기간 내내 증가되어 있다. 장관으로부터의 칼슘 흡수 증가와 요중 배설의 증가는 임신 기간 동안 흡수성 고칼슘뇨증을 유발한다.

1) 비타민D와 부갑상선호르몬의 역할

비타민D는 장관칼슘 흡수의 주된 촉진인자이다. 임신 초기부터 혈중 비타민D 농도는 두 배 가량 증가해서 만삭까지 유지되며, 유리 비타민D와 총 혈장 비타민D가 모두 증가한다. 비임신부에서는 부갑상선호르몬의 일차적인 자극으로 신장에서 25(OH)D가 1-α-hydroxylase를 통해 활성형태의 비타민D인 1,25$(OH)_2$D로 전환된다. 그리고 인, 에스트로겐, 칼시토닌, 칼슘, 칼시트리올과 다른 요소들 또한 이를 조절하는 역할을 하게 된다. 비임신부에서 부갑상선호르몬이 비타민D의 조절에 중요한 반면, 임신부에서 비타민D가 증가하는 것은 부갑상선호르몬의 증가에 기인하지 않는다.

임신 시 부갑상선호르몬은 제 1삼분기부터 감소하여 제 2삼분기에 바닥이 된 후 다시 증가한다. 이를 통해 임신 기간 동안 비타민D가 증가하는 것은 부갑상선호르몬의 신장에 대한 자극과 상관없이 다른 요인으로부터 유발되는 것이라고 생각할 수 있으며, 이 요인이 태반이라는 데는 상당한 증거가 있다. 그리고 태반에는 1-α-hydroxylase 활성이 있어 25(OH)D로부터 1,25$(OH)_2$D를 생산할 수 있다. 임신 기간 동안 부갑상선호르몬의 감소는 이미 증가된 비타민D의 농도나 장관의 칼슘흡수 증가에 의해 일어날 것으로 생각된다.

2) 칼시토닌(calcitonin)

혈장 칼시토닌은 모체의 갑상선, 유방, 탈락막, 태반으로부터 유도되어 임신 기간 동안 증가한다. 임신시칼시토닌의 역할은 아직 명확하지 않다. 칼슘요구량이 증가될 때 모체를 과도한 골흡수로부터 보호하는 역할을 할 것으로 추정하나 이에 대한 명확한 연구는 없다.

3) 부갑상선호르몬 관련 펩타이드(PTHrP)

PTHrP는 임신 제 3삼분기에 증가하나 임신 초기에 증가하는지에 대한 계통적 연구는 없다. 모체에서 PTHrP의 역할은 명확하지 않으나 PTHrP의 증가는 신장 1-α-hydroxylase의 자극과 1,25$(OH)_2$D의 증가, PTH의 감소를 유발한다. 그러나 PTH가 1-α-hydroxylase를 자극하는 것만큼 작용하지는 않으며 1,25$(OH)_2$D의 증가에 기여하는지도 확신할 수는 없다.

모체 골격의 칼슘 대사

임신 기간 동안 태아에게 고용량의 칼슘이 공급되는데도 불구하고 모체의 골소실은 미미하다. 하지만 위험요인을 가진 일부 임신부에서 임신으로 유발된 정상적인 골대사가 과도한 골흡수를 일으켜 골다공증을 유발하기도 하고, 칼슘 및 비타민D의 부족이 골소실에 기여할 수도 있다.

뮬러 등은 임신과 수유는 가역성 골소실을 일으키나 수유기간과 상관없이 산후 19개월째의 골밀도는 임신전의 수준으로 회복되었다고 하였다. 임신 중 골밀도는 유의하게 감소하는데 분만 후에는 수유의 영향으로 골밀도는 더 감소하지만, 분만 후 9개월 경 요추와 골반의 골밀도는 수유를 끝낸 경우 대조군과 비슷하였고, 수유중인 여성은 더욱 감소되어 있었다. 그러나 19개월 후 골밀도 추적검사 상에서는 임신전과 다르지 않았고, 칼슘과 비타민D의 섭취는 골밀도의 변화와 관련이 없었다.

사람에서 조직형태계측학적 자료를 얻는 것은 불가능하다. 한 연구에서는 임신 제 1삼분기에 임신이 종료된 임신부에서 시행한 골조직검사상 골흡수가 증가한 증거를 볼 수 있었다. 이는 비 임신부나 만삭에 제왕절개 분만한 임신부에서는 볼 수 없는 소견이었다.

골재형성률과 골교체를 나타내는 골표지자는 임신 중 시기에 따라 변하는데 임신초기에는 골형성의 표지자인 오스테오칼신이 감소하고 임신 중반기에 바닥이 되었다가 만삭 시까지 증가한다. 골흡수의 표지자인 요중 데옥시피리디놀린은 임신 제 3삼분기에 증가한다. 이 패턴은 임신 기간 동안 부갑상선호르몬의 변화와 비슷하며, 이는 임신 기간 동안 골교체가 점진적으로 감소하였다가 증가함을 나타낸다.

골조직검사 결과와 골표지자 측정에 기초하여 모체골격의 칼슘대사에 대해 조심스럽게 결론을 내리자면, 임신 10주부터 임신기간동안골교체가 증가하는 것으로 보이며, 임신 제 3삼분기에 칼슘 운반이 최고조에 달하는데 비해 비교적 모체-태아칼슘운반은 적게 이루어진다. 그래서 골 표지자가 임신 제 3삼분기에 증가할 것으로 생각하였으나 더 이상의 증가는 없었다.

사람에 대한 연구가 부족하기는 하나, 임신 중 일어나는 골대사의 급성 변화는 정상적으로 골격의 칼슘 구성이나 강도에 장기적 영향을 끼치지 않는 것으로 보인다. 골다공증 및 골감소증 여성에 관한 많은 연구에서 분만력과 골밀도나 골절 위험도와의 유의한 연관을 찾지 못했고, 오히려 골밀도 비교 결과 경산부가 미산부보다 더 높거나 같다는 연구 결과도 있다.

임신, 수유 시의 골다공증

임신 동안에 발생되는 골다공증(PLO, pregnancy and lactation associated osteoporosis)은 매우 드물며 갑자기 발생되는 특징을 가지고 있는데 보통 진단은 분만 후에 이루어진다. 진단이 분만후에 이루어지는 이유는 임신과 연관된 골다공증이라 하더라도 질환의 특성상 골절이 발생되기 전까지는 증상이 없기 때문에 임신 중에는 진단이 거의 되지 않고 골절이 많이 발생되는 분만중이나 분만직후에 진단되는 경우가 대부분이다. 증상이 허리통증이나 키가 작아지는 정도 인데 분만과 연관된 통증으로 간과하기 쉬워서 실제적인 진단이 내려지기까지는 골절 이후에도 시간이 더 소요되는 경향이 있다. 진단을 위해서는 골밀도검사와 골절을 확인하기 위한 척추 X-선 검사를 해 보아야 한다.

일명 임신에 의한 일시적인 골다공증이라고도 하는데 대퇴골보다는 척추에서 주로 발생을 하고 그 발생원인은 밝혀져 있지 않다. 임신하기 이전에 이미 골밀도가 낮았던 여성이나 임신 중에 칼슘이나 비타민 섭취가 부족하여 뼈로부터 칼슘이 다량 빠져나가는 경우 그리고 임신중에 해파린 주사를 맞는 경우에 주로 발생한다.

수유는 일반적으로 할 수 있으나 일부의 학자들은 수유 시에 칼슘이 뼈로부터 더 빠져나가기 때문에 강력하게 금지시키기도 한다. 치료는 골절이 치유될 때까지 2달에서 최대 6개월까지 충분한 휴식을 취하면서 필요 시 진통제나 물리 치료가 권고된다. 물리치료사에 의한 전문화된 운동 요법도 골절 치유와 통증 치유에 추천된다. 약제의 선택에 있어서는 아직 논란이 있다. 비스포스포네이트 제제가 처방된 보고가 있으나 PLO에 이를 사용한 장기적인 연구 결과가 없는 상태이며, 다음 임신시 모체 골격에 침착된 비스포스포네이트가 태반을 통과하여 태아에게 영향을 줄 가능성이 있다. Stathopoulos 등은 임신 전 비스포스포네이트를 사용했던 여성 24명을 대상으로 한 연구에서는 대조군과 비교했을 때, 임신 결과 및 모체 합병증에 차이가 없었다고 보고하였으나 동물 실험에서는 고용량의 비스포스포네이트 제제가 모체와 태아에 부정적인 영향을 보이고 있어, PLO환자에서 사용을 주의해야 한다.

최근 인간재조합 부갑상선호르몬인 테리파라타이드를 사용하여 좋은 결과를 보고한 몇몇 연구가 있는데 수유를 중단하고, 칼슘과 비타민D를 공급하면서, 테리파라타이드를 사용한 경우 요통이 즉시 개선되고, 더 이상의 골절 없이 18개월 후 골밀도도 개선되었으며, 치료후 분만시 태아 합병증도 없었다고 보고하여 PLO 치료에 테리파라타이드를 고려할 수도 있을 것으로 생각된다.

임신 중에 골다공증에 이환 되었다 하더라도 분만 후 태아의 뼈는 정상이며 보통 첫 임신에 많이 발생을 하고 다음 번 임신에는 정상인 경우가 많아서 향후 임신계획에는 문제가 되지 않는다.

참고문헌

1. Cross NA, Hillman LS, Allen SH, et al. Calcium homeostasis and bone metabolism during pregnancy, lactation, and postweaning: a longitudinal study. Am J ClinNutr 1995;61:514-23
2. Davey MR, De Villiers JT, Lipschitz S, et al. Pregnancy- and lactation-associated osteoporosis. JEMDSA 2012;17:149-53
3. Dytfeld J, Horst-Sikorska W. Pregnancy, lactation and bone mineral density. Ginekol Pol 2010;81:926-8
4. Ensom MH, Liu PY, Stephenson MD. Effect of pregnancy on bone mineral density in healthy women. Obstet Gynecol Surv 2002;57:99-111
5. Gertner JM, Coustan DR, Kliger AS et al. Pregnancy as state of physiologic absorptive hypercalciuria. Am J Med 1986;81:451-6
6. Kovacs CS. Calcium and bone metabolism disorders during pregnancy and lactation. EndocrinolMetabClin North Am 2011;40:795-826.
7. Kovacs CS. Calcium and bone metabolism during pregnancy and lactation. J Mammary Gland Biol Neoplasia 2005;10:105-18
8. Michalakis K, Peitsidis P, IliasI. Pregnancy and lactation associated osteoporosis: a narrative mini-review. EndocrRegul 2011;45: 43-7
9. MS Ardawi, ANasrat, HS BA'Aqueel, et al. Calcium-regulating hormones and parathyroid hormone-related peptide in normal human pregnancy and postpartum: a longitudinal study. European journal of endocrinology 1997;137:402-9.
10. O'sullivan SM, Grey AB, Singh R, et al. Bisphosphonates in pregnancy and lactation-associated osteoporosis. OsteoporosInt 2006;17:1008-12.
11. Seely EW, Brown EM, DeMaggio DM, et al. A prospective study of calciotropic hormones in pregnancy and post partum: reciprocal changes in serum intact parathyroid hormone and 1, 25-dihydroxyvitamin D. Am J ObstetGynecol 1997;176:214-7
12. Stathopoulos IP, Liakou CG, Katsalira A, et al. The use of bisphosphonates in women prior to or during pregnancy and lactation. Hormones (Athens) 2011;10:280-91.

3-5 글루코코르티코이드 유발 골다공증

정동진

글루코코르티코이드는 강력한 항염증작용 및 면역억제 작용을 갖는 약제로 류마티스관절염, 루프스 등과 같은 결체조직질환, 천식, 만성폐질환, 염증성장질환, 건선 또는 기타 피부질환 및 장기이식후 등 다양한 의학분야에서 광범위하게 사용되고 있다. 그러나 글루코코르티코이드는 이차성 골다공증 및 골절의 가장 흔한 원인으로서 사용 초기부터 조골세포의 기능 및 수명 감소에 의한 골형성 감소, 파골세포에 의한 골흡수 증가 등을 초래하여 골밀도를 감소시키고 골절 위험을 증가시킨다. 장기간 글루코코르티코이드 사용자의 30~50%에서 골절이 발생하며, 투여 시작 초기부터 급격한 골소실을 일으키고 골절위험이 증가하므로 투여 초기부터 골절 위험에 대한 적절한 평가 및 치료가 이루어져야 한다.

역학

지속적으로 경구 글루코코르티코이드를 투여받는 사람에서 골소실 및 골절 위험은 사용 용량 및 기간에 따라 증가한다. 글루코코르티코이드를 투여받는 244,235명의 환자와 대조군간에 골절 상대 위험도를 비교한 영국의 GPRD (General Practice Research Database) 자료에 의하면 글루코코르티코이드를 사용하지 않는 군에 비해 프레드니손을 하루 2.5 mg 미만 사용한 군에서 대퇴골골절 상대 위험도는 0.99, 2.5~7.5 mg 사용한 군에서 1.77, 7.5 mg 이상 사용한 군에서 2.27로 증가하였고, 각각의 용량에 따른 척추골절 상대 위험도는 각각 1.55, 2.59 및 5.18로 증가하였다. 즉, 하루 2.5 mg 미만의 가장 적은 용량에서도 척추 골절 위험이 증가함을 보여주고 있다. 이러한 골절 위험은 치료 시작 첫 3~6개월 이내에 증가하였다가 치료를 중단하면 3개월 이내에 급격히 감소하기 시작하지만 글루코코르티코이드 투여 시작 시점의 수준으로까지 감소하지는 않는다. 42,000명의 남, 녀를 대상으로 한 7건의 코호트 자료를 메타분석한 결과에서도 글루코코르티코이드에 대한 현재 및 과거 사용력은 기존의 골절 여부 및 골밀도와는 독립적으로 골절 위험의 중요한 예측인자로 나타났고 남성 및 여성간에 차이는 없었다. 글루코코르티코이드를 사용한 적이 있는 경우에 골다공증 골절의 상대 위험도는 2.63~1.71, 대퇴골골절 위험도는 4.42~2.48로 증가하였다. 흡입성 글루코코르티코이드를 사용하는 환자에서도 골밀도가 감소하고 골절 위험이 증가한다는 보고들이 있다.

임상적 특징

글루코코르티코이드 사용시 첫 3~6개월 이내에 급격한 골소실이 발생하여 첫 1년 이내에 골소실은 6~12%에 이르며 그후로는 골소실률이 감소하여 매년 3% 정도 감소한다. 골절 위험은 골밀도 감소가 확실하게 나타나기 전인 첫 3개월 내에 75%까지 증가하고 글루코코르티코이드를 중단한 이후에는 이러한 효과가 빨리 사라지는데, 이것은 글루코코르티코이드가 골밀도검사만으로는 확인할 수 없는 골의 질적인 저하를 초래하여 골절 위험을 증가시킬 수 있음을 시사한다. 글루코코르티코이드를 사용하는 여성은 글루코코르티코이드를 사용하지 않는 여성과 비교할 때 연령이 더 적고 골밀도가 더 높아도 골절 위험은 더 증가하며 처음에 비해 골밀도가 약간만 감소한 경우에도 골절 위험은 증가한다. 글루코코르티코이드를 사용하면 골밀도가 동일하더라도 글루코코르티코이드를 사용하지 않은 군에 비해 골절 발생률이 더 높고, 골밀도 T-값이 낮지 않은 경우에도 골절이 발생할 수 있다(그림 3-5-1). 글루코코르티코이드는 해면골 및 피질골 모두에 영향을 미치는데, 해면골이 표면적이 넓고 대사 활성이 높아서 골소실은 요추 등과 같은 해면골에서 가장 두드러진다. 글루코코르티코이드-유발 골다공증(GIO, Glucocorticoid-induced osteoporosis)에서 척추골절은 흔히 무증상으로 나타나는 경우도 많다.

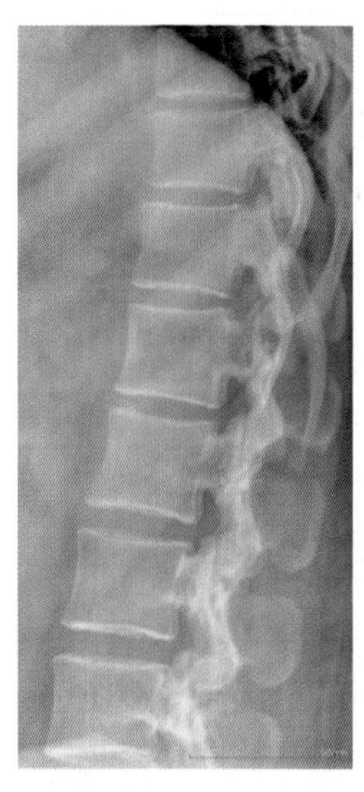
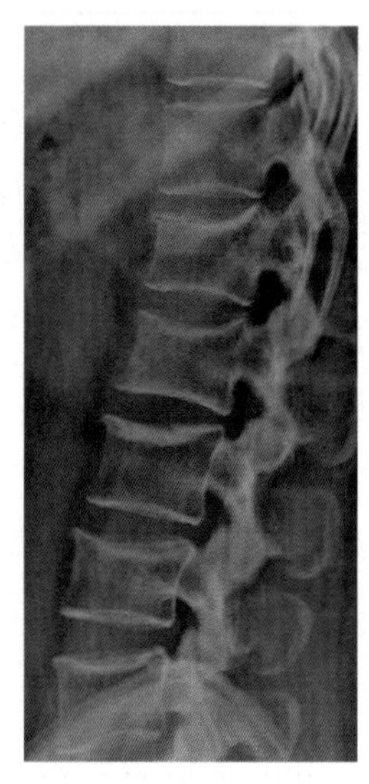

그림 3-5-1 ▸ 골밀도 Z-값 및 T-값이 정상이었던 27세 여자 환자에서 과량의 글루코코르티코이드를 사용한 지 5개월만에 다발성 척추골절이 발생한 척추 영상 측면 사진.

위험인자

연령 증가, 낮은 체질량지수, 기저질환, 골절 기왕력, 흡연, 과량의 음주, 빈번한 낙상, 대퇴골골절의 가족력, 낮은 골밀도, 11β-HSD1 (11β-hydroxysteroid dehydrogenase 1) 발현 증가, 글루코코르티코이드 수용체 유전자형 등은 GIO의 위험인자들이다. 또한 현재의 글루코코르티코이드 사용량이 많거나 누적 사용량이 많은 경우, 장기간 사용하는 경우에도 GIO의 위험은 증가한다. 고용량의 글루코코르티코이드 사용시 60~80세의 환자에서 18~31세의 환자에 비해 척추골절 상대위험도가 26으로 증가하며 글루코코르티코이드 치료 시작 시점과 첫 번째 골절이 발생하는 시간 간격도 더 짧은 것으로 나타나 연령 증가가 중요한 골절 위험인자임을 알 수 있다. GIO에서는 골량의 감소와 무관하게 골절이 발생할 수 있으나 글루코코르티코이드 투여 시작 시점의 골밀도가 너무 낮은 경우에는 골절 위험이 더 증가한다. 따라서 대부분의 연구에서 일차성 골다공증이 이미 동반되어 있는 경우가 많은 폐경 후 여성에서 가장 높은 골절 발생율을 보인다. 골절 위험의 증가는 남녀에서는 유사하다. 류마티스관절염, 염증성장질환, 만성폐질환, 장기이식 등과 같이 글루코코르티코이드를 투여하게 되는 기저질환들도 GIO의 독립적인 위험인자들이다. 수용체 전 수준에서 활성 글루코코르티코이드를 생성하여 글루코코르티코이드 수용체 활성화를 증가시키는 11β-HSD1의 발현 및 활성의 변이가 내인성 및 외인성 글루코코르티코이드에 대한 반응의 개인간 변이 및 GIO에 대한 개인적 감수성의 차이를 초래할 수 있을 것으로 생각되고 있다.

병태생리

글루코코르티코이드는 직접적 및 간접적으로 뼈에 영향을 미친다(그림 3-5-2). 글루코코르티코이드는 조골세포, 골세포, 파골세포에 직접적으로 영향을 미치며, 조골세포에 의한 골형성 감소, 골세포에 의한 기계적 감지 감소, 파골세포에 의한 골흡수 증가 등이 동반되어 심한 골소실이 발생한다.

1. 뼈세포(Bone cells)에 미치는 영향

1) 조골세포(Osteoblast)

글루코코르티코이드에 의한 골소실의 가장 중요한 기전은 조골세포의 분화 감소, 성숙 조골세포의 활성 감소 및 조골세포의 자멸사 증가 등에 의한 골형성 감소이다. 글루코코르티코이드는 caspase-3를 활성화시키고 Wnt 신호전달 경로에서 GSK3β의 활성을 증가시켜 조골세포의 자멸사를 증가시키며, BMP2 (bone morphogenic protein-2) 경로를 억제하고 Wnt 신호전달 경로의 길항제인 Dkk1 (Dickkopf-1)의 발현을 증가시켜 조골세포의 분화를 억제한다. 또한 Runx2/Cbfa1의 발현을 억제하고 PPARγ2 (peroxisome proliferator activated receptor-γ2)의 발현을 증가시켜 골수기질세포가 조골세포로 분화하는 대신에 지방세포로 분화한다. 고용량의 글루코코르티코이드는 AP1 (activator protein-1)을 억제하여 지방세포로 분화시킨다. 이외에도 글루코코르티코이드는 조골세포에 의한 기질의 합성과 관련있는 1형 콜라겐 및 오스테오칼신과 같은 유전자들의 전사를 감소시켜 뼈의 무기질화에 이용될 골기질을 감소시키고 골형성 인자들인 IGF1 및 TGFβ도 감소시킨다.

2) 골세포(Osteocyte)

글루코코르티코이드는 caspase-3를 활성화시켜 골세포의 자멸사를 증가시킨다. 골세포는 미세손상을 탐지하고 치유하는데 관여하는 것으로 생각되고 있는데, GIO에서 골세포의 자멸사 증가에 의한 골세포 소실은 골세포-소관(canaliculus) 네트워크 파괴로 인한 기계적 감지 감소 및 골손상에 대한 반응 감소를 초래한다. 결과적으로 뼈의 미세손상이 증가하고 골밀도와는 무관하게 골의 질과 강도가 감소한다. 글루코코르티코이드에 의한 골세포의 자멸사는 골밀도 소실이 일어나기 전에 골강도가 감소하는 현상과 골밀도와 골절 위험간의 불일치를 일부 설명해준다. 또한 과량의 글루코코르티코이드는 골세포에 의해 분비되는 스클레로스틴의 발현을 증가시켜 Wnt 신호전달 경로를 억제하여 조골세포에 의한 골형성을 감소시킨다.

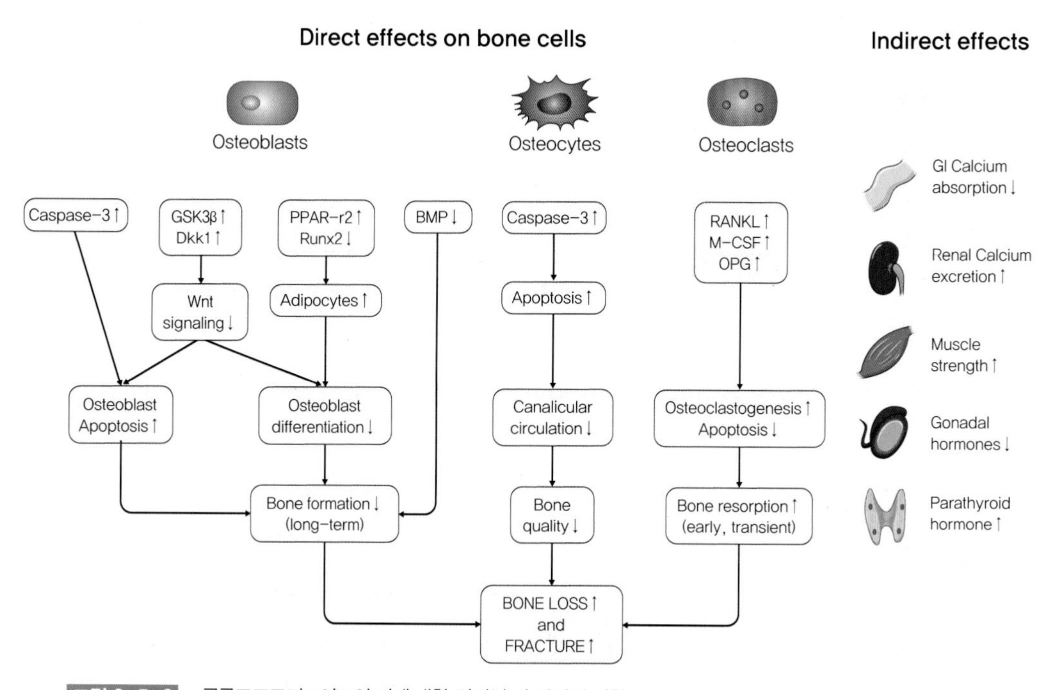

그림 3-5-2 ▸ 글루코코르티코이드의 뼈에 대한 직접적 및 간접적 영향.

GSK3β, glycogen synthase kinase 3β; Dkk1, dickkopf-1; PPARγ2, peroxisome proliferator-activated protein-γ 2; Runx2, runt-related protein 2; RANKL, receptor-activator of nuclear factor-κB; M-CSF, macrophage colony-stimulating factor; OPG, osteoprotegerin; GI, gastrointestinal.

3) 파골세포(Osteoclast)

글루코코르티코이드의 파골세포에 대한 영향은 직접적으로 또는 조골세포를 통해서 작용한다. 글루코코르티코이드는 조골세포 및 기질세포에서 파골세포 분화와 관련이 있는 RANKL 및 M-CSF의 발현을 증가시키고 OPG 발현은 감소시킨다. 그 결과 글루코코르티코이드 치료 초기에 파골세포의 수 및 활성이 증가하여 골흡수가 증가한다. 또한 파골세포의 자멸사를 감소시켜서 파골세포의 수명을 연장시킨다. 한편, 글루코코르티코이드를 장기간동안 지속적으로 사용하면 조골세포의 수 및 기능이 감소하는데 그 결과 조골세포에 의한 RANKL 및 M-CSF 발현이 감소하고 파골세포의 수가 감소하게 된다. 또한 세포골격을 파괴하여 파골세포의 골흡수 활성을 억제하고 골재형성 측면에서 골형성을 더욱 감소시키게 된다.

2. 글루코코르티코이드의 간접적 영향

뼈세포에 대한 영향과는 별도로 글루코코르티코이드는 칼슘 대사, 근육 및 신경-내분비계에 간접적인 영향을 준다(그림 3-5-2). 글루코코르티코이드는 비타민D 흡수를 감소시켜 비타민D 부족증을 초래하고 장에서 칼슘 흡수를 감소시키며 신장에서 칼슘 배설을 증가시킨다. 이러한 변화가 이론적으로는 이차성 부갑상선기능항진증을 일으켜 GIO의 병인에 기여하는 기전으로 생각되고 있지만 실제로 이차성 부갑상선기능항진증과 관련이 있는지는 논란이 있다. 글루코코르티코이드는 근육량 감소 및 근력 약화를 초래하고 낙상위험을 증가시켜 골절 위험을 증가시킨다. 글루코코르티코이드를 장기간 투여받는 환자에서는 난소 및 고환에서 성호르몬 생성에 대한 직접적인 영향뿐만 아니라 뇌하수체에서의 LH 및 FSH 분비 억제로 인해 혈청 성호르몬치를 감소시켜 성선기능저하증이 발생할 수 있다. 또한 성선기능저하증은 근육량을 감소시키고 낙상위험을 증가시킬 수 있다.

GIO의 예방 및 치료

1. 일반적인 치료

1) 생활양식 개선 및 평가

사용중인 전신성 글루코코르티코이드 용량을 지속적으로 재평가하여 가능한한 최소 용량을 최단 기간동안 사용해야 한다. 전신적 투여방법 대신에 국소요법 또는 흡입제를 사용하거나 제형을 바꾸는 것 등이 고려될 수 있고 상황에 따라서는 글루코코르티코이드 용량을 줄일 수 있도록 다른 면역억제제로 대체하여 사용할 수도 있다. 2010년 ACR (American College of Rheumatology) 가이드라인에서는 생활양식 개선 및 평가에 대해 글루코코르티코이드를 용량에 상관없이 3개월 이상 사용할 예정인 환자에서는 체중부하 운동, 흡연중단, 하루 2단위 이상의 과량의 알콜 섭취 제한, 칼슘 및 비타민D 섭취에 대한 상담, 낙상위험 평가, 골밀도 측정, 신장 측정, 25(OH)D 측정, 척추골절 유무에 대한 평가를 시행하도록 권고하고 있다. 특히 프레드니손을 하루 5 mg 이상 투여중이거나 투여를 시작하는 환자에서는 DXA에 의한 VFA (vertebral fracture assessment) 또는 척추 영상 촬영 등을 이용하여 골절 유무를 평가하도록 권고하고 있다.

2) 칼슘과 비타민D

글루코코르티코이드를 투여받는 환자에서는 흔히 비타민D 부족증도 동반되기 때문에 칼슘 보충제 및 비타민D를 함께 사용해야 한다. 하지만, 칼슘 및 비타민D는 일반적으로 고용량의 글루코코르티코이드로 치료받는 환자에서는 골소실을 예방하는데 있어서 충분하지 않고 골절 위험에 미치는 효과에 대한 확실한 연구 결과는 없다. 2010년 ACR 권고안에서는 글루코코르티코이드 사용 용량 및 기간에 상관없이 칼슘은 하루 1,200~1,500 mg을 권고하고 있고 칼슘은 가능하면 식사를 통해서 섭취하는 것을 권장하되 부족한 경우에는 칼슘보충제를 추가하도록 권고하고 있다. 비타민D는 하루 800~1,000 IU(20~25 μg)를 섭취하거나 혈중 25(OH)D의 농도가 치료적 수준에 도달하도록 권고하고 있다.

2. 약물치료

GIO에서는 초기에 급격한 골소실이 발생하고 골절 위험이 증가하므로 글루코코르티코이드 치료 시작 시점에 골다공증 및 골절 위험을 평가하고 골절 위험이 높은 환자에서는 처음부터 골다공증 약물치료를 시행해야 한다. 현재 비스포스포네이트 제제 및 테리파라타이드(teriparatide)가 GIO의 치료를 위해 승인되어 있다(표 3-5-1). GIO를 대상으로 한 연구결과들은 비스포스포네이트 제제가 1-2년, 테리파라타이드가 3년으로 짧으며 장기간 사용에 따른 안전성이나 효과에 대해서는 아직 추가적인 증거가 더 필요하다.

1) 비스포스포네이트

모든 비스포스포네이트 제제는 GIO 예방 또는 치료를 위해 사용시 요추골밀도를 개선시킨다. 알렌드로네이트, 리세드로네이트 및 졸레드론산은 대퇴골경부에서도 유의한 골소실 예방 효과를 보여주고 있다. 비스포스포네이트 치료시 대퇴골경부에서보다는 요추에서, 폐경전여성 및 남성에 비해서는 폐경후 여성에서 골밀도 증가 효과가 더 크다. GIO 환자를 대상으로 한 연구들에 의하면 알렌드로네이트군에서 위약군에 비해 형태학적 척추골절이 89% 감소하였고 비척추골절 발생은 차이가 없었으며, 리세드로네이트군에서도 척추골절 발생률이 위약군에 비해 70% 감소하였고, 비척추골절 발생률은 유의한 차이가 없었다.

글루코코르티코이드를 장기간 투여하는 경우에는 골형성 및 골흡수가 모두 억제되어 골재형성이 과도하게 감소할 수 있다. 한편, 비스포스포네이트 제제는 장기간 사용시 일부 환자에서 골재형성을 과도하게 억제하여 미세손상을 증가시키고 골강도의 감소를 초래할 수 있으므로 GIO 환자에서 비스포스포네이트를 장기간 투여할 경우의 효과 또는 결과에 대해서는 아직 추가적인 증거가 더 필요하다.

2) 부갑상선호르몬

글루코코르티코이드를 투여받는 428명의 골다공증 남녀를 대상으로 테리파라타이드(n=214) 또는 알렌드로네이트(n=214)를 투여한 결과, 18개월 후에 요추골밀도는 테리파라타이드군에서 알렌드로네이트군에 비해 유의하게 증가하였다(7.2% vs 3.4%). 새로운 척추골절 발생률은 테리파라타이드군에서는 0.6%, 알렌드로네이트군에서는 6.1%로 테리파라타이드군에서 유의하게 낮았다. 3년후의 골밀도는 테리파라타이드군에서 요추(11% vs 5.3%), 대퇴골전체(5.2% vs 2.7%), 대퇴골경부(6.3% vs 3.4%) 모두에서 알렌드로네이트군에 비해 유의하게 더 많이 증가하였다. 척추골절 발생률도 테리파라타이드군에서 1.7%, 알렌드로네이트군에서 7.7%로서 테리파라타이드군에서 유의하게 감소하였다. 비척추골절 발생률은 18개월 및 36개월째 모두에서 양 군간에 유의한 차이가 없었다. 리세드로네이트와 비교한 18개월의 연구에서도 테리파라타이드군에서 골밀도 및 골강도가 리세드로네이트군에 비해 유의하게 더 많이 증가하였다.

표 3-5-1 ▶ 글루코코르티코이드 유발 골다공증의 치료를 위해 승인된 약제

약제	용량	투여방법
Alendronate	1일 1회 5 mg 또는 10 mg, 1주 1회 70 mg*	경구
Etidronate#	3개월마다 1일 400 mg 씩 2주간 투여	경구
Risedronate	1일 1회 5 mg, 1주 1회 35 mg*	경구
Zoledronate	1년에 1회 5 mg	정맥주사
Teriparatide	1일 1회 20 μg	피하주사

Alendronate, risedronate, zoledronate, and teriparatide have been approved by the Food and Drug Administration (FDA) for the treatment of glucocorticoid-induced osteoporosis (GIO). *In Europe, only once-daily oral bisphosphonate regimens, zoledronate, and teriparatide are approved for the treatment of GIO. #Etidronate is only approved in Europe and Canada.

3) 기타

데노수맙은 류마티스 관절염 환자를 대상으로 한 12개월간의 연구에서 글루코코르티코이드 복용 여부와 상관없이 요추 및 대퇴골골밀도를 증가시켰다. 데노수맙은 비스포스포네이트에 대한 부작용이 있거나 신기능 이상으로 인해 비스포스포네이트를 사용할 수 없는 경우에 GIO 치료를 위해 사용할 수 있을 것으로 보인다. 또한, 비스포스포네이트와 비교하여 비교적 짧은 반감기를 가지고 있어서 임신을 계획중이고 테리파라타이드 치료에 금기증이 있는 폐경전 여성에서 사용할 수 있을 것으로 보이나 골절 감소 효과 여부에 대해서는 아직 추가적인 증거가 필요하다.

장기간 저용량-중등도 용량의 글루코코르티코이드 치료를 받는 폐경후여성에서 여성호르몬 치료가 골소실을 예방할 수 있다는 증거들은 있으나 장기간 여성호르몬 요법은 위험-이익 측면을 고려할 때 GIO의 예방을 위한 일차 치료로는 더 이상 권고되고 있지 않다. 2010년 ACR 가이드라인에서는 글루코코르티코이드 치료에 의해 성선기능저하증이 발생할 수 있음에도 불구하고 호르몬요법을 권고하고 있지는 않다. 한편, 미국골대사학회에서는 글루코코르티코이드를 투여받는 환자에서 비스포스포네이트 또는 테리파라타이드를 사용할 수 없는 경우에 성호르몬 상태를 평가하여 호르몬요법을 고려할 수 있다고 하였다.

GIO의 예방 및 치료 가이드라인

GIO에 대해 여러 가지 가이드라인이 제시되고 있으며 가이드라인별로 치료시작시점(intervention threshold)에 다소의 차이가 있다(표 3-5-2). 최근의 가이드라인들은 치료를 시작하는 기준을 정하는 데 있어서 글루코코르티코이드 용량, 사용기간, 골밀도 이외에도 FRAX를 이용한 절대골절위험도를 포함시키고 있다.

1. ACR (American College of Rheumatology) 가이드라인

1) 폐경후 여성 및 50세 이상 남성에서의 권고안

2010년에 ACR은 GIO의 예방 및 치료에 대한 2001년 가이드라인을 수정하여 새로운 가이드라인을 발표하였다. 새로운 가이드라인에서는 글루코코르티코이드 치료를 받는 사람에서 절대골절위험도를 평가하기 위해 FRAX를 포함시켰고 10년간의 중요 골다공증 골절 위험을 저위험군(<10%), 중등도위험군(10~20%), 고위험군(≥20%) 등 세가지로 분류하였다. 골밀도 T-값이 -2.5 이하이거나 기존에 골다공증 골절이 있는 환자는 자동적으로 고위험군에 속한다. Kanis 등은 글루코코르티코이드 용량에 따라 FRAX 값을 조정할 수 있는 가이드라인을 제시하고 있다. ACR에 의해 제공된 도표를 사용해서 골절위험을 분류할 수도 있다(그림 3-5-3). 체질량지수가 적은 경우, 부모의 대퇴골골절력이 있는 경우, 현재 흡연자, 하루에 3 단위 이상의 알콜을 섭취하는 경우, 글루코코르티코이드 하루 사용량이 많은 경우, 글루코코르티코이드 누적 사용량이 많은 경우, 정맥내로 글루코코르티코이드 펄스 요법을 시행하는 경우, 중축골 골밀도가 최소유의변화(least significant change, LSC) 이상으로 감소하는 경우 등과 같은 임상적 인자들이 있으면 환자의 개인별 골절 위험이 상향조정될 수 있다(저위험군 → 중등도 위험군, 또는 중등도 위험군 → 고위험군). 2010년 ACR 가이드라인은 글루코코르티코이드를 3개월 이상 사용중이거나 사용 예정인 폐경후 여성 및 50세 이상의 남성에서 위와 같이 골절 위험을 평가하여 중등도위험군에 해당하거나 프레드니손을 하루에 7.5 mg 이상 사용하는 저위험군인 경우에 골다공증 약물치료를 권고하고 있고, 글루코코르티코이드 사용 기간이 3개월 이하라고 하더라도 골절 위험이 높은 고위험군에서는 골다공증 약제를 사용하도록 권고하고 있다(그림 3-5-4, 표 3-5-2).

2) 폐경전 여성 및 50세 이하의 젊은 남성에서의 권고안

폐경전여성 및 젊은 남성에서 GIO에 대한 골다공증 약물 치료 효과에 대한 자료는 매우 적으며 특히 골절 위험 감소 효과와 관련된 자료는 거의 없다. 폐경전 여성 및 남성이 포함된 연구들에서 알렌드로네이트, 리세드로네이트 및 에티드로네이트가 요추 골소실을 예방하는 것으로 보고가 되었고, 졸레드론산은 남성 및 폐경전여성에서 리세드로네이트에 비해 골밀도를 더 많이 증가시켰다. 테리파라타이드는 GIO가 있는 폐경전 여성 및 남성에서 알렌드로네이트에 비해 골밀도를 더 많이 증가시켰다. 한편, 이러한 환자들에서 GIO를 치료하기 위해 장기간 사용되는 약제들의 안전성 및 태아에 미치는 영향 등에 대해서는 잘 알려져 있지 않다. 비스포스포네이트는 태반을 통과하고 임신전에 약제를 중단할지라도 반감기가 충분히 길기 때문에 임신 동안에 재순환할 우려가 있다. 따라서 비스포스포네이트는 가임기 여성에서는 주의해야 하며 임신 가능성이 있는 여성에서 사용할 경우에는 반감기가 더 짧은 약물들이 권고된다. 2010년 ACR 가이드라인에서는 폐경전 여성 및 젊은 남성에서는 골다공증 골절이 있는 경우에 한해서만 향후에 골절위험이 가장 높기 때문에 골다공증 약물 치료를 권고하고 있다.

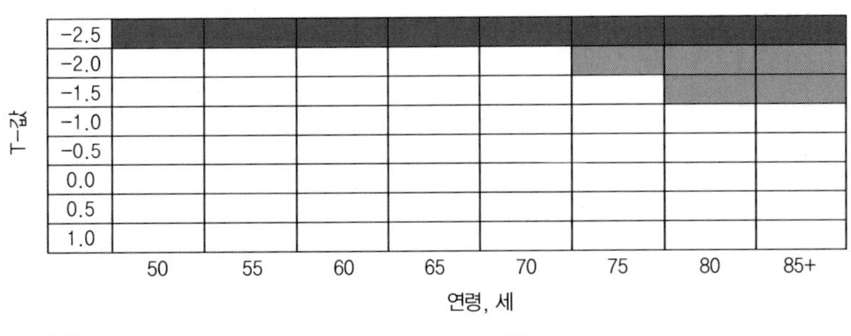

저위험군: FRAX<10%(10년간 중요 골다공증 골절 위험)
중등도위험군: FRAX 10~20%(10년간 중요 골다공증 골절 위험)
고위험군: FRAX>20%(10년간 중요 골다공증 골절 위험)

그림 3-5-3 ▸ 글루코코르티코이드를 사용하는 폐경후여성에서의 골절 위험도.

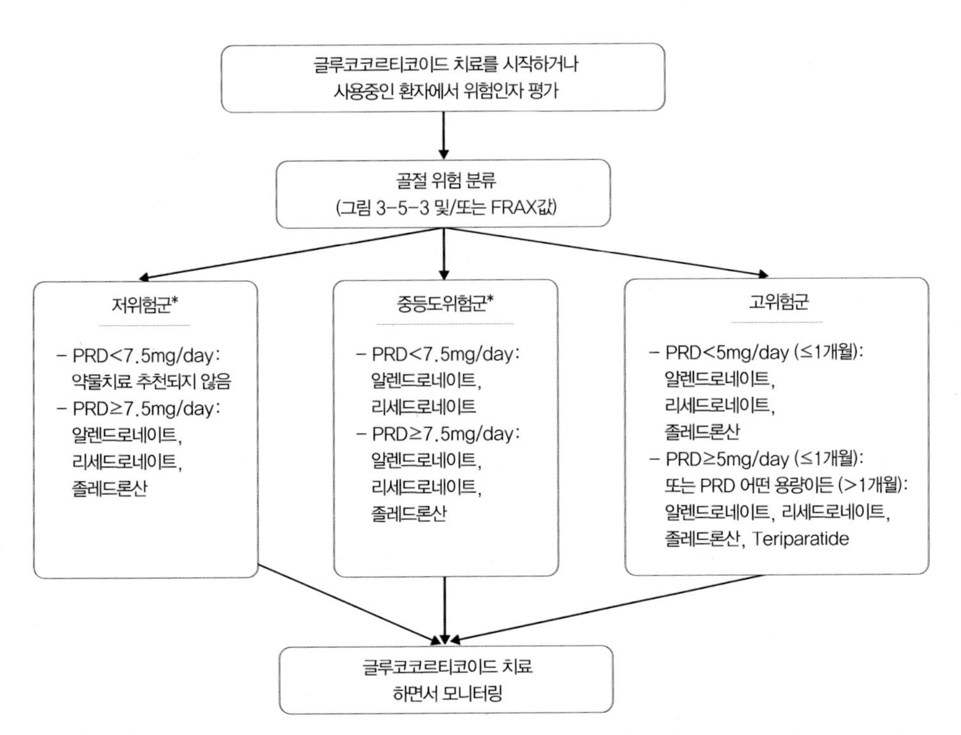

그림 3-5-4 ▸ 글루코코르티코이드 치료를 시작하거나 사용중인 폐경후여성 및 남성(=50세)에서의 가이드라인.
* = 저위험군 및 중등도위험군 환자로서 글루코코르티코이드를 사용중이거나 사용 예정인 경우(=3개월). PRD = prednisone.

2. IOF-ECTS 가이드라인

2012년에 IOF (International Osteoporosis Foundation) 및 ECTS (European Calcified Tissue Society)에서는 경구 글루코코르티코이드 치료를 3개월 이상 필요로 하는 18세 이상의 남녀에서 GIO의 치료를 위한 가이드라인을 제시하였다. 글루코코르티코이드를 3개월 이상 사용중이거나 사용 예정인 폐경후여성 및 50세 이상 남성에서 골다공증 약물치료의 적응증으로는 70세 이상, 기존에 골절이 있거나 글루코코르티코이드 치료 도중 골다공증 골절이 발생한 경우, 50~70세에서 하루 프레드니손을 7.5 mg 이상 고용량으로 사용하는 경우, 골밀도 T-값 -1.5 이하인 경우 등으로 제시하고 있다. 그렇지 않은 경우에는 FRAX를 이용하여 골절위험도를 평가하고(±골밀도 검사) 글루코코르티코이드 용량에 따라 골절 위험을 보정하여 치료시작시점에 해당하는 경우에는 골다공증 약물치료를 시행한다. 폐경전 여성 및 50세 미만 남성에서는 기존에 골절이 있는 경우에는 골다공증 약물치료를 시행하고 골절이 없는 경우에는 증거가 많지 않기 때문에 임상적 판단에 의해서 치료 여부를 결정하는 것으로 제시하고 있다.

3. 미국골대사학회 (ASBMR, American Society for Bone and Mineral Research)

미국골대사학회에서는 폐경후여성 및 50세 이상 남성의 경우 중등도위험군에서는 글루코코르티코이드 용량에 상관없이 졸레드론산도 사용할 것을 제안하고 있고, 고위험군에서는 글루코코르티코이드 용량 및 사용기간에 상관없이 테리파라타이드도 사용할 것을 제안하고 있다. 또한, 향후 임신을 계획하고 있는 가임기 여성에서는 비스포스포네이트의 대안으로서 테리파라타이드 사용을 고려할 수 있고, 테리파라타이드도 금기인 경우에는 데노수맙 사용도 고려할 것을 제안하고 있다. 또한 폐경전여성에서 골다공증 골절이 있는 경우 이외에도 골밀도가 유의하게 많이 감소하거나 Z-값이 -2.0 이하이면서 장기간 전신적 글루코코르티코이드 치료를 받아야 하는 경우에도 골다공증 약물치료를 시행하도록 제안하고 있다.

4. 모니터링

글루코코르티코이드를 투여받는 환자에서 모니터링을 시행할 항목으로는 2010년 ACR 가이드라인에서는 골밀도 측정, 혈청 25OHD 측정, 매년 신장 측정, 골다공증 골절 유무 평가, 골다공증 약제에 대한 순응도 평가 등을 권고하고 있고, 2012년 IOF-ECTS 권고안에서는 이러한 항목 이외에 테리파라타이드 치료시 3개월후에 혈청 P1NP를 측정할 것을 포함하고 있다. 고용량의 글루코코르티코이드를 투여받는 환자에서는 골소실이 더 많이 일어날 수 있으므로 6개월에 1회 골밀도를 측정한다. 골밀도를 연속적으로 측정할 때 정확성 오차인 최소유의변화 이상의 골소실이 있을 때 유의한 변화로 판단한다. 추적기간 동안에는 특히 새로운 골절 발생 유무에 대한 주의깊은 평가가 이루어져야 한다. 매년 신장을 측정해야 하며 신장이 2 cm 이상 작아진 경우 또는 골절을 의심할 수 있는 증상이나 징후가 있으면 척추 X-선 촬영 또는 DXA에 의한 VFA를 시행하여 골절 유무를 확인해야 한다. GIO에서 척추골절은 흔히 무증상으로 나타날 수 있음에 주의해야 한다. 글루코코르티코이드 치료 중단 후에는 골절 위험을 다시 평가하여 폐경후 여성에서처럼 골절 위험이 여전히 높은 경우에는 골다공증 약제를 계속 사용해야 한다. 반면에 글루코코르티코이드를 중단하면 골절 위험은 매우 빨리 감소하므로 골절 위험이 낮으면 골다공증 약제 투여도 중단할 수 있다.

표 3-5-2 ▸ 글루코코르티코이드 유발 골다공증 치료 가이드라인에 따른 치료시작시점 (intervention threshold)

Source of Recommendations	Patient group	Intervention threshold
Royal College of Physicians, National Osteoporosis Society, Bone and Tooth Society (2002)	All patients	GC exposure (anticipated or actual) for =3 months OR Age =65 years OR Previous or incident fragility fracture OR T-score =-1.5
American College of Rheumatology (2010)	Postmenopausal women and men age >50 years	GC dose =7.5 mg per day for =3 months plus low risk (<10% based on FRAX®) of major fracture OR Any GC dose for =3 months plus medium risk (10-20% based on FRAX®) of major fracture OR High risk (>20% based on FRAX®) of major fracture
	Premenopausal women not with childbearing potential and men age <50 years	GC dose =5 mg for 1-3 months plus fragility fracture OR GC use =3 months (no dose threshold) plus fragility fracture
	Premenopausal women with childbearing potential	GC dose =7.5 mg for =3 months (anticipated or actual exposure) plus fragility fracture
International Osteoporosis Foundation (IOF), European Calcified Tissue Society (ECTS) (2012)	Postmenopausal women and men age =50 years	GC dose =7.5 mg per day OR Age =70 years OR Fragility fracture OR T-score =-1.5 OR Adjusted ‡FRAX® fracture probability above the intervention threshold of the general population
	Premenopausal women and men age <50 years	GC use =3 months plus fragility fracture
National Osteoporosis Guideline Group (UK) (2013)	All patients	10-year fracture probability‡equivalent to a prevalent fragility fracture

French Society for Rheumatology (SFR) and Osteoporosis Research and Information Group (GRIO) (2014)	Postmenopausal women and men age =50 years	GC dose =7.5 mg per day OR Age =70 years OR Fragility fracture OR T-score =-2.5 OR Adjusted ‡ FRAX® above the intervention threshold of the general population
	Premenopausal women and men age <50 years	GC use for =3 months plus fragility fracture
National Osteoporosis Foundation (USA) (2014)	Postmenopausal women and men age =50 years	Fragility fracture OR T-score =-2.5 OR T-score between -1.0 and -2.5 plus FRAX® >20% risk of major osteoporotic fracture or >3% risk of hip fracture

‡ FRAX® 10-year fracture probability in postmenopausal women and older men adjusted according to GC dose: 10-year probability of major osteoporotic fracture adjusted by a factor of 0.8 if GC dose =2.5 mg per day and by 1.15 if GC dose =7.5 mg per day; 10-year probabilities of hip fracture adjusted by a factor of 0.65 if GC dose =2.5 mg per day and by 1.20 if GC dose =7.5 mg per day. Abbreviations: GC, glucocorticoid; GIO, glucocorticoid-induced osteoporosis.

참고문헌

1. Angeli A, Guglielmi G, Dovio A, et al. High prevalence of asymptomatic vertebral fractures in post-menopausal women receiving chronic glucocorticoid therapy: a cross-sectional outpatient study. Bone 2006;39:253-9.
2. Briot K, Cortet B, Roux C, et al. 2014 update of recommendations on the prevention and treatment of glucocorticoid-induced osteoporosis. Joint Bone Spine 2014;81:493-501.
3. Compston J, Bowring C, Cooper A, et al. Diagnosis and management of osteoporosis in postmenopausal women and older men in the UK: National Osteoporosis Guideline Group (NOGG) update 2013. Maturitas 2013;75:392-6.
4. Glüer CC, Marin F, Ringe JD, et al. Comparative effects of teriparatide and risedronate in glucocorticoid-induced osteoporosis in men: 18-month results of the EuroGIOPs trial. J Bone Miner Res 2013;28:1355-68.
5. Grossman JM, Gordon R, Ranganath VK, et al. American College of Rheumatology 2010 recommendations for the prevention and treatment of glucocorticoid-induced osteoporosis. Arthritis Care Res (Hoboken) 2010;62:1515-26.
6. Hansen KE, Wilson HA, Zapalowski C, et al. Uncertainties in the prevention and treatment of glucocorticoid-induced osteoporosis. J Bone Miner Res 2011;26:1989-96.

7. Kanis JA, Johansson H, Oden A, et al. A meta-analysis of prior corticosteroid use and fracture risk. J Bone Miner Res 2004;19:893-9.

8. Kanis JA, Johansson H, Oden A, et al. Guidance for the adjustment of FRAX according to the dose of glucocorticoids. Osteoporos Int 2011;22:809-16.

9. Kenanidis E, Potoupnis ME, Kakoulidis P, et al. Management of glucocorticoid-induced osteoporosis: clinical data in relation to disease demographics, bone mineral density and fracture risk. Expert Opin Drug Saf 2015;14:1035-53.

10. Kim HJ, Zhao H, Kitaura H, et al. Glucocorticoids suppress bone formation via the osteoclast. J Clin Invest 2006;116:2152-60.

11. Lekamwasam S, Adachi JD, Agnusdei D, et al. A framework for the development of guidelines for the management of glucocorticoid-induced osteoporosis. Osteoporos Int 2012;23:2257-76.

12. Orcel P. Updated recommendations on the management of glucocorticoid-induced osteoporosis. Joint Bone Spine 2014;81:465-8.

13. Rizzoli R Biver E. Glucocorticoid-induced osteoporosis: who to treat with what agent? Nat Rev Rheumatol 2015;11:98-109.

14. Royal College of Physicians. Glucocorticoid-induced osteoporosis. Guidelines on prevention and treatment. Bone and Tooth Society of Great Britain, National Osteoporosis Society and Royal College of Physicians. Royal College of Physicians, London, 2002.

15. Saag KG, Emkey R, Schnitzer TJ, et al. Alendronate for the prevention and treatment of glucocorticoid-induced osteoporosis. Glucocorticoid-Induced Osteoporosis Intervention Study Group. N Engl J Med 1998;339:292-9.

16. Saag KG, Zanchetta JR, Devogelaer JP, et al. Effects of teriparatide versus alendronate for treating glucocorticoid-induced osteoporosis: thirty-six-month results of a randomized, double-blind, controlled trial. Arthritis Rheum 2009;60:3346-55.

17. Teitelbaum SL, Seton MP, Saag KG. Should bisphosphonates be used for long-term treatment of glucocorticoid-induced osteoporosis? Arthritis Rheum 2011;63:325-8.

18. van Staa TP, Leufkens HG, Abenhaim L, et al. Use of oral corticosteroids and risk of fractures. J Bone Miner Res 2000;15:993-1000.

19. Weinstein RS, Jilka RL, Parfitt AM, et al. Inhibition of osteoblastogenesis and promotion of apoptosis of osteoblasts and osteocytes by glucocorticoids. Potential mechanisms of their deleterious effects on bone. J Clin Invest 1998;102:274-82.

20. Weinstein RS. Glucocorticoid-Induced Bone Disease. In: Rosen CJ, editor. American Society for Bone and Mineral Research. Primer on the Metabolic Bone Diseases and Disorders of Mineral Metabolism. 8th ed. John Wiley & Sons, Inc. 2013. p. 473-81.

3-6 남성골다공증

신찬수

흔히 여성들의 질환으로 생각해왔던 골다공증은 이제 남성에서도 관심을 받게 되었다. 실제로 여러 역학조사에 의하면 평균 수명의 증가로 남성 노인 인구가 급격히 증가하고 있으며, 남성에서도 골다공증에 의한 골절의 급격한 증가로 골다공증이 향후 중요한 남성 질환 중의 하나로 대두될 것으로 예상된다.

남성에서의 골절

1990년 전세계적으로 170만건의 대퇴골골절이 발생한 것으로 추계되는 데 이중 30%는 남성에서 발생하였다고 한다. 인구 노령화에 따른 골다공증 골절 발생의 증가가 이어지면 2025년에는 전세계적으로 약 400만건의 대퇴골골절이 발생할 것이며 이중 120만 건이 남성에서 발생하게 되며 50세 이상 남성 4명 중의 한명은 여생동안 골다공증성 골절을 경험한다고 한다. 대퇴골골절의 발생 증가율은 1972년부터 1984년까지 남성에서는 42%, 여성에서는 60% 이었으나, 향후 1987년부터 2006년까지 남성은 70.2%, 여성에서는 73.7%로 골절 증가율이 여성을 앞지를 것으로 예상되고 있다. 연령대별로 보면 청소년기부터 중년까지는 여성보다 훨씬 더 활동적인 생활 양식을 지닌 남성에서 골절 발생빈도가 높게 나타나며, 40대 중반 이후에는 여성에서 골절이 더 많이 발생한다. 우리나라 건강보험심사평가원의 자료를 분석한 결과 남성에서는 여성에 비해 골절의 발생 빈도는 적으나 대퇴골골절이 발생하는 경우 1년내 사망율은 남성에서 22.6% 여성에서 17.3%로써 남성에서 골다공증에 의한 대퇴골골절의 예방은 매우 중요하다고 하겠다.

척추골절은 특별한 증상이 없는 경우가 많아 병원을 찾지 않는 경우가 많고, 아직 척추 골절의 정확한 진단 기준이 없어 척추골절 발생률을 정확히 알기는 어려우나, 2:1 정도의 비율로 여성에서 더 많이 발생되는 것으로 알려져 있다. 남성에서 척추 골절이 발생하는 경우 여성에 비해 높은 골밀도에서 발생한다. 골절은 여성과 달리 요추보다는 흉추에서 잘 발생하며, 분쇄골절보다는 전방압박골절이 많다.

남성에서 골의 변화

1. 최대골량 형성 과정

출생 후부터 사춘기 이전까지는 남녀간에 골량이나 골밀도에 있어서 차이를 보이지 않는다. 그러나 사춘기에 이르러서는 남성에서 골의 크기가 여성의 것 보다 더 커지게 되는 데 이는 주로 피질골의 두께가 더 두꺼워지기 때문이다. 이에 따라 단위 면적당 골밀도인 BMD는 남성에서 더 크게 되지만 QCT를 이용해 측정한 단위 부피당의 골밀도는 별로 차이가 나지 않는다고 한다. 사춘기 동안의 성장이 끝난 후 남성에서 단위 면적 당 골밀도가 여성에 비해 커지는 것은 이 기간 동안 골량의 증가율이 커서라기 보다는 골량의 증가를 이루는 기간이 남성에서 더 길기 때문으로 생각된다. 실제로 여성에서는 11세부터 14세까지 3년간에 걸쳐 급격한 골량의 증가가 일어나는 데 비해 남성에서는 13세에 시작하여 17세까지 4년간에 걸쳐 골량이 급격히 증가하게 된다. 남성은 여성과 골밀도는 유사하나, 보다 많은 골량을 가지고 있으며, 뼈의 횡단면이 넓어서 충격에 잘 견디므로 골절이 여성에 비해 적다.

남성의 최대골량을 결정하는 요인으로는 여성에서와 같이 유전적인 영향이 40~83%를 차지하며, 이외에 운동이나 흡연, 칼슘 섭취와 같은 환경 요인이 있다. 한편 흥미로운 것은 신장의 증가가 가장 급격한 시기에 외상에 의한 골절의 발생율이 높다는 사실이다. 이는 주로 이 시기에 각종 위험을 동반한 육체활동이 왕성한 점에 기인할 것이지만 급격한 신장 증가에 따른 피질골의 다공성(porosity) 증가도 일부 기여할 가능성이 있다고 하겠다.

2. 연령에 따른 골소실

남성에서도 여성 보다는 적으나 피질골의 골량이 나이가 증가함에 따라 감소하는 데, 골량의 감소율은 10년에 약 5~10%이다. 연령 증가에 따른 피질골의 변화는 남녀에 있어서 차이를 보이는 데, 남녀 모두에서 골내막에서의 흡수가 증가하여(endocortical erosion) 피질골이 얇아지는 데, 남성에서는 골막하에서 골축적이 증가되어(subperiosteal expansion) 골의 외경이 증가하며 횡단면 크기가 넓어짐으로서 이를 보상하게 되는 반면 여성에서는 이러한 현상이 관찰되지 않는다(그림 3-6-1). 이로 인해 남성에서는 골량이 감소되어도 뼈의 반지름이 증가되어 힘을 잘 받게 되고 이로 인해 팔, 다리 등의 사지골절이 여성에 비해 잘 발생하지 않는다.

해면골의 골량은 연령이 증가함에 따라 남성과 여성에서 같은 속도로 감소하게 된다. 단지 여성에서 폐경 직후 여성호르몬의 부족으로 급격히 감소되는 시기 이외에는 차이가 없다. 하지만 골 미세구조의 변화를 보면 남성은 여성에 비해 해면골이 얇아지거나 숫자와 즐어드는 것이 덜하며, 해면골의 연결성이 잘 유지된다.

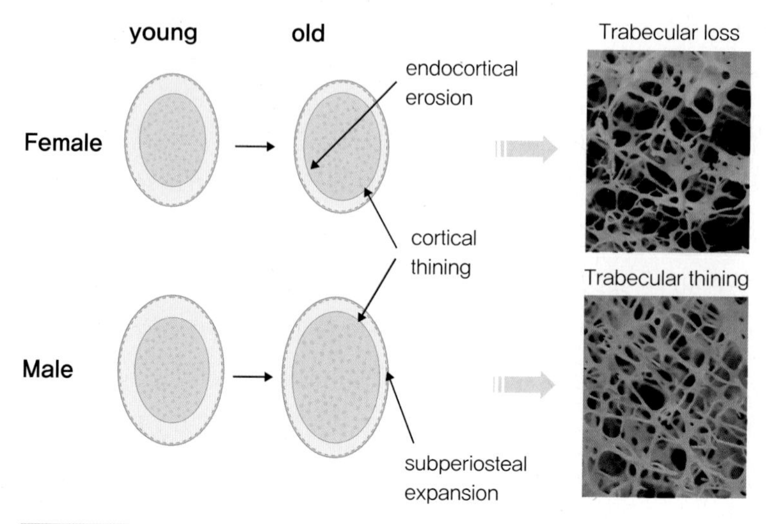

그림 3-6-1 ▶ 연령 증가에 따른 피질골의 변화

골다공증의 원인

남성에서 발생하는 골절 중 30~60%가 이차성 골다공증에 의한 것이며, 원인으로는 여성에서와 동일한 부신피질호르몬의 과량분비, 성선기능저하증, 알코올중독, 흡연, 소화기 질환, 과칼슘뇨증, 항경련약물 복용, 갑상선기능항진증, 운동 부족, 불완전 골형성증, 호모시스틴뇨증, 전신성 비반세포증, 암질환, 류머티스 관절염 등이 있다(표 3-6-1).

표 3-6-1 ▶ 남성 골다공증의 원인

일차성	• 노인성 • 특발성		
이차성	• 성선기능저하증 • 소화기 질환 • 항경련약물 복용 • 골형성부전증 • 암질환	• 부신피질호르몬의 과량분비 • 고칼슘뇨증 • 갑상선기능항진증 • 호모시스틴뇨증 • 류머티스 관절염	• 알코올중독 • 흡연 • 와병상태 • 전신성 비만세포증

성호르몬의 역할

남성에서는 여성에서와 같이 급격하게 성호르몬이 소실되는 뚜렷한 갱년기 시기가 없으나, 남성도 노령화함에 따라 남성호르몬이 점차 감소되어 50대 이후 남성에서 남성갱년기가 초래 되는 것으로 보고되고 있다. 남성호르몬은 골대사에 직간접적인 영향을 미침이 보고되어 왔는데, 즉, 조골세포에는 남성호르몬 수용체가 존재하며, 고환절제술을 받은 경우(그림 3-6-2), 고프로락틴혈증, 뇌하수체종양 등 성선기능저하증 환자에서는 골밀도의 감소와 피질골과 해면골의 골량이 모두 감소하며 남성호르몬을 투여하였을 경우 회복된다는 것등이 그 예이다.

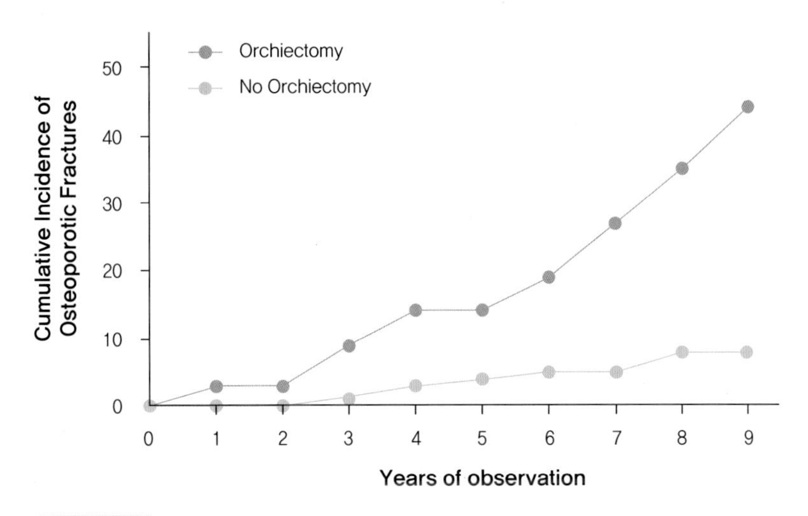

그림 3-6-2 ▸ 고환절제술에 따른 골다공증 골절의 발생

흥미로운 사실은 남성에서도 에스트로겐이 골량 유지에 중요한 역할을 할 것이라는 점이다. 이에 대한 구체적인 증거로는 선천적으로 에스트로겐 수용체 결핍을 지닌 남성에서 골단폐쇄가 안 일어나 키는 크며 골량이 감소되어 있는 소견을 나타낸다는 점이다. 또한 아로마타제 억제제를 투여하여 체내에서 남성호르몬이 에스트로겐으로 변환되지 않을 경우에도 골다공증이 발생한다. 또한 테스토스테론보다도 혈중 에스트로겐 농도가 남성에서 골밀도를 예측하는 지표로서 더 의미가 있으며 에스트로겐 농도가 낮을 경우 척추 골절의 위험이 증가함이 보고되었다(그림 3-6-3). 즉 에스트로겐은 남성에서도 골의 성장 및 골량 유지에 중요한 역할을 하며 여성호르몬 부족이 골다공증의 원인으로 작용할 수 있음을 시사한다고 하겠다.

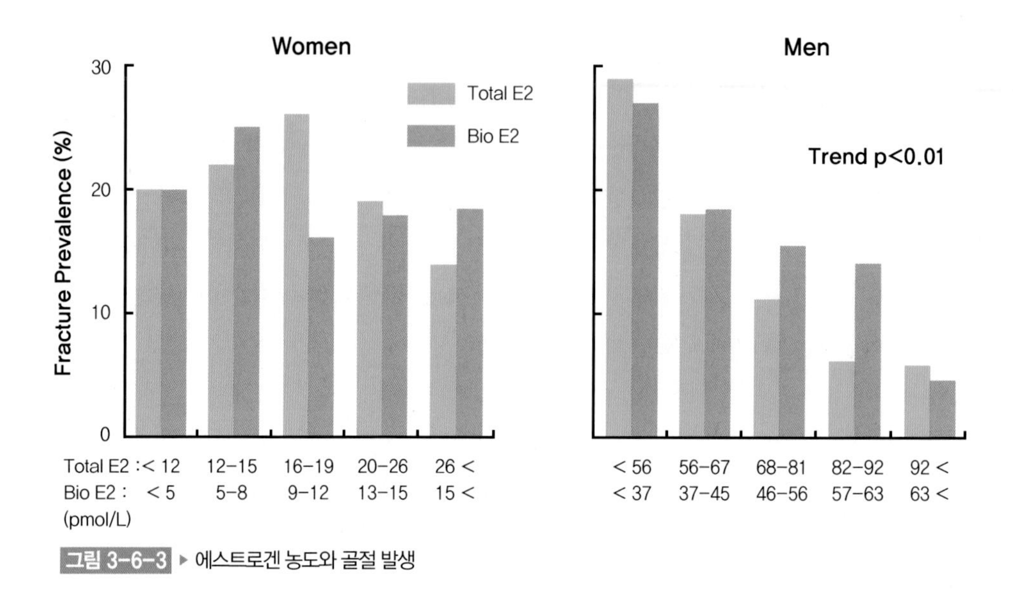

그림 3-6-3 ▸ 에스트로겐 농도와 골절 발생

골다공증의 진단

남성에서 골다공증 검사를 해야 하는 경우는 과거에 작은 충격에 의한 골절을 경험한 적이 있거나 우연히 척추변형 혹은 골감소증이 단순 방사선 사진에서 발견된 경우 또는 부신피질호르몬제 복용, 알코올중독, 성선기능저하증 등 이차성 골다공증의 원인을 가진 경우에 실시하게 된다. 남성에서도 골밀도가 낮을수록 골절이 잘 발생하므로, 골밀도를 측정하여 골다공증을 진단하게 된다.

남성의 경우 선별검사로서의 골밀도의 측정은 보통 70세 이상에서 권고되고 있으나 효용성 에 대해서는 아직 정식으로 검증된 바는 없다. 또한 남성의 경우는 WHO에서 제정한 골다공증의 진단 기준은 없으며 ISCD (International Society of Clinical Densitometry)에서는 65세 이상 남성에서는 여성과 마찬가지로 젊은 건강한 남성의 골밀도와 비교하여 골밀도가 -2.5 표준편차 이하인 경우를 골다공증으로 정의하고 50세에서 64세에서는 T-값이 -2.5 미만이면서 동시에 다른 위험인자를 지니고 있을 경우 즉, 부신피질호르몬 제제투여, 성선기능저하증, 부갑상선 기능항진증등을 지니고 있으면 골다공증으로 정의하고 있다. 한편 50세 미만의 남성에서는 골밀도 측정치 만으로 골다공증을 진단하지 말 것을 권고하고 있다.

골감소증이 있는 경우 환자의 과거력, 신체 검사와 생화학적 검사를 통해 골다공증을 유발할만한 이차성 원인이 있는지 알아야 한다. 초기 평가에 포함되어야 할 항목으로는 혈청 크레아티닌, 인, 알칼리성 포스파타제, 간기능 검사, 일반혈액 검사 등이며 특별한 이상이 없을 때 이차성 골다공증의 가능성을 감별하기 위하여 아래와 같은 검사가 추가될 수 있다(그림 3-6-4, 표 3-6-2).

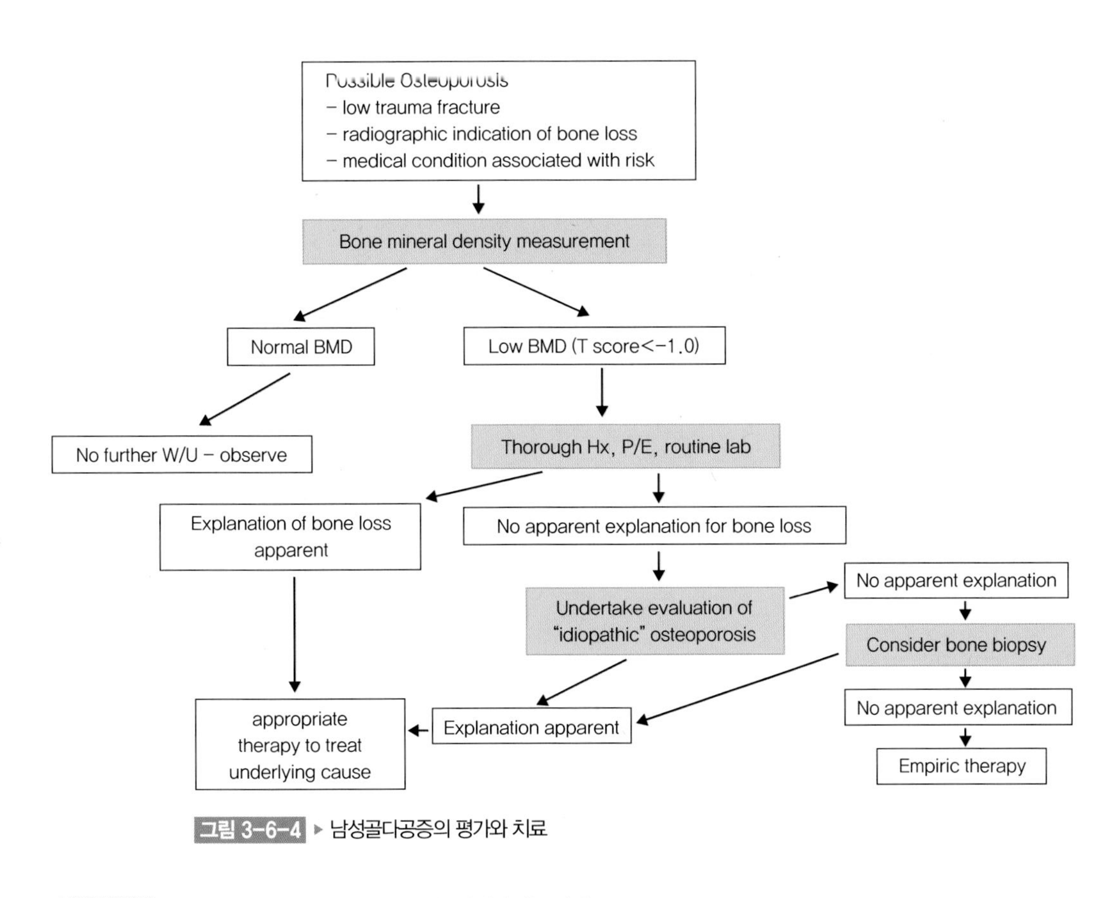

그림 3-6-4 ▸ 남성골다공증의 평가와 치료

표 3-6-2 ▸ 남성 골다공증이 의심되는 경우 시행하여야 하는 검사

24시간 소변 칼슘 및 크레아티닌 배설량 측정
24시간 소변 코티솔
25(OH)D
혈청 테스토스테론, LH
혈청 TSH
혈청 단백질전기영동

남성 골다공증의 약물 치료

남성 골다공증 환자에서 약물치료의 적응에 대해서는 각 학회나 단체 마다 조금씩 다른 가이드라인을 제시하고 있으나 공통적으로 요추, 대퇴골 경부, 대퇴 전부위 T-값이 -2.5 인 경우는 약물치료를 권장하고 있다. T-값이 골감소증에 해당하는 경우(-2.5와 -1.0 사이) 인 경우에는 각 국가별 FRAX 점수를 구하여 10년 주요골절 위험이 20%를 넘는 경우 치료를 권장하며 그 이외에도 글루코코르티코이드를 3개월 이상 복용하거나 남성호르몬 박탈치료를 하는 경우, 과거 골절력이 있거나 낙상 위험이 증가된 경우를 포함하기도 한다.

남성 골다공증 치료에 대한 연구가 드물고, 골다공증 치료로 골절을 어느 정도로 예방할 수 있는지에 대한 충분한 임상시험 성적도 아직 없는 상태이다. 현재까지 남성 골다공증에 사용되고 있는 대부분의 치료 약물들은 다음과 같다.

1. 칼슘과 비타민D

남성에서도 여성과 마찬가지로 어떤 치료제를 선택하더라도 칼슘과 비타민D의 보충은 필수적이다. 칼슘은 65세 이하인 경우 일일 1,000 mg을, 65세 이상인 경우 일일 1,500 mg을 투여할 것을 권고하고 있고 비타민D의 경우 일일 400-800 IU가 권고되고 있다.

2. 칼시토닌

남성 골다공증 환자에서 칼시토닌은 체내 총 칼슘을 증가시켰으나 대조군과 차이가 없었으며 요골의 골밀도도 증가시키지 못하였다고 한다. 고환제거술을 받은 환자에서 골교체율을 감소시켰다는 보고가 있으나 그 밖에 이차성 골다공증에서 의미있는 효과가 있었다는 보고는 없다. 단, 여성골다공증 환자를 대상으로 한 많은 연구결과들과 일반적인 작용 기전에 비추어 남성 골다공증 환자에서도 효과가 있을 것으로 여겨진다.

3. 비스포스포네이트

남성골다공증 환자에게 2년간 하루 10 mg의 알렌드로네이트를 투여한 결과 요추에서 7.1% 대퇴골 경부에서 2.5% 증가하는 등 여성 골다공증 환자에서와 같은 정도의 골밀도 증가를 가져 왔으며 척추 골절을 의미있게 감소시켰다(그림 3-6-5). 현재 알렌드로네이트는 남성 골다공증 치료에 적응을 받고 있다. 리세드로네이트도 부신피질호르몬을 투여받고 있는 남성에게 투여하였을 때 대조군에 비해 골밀도를 증가시켰을 뿐만 아니라 척추골절의 발생을 84% 감소시킬 수 있었다고 한다. 또한 평균 66세의 남성에서 1년에 1회 졸레드론산을 정맥 주사한 경우에도 새로운 척추골절의 발생이 68% 감소하였다고 한다. 결국, 비스포스포네이트는 남성에서도 여성에서와 같이 파골세포에 대한 강한 억제 작용으로 인해 골밀도 개선 및 골절 예방 효과가 기대되며 현재까지는 남성 골다공증의 1차 선택 치료 약제로 권장되고 있다.

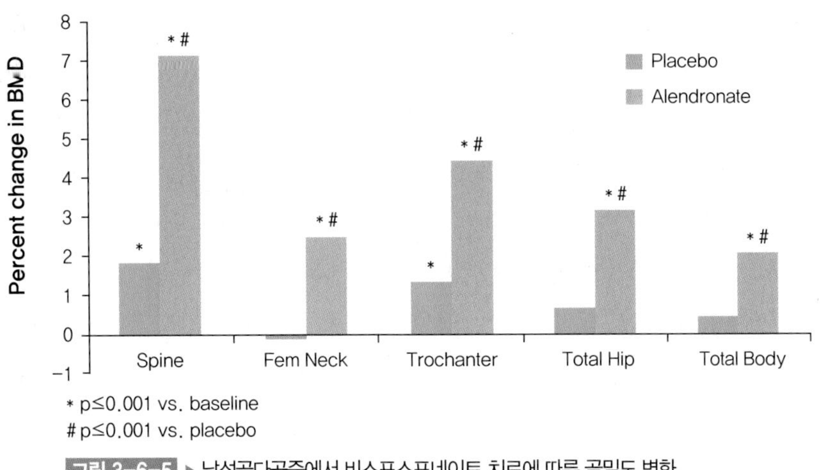

그림 3-6-5 ▸ 남성골다공증에서 비스포스포네이트 치료에 따른 골밀도 변화

4. 부갑상선호르몬

골형성 촉진제인 부갑상선호르몬(Teriparatide; hPTH1-34) 역시 폐경후 여성에서와 마찬가지로 남성 골다공증 환자에서도 유의한 효과를 보이고 있다. 즉, 남성 골다공증 환자 437명을 대상으로 한 연구에서 일일 20 mg 혹은 40 mg의 테리파라타이드를 평균 11개월 투여한 결과 척추골밀도를 각각 5.9%와 9.0% 증가시켰으며(그림 3-6-6) 대퇴골 경부의 골밀도 또한 각각 1.5%와 2.9% 증가시켰다. 흥미롭게도 이러한 teriparatide의 효과는 알렌드로네이트를 동시에 투여할 경우 오히려 그 효과가 상쇄됨이 보고되어 두 약제의 병합 요법은 추천되지 않고 있다.

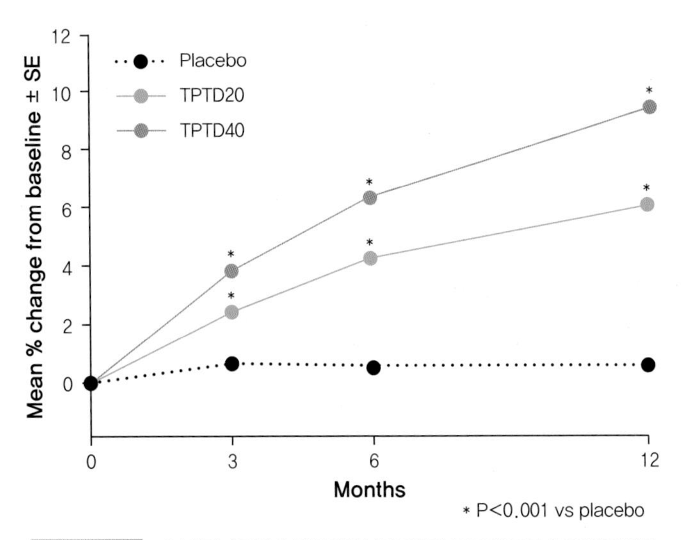

그림 3-6-6 ▸ 남성골다공증에서 부갑상선호르몬의 치료에 따른 척골밀도 변화

5. 데노수맙

최근 남성 골다공증 치료에 대해 미국 FDA의 승인을 받은 데노수맙은 골감소증을 지닌 남성에서 요추, 대퇴골 및 요골 원위부에서 의미있게 골밀도를 상승시켰다. 또한 전립선암으로 남성호르몬 박탈치료를 받는 환자에서 새로운 척추골절의 발생을 의미있게 감소시켰다.

6. 스트론티움

스트론티움 라넬레이트는 261명의 일차성 남성골다공증 환자에서 24개월 투여 후 요추골밀도를 11.9%, 대퇴골경부 골밀도를 4.4% 증가시킨 바 있으나, 이 연구는 골절 예방효과를 입증할 만큼의 검정력을 지니지 않아 그 효과를 판정하기는 어렵다.

7. 남성호르몬

남성호르몬 대체요법은 단기간의 연구에서 골밀도는 효과적으로 증가시켰지만, 골절 예방에 대한 효과는 아직 모르는 상태이다. 남성호르몬을 사용하게 되면, 피곤감, 근력저하 및 성기능이 호전되어 남성갱년기 증상을 완화시키며, 복부지방이 감소되는 부수적인 효과가 있으나, 전립선과 지질대사에 악영향을 줄 수 있다. 남성 호르몬 주사제는 효과가 좋으나, 최소한 1~2주에 한번씩 근육 주사를 맞아야 하는 불편함이 있고 주사제에 지방이 섞여 있어서 주사 부위에 통증이 있다. 피부에 부착하는 경피흡수제는 사용이 편한 반면 피부 부착부위에 피부염이 생기는 문제점이 있다. 경구용 제제인 테스토스테론 undecanoate는 림프관으로 흡수되어 간독성이 없으나 혈액 내 일정한 농도를 유지하기가 어렵고, 골다공증에 대한 효과는 아직 모르는 상태이다. 따라서 남성 호르몬은 PADAM (partial androgen deficiency in aging male) 혹은 ADAM (androgen deficiency in aging men)의 기준에 맞는 환자에서 적응이 되나 골다공증에 대한 특이적인 치료라고는 할 수 없겠다.

8. 성장호르몬

성장호르몬(1일 0.8 ~ 1.6 unit)은 투여 초기 6개월에는 요추 골밀도가 감소되지만, 치료 18개월부터는 골밀도가 증가하는 것으로 알려져 있어, 충분한 기간(18개월 이상) 치료하여야 한다. 하지만 골절에 대한 예방 효과는 아직 임상시험 결과가 없는 실정이며, 비교적 안전한 약물이지만 치료비가 고가이다.

9. 새로 개발 중인 약제

오다나카티브는 카텝신K 억제제이며 주 1회 경구투여로 폐경후 여성에서 골밀도를 증가시키고 의미있게 골절을 예방함이 입증되었으며 남성을 대상으로 한 연구가 현재 진행 중이다(clinical trials.gov: NCT01120600). 스클레로스틴 항체인 Romosozumab은 폐경후 여성에서와 같이 건강한 남성에서도 골형성 생화학적표지자를 증가시켰으며 남성 골다공증 환자에서의 효과에 대해 현재 임상연구가 진행 중이다(clinical trials. gov: NCT02186171).

참고문헌

1. 건강보험심사평가원. 골다공증질환의 의료이용 및 약제처방 양상에 관한 연구 (연구보고서 2009-08). 2010.
2. Amin S, Felson DT. Osteoporosis in men. 2001;27:19-47.
3. Anderson MS, Gendrano IN, Liu C. Odanacatib, a selective cathepsin K inhibitor, demonstrates comparable pharmacodynamics and pharmacokinetics in older men and postmenausal women. J Clin Endocrinol Metab 2014;99:552-60.
4. Boonen S, Reginster JY, Kaufman JM, Fracture risk and zoledronic acid therapy in men with osteoporosis. N Engl J Med 2012;367:1714-23.
5. Group E. Incidence of vertebral fracture in europe: results from the European Prospective Osteoporosis Study (EPOS). J Bone Miner Res 2002;17:716-24.
6. Kaufman JM, Lapauw B, Goemaere S. Current and future treatments of osteoporosis in men. Best Pract Res Clin Endocrinol Metab 2014;28:871-84.
7. Khoslan S, Melton LJ 3rd, Riggs BL. Clinical review 144: Estrogen and the male skeleton. J Clin Endocrinol Metab 2002;87:1443-50.
8. Kurland ES, Cosman F, McMahon DJ. Parathyroid hormone as a therapy for idiopathic osteoporosis in men: effects on bone mineral density and bone markers. J Clin Endocrinol Metab 2000;85:3069-76.
9. Orwoll E, Ettinger M, Weiss S. Alendronate for the treatment of osteoporosis in men. N Engl J Med 2000;343:604-10.
10. Orwoll ES, Klein RF. Osteoporosis in men. Endocr Rev, 1995;16:87-116.
11. Orwoll ES, Scheele WH, Paul S. The effect of teriparatide [human parathyroid hormone (1-34)] therapy on bone density in men with osteoporosis. J Bone Miner Res 2003;18:9-17.
12. Padhi D, Allison M, Kivitz AJ, et al. Multiple doses of sclerostin antibody romosizumab in healthy men and post- menopausal women with low bone mass: a randomized, double-blind, placebo-controlled study. J Clin Pharmacol 2014;54:168-78.
13. Reginster JY, Seeman E, De Vernejoul MC, et al. Strontium ranelate reduces the risk of nonvertebral fractures in postmenopausal women with osteoporosis: Treatment of Peripheral Osteoporosis (TROPOS) study. J Clin Endocrinol Metab 2005;90:2816-22.

14. Seeman E. Sexual dimorphism in skeletal size, density, and strength. J Clin Endocrinol Metab 2001;86:4576-84.

15. Smith MR, Egerdie B, Hernández Toriz N, et al. Denosumab HALT Prostate Cancer Study Group. Denosumab in men receiving androgen- deprivation therapy for prostate cancer. N Engl J Med 2009;361:745-55.

16. Trovas GP, Lyritis GP, Galanos A, et al. A randomized trial of nasal spray salmon calcitonin in men with idiopathic osteoporosis: effects on bone mineral density and bone markers. J Bone Miner Res 2002;17:521-7.

17. Willson T, Nelson SD, Newbold J, et al. The clinical epidemiology of male osteoporosis: a review of the recent literature. Clin Epidemiol. 2015;9:65-76.

3-7 내분비질환과 관련된 골다공증

백기현

이차성골다공증을 일으키는 내분비 질환 및 상태들로는 일차성생식선저하증(androgen insensitivity syndrome, 터너증후군, 클라인페터증후군), 이차성생식선저하증(조기폐경, 노화, 안드로겐 박탈 치료, 신경성식욕부진), 말단비대증, 부신부전, 쿠싱증후군, 성장호르몬 결핍, 당뇨병, 부갑상선기능항진증, 갑상선기능항진증과 임신이 있다.

클라인펠터증후군

클라인펠터증후군은 가장 흔한 성염색체 관련 질환으로 서구의 경우 남자 600명당 한명꼴로 발견된다. X염색체가 추가되어 가장 흔한 핵형은 47XXY이며 남자의 표현형을 보이지만 환자들은 어깨가 좁고 골반이 넓으며 체모의 양이 적고 여성형유방증, 작은 고환, 일차성생식선저하증 및 안드로겐 부족을 나타낼수 있다. 또한 표현능력이 떨어질 수 있다.

클라인펠터증후군 환자들에서 골밀도가 낮으며 골절의 발생도 건강한 성인에 비하여 흔하다. 생식선저하증이 원인일 것으로 여겨지지만 그렇다고 해서 이들 환자들에서 남성호르몬 치료로 골밀도가 증가하지는 않는 것 같고 일부 남성호르몬이 정상수준인 환자들에서도 낮은 골량이 발견되곤 한다. 한 연구에 의하면 낮은 골량은 근력, 골표지자, 진단 당시 연령 및 남성호르몬 치료 여부 등과 관계가 있었고 그 중 골밀도의 가장 강력한 예측인자는 근력이었다. 이는 이 환자들에서 근력 강화가 골절을 예방하는 좋은 방법이 될 수 있음을 시사해준다.

클라인펠터증후군에서의 골다공증 치료에 관해서는 충분한 증거가 없다. 그러나 생식선저하증 환자들에서 주요 증상의 개선과 동반이환(리비도의 감퇴, 우울증, 당뇨병, 고혈압, 이상지혈증, 비만, 근소모)들을 개선하기 위해 남성호르몬 치료를 시작할 수 있다. 그러나 테스토스테론 치료로 골밀도가 호전되고 골절위험이 감소하는지는 아직 밝혀지지 않았다. 경험적으로는 이들 환자들에서 골밀도를 정기적으로 측정하면서 비스포스포네이트를 포함한 골다공증 약제의 치료가 도움이 된다.

터너증후군

터너증후군은 고생식선자극호르몬 생식선저하증(hypergonadotropic hypogonadism)의 한 원인이며 에스트로겐 부족과 기타 다른 기전으로 골다공증을 유발한다. 터너증후군은 X염색체의 완전 혹은 부분 결손에 의해 생기고 여자들에서 저신장과 일차성 무월경의 주요한 원인이다. 여자에서 가장 흔한 성염색체 관련 질환이고 신생아 2500명당 한 명 꼴로 나타난다.

골다공증과 골절이 터너증후군에서 비교적 흔하며 난소 부전 그리고 골대사와 관련된 X염색체내 유전자의 일부부족이(haploinsufficiency) 원인으로 지목되고 있다. 그러나 어떤 연구에서는 여성호르몬 치료를 받는 터너증후군 환자들에서 같은 연령대 건강한 여성과 골밀도가 유사하였다. 골다공증 관점에서 적절한 비교가 되기 위해서는 터너증후군 환자들과 정상 핵형의 난소기능부전을 가진 여성들을 비교해야 되는데, 터너증후군 환자들에서 전완부와 같은 피질골의 골밀도가 더 낮은 것으로 보고된 바 있다. 이러한 차이는 신장, 초경나이, 여성호르몬 사용여부 및 혈중 비타민 D로 보정한 이후에도 지속되었다. 즉 터너 증후군에서는 여성호르몬의 부족 이외에도 추가로 골다공증을 조장하는 요소가 있을 것으로 여겨진다.

당뇨병

1. 당뇨병과 골대사

조직형태계측 연구들은 1형 당뇨병에서 일반적으로 골형성이 감소하고 그보다는 덜하지만 골흡수도 감소하는 결과를 보여주었다. 1형 당뇨병에서 낮은 인슐린과 낮은 IGF1이 조골세포의 기능을 저해하여 골재형성이 감소하고, 반면 2형 당뇨병에서는 비만에 의하여 인슐린과 IGF1 수준이 높아지고 골 동화작용에 기여한다고 여겨진다. 고혈당으로 인해 골기질을 구성하는 가장 중요한 단백인 콜라겐에 당화가 증가하여 (advanced glycation end products) 골형성의 감소에 기여한다. 골교체의 감소에 따른 골기질의 지나친 무기질화 및 콜라겐의 당화 증가는 당뇨병에서 골절을 증가시키는 요인이 된다. 이러한 골약화는 골밀도 측정만으로 예측하기 어렵다.

2. 골밀도

1) 제1형 당뇨병

1형 당뇨병에서 요추골골밀도는 대개 정상이고 반면 대퇴골골밀도는 낮다. 당뇨병 유병기간 및 당조절 정도와 골밀도는 상관이 없었다. 1형 당뇨병과 골밀도와의 관계에 관한 연구는 항상 일치된 결과를 보여주지는 못했는데 예를 들어 한 연구에서는 폐경전 여성에서 요추골골밀도의 증가 및 정상 대퇴골골밀도의 결과를 보여주었는데 또 다른 연구에서는 요추골골밀도가 낮은 경향을 보였다. 후자의 연구에서는 망막증과 신경증의 합병증에 이환 된 환자들이 많았고 미세혈관 합병증이 낮은 골밀도에 기여했을 것으로 추측된다.

2) 제2형 당뇨병

대부분의 연구에서 요추골, 대퇴골, 요골골밀도가 정상 혹은 증가된 소견을 보였다. 이러한 결과는 남녀 모두 동일하였고 골밀도는 체중과 밀접한 관계를 보였다. 그러나 체질량지수로 보정하여도 비만과 무관하게 증가된 골밀도 소견을 보였다. 또한 2형 당뇨병에서 나타나는 골교체의 감소는 노화와 관련된 골소실의 약화, 즉 골밀도가 덜 감소하는 현상을 일으킨다.

말초골 정량적컴퓨터단층촬영 연구는 의하면 2형 당뇨병에서는 피질골의 다공성 증가가 나타나며 골절 증가의 요인일 것으로 지목되었다.

3. 골절

대부분의 연구에서 당뇨병 환자들에서 대조군보다 골절이 증가하는 것을 입증하였다. 예를 들어 WHI 연구에서 9만3천여명의 폐경후 여성에서 약 5천2백명의 2형 당뇨병 환자가 있었고 7년동안 당뇨병 대상군의 골절 상대위험도는 1.2 (adjusted relative risk [RR] 1.20, 95% CI 1.11-1.30)였다. 한편 1형 당뇨병과 골절을 연구한 메타연구에 의하면 대퇴골 골절의 위험도가 증가하였고 당뇨병 만성합병증이 심할수록 골밀도가 낮고 골절 위험도는 증가하였다.

골절 위험은 당뇨병 유병기간, 망막병증, 백내장, 신경병증 및 인슐린 치료와 관계되어 증가하였다. 한연구에서는 시력을 보정한 이후에도 망막병증과 골절의 상관관계는 유효하였고 또한 고령의 당뇨병 환자들에서 낙상의 위험도 증가한다.

당뇨병 치료와 관계되어 골절 위험이 더욱 증가할 수도 있다. ADOPT 연구에 의하면 메트폴민이나 글리부라이드를 사용한 군보다 로시그리타존으로 치료한 환자들에서 골절발생이 흔하였다. 1형 및 2형 당뇨병 모두에서 골절 후 골절 치유가 지연된다. 골교체의 감소가 골절 치유를 지연시키는 요소로 생각된다.

요약하면 1형 당뇨병에서는 일반적으로 골밀도는 낮으며 2형 당뇨병에서는 골밀도가 정상이거나 높다. 그러나 골밀도 이외에도 당뇨병 유병기간, 만성합병증, 골질, 치료약제, 낙상과 관련되어 당뇨병이 없는 사람들에 비하여 골절이 더욱 흔하다. 현재 FRAX 체계는 당뇨병을 위험 인자로 포함하고 있지 않으며 주어진 골밀도 T-값이나 FRAX 점수에서 대상자가 당뇨병에 이환되어 있다면 골절 위험이 좀더 증가할 것으로 추측할 수 있다.

갑상선기능항진증

갑상선호르몬의 수용체가 조골세포와 파골세포에 모두 존재하며 갑상선기능저하증에 비하여 갑상선기능항진증이 뼈에 미치는 영향이 크다. 골흡수와 골형성이 모두 증가하지만 골형성과 골흡수의 비동조화(uncoupling)로 인하여 재형성 주기당 약 10%의 소실이 발생한다. 치료하지 않은 갑상선기능항진증에서 요추골과 대퇴골의 골밀도가 상당히 감소하며 갑상선기능항진증의 기왕력은 골다공증성 골절의 주요한 위험인자이다. 갑상선호르몬은 정상이면서 갑상선자극호르몬이 억제되어 있는 불현성갑상선기능항진증에서도 골절의 위험도가 증가한다.

특히 폐경후 여성에서 갑상선기능항진증이 있는 모든 환자와 혹은 불현성갑상선기능항진증이 동반된 경우에도 골다공증의 진행에 유의해야 한다. 폐경후여성에서 갑상선암의 수술적 치료이후와 같이 억제용량의 갑상선호르몬을 복용하는 경우에는 최소한의 효과적 용량을 선택하는 것이 좋고 적응이 된다면 비스포스포네이트 치료를 병행할 수도 있다. 기증저하증에서 갑상선호르몬을 복용할 경우 갑상선자극호르몬이 억제되지 않으면 골소실까지 진행하지는 않는 것 같다.

부갑상선기능항진증과 골다공증

1) 골밀도

일차성부갑상선기능항진증 환자들에서도 낮은 골밀도가 흔히 관찰된다. 골밀도의 감소는 특히 피질골이 풍부한 전완부와 대퇴골에서 잘 나타나며 해면골이 좀더 많은 요추골에서는 골소실이 덜하다. 임상연구에 의하면 부갑상선절제술 이후에 골밀도가 증가된다. 부갑상선기능항진증에서 골밀도는 반드시 측정해야 하며 요추골, 대퇴골 이외에도 전완부 골밀도 측정이 필요하다. 골밀도 측정에서 골다공증이 심한 것은 부갑상선기능항진증의 정도가 심한 것을 의미하며 수술적 치료여부를 결정하는 주요한 지표이다.

부갑상상선기능항진증에서 조직형태계측 연구는 피질골은 얇아진 반면 해면골은 보존된 양상을 보여준다.

2) 골절

피질골이 주로 영향을 받고 해면골은 상대적으로 보존된 골밀도 혹은 조직형태계측연구를 감안하면 골절은 피질골이 풍부한 곳에서 더욱 호발할 것 같지만 많은 관찰 연구에서 요추골 골절의 증가가 더 많은 것으로 보고되었다. 407명의 경미한 일차성부갑상선기능항진증 환자들에서 14년간의 경과 관찰기간동안 471예의 골절이 발생하였고 척추골, 전완부 말단 및 골반 골절이 각각 2배에서 3배까지 증가하였다. 또다른 연구에 의하면 1800명의 일차성부갑상선기능항진증 환자들중 남성에서는 대퇴골 골절이 증가하였지만 여성에서는 대퇴골 골절의 증가를 관찰할 수 없었다. 메이요클리닉의 28년간의 과거조사 연구에서도 환자들에서 척추, 요골, 늑골, 골반골의 골절이 빈번하였지만 대퇴골 골절의 증가는 미미하였다.

일차성부갑상선기능항진증에서 단순히 특정위치의 골밀도 변화만으로 골절의 발생을 해석하기가 어려우며 골의 질에 영향을 미치는 다른 요소들에 질환이 미치는 영향을 감안하여야 한다. 예를 들어 증가된 부갑상선호르몬은 골내막 골흡수(endoosteal bone resorption)를 증가시켜서 피질골을 얇게 만들지만 또한 골외막 부가성장(periosteal apposition)을 촉진하여 뼈의 외경이 증가된다. 일반적인 골밀도 측정으로 면적 골질도는 감소하여 골절 위험이증가하더라도 뼈의 외경이 증가하고 해면골의 미세구조가(trabecular microachitecture) 보존되어 골절에 대한 저항성이 증가한다.

3) 낭성섬유뼈염(Osteitis fibrosa cystica)

일차성부갑상선기능항진증에 의해 나타나는 뼈의 고전적인 병태생리는 낭성섬유뼈염이다. 임상적으로는 골통을 호소할 수 있으며 방사선학적으로 중간손가락뼈의 요골쪽에 나타나는 골막하골흡수(sub periosteal bone resiortion), 쇄골 원위부의 점감(tapering), 두개골의 salt and pepper 양상, 골낭종(bone cysts) 및 장골의 갈색종양(brown tumor)을 특징으로 한다. 갈색종양은 과도한 파골세포 활성에 의해 나타나며 파골세포들과 섬유질조직 그리고 무기질화가 덜된 무층뼈(woven bone)들이 뭉쳐져서 만들어진다. 낭성섬유뼈염은 현재로서는 매우 드물면 부갑상선암과 같은 심한 부갑상선기능항진증에서 발견되곤 한다.

전립선암과 안드로겐 제거치료(ADT)

어떠한 원인이던 안드로겐 결핍은 골소실을 유발하고 골절위험을 증가시키다. 최근에는 전립선암의 치료와 관련되어 안드로겐 제거치료가 빈번히 시행되고 있다. 전립선암의 5년 생존율은 95%에 이르며 높은 장기생존율과 더불어 안드로겐의 결핍은 골대사에 충분히 나쁜 영향을 줄 수 있다.

ADT의 목표는 심한 중등도의 성선기능저하증이며 치료받은 환자의 95%이상에서 테스토스테론 혈중농도가 20ng/dl이하로 감소한다. ADT를 시작하고 6-9개월 이내에 골밀도가 감소하기 시작하며 연간 2-3%의 속도로 골밀도가 감소한다. 이러한 골소실로 5년 간의 치료중 골절위험이 20% 정도 증가한다.

전립선암의 골전이는 조골세포와 파골세포를 모두 활성화 시켜서 골교체율을 증가되고 ADT를 시작하기 이전에 이미 골다공증에 이환되어 있을 가능성이 있다. ADT이후 골교체율이 증가하고 말초에서의 테스토스테론 → 에스트로겐 전환도 감소하므로 이러한 부작용은 더욱 심해진다.

참고문헌

1. Bakalov VK, Axelrod L, Baron J, et al. Selective reduction in cortical bone mineral density in turner syndrome independent of ovarian hormone deficiency. J Clin Endocrinol Metab 2003;88:5717-21.
2. Bojesen A. Bone mineral density in Klinefelter syndrome is reduced and primarily determined by muscle strength and resorptive markers but not directly by testosterone. Osteoporosis Int 2011;22:1441-50.
3. Bonds DE, Larson JC, Schwartz AV, et al. Risk of fracture in women with type 2 diabetes: the Women's Health Initiative Observational Study. J Clin Endocrinol Metab 2006;91:3404-10.
4. Burghardt AJ, Issever AS, Schwartz AV, et al. High-resolution peripheral quantitative computed tomographic imaging of cortical and trabecular bone microarchitecture in patients with type 2 diabetes mellitus. J Clin Endocrinol Metab 2010;95:5045-55.
5. Coleman RE, Banks LM, Girgis SI, et al. Skeletal effects of exemestane on bone-mineral density, bone biomarkers, and fracture incidence in postmenopausal women with early breast cancer participating in the Intergroup Exemestane Study (IES): a randomised controlled study. Lancet Oncol. 2007;8:119-27.
6. Epstein S, Leroith D. Diabetes and fragility fractures - a burgeoning epidemic? Bone 2008;43:3-14.
7. Ferrari-Lacraz, S. & Ferrari, S. Do RANKL inhibitors (denosumab) affect inflammation and immunity? Osteoporosis Int 2011;22435-46.
8. Kayath MJ, Dib SA, Vieira JG. Prevalence and magnitude of osteopenia associated with insulin-dependent diabetes mellitus. J Diabetes Complications 1994;8:97-107.
9. Khosla S, Melton LJ 3rd, Wermers RA, et al. Primary hyperparathyroidism and the risk of fracture: a population-based study. J Bone Miner Res 1999; 14:1700-7.
10. Leslie WD, Rubin MR, Schwartz AV, et al. Type 2 diabetes and bone. J Bone Miner Res 2012;27:2231-7.
11. Parisien M, Mellish RW, Silverberg SJ, et al. Maintenance of cancellous bone connectivity in primary hyperparathyroidism: trabecular strut analysis. J Bone Miner Res 1992;7:913-9.
12. Shahinian VB, Kuo YF, Freeman JL, et al. Risk of fracture after androgen deprivation therapy for prostate cancer. N Engl J Med 2005;352:154-64.
13. Strotmeyer ES, Cauley JA, Schwartz AV, et al. Diabetes is associated independently of body composition with BMD and bone volume in older white and black men and women: The Health, Aging, and Body Composition Study. J Bone Miner Res 2004;19:1084-91.

14. Tuominen JT, Impivaara O, Puukka P, et al. Bone mineral density in patients with type 1 and type 2 diabetes. Diabetes Care 1999;22:1196-200.

15. van Lierop AH, Hamdy NA, van der Meer RW, et al. Distinct effects of pioglitazone and metformin on circulating sclerostin and biochemical markers of bone turnover in men with type 2 diabetes mellitus. Eur J Endocrinol 2012;166: 711-16

16. Wheater G, Hogan VE, Teng YK, et al. Suppression of bone turnover by B-cell depletion in patients with rheumatoid arthritis. Osteoporos Int 2011;22:3067-72.

3-8 약제에 의한 골다공증

변동원

골다공증 치료는 현재 칼슘과 비타민D를 기본으로 하여 여성호르몬 보완 요법, 경구용 및 주사용 비스포스포네이트제제, 칼시토닌, SERM (Selective Estrogen Receptor Modulator) 제제, 부갑상선호르몬 제제, 티볼론 및 식물성에스트로겐, 성장호르몬 및 안드로겐, 불소 등을 포함하여 향후 등장할 새로운 약제로 RANKL 항체인 데노수맙(Denosumab), 카텝신K 억제제인 오다나카티브(Odanacatib)나 ONO-5334 등이 계속 개발되고 있다. 이러한 약제들은 그 작용기전들이 골흡수 억제와 골형성 촉진인데, 다른 질환의 치료 목적으로 많은 약제들을 사용하는 경우 일부 약제들이 골다공증 치료제의 작용기전에 역행하거나, 방해하는 경우가 있기 때문에 임상에서 일반 약제의 선택에 있어 신중을 고려해야 한다.

임상에서 다른 질환의 치료 시 골대사에 영향을 주어 골다공증을 유발하는 약제들에는 크게 호르몬제제와 항경련제 및 항우울제, 항응고제를 포함한 심혈관 약제들, 면역억제제, 소화기 질환 약제들로 나눌 수 있으며(표 3-8-1), 이러한 약제들을 사용할 때에는 골밀도 및 골표지자들의 모니터링으로 골 감소 발생 여부를 세심히 관찰하고, 일부 심한 골다공증 골절에 이환된 폐경여성이나 고위험군 대상자에게는 다른 대체 약제를 선택할 필요가 있다.

표 3-8-1 Drugs associated with osteoporosis

경구 및 주사	
Hormonal therapy	• Glucocorticoids • Thyroid hormone • Aromatase inhibitors • Ovarian suppressing agents • Androgen deprivation theraphy • Thiazolidinediones
Psychotropic and anticonvulsant therapy	• Selective serotonin reuptake inhibitors • Anticonvulsants
Drugs used for cardiovascular diseases	• Heparins • Oral anticoagulants • Loop diuretics
Drugs targeting the immune system	• Calcineurin inhibitors • Anti-retroviral therapy
Drugs used for gastrointestinal diseases	• Proton pump inhibitors

호르몬 약제

1. 스테로이드 약제

스테로이드 약제는 여러 분야에서 광범위하게 쓰이는 항소염, 항진통제로 널리 알려져 있지만 그 외에도 장기이식후 또는 각 종 자가 면역질환에 탁월한 면역억제 효과로 많이 사용되고 있다. 글루코코르티코이드는 이차성 골다공증의 가장 흔한 원인이며, 골다공증을 유발시키는 기전은 초기에는 골흡수 증가를 유발시키지만 주된 작용은 골형성에 관여하는 조골세포 분화의 장애를 유발시켜 골형성 억제가 발생하여 골절의 위험도가 증가하게 된다. 즉 조골세포의 증식, 분화, 기능 억제 및 수명 감소에 따른 골형성의 감소, 파골 세포의 활동성 증가에 의한 골흡수의 증가를 일으키고 장에서 칼슘 흡수감소, 신장에서 칼슘 배설 증가, 성호르몬의 합성 감소 등 여러 기전을 통해 골밀도를 감소시키고 골절 위험을 증가 시킨다. 스테로이드 사용량에 관계없이 뼈의 손실과 골절의 위험이 증가하는 것으로 되어 있으며, 이는 프레드니졸론 최소 사용량인 2.5mg을 써도 척추 및 대퇴골골절이 증가하며, 7.5mg을 매일 사용 시 골절의 위험은 5배로 증가하고, 10mg을 3개월간 사용 시 척추골절이 17배 증가한다고 보고된 바 있다. 즉 프레드니손 1일 2.5 ~ 7.5 mg에 해당하는 저용량도 3 ~ 6개월 이상 투약하면 골절 발생 위험이 증가하며, 수년 이상 장기간 글루코코르티코이드를 투여한 환자의 30 ~ 50%에서 골밀도의 감소와 골절이 발생할 수 있다. 그러므로 가능한 단기간에 저용량을 사용 후 중단하는 것이 좋다. 이러한 스테로이드 유발성 골다공증의 경우 골절의 발생도 일반 폐경 후 골다공증에서 발생하는 것과 양상이 다르다. 따라서 골밀도검사에서 T-값이 -1.0에서 -1.5 사이라도 프레드솔론을 5 mg 이상을 3개월 이상 사용할 경우 골다공증성 골절의 발생을 예방하기 위한 치료를 고려하여야 한다. 또한 질병의 특성 상 장기간 스테로이드를 사용해야 할 경우 최소 1년마다 골밀도검사 및 골표지자 검사 등을 통하여 골감소의 진행을 면밀히 관찰하여야 하며 골다공증성 골절의 예방 및 치료에 주의하여야 한다. 치료로는 칼슘과 비타민D 의 공급과 아울러 비스포스포네이트 제제가 잘 연구되어 있으며, 부갑상선호르몬 치료도 효과적인 것으로 알려져 있다.

2. 갑상선호르몬

갑상선호르몬제는 갑상선기능저하증과 갑상선비대, 갑상선암 수술 후 보충요법으로 많이 사용되고 있는 약제로 일부 문헌상에 약 25%정도는 과도한 갑상선 호르몬 보충으로 문제가 되고 있음을 지적하고 있다. 갑상선호르몬은 골대사를 항진시켜 시토카인의 생성을 증가시켜 골교체율이 빨라지며 골흡수를 높이고, 골재형성 기간이 단축되어 골소실이 발생한다. 골밀도를 회복시키기 위해 갑상선 기능을 정상화하는 것이 중요하다. 최근 보고에 의하면 갑상선자극호르몬(TSH)이 골흡수 억제 역할을 하는데 갑상선호르몬 보충이 과하게 되었을 경우 억제된 TSH로 인해 골흡수가 항진되는 것으로 알려졌다. 특히 폐경여성에서 갑상선암 수술 후 TSH 억제 치료 중에는 척추 및 대퇴골골절의 발생이 3-4배 증가하는 것으로 보고되고 있어 골다공증 치료 약제의 사용으로 골절의 예방에 주의하여야 한다. 장기간의 TSH 억제요법은 비스포스포네이트의 효과를 감소시킬 수도 있다는 보고도 있어 골밀도의 정기적인 관찰이 중요하다. 갑상선기능저하증 환자에서 TSH를 정상 범위내로 유지할 만큼 보충 요법을 하면 골밀도는 감소하거나 골절 위험이 증가하지 않는다.

3. 아로마타제억제제(Aromatase inhibitors)

아로마타제 억제제는 폐경여성의 에스트로겐수용체 양성 유방암(ER +)이나 난소암에 매우 효과적인 약제로 타목시펜에 비해 자궁내막 등에 영향이 없으며 혈전증의 발생위험도가 없어 유방암 환자에 주로 많이 쓰이는 약제이다. 작용기전은 안드로겐의 방향화를 억제하여 에스트로겐 농도가 감소하고 유방암의 치료에 유효하지만, 에스트로겐의 부족은 골흡수를 증가시키는 문제를 일으킨다. 유방암에 대한 효과는 타목시펜보다 월등하지만 척추골절의 위험도는 40% 이상 증가시키므로 조심하여야한다. 일부 보고에서는 골밀도의 결과와 관계없이 골절이 발생할 수 있다는 보고도 있다. 이처럼 아로마타제 억제제를 사용하여 발생하는 골다공증에 대한 예방을 위해서는 졸레드론산과 리세드로네이트, 데노수맙 등의 처방을 고려해야 한다. 또한 골다공증으로 진단된 유방암 환자에서 아로마타제억제제를 사용할 경우 골다공증성 골절을 예방하기 위한 약제를 꼭 선택해야 하며 매 1-2년마다 골밀도로 확인해야 한다.

4. 난소 억제제(Ovarian suppressing agents)

성선자극호르몬방출호르몬 작용제(GnRH, Gonadotropin-releasing hormone agonists)는 뇌하수체의 성선자극호르몬방출호르몬 수용체에 작용하여 황체형성호르몬(LH)과 난포자극호르몬(FSH) 등의 성선자극호르몬이 생성되지 못하게 함으로써 성선호르몬의 분비를 억제하여 자궁내막염이나 유방암의 치료에 효과적으로 이용된다. 이로 인한 에스트로겐의 부족으로 인한 골감소시에는 골밀도검사에서 매년 6%정도 골밀도가 감소하는 것으로 알려져 있으나, 정상골밀도를 갖고 있는 여성에서는 골다공증성 골절이 증가하지는 않는다고 보고되고 있다. 이러한 약제를 장기간 사용하는 환자에서는 매년 골밀도로 확인해야 한다.

5. 안드로겐 억제제(Androgen deprivation drugs)

안드로겐 억제역할은 GnRH를 사용하여도 같은 효과를 얻을 수 있으며, 이는 전립선암의 치료에 도움이 된다. 전립선암의 세포의 성장을 위해서는 테스토스테론과 같은 안드로겐 호르몬이 필요하기 때문에, 안드로겐 억제제(androgen deprivation drugs)를 전립선암의 치료에 사용할 수 있는 것이다. 안드로겐 억제제를 사용할 경우 골표지자들의 상승과 골소실, 근육량의 저하 및 지방조직의 증가 등으로 골절의 위험이 높아진다. 약 1년 정도의 치료로 골밀도가 2-5% 정도 감소하며 척추 및 대퇴골골절은 40-50% 정도 증가하므로 전립선암 치료 시 주의해야 한다. 특히 전립선암의 10년 생존률이 80-90%에 이르는 것을 감안할 때 장기간의 전립선암치료 시에는 비스포스포네이트와 데노수맙 등의 치료로 골다공증성 골절을 예방하여 삶의 질이 저하되지 않도록 주의한다.

6. Thiazolidinediones (TZD)

TZD는 핵 수용체인 PPARγ (peroxisome proliferator-activated receptor-γ) 작용제로 당뇨병환자에게 인슐린저항성을 낮춰주는 약제로 많이 사용되고 있다. 심장질환의 발생의 위험과 간 기능약화, 골밀도 저하 등의 이유로 로지글리타존(rosiglitazone)의 경우 현재 사용되지 않으며, 현재는 피오글리타존(pioglitazone)만 사용되고 있는 실정이다. 이 약제는 중간엽세포가 조골세포로의 분화를 억제하며 지방세포 증식(adipogenesis)을 유도하는 작용과 IGF1의 발현을 감소시키는 작용으로 골형성의 감소를 유발하여, 장기간 사용 시 폐경 후 여성에서 골절의 위험도를 4배 정도 증가하는 것으로 보고되었다. 그러므로 TZD를 사용하는 환자에서는 골밀도로 주의 깊게 관찰하다 골소실이 심화된 환자나 골절의 고위험군에서는 TZD 계통의 약제를 가능한 피하는 것이 좋다.

항우울제 및 항경련제

1. 선택적 세로토닌 흡수 억제제(SSRIs, Selective serotonin reuptake inhibitors)

SSRIs는 주요우울장애나 불안장애의 치료에 사용하는 항우울제이다. 조골세포와 골세포에는 세로토닌 수용체가 존재하는 것으로 알려져 있는데 세로토닌 흡수 억제제를 사용하면, 이들 세포의 기능을 억제시켜 골소실이 증가할 수 있는 것으로 알려져 있다. 또한, 대부분의 우울증 환자의 경우 고령이거나 운동성 저하를 동반하고 있고 쉽게 넘어질 수 있는 상황이어서 생각보다 많은 경우에서 골절이 발생하고 있어 주의하여야 한다.

2. 항경련제

항경련제의 골밀도 감소의 이론적 근거는 미약하지만 비타민D 대사를 촉진시키고 조골세포의 기능을 억제하는 것으로 알려져 있어 장기간 사용 시 골절의 위험도가 약 2배정도 증가하는 것으로 알려져 있으며, 대부분의 항경련제 사용 환자들이 항경련제를 장기간 사용하게 되므로 정기적인 골밀도 관찰이 필요하며 칼슘, 비타민D의 측정과 보충에도 신경을 써야 한다.

심혈관 질환 약제

1. 헤파린

헤파린은 정맥 혈전증의 예방과 치료에 광범위하게 사용되는 약제로 이는 조골세포의 분화와 기능을 억제하여 골감소를 유발하는 것으로 알려져 있다. 일부 보고에 의하면 헤파린을 사용 후 3-6개월 후 척추골절이 15%에서 발생하였으며 저분자량 헤파린의 경우 기존의 헤파린보다 골감소가 적게 발생하며 최근 개발된 fondaparinux의 경우 골감소가 관찰되지 않아 골다공증의 위험도가 있는 고령의 환자에서는 약제의 선택에 유의하여야 한다.

2. 항응고제

항응고제는 심부정맥 혈전증의 치료에 사용되는데, 비타민K 억제효과로 골소실을 유발하는 것으로 알려져 있으나 아직 충분한 보고는 없는 상태이다.

3. 이뇨제(Diuretics)

대표적인 이뇨제인 라식스(Lasix)는 심부전 등에 널리 사용되는 약제로 나트륨과 클로라이드의 재흡수를 억제하며, 이는 칼슘의 재흡수도 억제시켜 골형성이 저하된다. 대부분 고령에서 장기간 사용하게 되므로 정기적인 전해질 검사와 칼슘측정, 골밀도 측정으로 골절을 예방하여야 한다.

소화기 질환 치료제

1. 위산분비억제제

프로톤펌프 억제제(PPI)는 상부위장관 점막세포에서 양성자펌프를 억제하여 위산분비를 저하시키는 작용을 보여 위산분비의 조절이 필요한 질환에 주로 사용되고 있다. 이러한 기전은 생체 밖의 시험관실험에서 파골세포에 있는 주름경계에서 양성자펌프를 억제해 골감소를 유발하지만, 생체 내에서는 위장관의 칼슘섭취를 억제하여 골밀도를 감소시키고 골절의 위험도를 증가시키는 것으로 알려져 있다. 양성자펌프 억제제 사용에 따른 골절은 장기간 사용 시 증가되며 약을 중지하고 1년정도 지나면 대부분 회복되는 것으로 보고되고 있다.

참고문헌

1. Compston J. US and UK guidelines for glucocorticoid-induced osteoporosis: similarities and differences. Curr Rheumatol Rep 2004;6:66-9.
2. Gherardo M, Ernesto C, Andrea G. Drug-induced Osteoporosis: Mechanisms and clinical implications. Am J Med 2010;123:877-84.
3. Kahn SE, Zinman B, Lachin JM, et al. Rosiglitazone-associated fractures in type 2 diabetes: an analysis from A Diabetes Outcome Progression Trial (ADOPT). Diabetes Care 2008;31:845-51.
4. Kilbreath S, Refshauge KM, Beith J, et al. Prevention of osteoporosis as a consequence of aromatase inhibitor therapy in postmenopausal women with early breast cancer: rationale and design of a randomized controlled trial. Contemp Clin Trials 2011;32:704-9.
5. Mitra R. Adverse effects of corticosteroids on bone metabolism: a review. PMR 2011;3:466-71.
6. Panico A, Lupoli GA, Fonderico F, et al. Osteoporosis and thyrotropin-suppressive therapy: reduced effectiveness of alendronate. Thyroid 2009;19:437-42.
7. Petty SJ, O'Brien TJ, Wark JD. Anti-epileptic medication and bone health. Osteoporos Int 2007;18:129-42.
8. Vestergaard P, Rejnmark L, Mosekilde L. Proton pump inhibitors, histamine H2 receptor antagonists, and other antacid medications and the risk of fracture. Calcif Tissue Int 2006;79:76-83.
9. Wu Q, Bencaz AF, Hentz JG, et al. Selective serotonin reuptake inhibitor treatment and risk of fractures: a meta-analysis of cohort and case-control studies. osteoporos Int 2012;23:365–75.

3-9 악성종양, 이식과 관련된 골다공증

한제호

악성종양에 의한 골질환은 유방암, 폐암, 전립선암과 같은 경우 암 조직에서 분비되는 골흡수 물질들의 작용과 종양의 골전이로 발생하며, 치료와 관련된 스테로이드, 에스트로겐 억제제, 화학요법 관련 난소기능부전, 안드로겐 억제제 투여 등은 골다공증 발생의 주요 원인이다. 신장, 췌장, 심장, 간, 폐와 같은 고형 장기의 치명적인 만성질환 그리고 혈액 질환을 앓고 있는 환자들에게 조혈모세포이식술을 포함하는 장기이식술은 중요한 치료 방법이다. 최근 발전된 수술 기법과 더불어 칼시뉴린 억제제인 시클로스포린 A와 tacrolimus 같은 면역억제제의 개발로 이식 받은 환자의 생존율이 현저히 향상되었으나 이에 따른 단기 및 장기 합병증도 증가하게 된다. 특히 이식 후 장기적으로 발생할 수 있는 골다공증과 골절은 환자의 삶의 질에 중대한 영향을 미칠 수 있으므로 이에 대한 이해가 필요하다.

악성종양과 관련된 골질환

2010년 세계보건기구(WHO) 보고에 따르면 2030년에는 세계적으로 3백만 명 이상의 환자가 악성종양으로 사망할 것으로 예측하고 있다. 암으로 사망한 환자의 약 90%에서 종양의 전이를 가지고 있고 대다수의 악성종양들에서 골전이가 일어난다. 골전이가 없는 경우에도 원발성 종양의 치료에 의해 이차적으로 골소실의 위험도가 증가하는데, 에스트로겐수용체 양성인 유방암 환자에서 aromatase 억제제 투여 혹은 전립선암에서 안드로겐 박탈요법이 대표적인 예이다.

1. 악성종양에 의한 골질환의 발생 기전

1879년 Stephan Paget이 'seed and the soil' 이론에서 골재형성과 전이 암세포 간의 연관성을 처음 설명한 이후 악성종양의 골전이와 연관된 골질환에 관한 수많은 연구가 진행되었다. 암과 연관된 골질환에서 골절은 종양의 국소적 골전이로 인한 효과 때문이거나 종양에서 분비되는 PTHrP, RANKL, IL3, IL6 등과 같이 골흡수를 촉진하는 호르몬이나 사이토카인들 때문에 일어난다. 또한 암의 원발병소를 제거하기 위해 사용되는 항암요법에 의한 성선기능저하증에 의해서도 발생한다.

골조직의 미세환경은 원발병소에서 전이되거나 골수종 또는 임파종과 같이 혈액을 통해서 도달한 암세포의 성장에 적합한 조건을 제공한다. 원발성 암세포가 운동성과 침투성이 증가하고 골조직 혹은 골수내로의 특이적 친화성(tropism)을 가지게 되면 전이 능력을 얻게 된다. 이와 더불어 인테그린과 같은 다양한 부착분자(adhesion molecule)를 분비하는데, 골수 내에 존재하는 간질세포의 인테그린수용체 혹은 오스테오폰틴과 같은 비콜라겐성 단백질과 결합 가능하다. 암세포가 혈액 내로 순환하게 될 때 골수 내 굴모세혈관(sinusoid capillary)의 내피세포를 통과하여 골수 내 환경으로 도달하게 된다.

원발성 암병변의 골전이는 X-선 영상에 나타나는 양상에 따라 골용해성(osteolytic), 골경화성(osteoblastic/osteosclerotic), 혼합성전이로 분류된다. 골용해성전이는 다발성골수종, 신세포암, 갑상선암, 비소세포성폐암, 악성흑색종 등에서 볼 수 있고, 파골세포분화를 촉진시키는 RANK/RANKL/OPG 체계를 통해 일어난다고 알려져 있으며 이와 연관된 사이토카인은 IL1, IL6, IL8, IL11, TNF α 등이 관여 한다. 골경화성 전이의 대표적인 예는 전립선암이며 조직학적으로 암세포 주위에 새로이 형성된 골소주가 관찰된다. 전립선암세포는 PTHrP를 포함하는 다수의 파골세포 촉진 사이토카인을 분비하지만 이들과 함께 부분적으로 PTHrP 혹은 IGF 결합단백질을 분해하는 단백분해효소의 일종인 PSA를 동시에 분비한다. 또한 조골세포분화를 증가시키는 ET1, IGF1, IGF2, FGF2, VEGF를 분비하는데, 이들에 의해 활성화된 조골세포는 IL6, TGFß, PDGF-BB 등의 강력한 암세포 성장인자를 분비하므로 골용해성 및 골경화성 전이 모두에서 암세포에 의해 자극된 조골 및 파골세포는 다시 암조직의 성장과 진행을 촉진시키는 악순환을 일으킨다. 다발성골수종의 경우 IL6, macrophage inflammatory protein1α/CCL3 등 파골세포의 분화를 촉진하는 사이토카인과 조골세포의 분화에 관여하는 Wnt 경로를 억제하는 DKK1, sFRP2 등을 분비한다. 따라서 다발성골수종에서 나타나는 주된 조직학적 병변은 골파괴의 결과로 인한 천공을 동반한 피질골의 골소주 소실이다.

2. 악성종양과 연관된 골소실과 골절

암치료와 연관된 골소실의 원인은 항암제, 호르몬제거요법, 글루코코르티코이드, 수술적 거세, 방사선조사 등에 의한 생식선저하증이다. 폐경 전 여성 환자에서 암치료 후 난소기능상실이 발생한 경우에는 첫 일년 내에 척추골과 대퇴골에서 각각 8%, 4% 정도의 골소실이 일어난다. 유방암에서는 환자의 나이와 항암제 종류에 따라 조기 난소기능상실의 위험도가 증가하는데, CMF와 FAC항암요법의 경우 각각 60-80%, 50%에서 이상이 발견되고 30-39세, 40-49세, 50세 이상에서는 33%, 96%, 100%의 조기 난소기능상실이 발생한다. 에스트로겐수용체 양성 유방암에서 아로마타제억제제 사용은 골밀도의 감소와 골절위험도를 증가시키는데, 3세대 억제제인 letrozole과 anastrozole은 타목시펜과 비교하여 골절위험도를 40% 증가시킨다고 알려져 있다. 성선자극호르몬 분비 억제를 위한 GnRH 작용제 투여로 폐경 전 유방암 환자에서 일 년에 약 6% 정도의 골감소가 일어나며, 전립선암 환자에서 안드로겐박탈요법은 12개월간의 치료 후 대퇴골, 요골, 요추 골밀도를 2-5% 정도 감소시키고 척추 및 대퇴골골절위험도를40-50% 증가시킨다.

조혈세포암 치료를 위한 대분분의 항암요법에 포함되는 글루코코르티코이드는 고용량으로 장기간 투여되기 때문에 경구용 코르티코스테로이드의 경우 골절위험도를 50-100% 증가 시킨다. 또한 항암치료에 의한 비타민D결핍증, 근감소증 혹은 종말증(cachexia), 운동감소 등도 간접적으로 뼈의 건강에 나쁜 영향을 미칠 수 있다.

3. 항암요법을 받고 있는 환자에서의 골절위험도 평가

암환자들에서 DXA를 사용하여 골밀도를 측정할 때에는 골파괴성 혹은 골경화성 전이 부위가 골밀도 측정의 관심부위에 포함될 경우 측정값이 변할 수 있으므로 판독에 유의하여야 한다. 안드로겐박탈요법으로 인한 성선기능저하증과 부갑상선기능항진증이 암치료 중 발생하였을 때에는 요골의 골밀도 변화를 확인하여야 한다.

암환자들을 위한 임상지침들에서 아로마타제억제제를 사용하고 있는 폐경 후 유방암 환자, 암치료에 의한 난소부전이 동반된 폐경 전 여성, 그리고 안드로겐박탈요법 중인 전립선암 환자들에게 골밀도 측정을 권고하고 있고, ASCO (American Society of Clinical Oncology) 임상지침에서는 아로마타제억제제를 사용하고 있는 폐경 후 유방암 환자와 암치료에 의한 조기 폐경이 발생한 폐경 전 여성 환자의 경우 골밀도 측정을 권고하고 있다.

FRAX는 일반적인 40세 이상의 남성과 폐경 후 여성에서 10년 내의 대퇴골과 주요 골다공증골절의 위험도를 평가하기 위해 개발되었으나, 이를 암환자에 적용하기에는 다른 위험인자들이 포함되지 않았으므로 이 방법을 실제 임상에 적용하기는 아직은 불가능하다.

4. 악성종양과 연관된 골질환의 예방 및 치료

생활습관중재는 암환자의 치료 과정에서 환자의 삶의 질을 향상시키고 충분한 용량의 약물 투여를 위해 매우 중요하다. 일주일에 5일 이상, 하루에 30분 이상의 신체적 활동을 유지하고 비타민D저하증을 예방하기 위해 하루 1,000 mg의 칼슘과 800 IU의 비타민D를 섭취하여 혈청 25(OH)D 치를 20 ng/mL 이상으로 유지하여야 한다. 골전이가 없고 성호르몬박탈요법이 필요하지 않은 암환자에서는 일반적인 환자들과 같이 골다공증성 골절위험도를 평가하며, 폐경후여성과 50세 이상의 남성 환자에서 골밀도 측정으로 골다공증이 진단되면 이차성 골다공증의 원인들을 확인하여야 한다.

5. 골전이성 골질환의 예방 및 치료

골전이성 유방암의 경우 데노수맙을 4주 간격으로 120 mg 피하주사하며, 파미드로네이트 혹은 졸레드론산을 3-4주 간격으로 각각 90 mg, 4 mg 정맥주사한다. 다발성골수종 환자에게는 클로드로네이트 복용보다 졸레드론산 혹은 파미드로네이트 주사가 더 선호된다. 아로마타제억제제를 사용하고 있는 유방암과 골전이가 일어나지 않은 전립선암에서 안드로겐박탈요법 치료는 그림 3-8-1, 그림 3-8-2에 요약되어 있다.

이식후 골다공증의 기전

이식후 골다공증의 기전으로는 이식 전 환자의 골소실을 일으킬 수 있는 골다공증의 일반적 위험인자와 더불어 스테로이드와 칼시뉴린억제제를 포함하는 면역억제제가 매우 중요한 역할을 한다. 고형 장기 이식의 경우 기저질환들은 대부분 만성질환으로 긴 투병기간을 지나면서 이미 골소실이 진행된 반면, 조혈모세포이식의 경우 급성혈액질환을 대상으로 하므로 비교적 초기에 이식이 시행되므로 이식 후 골대사에 미치는 영향은 고형장기이식 보다 적은 것이 일반적이다.

글루코코르티코이드는 이식 후 가장 많이 사용하는 면역억제제로서, 초기에는 고용량을 사용한 후 빠르게 감량하며 만일 거부반응이 발생할 경우 다시 증량을 한다. 이식 후 3-12개월 사이에 주로 해면골에서 골소실이 가장 많이 일어난다. 약제의 작용 기전으로는 조골세포의 증식 및 분화를 억제하고 장 및 신장에서의 칼슘 흡수를 억제하여 이차성부갑상선기능항진증을 초래하고 성선기능을 저하시켜 간접적으로 골흡수가 증가된다. 이식 후 후반기에는 글루코코르티코이드의 투여량이 점차 감소하여 하루 5 mg 이하로 사용하게 될 때에는 억제되었던 조골세포의 기능이 회복 되면서 골형성이 증가되며, 최근 the United States Renal Data를 이용한 연구에서 신장이식후 조기에 스테로이드 중지 시에 31% 정도 골절위험도를 감소시킬 수 있다는 임상 결과를 보였다.

사이클로스포린 A (CsA)는 T세포 인산분해효소인 칼시뉴린을 억제하는 펩티드로서 이식 후 사용하는 대표적인 면역억제제이다. 시험관내 연구에서 CsA는 성숙한 파골세포를 직접 자극하고 T세포를 통해 간접적으로 파골세포를 자극하는 사실이 알려졌으나, 임상적으로 골대사에 미치는 결과들은 아직 정립되어 있지 못하다. tacrolimus (FK506) 또한 칼시뉴린억제제이며 T세포 활성화 및 증식을 억제하고 이에 관련되는 시토카인들의 유전자 발현을 억제한다. 간 및 심장이식의 경우 환자의 골소실 정도에 미치는 임상 연구들을 살펴보면 결과들이 일치하지 않고 있다. 그 이유는 tacrolimus병합요법이 상대적으로 글루코코르티코이드 투여량을 줄일 수 있었기 때문으로 추측 된다. CsA와 tacrolimus는 글루코코르티코이드와 달리 약제의 지속적인 투여로 골흡수는 지속적으로 일어나게 되나, 결국 이식 후반기에 억제되었던 골형성이 일부 회복됨에 따라 골감소 정도가 완화된다. 또 다른 면역억제제인 azathioprine, sirolimus (rapamycin), mycophenelate mofetil, daclizumab 역시 글루코코르티코이드 용량을 줄일 수 있어 골소실 억제 효과를 나타낼 수 있을 것이라 예상되지만 임상적 유용성에 대한 더 많은 연구가 필요하다.

1. 장기이식과 연관된 골다공증의 특성

1) 신장이식

이식전 환자들은 이미 만성신장질환에서의 골질환(CKD-MBD, chronic kidney disease-mineral bone disease)인 이차성부갑상선기능항진증에 의한 낭성섬유성골염(osteitis fibrosa cystica), 골연화증, 무력성(adynamic) 골질환, 그리고 알루미늄 골질환들 중 하나 이상의 대사성 골질환을 가지고 있다. 또한 남녀 환자 모두에서 성선기능저하증 및 대사성산증이 발생하고 이뇨제, 헤파린 혹은 와파린, 글루코코르티코이드를 포함하는 면역억제제 등과 같은 약제들이 골대사에 악영향을 미치게 된다. 이식 후 회복된 신장기능은 부갑상선호르몬을 감소시키고 1,25(OH)$_2$D 수치를 증가시켜 고인산혈증이 호전된다. 그러나 이식 후 초기에는 FGF23과 같은 phosphatonin에 의해 이식된 신장에서의 인산 배출이 증가하기 때문에 저인산혈증이 발생할 수 있다.

이식후 골소실은 처음 6-18개월 동안 가장 현저하며 대퇴골에서는 5-8%, 요추에서는 4-9% 정도 감소한다. 이와 같은 골소실의 위험인자로 에스트로겐과 안드로겐저하, 나이와 성별, 스테로이드의 누적용량, 거부반응의 유무 그리고 혈액 내 부갑상선호르몬 수치가 알려져 있다. 골절은 당뇨병을 동반하지 않은 이식 환자의 경우 7-11%에서 발생하지만, 당뇨신장병증으로 이식을 받은 환자나 신장과 췌장을 동시에 이식한 경우 골절의 발생빈도가 더욱 증가한다. 골절은 보통 이식 후 처음 3년 이내에 발생하고 축골격(axial skeleton: spine, ribs) 보다 부속골격(appendicular skeleton: hips, long bones, ankles, feet)에 더 많이 일어난다. 말기 신부전 환자를 대상으로 실시한 대규모 연구 결과 신장이식 환자군에서 투석을 장기간 지속한 환자군 보다 대퇴골골절의 발생빈도가 34% 정도 높았다.

2) 조혈모세포이식

일반적으로 이식 후 초기에 골흡수는 급속히 증가하는 반면 골형성은 감소하여 결과적으로 심각한 골소실이 일어난다. 그 원인으로는 이식에 의한 골수미세환경 내에서의 IL1, TNFα와 같은 사이토카인의 분비 증가, 스테로이드 투여, 고용량의 항암치료 및 전신방사선조사에 의해서 이차적으로 발생하는 성선기능저하증과 비타민D 부족 등이 있다. 특히 난소는 항암치료와 전신방사선조사에 매우 취약하여 이식을 받은 여성 중 92-100%에서 난소부전이 동반된다. 남자에서도 이식 후 황체호르몬의 감소와 동시에 테스토스테론 수치가 급격히 감소하지만 이후 대부분 환자에서 회복된다.

조혈모세포이식 후 발생하는 골질환은 고형암으로 인한 장기이식후 병발하는 골다공증과는 다른 임상적 특징을 보이는데, 일반적으로 환자 연령이 낮고 기저혈액질환을 진단 받은 후 이식까지의 유병기간이 짧아서 대부분 2년을 초과하지 않고, 다른 질환과 비교하여 장기간의 병상생활을 하는 경우가 드물기 때문에 이식 후에 더 많은 골소실이 진행된다.

또한 이식 후 30-60%에서 발생하는 이식편대숙주반응(GVHD, graft versus host reaction)의 치료에 사용하는 고용량의 스테로이드가 골소실을 일으키며 비타민D의 급속한 감소가 관찰된다. 이는 위장관 이식편대숙주반응과 감염을 예방하기 위해 신체의 외부 노출을 자제할 때에 햇볕노출이 부족하게 된 것으로 이해할 수 있으며, 소아와 청소년을 대상으로한 연구 결과에서 조혈모세포이식후 칼슘과 비타민D 섭취가 유의하게 낮았다는 보고도 있다.

3) 간이식

바이러스성 간염, 알코올성 간염, 혈색소침착증, 담즙울혈성 간질환, 글루코코르티코이드 투여 중인 만성 활동성 간염 등의 만성 간질환에서 낮은 골밀도 수치 혹은 골절과 같은 골대사 이상이 흔이 발생한다. 이식이 필요한 환자들에서 골다공증의 유병률은 26-52%이었고, 골절위험도와 연관된 인자들로는 이식 전 체질량지수, 울혈성간질환의 유무, 연령 증가 등이 알려져 있다.

이식후 발생하는 골소실과 골절 발생률의 증가는 처음 6-12개월에 주로 일어나는데, 이 기간 동안의 요추와 대퇴골골밀도 저하에 대한 연구들이 서로 다른 결과들을 보고하고 있어 더 많은 환자들을 대상으로 한 전향적 연구가 필요하다. 이식 후 골절 발생률은 24-65%로 처음 6-12개월 사이에 늑골과 척추에서 가장 많이 일어나고 이식 전 골밀도, 골절의 병력 그리고 연령 증가와 관련이 있는 것으로 알려져 있다, 이식 전 감소된 골교체율이 이식 후 간울혈과 성선기능저하증의 호전, 부갑상선호르몬의 증가, 면역억제제 투여 등으로 골교체율이 증가한다.

4) 심장이식

중증 심부전 환자들은 오랜 침상생활, 영양부족, 이뇨제 혹은 헤파린 같은 약제의 장기 복용 등으로 인하여 골소실이 일어난다. 이식 전 심부전 환자들에게서 비타민부족증과 이차성부갑상선기능항진증이 흔히 동반되며 골다공증의 유병률은 척추골에서 28%, 대퇴골경부에서는 20% 이다.

이식후 첫 1년에 가장 급격한 골소실이 발생하는데, 척추골밀도감소는 첫 6개월 동안 6-10% 정도가 일어나고 이후에는 거의 감소하지 않으며, 대퇴골경부의 경우 첫 1년 동안 6-11% 감소하지만 이후 점차 안정화되는 것으로 알려져 있다. 이식 후 2-3년 동안에 걸쳐서 골밀도의 감소는 주로 근위부 요골의 피질골에서 발생하는데, 이는 이식 후에 동반되는 이차성부갑상선기능항진증의 결과로 추측된다. 척추골절은 이식 후 처음 1년 동안 14-16%에서 발생하며 장기적으로는 22-33% 정도 비교적 흔히 일어난다. 이식 후 CsA에 의한 신기능 감소와 이차성부갑상선기능항진증에 의해 골흡수표지자는 증가하는 반면 골형성표지자는 감소하는데, 일반적으로 골형성표지자는 이식 후 6-12개월 사이에 정상화된다고 알려져 있다. 남성 환자에서는 이식 후 즉시 테스토스테론 수치의 저하가 일어나지만 6-12개월 후 정상화된다. 글루코코르티코이드 용량과 골감소 간의 연관성도 알려져 있으며, 이식 후 처음 1년에서 3년 사이에 33-36%의 빈도로 척추골절이 발생한다.

5) 폐이식

말기 폐질환 환자들에서는 저산소증, 호흡성산증, 흡연, 글루코코르티코이드의 사용 등에 의해 골소실이 일어난다. 이러한 환자들에서 골다공증의 유병률은 29-61% 이며, 특히 낭성섬유증이 기저질환인 경우 췌장기능장애, 비타민D결핍, 칼슘흡수장애, 성선기능저하증이 동반되어 골다공증 유병률이 더욱 증가한다. 이식 후 첫 1년 동안 골흡수억제제 투여에도 불구하고 2-5%의 골감소율과 18-37%의 골절발생률이 관찰되며, 이식 전 낮은 골밀도와 글루코코르티코이드 사용 기간이 골절률과 연관이 있다. 폐이식에 관한 많은 임상연구들이 과거 고용량의 글루코코르티코이드가 사용되던 1990년대 중반에서 2000년대 초반에 이루어졌다는 사실을 감안하면, 최근에는 새로이 개발된 면역억제제의 사용으로 글루코코르티코이드 투여량이 많이 감소하여 골소실과 골절발생의 위험도가 줄어들 수 있을 것이라고 예측 가능하다.

2. 이식 후 골다공증의 예방 및 치료

이식 전 대부분 환자들은 기저질환에 동반된 골대사 질환을 가지고 있으므로 골다공증의 위험 인자인 가족력, 골절력, 동반 질환들(갑상선기능항진증, 류마티스관절염, 당뇨병, 간기능장애, 위장관 질환), 골대사에 악영향을 미치는 약물 복용의 기왕력, 칼슘 및 비타민D 부족증, 음주 및 흡연력 등의 유무를 확인하여야 하며 이식 전 반드시 DXA를 사용하여 척추와 대퇴골 부위의 골밀도검사를 실시하여야 한다. 또한 척추 X-선 검사를 통해 골다공증성골절의 유무를 확인하여야 한다.

만일 골감소증이나 골다공증이 진단되면 교정 가능한 위험인자들(흡연, 음주, 비활동성)을 교정하고 적절한 골다공증의 치료를 시작한다. 말기 신부전증 환자의 경우 신성골이영양증과 이차부갑상선기능항진증에 대한 진단과 치료가 반드시 필요하다. 이식 전후로 가능하면 적은 용량의 글루코코르티코이드를 투여하고 칼슘(1,000-1,500 mg/일)과 비타민D(400-800 IU/일)를 복용하도록 한다.

골소실은 이식 직후에 가장 급격하게 일어나며, 이식 전 골밀도가 낮거나 정상이었던 환자에서도 이식 후 첫 해에 골절이 발생할 수 있다. 그러므로 신성골이영양증과 무력성골질환을 제외한 골밀도가 정상인 환자를 포함한 모든 여성들에게 골다공증성 골절에 대한 예방적인 치료가 필요하다. 비스포스포네이트는 이식 후 골다공증의 예방 및 치료에 효과적인 약제로 잘 알려져 있으나 사구체 여과율이 30 mL/min 미만일 경우에는 투여하지 않도록 미국의 FDA는 권고하고 있다. 알렌드로네이트는 심장, 간 혹은 신장 이식 환자들을 대상으로 실시한 연구들에서 척추골과 대퇴골의 골밀도를 유의하게 증가시키며, 주사제인 이반드로네이트, 졸레드론산, 파미드로네이트 역시 신장, 심장, 폐, 간 및 골수이식 환자들에서 골소실을 예방할 수 있다. 그러나 최근 신장이식과 관련된 연구들을 메타분석한 보고에 따르면, 이식 후 비스포스포네이트, 비타민D유도체, 그리고 칼시토닌을 투여한 결과 골밀도는 증가하지만 골절의 위험도는 감소시키지 못하였다. 그 이유로는 만성신장질환에서 골밀도의 증가 만으로는 골질 향상에 대한 신뢰성이 부족하기 때문으로 추측된다. 또한 신장이식 대상인 환자에서 이식 전 무력성골질환의 유무를 반드시 확인하여야 하는데, 비스포스포네이트의 투여로 골교체율과 무기질화를 더욱 저하시켜 골격취약성을 증가시킬 수 있기 때문이다. 비타민D 부족, 고인산혈증, FGF23 등의 원인으로 만성신장질환 환자들에서 골교체율의 저하를 관찰할 수 있다. 이러한 기저원인들의 감별을 위해 필요한 가장 이상적인 방법은 뼈의 조직형태학검사 이다.

호르몬보충요법은 폐경전 여성에서 조혈모세포이식 후 무월경이 생겼을 경우 효과적이며, 조직생착이 성공적이고 대분분의 다른 약제들의 투여를 중단할 수 있을 때, 보통 이식 후 3-6개월 후에 시작하는 것이 좋다. 반면 폐경후 여성에서는 합병증의 위험성 때문에 일반적으로 추천되지 않는다. 성선기능저하증에 의한 남성골다공증 환자에게 남성호르몬대체요법을 고려할 수 있으나 전립선비대증, 고지혈증, 간기능 이상 등의 부작용이 발생할 위험성이 있으므로 제한적으로 사용하는 것이 추천된다.

비타민D 부족은 말기 장기부전 환자들과 심부전증, 말기 폐질환, 간부전 그리고 만성신장질환을 동반하고 있는 장기이식 환자들에서 흔히 관찰된다. 비타민D 유도체는 글루코코르티코이드에 의한 칼슘 흡수 감소를 억제하여 이차부갑상선기능항진증의 발생을 제한하며, 조골세포의 분화를 촉진하여 골밀도를 증가시킨다. 칼시디올(25[OH]D)과 알파칼시돌(1α[OH]D)이 심장 및 신장이식 환자에서 골소실을 억제시키는 효과를 보인 반면, 칼시트리올(1,25[OH]$_2$D)은 심장, 폐, 간이식 환자들을 대상으로 실시한 연구들에서는 일관된 결과를 보여주지 못하였을 뿐만 아니라, 부작용으로 고칼슘혈증과 고칼슘뇨증이 흔히 발생하므로 칼사트리올은 일차적 치료제로 권장되지 않는다.

신장이식 환자에서 테리파라타이드의 유용성에 관한 연구에서는 투여 후 골밀도 증가를 보이지 않았고 골교체와 무기질화의 증가 소견을 관찰할 수 없었다. 또한 칼시토닌이나 PGE1 등의 연구 결과에서도 이식 후 골소실의 예방에 효과적이지 못하였다. RANKL에 대한 단일클론항체인 데노수맙과 카텝신 K 억제제와 같은 새로이 개발된 골다공증 약제들은 아직까지 이식 후 골다공증 치료제로서 사용되기에는 임상적인 연구가 부족하다.

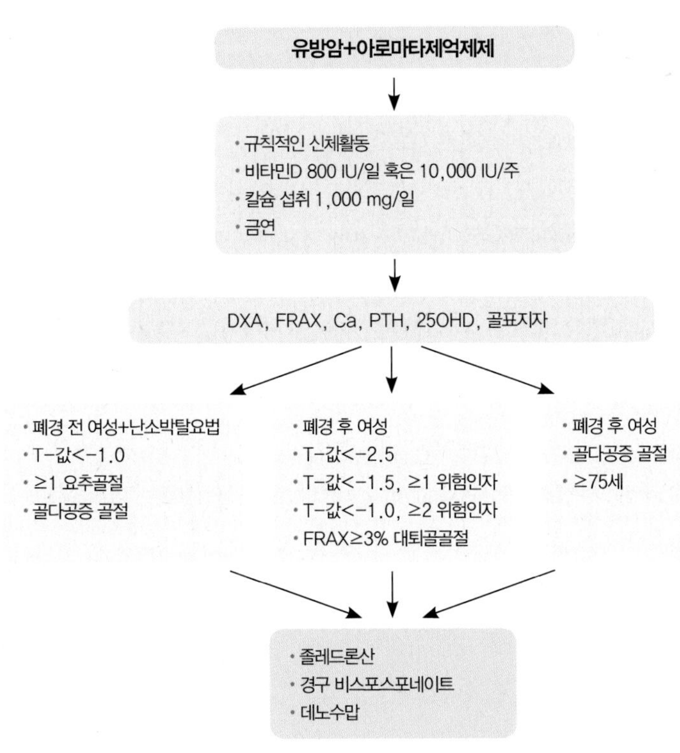

그림 3-9-1 ▸ 아로마타제억제제 투여 중인 유방암 환자의 치료

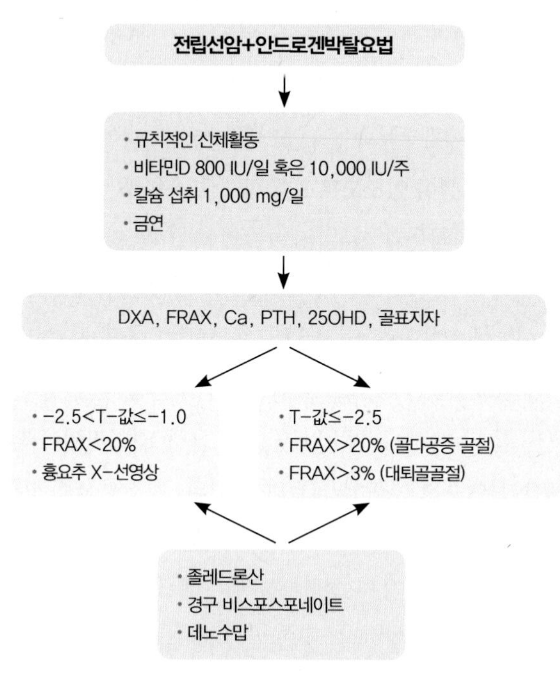

그림 3-9-2 ▶ 안드로겐박탈요법 중인 비전이 전립선암 환자의 치료

참고문헌

1. Ball AM, Gillen DL, Sherrad D, et al. Risk of hip fracture among dialysis and renal transplantation recipients. JAMA 2002;288;3014-8.
2. Cejka D, Benesch T, Krestan C, et al. Effect of teriparatide on early bone loss after kidney transplantation. Am J Transplant 2008;8;1864-70.
3. Coco M, Glicklich D, Faugere MC, et al. Prevention of bone loss in renal transplant recipients: a prospective, randomized trial of intravenous pamidronate. J Am Soc Nephrol 2003;14;2669-76.
4. Crawford BA, Kam C, Pavlovic J, et al. Zoledronic acid prevents bone loss after liver transplantation: a randomized, double-blind, placebo-controlled trial. Ann Intern Med 2006;144;239-48.
5. Goffin E, Devobelaer JP, Lalaoui A, et al. Tacrolimus and low-dose steroid immunosuppression preserves bone mass after renal transplantation. Transpl Int 2002;15;73-80.
6. Isoniemi H, Appelberg J, Nilsson CG, et al. Transdermal oestrogen therapy protects postmenopausal liver transplant women from osteoporosis. A 2-year follow-up study. J Hepatol 2001;34;299-305.

7. Josephson MA, Schumm LP, Chiu MY, et al. calcium and calcitriol prophylaxis attenuates posttransplant bone loss. Transplantation 2004;78;1233-6.

8. Kang MI, Lee WY, Oh KW, et al. The short-term changes of bone mineral metabolism following bone marrow transplantation. Bone 2000;26;275-9.

9. Lee WY, Kang MI, Oh ES, et al. The role of cytokines in the changes in bone turnover following bone marrow transplantation. Osteoporos Int 2002;13;62-8.

10. McIntyre HD, Menzies B, Rigby R, et al. Long-term bone loss after renal transplantation: comparison of immunosuppressive regimens. Clin Transplant 1995;9;20-4.

11. Nowacka-Cieciura E, Cieciura T, Baczkowska T, et al. Bisphosphonates are effective prophylactic of early bone loss after renal transplantation. Transplant Proc 2006;38;165-7.

12. Singha UK, Jiang Y, Yu S, et al. Rapamycin inhibits osteoblast proliferation and differentiation in MC3T3-E1 cells and primary mouse bone marrow stromal cells. J Cell Biochem 2008;103;434-46.

13. Tauchmanova L, Selleri C, Rosa GD, et al. High prevalence of endocrine dysfunction in long-term survivors after allogeneic bone marrow transplantation for hematologic diseases. Cancer 2002;95;1076-84.

3-10 염증질환과 골감소

성윤경

골조직의 항상성은 내분비계 등의 조절에 따라 파골세포에 의한 골흡수, 조골세포에 의한 골형성이 연쇄적으로 반복됨으로 인해서 유지된다. 그러나, 염증질환에서는 종양괴사인자(TNF, tumor necro tizing factor) 등 다양한 염증전달인자가 생성되어 염증이 지속되고, 이는 골대사의 불균형을 유발하여 전신적인 골소실을 가져온다. 최근에는 이러한 염증 물질을 표적으로 한 생물학적제제의 사용으로 말미암아, 기저 질환의 활동성을 조절함과 동시에 골소실의 감소를 유도할 수 있을 것으로 기대되고 있다. 본 장에서는 류마티스관절염을 중심으로 한 염증성 질환에서 골파괴 기전 및 이에 대한 치료 효과를 설명하고자 한다.

염증과 동반한 골다공증

1. 시토카인(cytokine)과 프로스타글란딘(prostaglanding)의 역할

염증과 동반된 골감소는 파골세포에 의한 골흡수가 중요한 역할을 한다. 파골세포는 조혈줄기세포를 기원으로 하며 단핵파골세포가 혈관계를 통하여 뼈로 응집되며, 조골세포에서 발현하는 RANKL의 자극을 받아 다핵파골세포로 성숙하여, 골기질을 흡수한다(그림 3-10-1).

염증조직에서 발생되는 TNF등의 시토카인이나 프로스타글란딘은 파골세포를 자극하여 이의 유주, 분화, 활성화를 유도한다. 또한 TNF, IL1, IL6, IL7, IL17, PGE2는 조골세포나 T세포에 RANKL의 발현을 유도하여, 간접적으로 파골세포의 성숙과 활성화를 유도한다.

한편, 염증조직에서 생산되는 TNF는 DKK1나 스클레로스틴의 발현을 유도하여 Wnt를 통한 조골세포의 분화 및 골형성을 억제한다. 이렇듯 염증자극은 파골세포의 분화유도, 조골세포의 분화억제를 통하여 골대사의 불균형을 유도하여 골감소를 유발한다(그림 3-10-1).

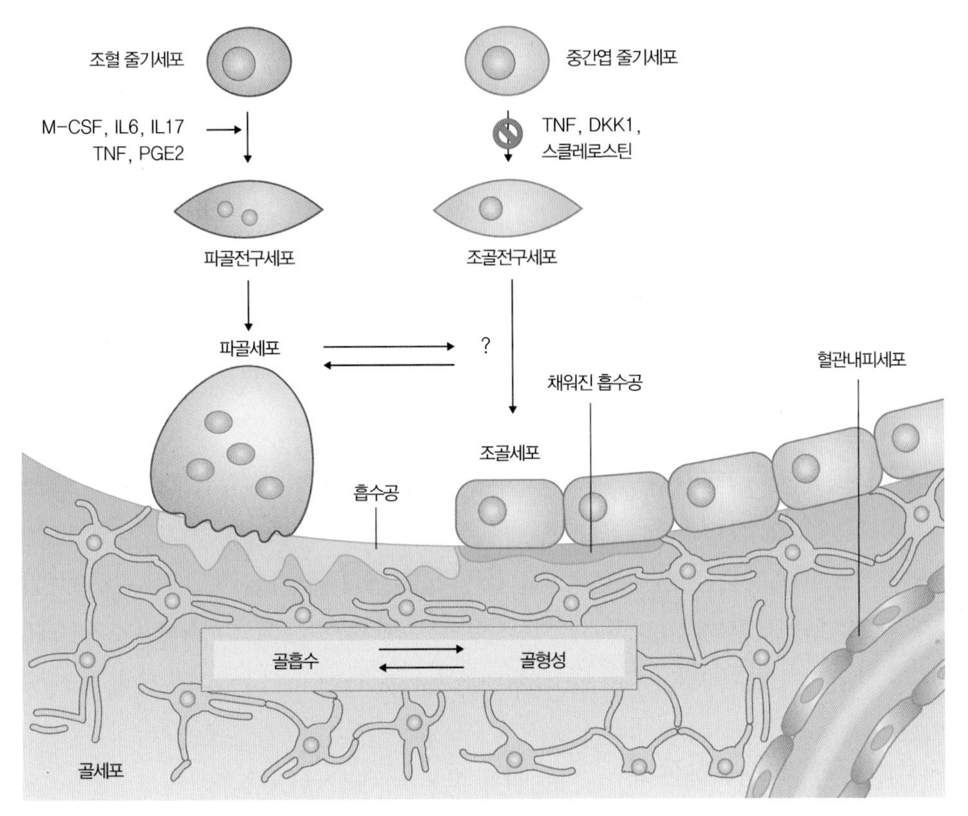

그림 3-10-1 ▸ 골조직의 항상성 및 염증에 의한 파골세포 유도과정

Redlich K, Smolen JS. Inflammatory bone loss: pathogenesis and therapeutic intervention. Nat Rev Drug Discov. 2012; 11(3): 234-50.에서 인용 및 변형

2. 면역세포의 관여

염증의 과정에는 면역학적 기전이 관여하게 되는데, T세포의 아형인 Th1이나 Th17은 염증의 지속과 동시에 염증성 시토카인 생성을 통해서 파골세포를 유도하며 Th1은 INFγ생성을 통해서 OPG의 발현을 억제한다. 역으로 Treg은 염증억제뿐 아니라, CTLA4를 발현하여 파골세포의 분화를 억제한다.

한편, B세포는 다양한 항체를 생성하는 세포로 분화하는데, B세포의 분화에 필수적인 Btk (Bruton tyrosine kinase)는 NFATc1의 활성화를 통한 파골세포의 분화와 세포융합에도 필수적이다. RANKL은 Btk의 활성화를 유도한다(그림 3-10-2). 또한 B세포는 T세포의 자극을 받아 OPG를 생성하여, 골흡수를 제어하는 기능도 함께 갖는다. 이렇듯 면역이상은 직간접적으로 골대사의 불균형을 초래할 수 있다.

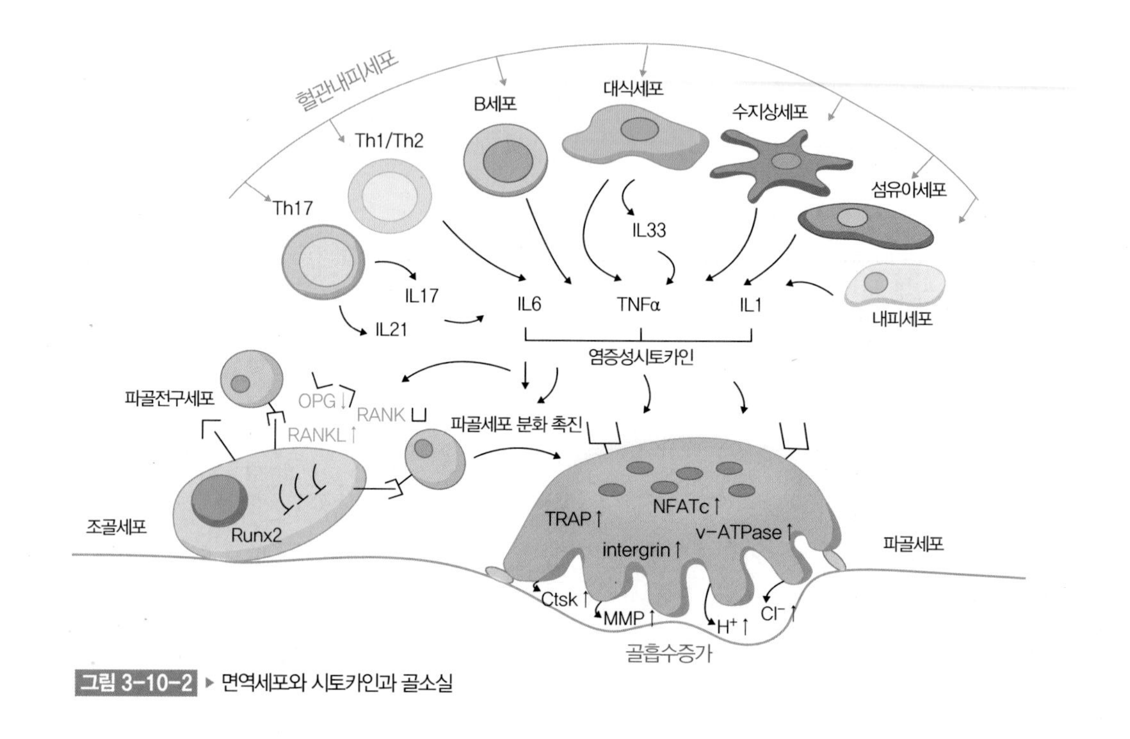

그림 3-10-2 ▶ 면역세포와 시토카인과 골소실

류마티스관절염에서의 골소실

류마티스관절염에서 골다공증이 잘 동반한다는 것은 매우 잘 알려져 있다. 이와 동반된 골소실은 기전에 따라 크게 두 군으로 나뉘어 진다. 하나는 염증성 시토카인에 의해 파골세포를 활성화하고 그로 인한 뼈와 관절의 파괴가 일어나는 기전이다. 또 하나는 치료에 쓰이는 각종 치료제나 생활양식의 변화에 의한 골대사의 균형이 무너져 골다공증이 동반되는 기전이다. 전자는 주로 국소적으로 염증이 일어난 관절과 그 주위의 뼈에 국한된 골소실이 나타남과 동시에 전신적인 염증이 영향을 미쳐 전신적인 뼈의 골다공증 또한 일반인에 비해 더 심하게 나타난다. 후자는 관절의 염증을 치료하기 위해 장기간의 면역억제제 및 글루코코르티코이드 등을 복용하게 되는 치료 환경과 관절의 통증으로 인한 운동부족 및 부적절한 식이 등으로 골다공증이 악화되는 것이다. 이러한 골소실은 주로 발병하게 되는 환자의 연령이 폐경시기임과 맞물려서 더욱 심각하고 급격한 골소실과 골절로 이어지므로 각별한 관심과 주의가 필요하다.

1. 글루코코르티코이드 유발성 골다공증

류마티스관절염에서 병발되는 가장 중요한 요인인 글루코코르티코이드는 대표적인 이차성 골다공증으로서 별도의 장에서 기술될 것이므로 생략하고자 한다. 특히, 류마티스관절염 환자에서 글루코코르티코이드의 사용이 비교적 흔하고, 기간이 긴 우리나라에서는 각별히 이의 예방과 치료에 주의를 기울여야할 것이다.

2. 류마티스관절염의 국소적 골소실

대표적인 염증질환으로서 류마티스관절염은 활막염의 파급, 지속적으로 생산되는 TNF 등의 염증성 시토카인에 의해, 연골파괴와 뼈의 변형 그리고 관절주위 골다공증을 일으킨다. 류마티스관절염 환자에서의 활막세포는 MMP1, 3, 9, 13 등을 관절강 내로 방출하여 연골의 주성분인 type II 콜라겐등을 절단하여 연골의 관절강측으로 부터 골흡수를 일으킨다. 또한, 활막세포가 증식하여 중층화된 활막은 직접적으로 뼈와 접촉할 정도로 진전하여 접촉부위를 중심으로 뼈를 파괴해간다. 그러나 이러한 경우 활막염과 뼈가 접촉하는 부위에는 파골세포는 풍부하나 그 주위에는 조골세포가 존재하지 않아 골소실만 강화된다. TNF, IL6, IL17 등의 시토카인은 파골세포의 성숙과 함께 활막세포나 T세포의 RANKL의 발현을 유도하여 조골세포가 존재하지 않더라도 파골세포의 성숙을 촉진할 수 있다. 따라서, 류마티스관절염과 동반된 골파괴는 TNF 등의 시토카인의 자극에 의하여 골대사 균형으로부터 이탈하여 조골세포에 의존하지 않고 파골세포성숙이 항진된 상태로 생각된다.

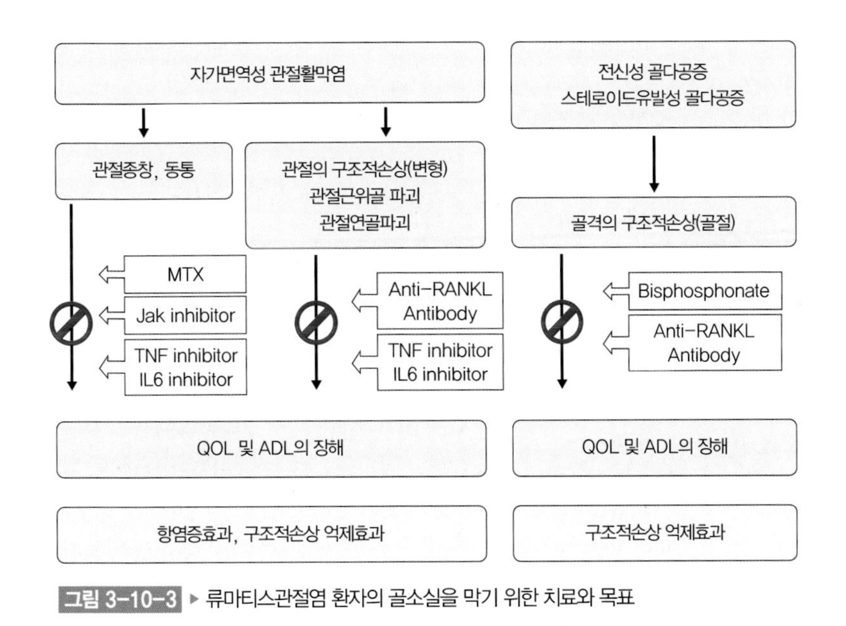

그림 3-10-3 ▸ 류마티스관절염 환자의 골소실을 막기 위한 치료와 목표

3. 류마티스관절염 환자의 골소실의 치료적 접근

류마티스관절염 환자에서의 골소실 및 골다공증에 대한 접근은 앞서 기술한 두 가지 측면에서 접근해야 한다. 우선은 전신적으로 영향을 미치는 폐경후 골다공증과 글루코코르티코이드 유발성 골다공증을 적절히 치료를 하고 골절을 예방하는 것이다. 이를 위해서는 기존의 골다공증 치료제를 적절히 임상적 근거를 바탕으로 적절히 선택하여 사용하는 것이 중요하다. 이러한 치료의 과정은 목적에 따라 선택하는 약제도 차이가 있다(그림 3-10-3). 한편, 전신적인 관절염을 조절하여 국소적인 골소실을 예방하

기 위해서는 적절한 류마티스관절염 치료제를 선택하는 것이 매우 중요하다 할 수 있다. 메토트렉세이트를 중심으로 한 비특이적 면역억제제와 더불어, TNF, IL6 등 구체적인 염증성 시토카인을 직접 억제하는 생물학적제제 그리고 세포내 신호전달을 억제하는 Jak 저해제 등 다양한 약제가 골소실을 예방할 수 있는 것으로 알려져 있다. 류마티스관절염을 포함한 다양한 전신염증을 특징으로 한 자가면역질환에서도 표적치료제가 개발되어 질환 조절과 함께 염증으로 인한 골소실을 예방하기 위한 치료제로 각광을 받고 있다(표 3-10-1).

표 3-10-1 ▸ 염증 혹은 염증성 골소실을 목표로 한 약제

약제 (상품명)	분자생물학적 특성	표적 물질	질환	작용기전
Bisphosphonates	Small, chemical, oral	Osteoclasts	골다공증	항파골세포
Denosumab (Prolia/Xgeva)	Human mAb	RANKL	골다공증	항파골세포
Adalimumab* (Humira)	Human mAb	TNF	류마티스관절염, 건선관절염, 강직성척추염, 연소형특발성관절염, 염증성장질환	항염증
Certolizumab* (Cimzia)	Humanized Fab			
Etanercept* (Enbrel)	Receptor construct			
Golimumab* (Simponi)	Human mAb			
Infliximab* (Remicade)	Chimeric mAb			
Abatacept (Orencia)	Receptor construct	CD80 and/or CD86 (co-stimulation)	류마티스관절염	항염증
Rituximab (Rituxan/MabThera)	Chimeric mAb	CD20 (B cell)	류마티스관절염 B 세포 림프종 (다발성경화증)†	항염증
Tocilizumab (Actemra)	Humanized mAb	IL-6R	류마티스관절염, 연소형특발성관절염, Castleman 병	항염증
Belimumab (Benlysta)	Human mAb	BLYS	전신홍반루푸스	B세포 억제

BLYS, B lymphocyte stimulator; IL-6R, interleukin-6 receptor; mAb, monoclonal antibody; RANKL, receptor activator of NF-κB ligand; TNF, tumour necrosis factor. *Not all agents may be licensed in all countries for all indications, and etanercept is not effective in inflammatory bowel diseases. †Anti-CD20 is not licensed for multiple sclerosis but has shown significant efficacy in clinical trials

참고문헌

1. Redlich K, Smolen JS. Inflammatory bone loss: pathogenesis and therapeutic intervention. Nat Rev Drug Discov. 2012; 11: 234-50.
2. Schett G, Saag KG, Bijlsma JW.From bone biology to clinical outcome: state of the art and future perspectives.Ann Rheum Dis. 2010;69:1415-9. .
3. Rachner TD, Khosla S, Hofbauer LC.Osteoporosis: now and the future.Lancet. 2011;377:1276-87.
4. Scott DL, Wolfe F, Huizinga TW.Rheumatoid arthritis.Lancet. 2010;376:1094-108.

3-11 폐경전 골다공증

정호연

폐경후 여성이나 고령에서는 골밀도 감소에 따른 골절 위험의 증가가 잘 증명되어 있다. 따라서 골강도를 잘 대변하고 있는 골밀도의 진단 기준이 폐경이후에서는 널리 사용되고 있다. 세계보건기구의 정의에 의하면 폐경 혹은 50세 이상의 남성에서는 T-값이 -2.5 이하인 경우에 골다공증, 골절이 있으면서 -2.5 이하인 경우에 심한 골다공증으로 분류하고 있다. 폐경전 여성에서는 골절도 적을 뿐만 아니라 골절 위험에 대한 연구가 많지 않기 때문에 같은 진단 기준이나 치료 방침을 적용하기는 어렵다. 이에 폐경전 골다공증의 정의, 원인, 진단 및 치료에 관한 내용을 정리해보고자 한다.

정의

폐경전 여성에서 관찰되는 낮은 골밀도는 폐경 여성과 같은 의미를 부여하기는 어렵다. 젊은 여성에서는 비록 낮은 골밀도를 갖고 있더라도 골절 발생이 많지 않은 편이다. 단면연구 결과에 의하면 골절이 있었던 폐경전 여성에서 측정한 원위요골, 요추, 대퇴골경부골밀도가 낮았다는 연구가 있었지만, 골밀도와 골절에 관한 전향적인 연구는 많지 않다. 골다공증은 골강도가 약해져서 골절 위험이 증가되는 질환이다. 이와 같은 관점에서 폐경전 여성의 골다공증도 적은 충격에 의하여 골절이 발생되는 경우라고 할 수 있다. 적은 충격이란 서있는 자세에서 넘어질 때 받는 정도의 충격을 말하는 것이다. 반면에 골절은 없지만 골밀도가 낮게 측정되며, 특별히 뼈가 감소될만한 이유가 관찰되지 않는다면 특발성의 낮은 골밀도(idiopathic low BMD) 라고 지칭할 수 있다.

표 3-11-1 ▸ 폐경전 여성에서 낮은 골밀도의 원인적 분류

idiopathic		
secondary	endocrine	type 1 DM, hypogonadism Cushing's syndrome, hyperthyroidism
	G-I/nutrition	malabsorption syndrome
	chronic inflammation	RA, SLE
	medication	glucocorticoids, antiepileptics, GnRH agonist, chemotherapy, excessive vitamin A
	genetic	osteogenesis imperfecta
	others	anorexia nervosa, pregnancy and lactation, transplantation, hypercalciuria

원인

폐경전 여성에서 골밀도가 낮게 측정될 경우에는 반드시 골소실이 진행된 것을 의미하지는 않는다. 최대골량은 대부분 청소년기에 획득되지만, 20-30대까지 지속적으로 증가될 수 있다. 따라서 젊은 여성에서 관찰되는 낮은 골밀도는 아직 최대골량에 이르지 못한 경우도 고려해야할 것이다. 어떤 사람은 유전적인 소인에 의하여 최대골량이 낮게 형성된 경우도 있겠으며, 또 다른 사람에서는 환경적인 요인에 의해 최대골량 형성이 방해를 받거나 골소실의 증가로 낮은 골밀도를 형성할 수 있다. 여성에서는 출산과 수유가 골량에 영향을 줄 수 있다. 임신과 수유로 인하여 3-10%의 급격한 골소실이 발생될 수 있으며, 이런 골소실은 6-12개월에 걸쳐 서서히 회복될 수 있다. 또한 이차적인 요인에 의해 골다공증이 발생될 수 있다(표 3-11-1). 젊은 남녀를 대상으로 한 연구에서 이차적인 요인의 발견이 적게는 약 50%에서 많게는 90%까지 관찰된 보고가 있기 때문에 이차적인 요인에 대한 확인이 필수적이다. 적은 충격에 의하여 골절이 발생되고, 뼈에 다른 병적인 상태가 없는 것은 물론이며, 골소실을 유발하는 이차적인 요인이 발견되지 않는 경우를 특발골다공증(idiopathic osteoporosis) 이라고 정의할 수 있다.

평가

1. 골밀도

국제골밀도기구(ISCD)에서는 폐경전 여성에서 취약골절이 없거나 골소실을 초래할만한 이차적인 요인이 없는 경우에 골밀도 측정을 권장하지 않고 있다. 이는 골밀도만으로 골다공증을 진단할 수 없기 때문이다. 측정한 골밀도를 평가할 때도 폐경후 여성에서 사용하는 T-값 대신에 Z-값의 사용을 권장하고 있다. Z-값이 -2.0 이하라면 나이에 비해 낮은 골밀도(below expected range for age) 라고 분류하고 있다. 최근 IOF (International osteoporosis foundation)의 연구 위원회에서는 세계보건기구에서 골다공증의 진단을 위해 T-값을 도입한 취지와 일관되게, 척추 혹은 대퇴골의 T-값 -2.5 이하

인 폐경전 여성에서 골대사에 영향을 주는 이차적인 요인이 있는 경우에 골다공증으로 진단하자는 의견을 제시하였다.

2. 생화학적 골표지자(biochemical bone turnover markers)

폐경후 여성에서 골표지자의 증가는 골소실의 증가를 의미하며, 독립적인 골절의 위험 인자로 평가되고 있다. 이에 반해 폐경전 여성에서 골표지자의 유용성은 불확실한 편이다. 최대골량에 이르지 않은 시기에 증가된 골표지자는 성장기의 뼈형성을 의미할 수도 있으며, 최근에 발생된 골절 또한 골표지자에 영향을 줄 수 있기 때문이다. 따라서 폐경후 여성에서처럼 골표지자의 측정이 반드시 권고되지는 않는다. 낮은 골밀도가 관찰된 폐경전 여성에서 골표지자가 정상이거나 낮다면 최대골량이 낮게 형성된 경우일 가능성이 높다. 반면에 낮은 골밀도와 높은 골표지자 수치가 관찰된다면 골소실을 초래할 수 있는 이차적인 요인에 대한 평가를 진행할 필요가 있을 것이다.

3. 그 외의 평가 및 검사

특발성인 경우도 있지만 이차적인 요인이 많기 때문에 이에 관한 자세한 병력 조사가 필요하다. 개인의 질병력은 물론이며 가족력 등의 조사가 필요하다. 초경, 현재 생리 지속여부, 임심과 수유, 식생활 습관, 운동력 등도 중요한 자료가 된다. 신체검사에서는 체중을 포함하여 이차적인 요인에 대한 관찰이 필요하다. 기본검사로는 폐경후 골다공증의 평가에서처럼 기본검사와 이차적인 요인이 의심될 경우에 진행하는 검사를 시행해야 한다(표 3-11-2).

표 3-11-2 ▸ 폐경전 골다공증의 검사

기본 검사	CBC, glucose, liver & renal function, electrolyte, calcium, phosphate, alkaline phosphatase, 25(OH)D, TSH, 24 hour urine calcium/creatinine
추가 검사	bone turnover markers, FSH/E_2, LH/testosterone, prolactin, PTH, 24 hour urine free cortisol, 1,25$(OH)_2$D

치료

골다공증 치료의 일반적인 원칙은 폐경전 골다공증에서도 적용된다. 체중이 실리는 운동, 칼슘, 비타민D, 단백질의 적절한 섭취, 금연, 과도한 음주를 피하는 것은 필수적이다. IOM (Institute of Medicine)의 권고로는 사춘기 이전에는 칼슘 1,300 mg, 18세 이후에는 1,000 mg의 칼슘을 권장하고 있으며, 비타민D는 600 IU 섭취를 권장하고 있다. 낮은 골밀도가 관찰된 폐경전 여성에게 칼슘과 비타민D, 운동만으로도 골밀도가 개선된 연구 결과가 관찰되기도 하였다. 약물치료는 낮은 골밀도가 관찰된 폐경전 여성에서 취약 골절이 있거나 이차적인 요인을 갖고 있는 경우에 적용할 수 있다(그림 3-11-

1). 이차적인 요인이 관찰된 경우에 근본적으로 교정하는 것이 우선이지만 이차적인 요인을 교정하기 어려운 경우도 있기 때문에 이런 경우에는 약물 치료를 고려할 수 있다. 또한 취약골절이 있으면서 특별한 요인을 찾을 수 없는 경우에도 골절의 위험성을 고려하여 약물 치료를 고려할 수 있겠으나, 치료 효과에 대한 연구 결과가 많지 않기 때문에 이런 원칙은 환자의 경우에 따라 개별적인 판단에 근거하여 진행하는 것이 좋겠다. 사용할 수 있는 약제는 폐경후골다공증에서처럼 골흡수억제제인 에스트로겐, 비스포스포네이트, 데노수맙 등을 사용할 수 있으며 골형성 촉진제로는 테리파라타이드를 사용할 수 있다.

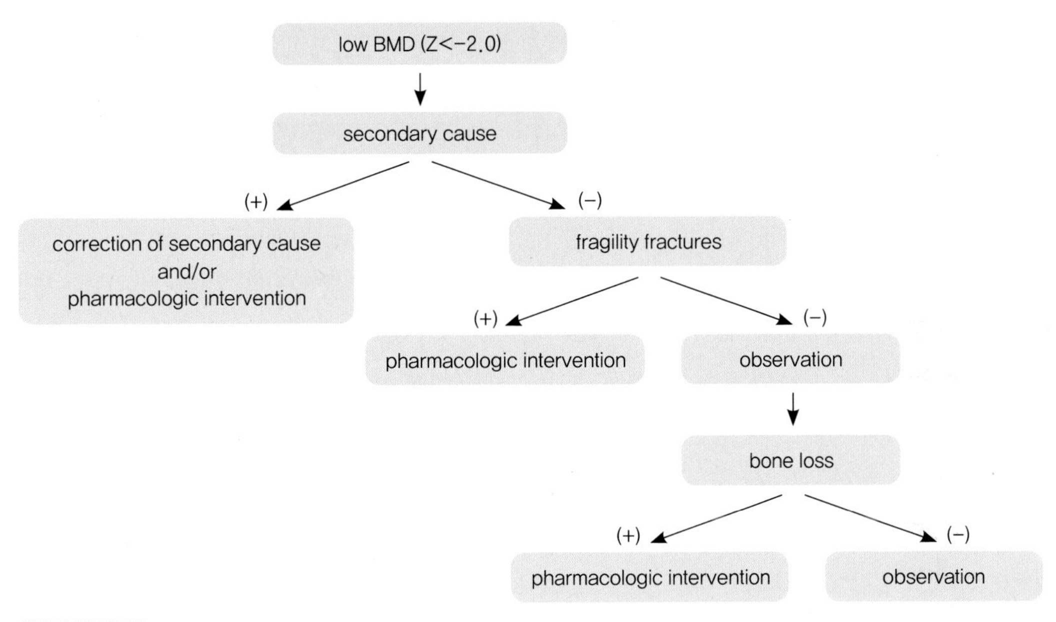

그림 3-11-1 ▸ 폐경전 여성의 낮은 골밀도에 대한 치료

1. 비스포스포네이트

비스포스포네이트는 골격에 장기간 존재하며 태반을 통과하기 때문에 이론적으로 태아에 영향을 줄 수 있다. 따라서 임신 중에는 사용하지 않는 것이 좋겠으며, 가임기 연령에서도 비스포스포네이트를 사용할 때는 주의가 필요하다. 미국 FDA에서 인가하고 있는 폐경전 여성에서 비스포스포네이트의 치료 적응증은 글루코코르티코이드 유발 골다공증이다. 2010년 ACR (American College of Rheumatology)에서 권장하는 치료 대상은 프레드니손 7.5 mg 이상을 사용하거나 적어도 3개월 이상 사용하는 경우로 하고 있다. 골절이 있는 경우에는 임신 가능성이 없는 경우라면 글루코코르티코이드를 3개월 미만으로 사용한다 하더라도 비스포스포네이트 사용을 고려하고 있으며, 임신 가능성이 있는 기간이라면 3개월 이상을 사용하는 경우에 치료 대상으로 권유하고 있다. 골절의 위험도에 따라서는 위험성이 낮은 경우에는 알렌드로네이트, 리세드로네이트를, 위험성이 높은 경우에는 졸레드론산의 사용을 권장하고 있다. 다만 임신 가능성이 있는 연령에서는 경우에는 졸레드론산의 사용은 제한하고 있다.

2. 테리파라타이드

테리파라타이드도 글루코코르티로이드 유발 골다공증에 적용될 수 있다. 글루코코르티코이드 유발 골다공증에 사용할 경우에는 취약 골절이 있으면서 스테로이드 사용량이 많거나 가임 연령에서 3개월 이상 스테로이드를 사용할 경우에 사용될 수 있다. 임신과 수유와 연관된 골다공증에서는 다발성 척추골절을 갖고 있는 한국 여성을 대상으로 18개월 간 테리파라타이드를 사용하여 더 이상 골절이 발생되지 않았으며, 척추 및 대퇴골 경부골밀도 증가 소견을 관찰한 바 있다. 그 외에도 특발골다공증, GnRH 유발 골다공증 등에서 사용한 연구 결과가 있어 이런 경우에 적용될 수 있을 것으로 판단된다. 하지만 테리파라타이드는 폐경 후 골다공증에서처럼 다발성 골절을 갖고 있는 골절의 고위험군에 비용-효과적일 것으로 생각된다. 성장판이 닫혀있지 않아 성장을 지속하는 경우에는 사용해서는 안되기 때문에 연령이 어린 경우에는 반드시 이런 상황을 고려해야 한다.

3. 데노수맙

RANKL 에 대한 단일클론 항체로서 파골세포를 억제하는데 매우 효과적이라 강력한 골흡수억제제로서 사용되고 있다. 폐경 전 여성에서 특시 임신과 관련된 안전성이 아직은 입증되지 않았지만 일부 전문가들은 글루코코르티코이드 유발 골다공증에서 데노수맙이 가임기 여성의 뼈에 오랜 기간 축적이 없기 때문에 사용을 권고하였다.

4. 에스트로겐

에스트로겐이 결핍된 젊은 여성에서 에스트로겐의 보충은 골밀도 개선에 도움이 된다. 하지만 호르몬의 감소가 뚜렷하지 않은 여성에서 경구피임제 복용이 골밀도 개선에 효과적이라는 근거는 적다. 신경성 식욕부진(anorexia nervosa)의 경우에는 무월경이 관찰되지만 대부분의 연구에서 경구피임제의 효과가 없었고, 체중의 증가와 영양상태 회복이 더 중요한 것으로 관찰되었다. SERM 제제도 여성호르몬 수용체를 통해 작용하므로 젊은 여성에서 폐경처럼 호르몬이 감소된 경우라면 사용할 수 있겠지만 폐경전 여성이라면 사용하지 않는 것이 좋다.

참고문헌

1. Abraham A, Cohen A, Shane E. Premenopausal bone health:osteoporosis in premenopausal women. Clin Obstet Gynecol 2013;56:722-9
2. Choe EY, Song JE, Park KH, et al. Effect of teriparatide on pregnancy and lactation-associated osteoporosis with multiple vertebral fractures. J Bone Miner Metab 2012;30:596-601.
3. Cohen A, Fleischer J, Freeby MJ, et al. Clinical characteristics and medication use among premenopausal women with osteoporosis and low BMD: the experience of an osteoporosis referral center. J Womens Health 2009;18:79-84.
4. Cohen A, Shane E. Evaluation and management of the premenopausal woman with low BMD. Curr Osteoporos Rep 2013;11:276-85.
5. Cohen A, Stein EM, Recker RR et al. Teriparatide for idiopathic osteoporosis in premenopausal women. a pilot study. J Clin Endocrinol Metab 2013;98:1971-81.
6. Ferrari S, Bianchi ML, Eisman JA, et al. Osteoporosis in young adults: pathophysiology, diagnosis, and management. Osteoporos Int 2012;23:2735-48.
7. Grossman JM, Gordon R, Ranganath VK et al. American College of Rheumatology 2010 recommendations for the prevention and treatment of glucocorticoid-induced osteoporosis. Arthritis Care Res 2010;62:1515-26.
8. Karlsson MK, Ahlborg HG, Karlsson C. Maternity and bone mineral density. Acta Orthop 2005;76:2-13.
9. Khosla S, Lufkin EG, Hodgson SF et al. Epidemiology and clinical features of osteoporosis in young individuals. Bone 1994;15:551-5.
10. Lewiecki EM, Gordon CM, Baim S, et al. International society for clinical densitometry 2007 adult and pediatric official positions. Bone 2008;43:1115-21.
11. Martinez-Morillo M, Grados D, Holgado S. Premenopausal osteoporosis: How to treat? Reumatol Clin 2012;8:93-7.
12. Peris P, Monegal A, Martinez MA et al. Bone mineral density evolution in young premenopausal women with idiopathic osteoporosis. Clin Rheumatol 2007;26:958-61.

제 4 장

골다공증 약물 치료

O s t e o p o r o s i s

4-1 여성호르몬과 STEAR

윤병구

여성호르몬

1. 폐경호르몬요법

폐경 후 난소호르몬의 감소로 인한 증상 및 육체 영향을 경감시키기 위하여 에스트로겐을 투여하며, 자궁이 있는 경우 에스트로겐 투여에 의한 자궁내막증식증을 억제하기 위하여 프로게스토겐을 병합투여한다.

주 적응증으로 혈관운동증상(열성홍조, 발한 등)과 비뇨생식기의 위축증상(질염, 성교통, 절박뇨, 빈뇨, 요실금, 재발성 요로감염 등) 그리고 골다공증의 예방과 치료이다. 90% 이상 대부분의 호르몬요법은 폐경증상의 치료를 위해 사용되고 있다.

에스트로겐 제제는 주로 천연이며 최근 합성도 사용되고 있다(표 4-1-1). 에스트로겐의 전신투여 경로는 경구와 경피로 대별된다. 경구 투여는 가장 흔하게 사용되나, 상대적으로 다량이 투여되고 위장관 부작용을 유발할 수 있다. 또한 일차통과효과(first phase effect)로 간에 지대한 영향을 준다. 저밀도지단백의 저하와 고밀도지단백의 상승 등 지질대사의 호전이 있으나, 혈전증과 혈압에 악영향을 줄 수 있다. 패취나 겔 형태의 17β-estradiol 경피투여는 사용에 불편이 있거나 피부 부작용이 있을 수 있다. 그러나 상대적으로 용량이 낮고, 비교적 혈중 농도가 일정하게 유지되며, 위장관 부작용 및 간 영향이 적다. 경구 투여로 표준 용량보다 더 적은 양의 에스트로겐을 사용하여 부작용을 감소시키고 순응도를 높이기 위한 저용량요법도 사용되고 있다.

표 4-1-1 ▶ 에스트로겐의 종류

천연 에스트로겐	• conjugated estrogen • synthetic conjugated estrogen • esterified estrogen • 17β-estradiol • estropipate
합성 에스트로겐	• ethinyl estradiol

프로게스토겐은 천연(프로게스테론)과 합성제제(프로게스틴)로 구분된다(표 4-1-2). 다양한 프로게

스틴이 개발되었으며, 반감기를 증가시키고 경구투여가 가능한 미분화(micronized) 프로게스테론이 사용되고 있다. 환자의 특성에 따라 적절한 프로게스토겐을 선택해야 한다. 자궁이 없는 경우 원칙적으로 에스트로겐 단독요법이 시행되며, 자궁이 있는 경우 프로게스토겐이 함께 투여된다. 자연 폐경여성의 경우, 폐경 초기에는 주기적으로 병합 투여하여 보통 매월 질출혈이 다시 나오나, 연령이 증가하면 지속적 병합요법으로 투여하여 대부분 질출혈이 없게 된다.

표 4-1-2 ▸ 프로게스토겐의 종류

천연 (프로게스테론)	micronized progesterone	
합성 (프로게스틴)	21-carbon derivative	medroxyprogesterone acetate
		cyproterone acetate
		dydrogesterone
		megestrol acetate
	19-norpregnane	trimegestone
		promegestone
		nomegestrol (acetate)
	19-nortestosterone family	ethinylated; norethindrone (acetate), levonorgestrel desogestrel, gestodene, norgestimate
		non-ethinylated; dienogest,
	spironolactone derivative	drospirenolone

폐경호르몬요법의 절대 금기증은 진단되지 않은 질출혈, 에스트로겐 의존성 악성 종양(유방암, 자궁내막암 등), 활동성 혈전색전증, 활동성 간질환 또는 담낭질환이다.

미국에서 시행된 WHI (Women's Health Initiative) 연구는 27,500명의 건강한 폐경여성(평균 연령: 63세)을 대상으로 8.5년간의 호르몬요법이 관상동맥질환과 유방암에 미치는 영향을 증명하기 위한 대규모 장기간 임상시험이다. 자궁이 없는 경우 CEE (conjugated equine estrogen, 0.625 mg/d)를 투여하였고, 자궁이 있는 경우 MPA (medroxyprogesterone acetate, 2.5 mg/d)가 함께 투여되었다. CEE/MPA 연구는 유방암 위험의 증가로 5.2년 만에 중단되었고, CEE 연구 역시 6.8년 만에 조기 중단되었다. DPOS (Danish Osteoporosis Prevention Study)는 1,006명의 건강한 초기 폐경여성(평균 연령: 50세)에서 17β-estradiol(2 mg/일)와 NETA (norethindrone acetate, 1 mg/일)를 이용한 20년간의 호르몬요법이 골절에 미치는 영향을 알아보기 위한 덴마크의 임상시험이다. WHI 연구의 중단으로 10년간 치료 후 연구가 중단되었고 이후 6년간 추가 추적한 결과가 발표되었다.

2. 골밀도에 대한 효과

2002년 발표된 임상시험에 대한 메타분석에 의하면, 2년간의 호르몬요법은 요추와 대퇴골경부의 골밀도를 각각 6.8%와 4.1% 증가시킨다. 호르몬투여 6개월 이내 골대사지표가 급격히 감소하고(골흡수: 약 50%, 골형성: 약 30%) 이후 낮게 유지된다. 골밀도 증가는 기저 골밀도가 낮거나, 호르몬 비사용자, 나이가 높을수록 크고, 현재 흡연자나 체질량지수가 낮은 경우 적다. 또한 요추의 골밀도는 에스트로겐의 용량에 비례하여 증가하며, 프로게스토겐이 함께 투여하면 더 증가한다. 또한 에스트로겐의 투여경로에 따른 골밀도 증가의 차이는 없고, 칼슘과 비타민D를 함께 투여하면 더 좋은 결과를 얻을 수 있다. 요추의 용적측정골밀도 검사 상 호르몬요법은 피질골과 해면골 모두를 증가시킨다. 골밀도 증가의 기전으로 골흡수의 억제뿐 아니라 골형성의 증가가 중요하다. 폐경호르몬요법을 중단하는 경우 빠른 골소실이 일어날 수 있다.

3. 골절에 대한 효과

2002년 발표된 메타분석에 의하면, 폐경호르몬요법은 척추골절(상대위험도: 0.66, 95% 신뢰구간: 0.41-1.07)과 비척추골절(상대위험도: 0.87, 95% 신뢰구간: 0.71-1.08)을 감소시키는 경향은 뚜렷하나 아마도 연구대상수가 불충분하여 의미있는 감소를 확인할 수는 없었다. 현재까지 미국 식약청은 골절 감소가 뚜렷하지 않으므로 폐경호르몬요법을 골다공증의 치료로 인정하고 있지 않다. WHI 연구는 CEE와 CEE/MPA 모두 차이 없이 골절을 25% 내외로 예방한다고 보고하였다(표 4-1-3). 연구참여자 중 대퇴골의 골다공증 유병률은 5% 내외로 낮았으나, 손목과 척추뿐 아니라 대퇴골골절도 유의하게 감소시켰다. 골절 환자 중 말초골검사 상 골다공증 유병률이 18%에 불과하다는 점을 생각하면, 폐경호르몬요법은 골감소증에서 전체 골절과 함께 대퇴골골절을 예방하는 유일한 치료약이라는 근거를 제시하고 있다. 또한 골절 예방효과는 나이에 따라 큰 차이가 없으며, 칼슘과 비타민D를 함께 투여하면 더 좋은 결과를 얻을 수 있다. 치료 중단 후 골절 예방 효과는 감소한다. 13년 추적연구는 CEE치료는 전체적으로 골절에 대한 효과가 없는데, CEE/MPA는 계속 골절을 예방한다고 보고하였다. 프로게스토겐의 독립적인 골절예방 효과를 암시하고 있다. 또한 별도의 임상시험 결과, 티볼론은 골다공증환자에서 우수한 골절예방 효과를 보인다(STEAR 참조). 호르몬요법은 골밀도의 증가와 더불어 골질을 향상시켜 골강도를 높힌다. 골전환율을 낮추고 대퇴골의 거대구조를 호전시키며, 장골의 생검 상 이상 석회화를 예방한다. 또한 요골 원위부의 고해상 정량적컴퓨터단층촬영 연구 결과 피질골의 다공성(porosity)을 감소시킨다.

표 4-1-3 ▸ 에스트로겐의 골절 감소효과

상대위험 (95% 신뢰구간)

골절	CEE/MPA	CEE
원위요골	0.71 (0.59-0.85)	0.58 (0.47-0.72)
척추	0.65 (0.46-0.92)	0.64 (0.44-0.93)
대퇴	0.67 (0.47-0.96)	0.65 (0.45-0.94)
전체	0.76 (0.69-0.83)	0.71 (0.64-0.80)

4. 비골격계에 대한 효과

1) 폐경증후군

폐경호르몬요법은 혈관운동증상의 치료에 있어 가장 효과적이다. 그리고 질을 통한 에스트로겐의 국소치료는 비뇨생식기의 위축증상에 우수한 효과를 보인다. 또한 관절통, 근육통, 우울증, 수면장애 등의 폐경증상도 개선시켜 전반적인 삶의 질을 향상시킨다.

2) 심혈관질환

심혈관질환, 특히 관상동맥질환은 대부분 선진국의 사망 제일 원인이며, 우리나라에서도 그 중요성이 계속 커지고 있다. 관찰연구에 대한 메타분석에 의하면 현재 사용자에서 폐경호르몬요법은 관상동맥질환의 발생과 사망위험을 각각 20%와 38% 감소시키며, 이는 호르몬요법의 가장 중요한 장점으로 인식되어 왔다. 그러나 예상과 달리 WHI 연구는 CEE/MPA와 CEE 모두 관상동맥질환을 의미있게 감소시키지 못하였다. 그러나 두 군간 유의한 차이를 보여 CEE군에서 더 효과가 좋았고, 양군 모두에서 장기간 투여함에 따라 위험이 감소하는 경향은 보였다. 또한 시작 시기에 따라 유의한 차이를 보여 폐경 초기나 50대에는 감소하나, 폐경기간이나 연령이 증가함에 따라 위험이 증가하는 유의한 경향을 보였다. 시작 연령이 50대 여성에서 CEE는 전체 13년 추적조사한 결과, 관상동맥질환을 35% 의미있게 감소시켰다. 그리고 DOPS 연구는 초기 폐경여성에서 NETA를 이용한 호르몬요법은 심장병(심부전, 심근경색)의 발생과 사망을 52% 감소시킨다고 보고하였다. 2015년 3월 40,410명에서 시행된 19개 임상시험을 분석한 Cochrane review는 폐경 10년 내 여성에서 호르몬요법은 관상동맥질환의 위험을 48% 감소시킨다고 발표하였다. 이상은 일반적으로 치료를 시작하는 초기 폐경여성에서 폐경호르몬요법의 최대 장점을 확인하는 중요한 결과이다(timing hypothesis). 그러나 노인여성에서 시작할 경우 그 위험이 확인된 바, 경구 에스트로겐이나 MPA 외 안전한 호르몬제형에 대한 연구가 필요한 상태이다.

뇌졸중의 경우 관상동맥질환과 달리 호르몬요법으로 위험이 감소되지 않으며, 허혈성 뇌졸중은 오히려 증가하는 경향이 관찰연구에서 보고되었다. WHI 연구에 의하면 CEE/MPA나 CEE 모두 뇌졸중을 약 30% 증가시킨다. 그러나 2015년 Cochrane review는 폐경 10년 내 여성에서 뇌졸중에 대한 영향은 없다고 발표하였다.

정맥혈전증의 위험은 경구용 에스트로겐을 이용한 호르몬요법의 경우 사용 주로 첫해에 위험이 증가한다. 그러나 경피용 에스트로겐의 경우 위험 증가가 뚜렷하지 않으며, 프로게스토겐의 종류에 따라 위험이 다르다. 위험인자로 비만, 거동장애 그리고 혈전증의 과거력이나 가족력이 중요하다. 한국의 경우 정맥혈전증의 빈도가 낮고 또한 그 위험과 관계된 유전자돌연변이가 보고되지 않으므로, 건강한 폐경여성에서 호르몬요법에 따른 정맥혈전증 위험은 큰 문제가 되지 않는다.

3) 치매

인구의 노령화가 진행할수록 치매의 중요성이 더욱 커지고 있다. 알츠하이머병이 가장 흔하며, 원인 불명이고 치료법이 아직 없는 상태이다. 65세 이상의 여성을 대상으로 시행된 WHIMS (WHI memory study)에 의하면, CEE는 영향이 없으나 CEE/MPA는 치매의 위험을 오히려 증가시킨다. 그러나 관찰연구의 메타분석은 폐경 초기에 시행된 호르몬요법은 알츠하이머병의 위험을 낮춘다고 보고하여 critical window hypothesis의 근거가 되고 있다.

4) 암

에스트로겐 단독치료에 의한 자궁내막 증식은 프로게스토겐 병용요법으로 예방된다. WHI 연구에 의하면 지속적 병용요법으로 자궁내막암위험이 감소된다.

유방암은 한국여성에서 두 번째로 흔한 암이나, 발생율과 사망률은 미국의 약 1/3 수준이다. 또한 서양과 달리 50세에 최고 빈도를 보이다가 이후 감소한다. 관찰연구의 메타연구는 폐경호르몬요법은 현재 사용자에서 5년 이상 장기간 투약한 경우 35% 증가한다고 보고하였다. 유방암에 대한 영향은 에스트로겐 단독요법보다 프로게스토겐 병용요법에서 더 뚜렷하였다. WHI 연구는 관찰연구와 비슷한 결과를 보고하였다. 5.6년간의 CEE/MPA는 유방암 위험을 24% 증가시켰다. 대조적으로 6.8년간의 CEE 치료는 감소시키는 경향이 뚜렷하였으나 의미있는 차이는 없었다(상대위험도: 0.77, 95% 신뢰구간: 0.59-1.01). 그러나 가장 중요한 관암(ductal cancer)은 29% 유의하게 감소시켰다. 이유는 아직 확실치 않으나 과거 호르몬 사용여부가 큰 영향을 미쳤다. CEE/MPA에 의한 유방암 증가는 과거 호르몬 사용자에서만 관찰되었고, CEE는 과거 미사용자에서만 위험을 감소시켰다. 과거 미사용자에 대한 추가분석 결과, 폐경 5년 이내(gap time)에 시작한 경우 CEE/MPA는 유방암 위험을 증가시키고 CEE는 영향이 없었다. 그러나 gap time 이후 시작한 경우 CEE/MPA는 영향이 없고, CEE는 의미있게 유방암을 감소시켰다. 중단 이후 총 13년간 추적한 결과 유방암에 대한 지속적인 효과를 확인할 수 있다. CEE/MPA의 영향은 지속하였고(28% 증가), CEE의 효과는 유의한 차이를 보였다(21% 감소). 또한 DOPS는 초기 폐경여성에서 NETA를 이용한 병용요법은 유방암위험을 감소시키는 경향을 보인다고 보고하였다(상대위험도: 0.58, 95% 신뢰구간: 0.27-1.27). 이상의 결과는 에스트로겐 단독요법은 유방암 위험에 악영향이 없으며, 프로게스토겐의 종류에 따라 병용요법에 의한 유방암 위험이 다르다고 요약할 수 있다. 미국여성에서 시행된 CEE/MPA 연구결과를 한국에서 시행되는 모든 호르몬요법에 확대 적용하여서는 안 되겠다.

한국 여성에서 대장암은 유방암보다 사망률이 약 2배 더 높고, 노인여성에서 가장 흔한 암이다. 관찰연구의 메타분석에 의하면 호르몬요법은 대장암을 약 30% 낮춘다. WHI 연구에서, CEE와 달리 CEE/MPA는 대장/직장암 위험을 42% 감소시켰다.

5) 전체 사망률

치료효과를 판정하기 위한 가장 확실하고 강력한 지표는 전체 사망률이다. WHI 연구에 의하면, 50대에 시작한 호르몬요법은 전체 사망을 30% 낮춘다. 2015년 발표된 Cochrane review 역시, 전체적으로는 차이가 없으나 폐경 10년 내 시작한 폐경호르몬요법은 전체 사망률을 30% 감소시킨다고 보고하였다.

STEAR

티볼론은 1960년도에 개발된 약제로 초기에는 Org OD 14로 알려졌으며, 에스트로겐, 프로게스테론, 안드로겐 작용을 하는 합성 스테로이드이다. 티볼론은 세계폐경학회는 호르몬치료제로 분류하나, 기존의 호르몬제제와는 달리 조직에 따른 특이적 대사로 다른 효과를 나타내므로 선택적 조직 에스트로겐작용 조절자(STEAR, selective tissue estrogenic activity regulator)라 불리기도 한다. 티볼론은 폐경증상의 치료와 골다공증 예방을 목적으로 주로 유럽에서 이용되고 있으며 미국 FDA의 허가를 얻지 못하여 미국에서는 사용이 제한적이다.

1. 약리

티볼론은 경구 피임제에 사용되는 19-nortestosterone progestin과 화학구조적으로 연관되어 있고, 티볼론의 효과는 조직 내 형성된 대사물의 작용에 의한 결과이다. 경구 복용 후 티볼론의 대부분은 간과 장에서 3α-hydroxytibolone(3α-OH-tibolone)과 3β-hydroxytibolone(3β-OH-tibolone)으로 신속하게 대사되며, 혈중 농도는 3α-OH-tibolone이 3β-OH-tibolone보다 3배 더 높다. 초기 대사 후 75% 이상은 비활성인 황산염(sulfate) 형태로 혈중에 존재한다(그림 4-1-1). 또 다른 대사물인 Δ^4-isomer는 티볼론 또는 3β-OH-tibolone으로부터 형성된다. 3α-와 3β-OH-대사물은 에스트로겐 수용체와 결합하고 Δ^4-isomer는 프로게스테론 수용체와 안드로겐 수용체와 결합하지만 에스트로겐 수용체와는 결합하지 않는다(표 4-1-4). 3-OH-대사물은 에스트로겐 수용체 β 보다 에스트로겐 수용체 α에 더 큰 친화력을 가지고 결합한다. 티볼론의 3α-와 3β -OH-대사물은 뼈와 질 조직에서는 에스트로겐과 같은 작용을 하며, Δ^4-isomer는 자궁내막 조직에는 프로게스테론과 같은 작용을 하고 뇌와 간장에서는 안드로겐과 같은 작용을 하는 것으로 알려져 있다. 유방조직에서 티볼론은 sulfatase 활동을 강하게 억제하고 HSD (17β-hydroxysteroid dehydrogenase) 활동을 약하게 억제하여, 결과적으로 에스트론 황산염이 에스트라디올로 치환되는 것을 막는 작용을 하게 된다.

티볼론은 경구복용 후 신속하게 흡수되며 30분 내에 혈장에서 인지되며 혈장 농도는 2시간에 최고치에 도달한다. 티볼론은 주로 간에서 대사되며 요와 변으로 배설된다. 주요 대사물인 3α-와 3β-OH대사물의 혈액 내 반감기는 약 7~8시간이다. 티볼론은 음식물 섭취와 상관없이 복용할 수 있으며 신장 기능 저하와도 관계없다. 유용한 용량은 1일 1.25 mg과 2.5 mg이 있는데 2.5 mg이 상용된다.

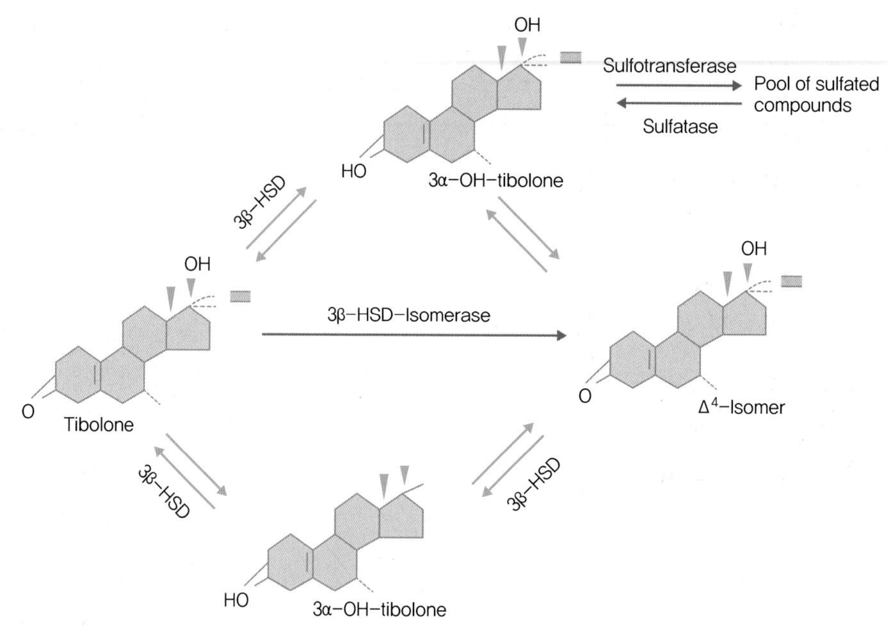

그림 4-1-1 ▸ 티볼론의 대사물질

표 4-1-4 ▸ 티볼론 대사물과 작용하는 호르몬 수용체

	에스트로겐 수용체	프로게스테론 수용체	안드로겐 수용체
Tibolone	−/+	+	+
3α-OH-tibolone	+	−	−
3β-OH-tibolone	+	−	−
Δ^4-isomer	−	+	+

2. 급성 폐경증상에 대한 효과

폐경증상은 많은 여성의 삶의 질을 저하시킨다. 폐경여성의 75% 이상이 안면홍조와 발한을 경험한다. 다른 증상으로는 불면증, 두통, 피로감 등이 있으며, 성욕과 기분의 변화가 폐경과 직접 또는 간접으로 연관되어 있다.

티볼론은 폐경증상을 완화시키며, 효과는 저용량 에스트라디올과 NETA를 이용한 호르몬치료와 비슷하다.

3. 성기능에 대한 효과

티볼론은 안드로겐 작용을 하므로 성기능을 증가시킬 수 있다. Δ^4-isomer는 안드로겐 수용체를 자극하며 간에 작용하여 성호르몬결합단백(SHBG, sex hormone binding globulin) 농도를 약 50% 저하시켜 유리 테스토스테론의 농도를 증가시킨다. 이는 SHBG 농도를 증가시키는 경구 에스트로겐과 큰 차이를 보인다.

티볼론을 복용한 여성에게 저용량 에스트라디올과 NETA를 복용한 여성에 비해 성 기능과 관심도를 증가시킨다. 성적 흥분 장애 여성에서 티볼론은 경피 에스트라디올과 NETA를 이용한 호르몬치료와 유사하게 성 기능을 호전시키며 일부에서 성욕, 성적 흥분 그리고 성 만족을 더 개선할 수 있다.

4. 질 조직과 자궁내막에 대한 효과

티볼론은 질 조직에 에스트로겐 작용을 하며 질 건조감과 성교통이 완화된다. 자궁내막에서 티볼론은 Δ^4-isomer로 대사된다. Δ^4-isomer로 프로게스테론 작용만 가지므로 에스트로겐 작용을 나타내는 3-OH-대사물에 의한 자궁내막자극을 억제한다. 또한 티볼론과 그 대사물은 자궁내막의 sulfatase를 억제하여 항 에스트로겐 효과를 나타낸다. 임상시험 결과, 2년간의 티볼론 투여는 자궁내막증식증이나 자궁내막암의 위험을 증가시키지 않는다.

통상적인 병용 호르몬요법에 비해 티볼론은 불규칙 질출혈의 빈도가 적게 발생하며, 무월경이 빠르게 유도된다. 90% 이상의 치료 여성에서 6개월 내 무월경 상태에 도달한다. 불규칙한 질출혈은 초기 폐경 여성에서 더 흔하다. 이상 출혈이 지속되면 자궁내막 생검을 시행하여야 한다.

티볼론 투여는 자궁근종에 영향을 주지 않는다. 또한 자궁근종의 내과적 치료를 위해 성선자극호르몬 유사체를 사용할 경우, 근종 치료에 영향을 주지 않으면서 에스트로겐 결핍에 의한 열성 홍조 및 골소실을 예방하기 위한 add-back 치료로 사용된다.

5. 심혈관질환 및 지질대사에 대한 효과

폐경 여성에게 총콜레스테롤과 중성지방 농도가 증가하는데 이는 고밀도지단백 콜레스테롤(HDL-C, high density lipoprotein cholesterol)은 변하지 않는 반면에 저밀도 지단백질 콜레스테롤(LDL-C, low density lipoprotein cholesterol)은 증가하기 때문이다.

티볼론을 복용한 여성에게 총콜레스테롤 농도는 약 10%, HDL-C 농도는 20~34%, 중성지방 농도는(20~25%) 각각 감소하지만, LDL-C 농도는 약간 감소하거나 변화가 없다. 티볼론에 의한 HDL-C의 감소는 간의 지질분해효소(lipase)에 대한 대사물인 Δ^4-isomer의 안드로겐 작용에 의한 것으로 여겨진다. 그러나 HDL-C의 항죽상동맥경화성 기능인 동맥의 콜레스테롤을 혈장으로 제거하는 reverse cholesterol transport와 LDL-C의 산화 억제에는 영향이 없다.

심혈관질환에 대한 영향을 알아보기 위한 임상시험은 아직 시행된 바 없다. 기존의 임상시험 결과상 부작용으로 정맥혈전증이나 관상동맥질환의 위험 증가는 없다. 이는 통상적인 병용 호르몬요법과 다른 결과이다. 초기 폐경 여성과 달리 노인 여성에서는 뇌졸중의 위험이 증가한다. 준임상적 죽상동맥경화증인 경동맥 내중막 두께(intima-media thickness)에 대한 임상시험 결과, 티볼론은 통상적인 병용 호르몬요법과 마찬가지로 경동맥 내중막 두께를 증가시킨다.

티볼론의 심혈관질환에 대한 영향은 더 연구가 필요한 상태이나 통상적인 호르몬요법과는 다를 것으로 생각된다.

6. 뼈에 대한 효과

폐경 여성에서 티볼론은 골소실을 억제한다. 티볼론 효과는 3-OH-대사물의 에스트로겐 수용체를 통해 나타낸다. 티볼론 1일 1.25 mg과 2.5 mg 투여는 거의 동일한 효과로 보여, 척추와 대퇴골에서 골밀도를 증가시키며 골전환표지자 농도를 감소시킨다. 티볼론은 폐경전 여성에서 성선자극호르몬 유사체에 의한 골소실도 예방한다.

골다공증이나 척추골절이 있는 여성(평균연령: 68세)을 대상으로 티볼론(1.25 mg/일)을 3년간 투여하여 골절 예방 효과를 밝히기 위한 임상시험(LIFT, long-term intervention on fracture with tibolone)이 시행되었다. 티볼론은 척추골절과 비척추골절을 각각 45%와 26% 유의하게 감소시킨다. 티볼론의 골절 감소 효과는 호르몬요법이나 비스포스포네이트와 유사한 정도이다. 또한 통상적인 병용 호르몬요법과 유사하게 대장암 위험을 감소시키고(상대위험도 0.31), 뇌졸중 위험을 증가시킨다(상대위험도 2.19). 그리고 유방암 위험을 68% 감소시키며, 이는 랄록시펜의 효과와 유사하다.

7. 유방조직에 대한 작용

에스트로겐은 유방에서 국소적으로 생성된다. 이는 특히 폐경 여성에서 유방자극에 대한 중요한 기전이다. 유방조직에는 에스트로겐 형성에 필요한 효소들(sulfatase, aromatase, 17β -HSD)과 에스트로겐을 비활성 형태인 황산염 형태로 치환하는 sulfotransferase가 존재한다. 에스트론 황산염은 혈장보다 유방조직 내에 농도가 높으며 암 조직 내에서의 농도는 더욱 높다.

유방에서 에스트로겐 생성에 관여하는 주요 경로는 에스트론 sulfatase에 의해 에스트론 황산염이 에스트론으로 치환되는 것이며 이는 안드로겐에서 에스트로겐이 생성되는 아로마타제 경로보다 중요하다. 모든 유방조직에서 sulfatase 활동이 아로마타제 활동보다 강하다(130~200배). 정상 조직보다 암조직에서 sulfatase와 아로마타제의 활동이 모두 강하며, 에스트론 황산염과 에스트라디올의 조직 농도가 높다.

티볼론의 3α-OH 대사물은 sulfatase 작용을 강력히 억제하고 17β-HSD 작용을 약하게 억제하며 sulfotransferase 활동을 증가시켜 유방에서 활성화 에스트로겐 형성을 억제한다. 그러나 고농도인 경우, 티볼론은 간질세포에서 아로마타제 활동을 증가시킬 수 있으나 상용량 이상의 농도이므로 임상적 의의는 적다. 또한, 티볼론은 유방세포의 증식을 억제하고 세포괴사를 유도하는 작용이 있다.

티볼론은 유방 방사선촬영 영상에서 유방 치밀도에 영향을 주지 않으므로 통상적인 호르몬요법에 비하여 유방의 이상 소견을 조기에 발견할 수 있다. 또한 유방 압통의 빈도가 낮다. 기대와 달리 관찰 연구에 의하면 티볼론의 유방암 예방 효과는 뚜렷하지 않다. 대규모 연구인 Million Women Study에 의하면 통상적인 병용 호르몬요법보다는 낮지만 45% 유의하게 위험이 증가한다. 전술한대로 골다공증이 있는 노인 여성을 대상으로 시행된 LIFT 임상시험 결과, 티볼론은 유방암 위험을 68% 유의하게 감소시킨다. 초기 폐경 여성을 대상으로 시행된 유방암 예방에 대한 임상시험은 아직 없는 상태이다. 폐경 증상을 호소하는 유방암 환자를 대상으로 재발 예방 효과를 밝히기 위한 임상시험 결과, 티볼론은 유방암 재발을 40% 증가시킨다. 따라서 유방암 과거력이 있는 여성에서 티볼론의 사용은 금기이다.

8. 부작용

위장관장애 등의 소화기계통 부작용과 어지러움, 우울증, 두통, 편두통 등의 정신신경계 부작용이 있을 수 있다. 관절 및 근육통, 가려움증이 나타날 수 있으며 지루성 피부, 안면 체모의 성장 증가 등 안드로겐성 부작용이 나타날 수 있다.

참고문헌

1. Biovin G, Vedi S, Purdie DW, et al. Influences of estrogen therapy at conventional and high doses on the degree of mineralization of iliac bone tissue: A quantitative microradiographic analysis in postmenopausal women. Bone 2005;36:562-7.
2. Boardman HMP, Hartley L, Eisinga A, et al. Homone therapy for preventing cardiovascular disease in post-menopausal women. Cochrane Database Syst Rev 2015;CD002229.
3. Cauley JA, Robbins J, Chen Z, et al. Effects of estrogen plus progestin on risk of fracture and bone mineral density: The women's health initiative randomized trial. JAMA 2003;290:1729-38.
4. Chen Z, Beck TJ, Cauley JA, et al. Hormone therapy improves femur geomtry among ethnically diverse postmenopausal participants in the women's health initiative hormone intervention trials. J Bone Miner Res 2008;23:1935-45.
5. Collaborative group on hormonal factors in breast cancer. Breast cancer and hormone replacement therapy: collaborative reanalysis of data from 51 epidemiological studies of 52 705 women with breast cancer and 108 411 women without breast cancer. Lancet 1997;350:1047-59
6. Greenspan SL, Emkey RD, Bone HG III, et al. Significant differential effects of alendronate, estrogen or combination therapy on the rate of bone loss after discontinuation of treatment of postmenopausal osteoporosis. Ann Intern Med 2002;137:875-83.
7. Jackson RD, Wactawski-Wende J, LaCroix A, et al. Effects of conjugated equine estrogen on risk of fractures and BMD in postmenopausal women with hysterectomy: Results from the women's health initiative randomized trial. J Bone Miner Res 2006;21:817-28.

8. Manson JE, Chlebowski RT, Stafenick ML, et al. Menopausal hormone therapy and health outcomes during the intervention and extended poststopping phases of the women's health initiative randominzed trials. JAMA 2013;310:1353-68.
9. The writing group for PEPI trial. Effects of hormone therapy on bone mineral density: Results from the postmenopausal estrogen/progestin interventions (PEPI) trial. JAMA 1996;276:1389-96.
10. Wells G, Tugwell P, Shea B, et al. V. Meta-anlaysis of the efficacy of hormone replacement therapy in treating and preventing osteoporosis in posmenopausal women. Endocr Rev 2002;23:529-39.
11. Schierbeck LL, Rejnmark L, Tofteng CL, et al. Effect of hormone replacement therapy on cardiovascular events in recently postmenopausal women: randomised trial. BMJ 2012;345:e6409.
12. Yates J, Barrett-Connor E, Barlas S, et al. Rapid loss of hip fracture protection after estrogen cessation: Evidence from the national osteoporosis risk assessment. Obstet Gynecol 2004;103:440-6.
13. Beral V; Million Women Study Collaborators. Breast cancer and hormone-replacement therapy in Million Women Study. Lancet 2003;362:419-27.
14. Bots ML, Evans GW, Riley W, et al. The effects of tibolone and continuous combined conjugated equine oestrogens plus medroxyprogesterone acetate on progression of carotid intima-media thickness: the Osteoporosis Prevention and Arterial effects of tiboLone (OPAL) study. Eur Heart J 2006;27:746-55.
15. Chetrite GS, Cortes-Prieto J, Philippe JC, et al. Comparison of estrogen concentrations, estrone sulfatase and aromatase activities in normal, and in cancerous, human breast tissues. J Steroid Biochem Mol Biol 2000;72:23-7.
16. Cummings SR, Ettinger B, Delmas PD, et al. The effects of tibolone in older postmenopaul women. N Engl J Med 2008;359:697-708.
17. Kenemans P, Bundred NJ, Foidart JM, et al. Safety and efficacy of tibolone in breast cancer patients with vasomotor symptoms: a double-blind, randomized, non-inferiority trial. Lancet Oncol 2009;10:135-46.
18. Kenemans P, Speroff L. Tibolone: clinical recommendations and practival guidelines. A report of the International Tibolone Consensus Group. Maturitas 2005;51:21-8.
19. Modelska K, Cummings S. Tibolone for postmenopausal women: systematic review of randomized trials. J Clin Endocrinol Metab 2002;87:16-23.
20. Palomba S, Morelli M, Di Carlo C, et al. Bone metabolism in postmenopausal women who were treated with a gonadotropin-releasing hormone agonist and tibolone. Fertil Steril 2002;78:63-8.

4-2 비스포스포네이트

강무일

비스포스포네이트는 19세기에 처음으로 합성되었으며 자연 상태에 존재하는 inorganic pyrophos phate와 유사한 구조를 가진 매우 안정된 유도체로, 처음에는 칼슘염의 침착을 억제하는 성질을 이용하여 산업장에서 수도관의 부식을 방지할 목적으로 사용되었으나 그 이후 뼈의 미네랄에 강하게 결합하는 성질이 알려지게 되었다. 1960년대 후반부터 처음으로 임상에서 골스캔 검사에 이용되었고, 1970년부터는 골흡수를 강력히 억제하는 효과가 알려지면서 파제트병의 치료제로 사용되기 시작하였다.

비스포스포네이트는 강력한 골흡수억제제로서 현재 전 세계적으로 가장 많이 처방되고 있는 골다공증 치료제이다. 현재 미국 FDA에서는 알렌드로네이트, 리세드로네이트, 이반드로네이트와 졸레드론산이 골다공증의 예방 및 치료 목적으로 인정되고 있고, 국내에서는 이외에도 파미드로네이트가 골다공증의 치료 목적으로 승인되어 있다.

비스포스포네이트 제제의 적응증은 골흡수가 증가된 질환들로서, 이미 골다공증의 치료제로 사용하기보다 앞서 파제트병의 치료에 사용되어왔다. 이외의 질환들로는 남성골다공증, 글루코코르티코이드-유발 골다공증, 장기이식과 관련된 골다공증, 악성종양으로 인한 고칼슘혈증에 효과적인 것으로 알려져 있다. 최근에는 비스포스포네이트 제제의 신생혈관형성 억제 효과가 알려지면서 유방암 및 전립선암 등의 전이성 골질환에 대한 치료 및 통증 치료에 사용되고 있다.

약리

비스포스포네이트는 pyrophosphate의 P-O-P 구조의 가운데 산소를 탄소로 치환한 P-C-P 구조를 가지 고 있는 것이 특징이다(그림 4-2-1).

Pyrophosphate는 인체 내에서 비정상적인 칼슘염의 침착을 억제하는 역할을 하지만 매우 불안정하여 곧 불활성화되는 반면, 비스포스포네이트는 인체 내에서 매우 안정된 구조를 가진다. 초기에 개발된 물질은 골흡수를 억제하면서 동시에 뼈의 석회화 과정도 억제하는 부작용이 있었다. 따라서 뼈의 석회화에는 영향을 미치지 않으면서 골흡수 억제효과를 강화하기 위해서는 P-C-P 구조의 가운데 탄소 원소에 결합하는 두 개의 측부사슬(R1, R2)을 다른 구조로 치환시킴으로써 얻을 수 있었다. 대개의 경우 한 사슬(R1)은 수산화(-OH)기를 갖게 함으로써 뼈의 칼슘에 대한 친화력을 더욱 강화시키고, 나머지 한 사슬(R2)을 변환시킴으로써 골흡수를 억제하는 효과를 증가시킨다.

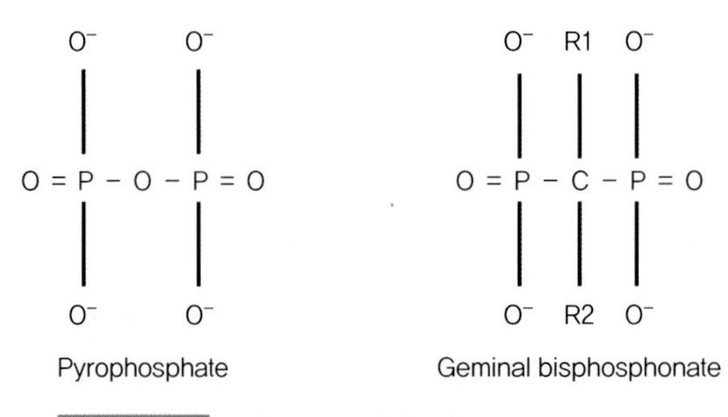

그림 4-2-1 ▶ 비스포스포네이트의 구조

표 4-2-1 ▶ 비스포스포네이트의 종류

		R1	R2	potency
Non-nitrogen-containing compounds	Etidronate	OH	CH_3	1
	Clodronate	Cl	Cl	10
Nitrogen-containing compounds	Pamidronate	OH	$CH_2CH_2NH_2$	100
	Alendronate	OH	$CH_2CH2_2CH_2NH_2$	500~1,000
	Risedronate	OH	CH_{2-3}-pyridiny	1,000~5,000
	Ibandronate	OH	CH_2-$CH_2N(CH_3)CH_2CH_2CH_2CH_2CH$	24,000~10,000
	Zoledronate	OH	$CH_2C_3N_2H_3$	

에티드로네이트와 클로드로네이트와는 달리 알렌드로네이트는 아미노기(−NH2)를 추가함으로써 골흡수 억제효과를 100~1,000배 정도 증가시켰고, 리세드로네이트, 이반드로네이트 및 졸레드론산 등은 아미노기에 메틸화를 시키거나 고리 구조물(heterocyclic ring) 내에 들어가게 함으로서 더욱 효과가 증가되었다(표 4-2-1).

1. 약물동력학

비스포스포네이트는 동물 혹은 인체에 존재하지 않는 합성 물질이며 P-C-P 결합을 절단할 수 있는 효소도 존재하지 않는다. 복용 후 대부분 소장에서 흡수되는데 이 과정은 세포 간 경로(paracellular pathway)를 통한 수동확산(passive diffusion)에 의해서 일어남이 알려져 있다. 그러나 흡수율은 1~5% 정도로 매우 낮고 특히 강력한 약제일 경우 더욱 낮다. 혈중 비스포스포네이트의 30~70%가 뼈에 흡수되고 나머지는 콩팥을 통하여 빠르게 배설된다. 비스포스포네이트를 빠른 속도로 투여하게 되면 위, 비 장, 간 등과 같은 뼈 이외의 장기에 침착할 수 있는데 이를 방지하기 위하여 최소 15분 이상 천천히 주입해야 된다. 비스포스포네이트는 몸에 흡수된 후 대사가 되지 않은 상태로 골재형성이 활발히 진행되는 뼈의 수산화인회석 내에 결합하며 이후 수십 년 동안 뼈 안에 존재하게 된다.

2. 비스포스포네이트의 작용 기전

파골세포에 의해 골흡수가 진행되는 동안 뼈 안에 축적되어 있던 비스포스포네이트가 유리되는데, 이 때 파골세포는 국소적으로 고농도의 비스포스포네이트에 노출된다. 유리된 비스포스포네이트는 파골세포 내로 들어가 세포 독성을 유발하는 유도체로 대사되거나, 혹은 여러 생화학적인 과정에 영향을 미치게 되어 세포사멸을 유발하거나 세포를 죽이게 된다. 이를 자세히 살펴보면, 정상적인 반응으로서 세포 내의 아미노산은 aminoacyl-tRNA synthetase에 의해서 ATP와 반응하여 aminoacyl-adenylate (amino acid-AMP)를 형성하면서 pyrophosphate (P-O-P)가 유리되며, 다시 aminoacyl-adenylate는 tRNA 분자와 결합하여 aminoacyl-tRNA가 되어 mRNA의 전사를 통한 단백질 합성 과정에 관여한다. R2 사슬에 질소를 포함하지 않는 에티드로네이트, 클로드로네이트 및 틸루드로네이트 등을 투여하면 이들이 pyrophosphate와 구조적으로 흡사하므로 파골세포내에서 제2형 aminoacyl-tRNA synthetase에 의해 pyrophosphate 대신 aminoacyl-adenylate와 결합하여 AppCp 형의 뉴클레오티드로 변화되어 세포 독성을 갖는 ATP 유도체로 작용한다(그림 4-2-2). 반면 R2 사슬에 질소를 포함하는 알렌드로네이트, 리세드로네이트, 이반드로네이트 및 졸레드론산 등은 콜레스테롤 합성 과정에 있어 중요 한 단계인 HMG-CoA reductase 경로에 있는 효소 중 특히 farnesyl pyrophosphatase를 차단하여 단백질의 isoprenylation과 sterol 합성이 억제된다(그림 4-2-3). 단백질의 isoprenylation이란 farnesyl 혹은 geranylgeranyl 지질 군(lipid group)을 카르복시 말단의 특정 부위에 결합시키는 단백질의 farnesylation 과 geranylation을 의미한다. 현재까지 알려진 대부분의 isoprenylation된 단백질들은 Rho, Rac, cdc42, Rab 들과 같은 small GTPase로 주로 geranylgeranylation에 의해 형성되며, 파골세포의 형태 유지, 인테그린의 신호전달 과정, 세포막의 주름형성(ruffling), 소포 소통(vesicular trafficking), 세포사멸 등과 같은 파골세포의 기능에 매우 중요한 여러 가지 세포 내 과정들을 조절하는 신호전달 단백질들이다. 따라서 질소 함유 비스포스포네이트에 의한 mevalonate 경로차단과 isoprenylation의 억제는 파골세포의 주름경계 소실, 세포골격(cytoskeleton)의 파괴, 세포막과 proton ATPase와 같은 세포 내 단백질 소통의 변화, 인테그린에 의한 세포 내 신호전달 경로 차단, 파골세포사멸의 유도 등을 일으키게 된다. 따라서 비스포스포네이트의 구조적 차이에 따라 세포 수준에서의 작용에 조금씩 차이가 있지만 궁극적으로는 파골세포 동원의 억제, 파골세포의 부착(adhesion) 억제, 파골세포 수명단축, 직접적인 파골세포의 기능억제 등을 통해서 모든 형태의 비스포스포네이트는 골흡수를 억제하는 효과를 가지게 되어 궁극적으로 골절 위험률을 감소시키게 된다(그림 4-2-4). 또한 조골세포에 관련된 기전으로 전구조골세포의 증식 및 분화를 촉진시키며, 조골세포로부터 골흡수를 억제하는 물질인 OPG의 생산을 증가시킨다는 연구결과 들도 알려져 있지만 아직 자세한 기전은 정립되어 있지 않다.

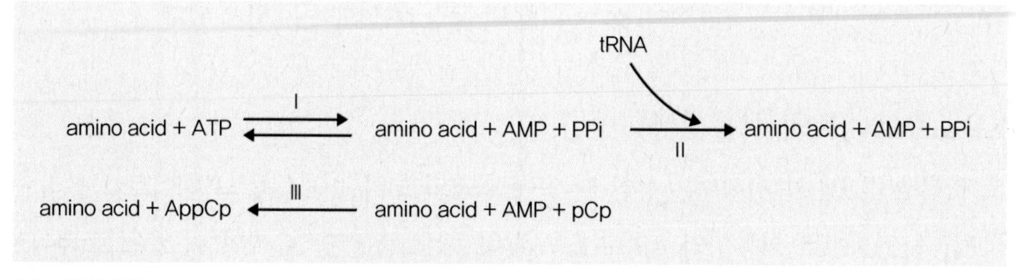

그림 4-2-2 ▸ 비 아미노 비스포스포네이트의 작용기전

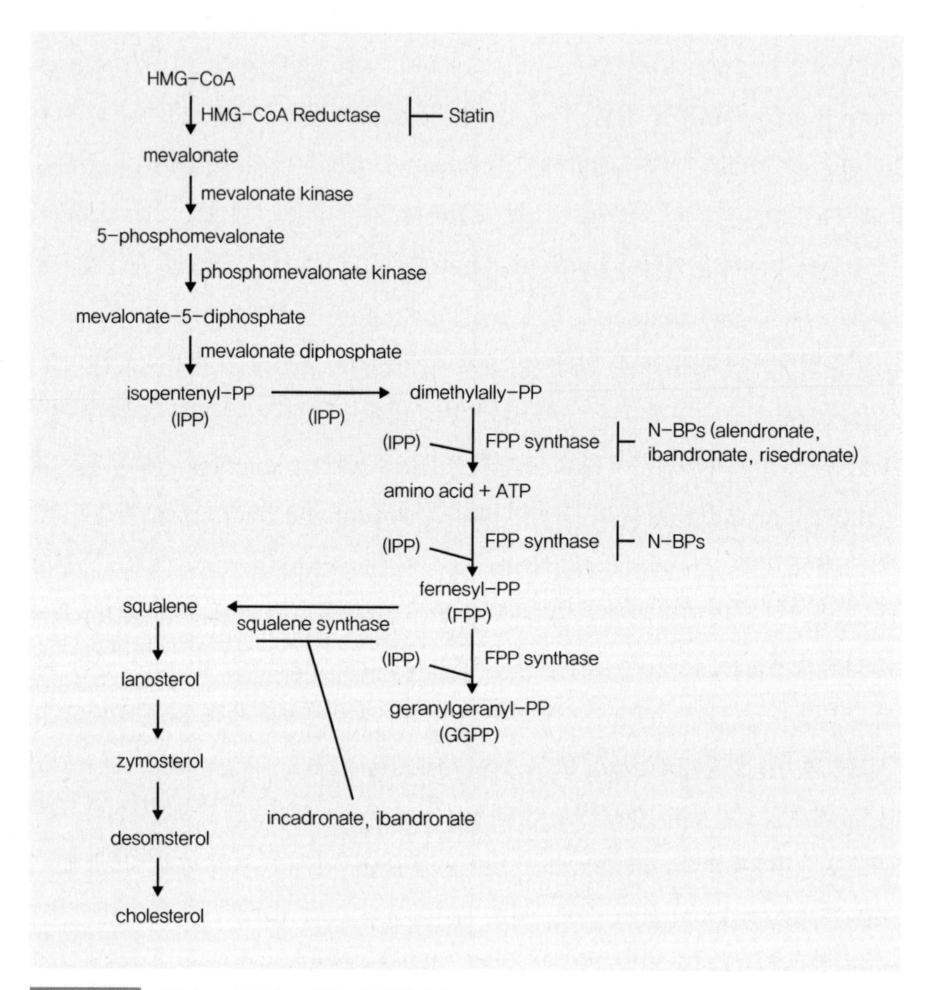

그림 4-2-3 ▸ 아미노 비스포스포네이트의 작용기전

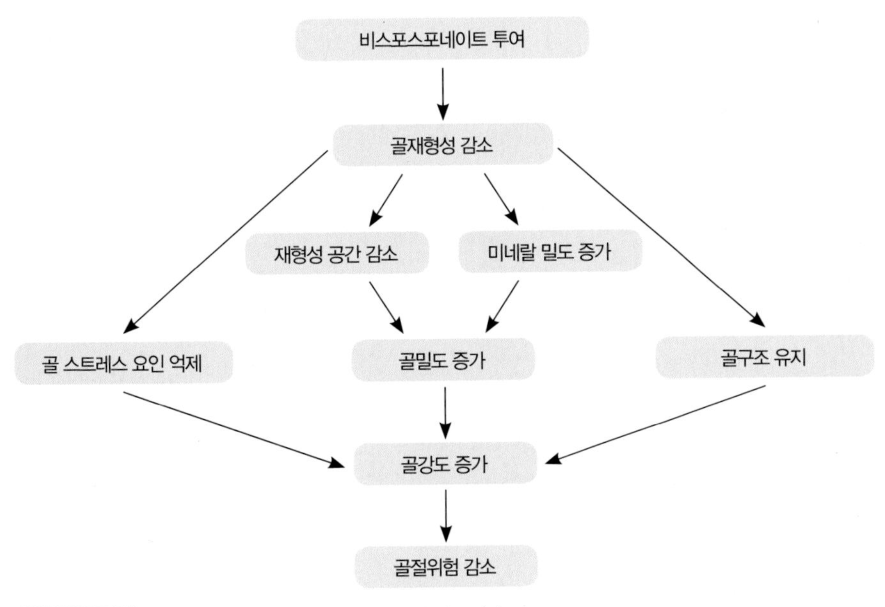

그림 4-2-4 ▸ 비스포스포네이트에 의한 골절위험 감소기전

투여방법

비스포스포네이트의 장내 흡수를 최대화하기 위해서는 일어나자마자 최소한 아침 식사 30분 전에 200 mL 이상 충분한 양의 물과 함께 복용하며 이후 1시간 정도 눕지 않도록 하여야 한다. 특히 우유나 낙농 제품, 오렌지 쥬스, 커피, 칼슘, 철분제 및 제산제 들은 이들 약제의 흡수를 방해하므로 최소한 1시간이 지난 후 복용하도록 하여야 한다. 최근에는 식후에 복용해도 효과적인 리세드로네이트 장용정이 개발되었다. 주사 할 경우에는 근육주사는 절대로 금하여야 하며, 정맥주사시에도 단독으로 주사하는 것보다는 수액에 혼합하여 천천히 주사하는 것이 좋다. 일반적으로 250~500 mL의 0.45%나 0.9% 생리식염수 혹은 5% 포도당 수액에 혼합하여 투여하며, Ringer's lactate 수액과는 결정체를 형성하여 신장기능이상을 일으킬 수 있기 때문에 절대로 혼합해서는 안 된다. 빨리 혈관주사할 경우도 혈액 내의 칼슘과 복합체를 형성하여 신장기능에 장애를 줄 수 있으므로 서서히 주사하여야 한다(예시: 이반드로네이트 15~30초, 졸레드론산 15분 이상, 파미드로네이트 3시간 이상).

비스포스포네이트 제제 및 골밀도에 대한 효과

1. 에티드로네이트

비스포스포네이트 중에서 임상적으로 가장 먼저 사용되었으며, 현재 골다공증에 대한 적응증으로 캐나다에서는 인정을 받고 있지만 미국에서는 인정을 받지 못한 상태이다. 매일 지속적으로 투여할 경우 뼈의 무기질화 과정을 저해시킬 수 있으므로 일반적으로 3개월 주기로 처음 2주 동안은 하루에 400 mg씩 아침 식사 2시간 후 경구 투여하고 나머지 기간은 하루에 500 mg 칼슘만을 복용하는 간헐적 투여 방법을 사용한다. 429명의 폐경후 골다공증과 골절이 동반된 여성을 대상으로 에티드로네이트를 7년 동안 투여한 결과, 척추골밀도가 7.6% 증가하였고 3년만 투여해도 척추골절이 의의 있게 감소하였다. 과량 투여할 경우의 문제점은 뼈의 석회화 과정의 억제로 인한 골연화증의 발생이지만, 일반적으로 골다공증의 치료에 투여하는 용량으로는 문제가 되지 않는 것으로 알려져 있다.

2. 알렌드로네이트

현재 가장 많이 사용되고 있는 약제로서 이미 1995년에 폐경후 골다공증의 예방과 치료, 스테로이드 유발성 골다공증의 치료, 남성 골다공증의 치료에 대하여 FDA에서 공인을 받았다. FDA에서는 하루 5 mg과 주 1회 35 mg 경구투여가 골다공증의 예방 목적으로 인정되고 있고, 하루 10 mg 과 주 1 회 70 mg 및 70 mg에 비타민D_3가 2,800 단위 혹은 5,600 단위가 포함된 제제를 주 1회 경구 투여하는 방법이 치료 목적으로 인정되고 있다. 주 1회 70 mg 물약(75 mL)이 치료 목적으로 시판되고 있다. FIT (Fracture Intervention Trial) 연구 결과, 척추골절이 있는 환자들을 대상으로 3년 동안 투여하여 척 추골, 대퇴골 및 손목골절을 약 50% 감소시켰고, 척추골절이 없었던 환자들을 대상으로 3년 동안 투여한 경우에는 척추골절의 발생을 48% 감소시켰다. 또한 EuroGIOPs trial에서 스테로이드를 투여받고 있는 환자들을 대상으로 투여하여 골절 예방 효과에 대한 결과는 없지만 골밀도를 증가시키는 것으로 알려져 있다.

3. 파미드로네이트

1995년 다발성골수종의 치료에 대하여 FDA 공인을 받았으며 1996년에는 전이성 골질환에 대하여도 공인을 받은 이후 악성종양으로 인한 골질환에 대한 치료에 광범위하게 사용되고 있다. 골다공증에도 효과를 보이는 것으로 알려져 있지만, 위장관 부작용으로 인하여 미국 내에서는 시판이 중단된 상태이지만 국내에서는 허가되어 사용 중이다. 2002년도에 발표된 네덜란드 연구에서, 최소 한 군데 이상의 척추골절을 동반한 78명의 폐경후 여성과 23명의 남성들을 대상으로 5년 동안 하루에 파미드로네이트 150mg을 복용하게 하였더니 척추골밀도가 14.3% 증가하였고 골절률도 위험률 0.33으로 의의 있게 감소하였으며 연구기간 동안 위장관 부작용도 관찰되지 않았다. 3개월에 한 번씩 하루 30 mg을 혈관 주사하여도 매일 경구 투여한 경우에서와 유사한 효과를 얻었다는 연구 결과도 있어 경구투여가 불가능할 경우 이를 대체할 수 있는 방법으로 사용할 수 있겠다.

4. 리세드로네이트

폐경후 골다공증의 예방 및 치료, 남성 골다공증의 치료, 스테로이드를 투여하고 있는 환자의 골밀도를 증가시킬 목적으로 투여하는 경우가 인정이 되었다. 하루 5 mg과 주 1회 35 mg 경구 투여, 주 1회

35 mg과 함께 하루 칼슘 500 mg 씩 6일 동안 복용할 수 있도록 포장된 제제 및 1개월마다 150mg 씩 복용하는 제제가 FDA의 공인을 받아 처방되고 있다. VERT-MN trial에서 척추골절이 있는 환자들을 대상으로 3년동안 투여하여 척추골절을 약 41~49% 감소시켰고 비척추골절을 36% 감소시켰다. 국내에서는 매 주 5,600 단위의 비타민D_3 가 함유된 주 1회 요법 제제가 시판되고 있으며, 꼭 아침 식전에 복용해야만 하는 불편함을 해소하기 위하여 식사에 포함된 칼슘에 의한 흡수를 방해받지 않도록 EDTA를 함유하면서 알칼리 상태인 장에서 서서히 분해될 수 있는 장용정 제제가 개발되어 2013년도부터 식후에 복용할 수 있게 되었다.

5. 이반드로네이트

FDA에서는 월 1회 150 mg 경구투여 및 3개월마다 3 mg 정맥주사하는 방법이 골다공증의 치료 목적으로 인정되고 있고, 경구로 투여할 경우 예방 목적으로도 인정되고 있다. 3년동안 투여한 경우 척추골절이 약 50% 감소하는 것으로 알려져 있다. 최근 국내에서는 매월 24,000 단위의 비타민D_3가 함유된 월 1회 요법제가 개발되어 시판중이다.

6. 졸레드론산

현재까지 알려진 비스포스포네이트 중 가장 강력한 약제이다. 1년에 한 차례 5 mg을 최소 15분 이상 정맥주사하는 방법이 폐경후 골다공증의 치료목적으로 FDA의 인정을 받아 사용되고 있다. HORIZON PFT에 따르면 골다공증을 가진 폐경여성에서 3년 간 투여하여 척추골절은 70%, 대퇴골골절은 41%, 비척추골절은 25% 감소시키는 것으로 보고되고 있고, 대퇴골골절로 수술 후 90일 이내 투여하고 평균 1.9년을 추적한 결과 새로운 골절의 발생이 35% 감소하였고 사망률도 약 28% 감소하였다. HORIZON PFT를 3년 연장한 연구에서 3년 투여군보다 6년 투여군에서 골밀도는 차이가 없으나 영상학적인 척추골절이 감소하였다.

안전성

1. 급성 부작용

1) 상부위장관 부작용

경구 비스포스포네이트 제제가 처음 시장에 도입되었을 때 이들 제제를 복용한 후 구역, 구토, 통증, 속쓰림 등의 상부위장관 부작용들이 보고되었다. 이는 비스포스포네이트 제제를 적은 양의 물과 함께 복용 하거나, 복용 직후 눕거나, 상부위장관 증상이 있어도 계속 약을 복용하거나, 또는 기존의 식도질환이 있었던 환자에서 점막자극에 의해 증상이 발생하는 것으로 알려져 있다. 그러나 바렛 식도, 식도협착, 식도이완불능증과 같은 위식도질환이 있거나 올바른 약제복용법을 준수할 수 없는 환자를 제외하고는 비스포스포네이트 제제에 의한 상부위장관 합병증을 지나치게 우려할 필요는 없다. 또한 위식도역류 질환이 있더라도 양성자펌프억제제 등으로 상부위장관 증상이 잘 조절되는 환자는 위장관 부작용이 덜 나타나는 것으로 알려져 있다. 리세드로네이트 장용정의 경우 리세드로네이트 식 전 제제에 비하여 상부 위장관 통증은 적은 것으로 보고되었다.

2) 급성기 반응

비스포스포네이트를 과량 경구복용하거나 혈관주사 시, 처음 투여한 후 두통, 근육통 및 독감증상과 함께 체온이 약간 상승할 수 있으며 국소에 발적이나 경도의 정맥염 소견이 관찰될 수 있다. 그러나 CPK가 상승하거나 횡문근융해증이 발생한다는 근거는 없다. 급성기 반응은 대개 24~72 시간 지속되며 투여를 반복할수록 발생률은 현저히 감소하는 것으로 알려져 있다. 원인은 γδT세포의 활성화에 의한 것으로 추측되며, 특별한 치료가 없이도 수 일 이내에 호전되고 필요할 경우 예방 목적으로 아세트아미노펜을 같이 투여할 수 있다.

3) 저칼슘혈증

이는 부갑상선기능저하증, 신기능 저하, 비타민D 결핍증, 칼슘섭취량이 부족한 환자 및 파골세포에 의한 골흡수가 활발히 일어나는 환자에서 비스포스포네이트 제제를 혈관주사시 일부에서 발생할 수 있다. 따라서 비스포스포네이트를 투여 받는 환자들에게는 칼슘 및 비타민D가 부족하지 않도록 잘 보충해 주어야 하며, 필요시에는 혈중 비타민D 수치, 칼슘, 인, 부갑상선호르몬 및 소변 칼슘배설량을 측정하는 것이 필요하다.

4) 식도암

FDA의 보고에 의하면, 1995년부터 2008년 중반까지 23명의 환자에서 알렌드로네이트를 복용한 지 평균 2.1년 만에 식도암이 발병하였다고 하였다. 또한 유럽과 일본에서도 31명의 환자들에서 평균 3.1년 만에 식도암이 발병하였다. 그러나 이들은 이미 노인 환자들로서 알렌드로네이트를 복용하지 않아도 식도암의 위험률이 높았을 것으로 추측된다. 과연 식도암의 발생이 잘못된 비스포스포네이트 제제의 복용에 의해 식도 점막이 자극 또는 미란되어 생긴 것인지에 대해서는 명확하게 규명되지 않은 상태로서 앞으로 이에 대한 지속적인 연구가 필요한 실정이다. 그러나 많은 식도암 발생 환자들 중에서 바렛 식도가 관찰되었기 때문에 식도병변이 있는 환자들에서는 비스포스포네이트를 처방시 상당한 주의가 필요하겠다. 그러나 증상이 없는 경우 내시경을 시행할 필요는 없다.

5) 안과적 합병증

가장 흔한 합병증은 비특이적 결막염이며, 이는 비스포스포네이트 제제를 중단하지 않아도 자연적으로 완치된다. 이 밖에도 드물지만 안검부종, 시신경염, 안와주위의 부종 및 안검하수 등이 보고된 바가 있다. 포도막염과 공막염은 가장 심각한 안과적 합병증으로서 이 경우에는 비스포스포네이트 투여를 중단해야 한다.

2. 만성 부작용

1) 골전환의 과도한 억제

비스포스포네이트를 장기간 복용하고 있는 환자들 중에서 비전형 골절이 있으면서 잘 치유되지 않는 환자들이 보고되었다. 장기간의 비스포스포네이트 치료가 골교체율을 지나치게 억제하여 뼈의 미세골절 치유능력을 떨어뜨리고 뼈를 약하게 하였을 것이라고 설명하였다. 이후 비스포스포네이트 제제 사용에 따른 지나친 골전환율의 억제 및 골절의 위험도 증가에 대한 우려가 높아졌다. 현재까지 이와 같은 보고들이 늘고 있지만 결과를 일반화하기는 어려운 것으로 평가되고 있으며, 이에 대해서는 보다 장기적인 연구가 필요할 것으로 사료된다.

2) 턱뼈 괴사(osteonecrosis of the jaw)

일반적으로 인정되는 바에 의하면, 비스포스포네이트를 투여 받고 있는 환자들에서 악안면부위의 뼈가 노출되어 있으면서, 두개골 부위에 방사선 치료를 받은 과거력이 없고, 뼈 노출이 의료진에게 확인된 후 8주 이내에 회복되지 않을 경우 턱뼈 괴사라고 정의하고 있다. 발생빈도는 골전이가 있는 종양환자에서 비스포스포네이트 사용 시 0~1.86%의 유병률과 1%의 발생률을 보인다. 그러나 골다공증의 치료에 사용하는 경우 0~0.04% 의 유병률과 10만인년 당 0~90 명의 발생률을 보인다. 위험인자로는 고령, 불량한 구강 위생, 발치 및 구강외과적인 수술, 스테로이드 투여, 음주, 흡연 및 동반질환이 있는 경우이다. 경구 투여 기간이 4년 이하이고 임상적 위험요소가 없는 환자는 치과치료 계획의 변경은 필요하지 않다고 본다. 그러나 위험요소가 동반된 경우 또는 경구투여 기간이 4년 이상인 경우 2개월의 휴약기를 추천한다. 치료는 통증을 완화하고 감염 및 괴사가 진행하는 것을 억제하는 것이 목적이다. 비스포스포네이트를 중단하고 구강 세정제로 구강을 세정하고 국소 및 전신 항생제를 투여하며 필요할 경우 제한적으로 주위 정상조직은 침범하지 않으면서 괴사조직을 제거한다.

3) 비전형 대퇴골골절(atypical femur fracture)

특징은 대퇴골 근위부 또는 골간부에서 골간부에 대해 수직 또는 비스듬한 방향으로 발생하며, 저에너지 손상에 의해 또는 특별한 외상없이도 생기고 잘 치유되지 않는다. 발생빈도는 10만인년 당 5~100명으로 추산된다. 대개의 환자들은 장기간 비스포스포네이트를 투여받았으며 골절이 생기기 전에 대퇴부의 통증이나 불편감, 쇠약감을 호소하는 것이 일반적이다. 이러한 전구증상을 호소하는 환자는 즉시 비스포스포네이트 제제를 중단하고 체중부하를 삼가며 칼슘과 비타민D 제제를 충분히 복용시킨다. 대퇴골을 영상학적으로 검사해보면 피질이 두꺼워져 있고 피질 반응이 나타나 있는 경우가 많다. 골다공증 대퇴골골절의 비정형 아형, 또는 성인형 저인산혈증과 같은 드문 골대사질환의 발현일 수 있을 것으로 추측되므로 전문가에게 의뢰하는 것이 좋겠다.

4) 심방세동

HORIZON Pivotal Fracture Trial에 의하면 졸레드론산군에서 위약군에 비해 중증의 심방세동이 더 많이 발생하였으나(상대위험도 1.3% vs. 0.5%) 경증의 심방세동까지 포함한 전반적인 심방세동의 발생률은 비슷하였다. 총 6년 투여군과 9년 투여군을 비교하였을 때 9년 투여군에서 부정맥 발생이 더 많았다(14.1% vs 4.2%). FIT에 대한 후향적인 분석에서도 알렌드로네이트를 투여했던 환자들에서 심방세동의 발생률이 약간 높았으나, 알렌드로네이트나 리세드로네이트에 대한 다른 대규모 연구에서는 이와 같은 결과가 관찰되지 않았다. 현재까지는 비스포스포네이트 제제와 심방세동 발병의 연관성을 설명할 만한 기전이 밝혀져 있지 않은 상태이다. 2008년 11월 FDA에서도 심방세동을 우려하여 비스포스포네이트 제제를 중단하거나 감량할 필요는 없다고 발표하였다. 비스포스포네이트 제제를 복용하는 환자들이 대부분 고령이고 심방세동이 많이 생기는 연령층이기 때문에 비스포스포네이트 제제와 심방세동이 연관이 있는 것처럼 보였던 것으로 추측된다.

5) 신독성

과거 암으로 인한 골질환 환자에게 비스포스포네이트를 주사한 후 신부전이 발생하는 경우가 일부 관찰되었다. 이는 많은 양의 비스포스포네이트를 빨리 혈관 주사하여 비스포스포네이트가 혈액 내의 칼슘과 결합하여 복합체를 형성하여 신장에 작용하여 신독성을 유발하는 것으로 생각되었으나 아직 정확한 기전은 알려져 있지 않다. 고용량의 비스포스포네이트 투여, 짧은 주사 시간, 또는 비스포스포네이트의 짧은 투약 간격은 신독성의 위험인자로 알려져 있다. 현재까지는 골다공증 치료 목적으로 투여한 경구 비스포스포네이트 제제가 신독성을 유발시킨다는 증거가 없다. 그러나 비스포스포네이트 제제에 대한 임상 시험이 신부전 환자들을 제외시킨 채 진행된 것을 고려하면 이는 과소평가된 자료일 것이라는 추측도 있다. 현재 FDA에서는 크레아티닌 청소율이 30 mL/min 미만일 경우 주의하도록 권고하고 있다.

휴약기가 필요한가?

비스포스포네이트가 오랜 기간 뼈에 축적됨으로 인해 우려될 수 있는 합병증과 관련하여 과연 비스포스포네이트를 얼마나 오래 투여하는 것이 좋은가에 대한 의문은 오래 전부터 있었다. 이와 관련하여 기존의 연구에 대한 연장연구들이 있어왔다. FIT 연구에서 알렌드로네이트를 5년동안 복용한 환자들을 대상으로 이후 5년 동안 투여한 경우와 중단한 경우를 비교한 FLEX 연구가 있었다. 중단 후 위약을 복용한 경우 5년 후 대퇴골전체골밀도는 약 2%, 척추골밀도는 약 4%로 약간 감소하였으나 비척추골절의 발생률은 차이가 없었다. 그러나 계속 투여군에서 위약군에 비해 임상적인 척추골절은 적게 발생하였다. 또한 리세드로네이트를 이용한 연구 결과에서도 이와 유사한 결과를 관찰할 수 있었다. VERT-MN trial에서 3년 동안 리세드로네이트를 투여했던 환자들을 대상으로 이후 1년 간 투여를 중단한 경우, 척추골밀도는 비교적 유지가 된 반면 대퇴골경부골밀도는 감소하였으나 3년 전 처음 치료를 시작했던 골밀도 이하로는 저하되지 않았다. HORIZON PFT를 3년간 연장한 연구에서 졸레드론산을 3년 투여한 뒤 3년동안 위약을 투여한 경우 졸레드론산을 6년 투여한 군보다 골밀도가 감소하였으나 치료하기 전보다는 높게 유지되었다. 이후 3년 더 연장하여 총 9년 투여한 군과 6년 투여한 군을 비교한 경우 골밀도와 골절발생은 차이가 없었다. 이와 같은 연구 결과들을 기초로 한다면, 골절위험군이 아닌 환자에서 알렌드로네이트와 리세드로네이트는 5년간, 졸레드론산은 3년간 투약한 뒤 일정 기간을 중단하여도 이미 뼈에 침착된 비스포스포네이트에 의한 잔여효과를 기대할 수 있겠다. 특히 국내에서와 같이 비스포스포네이트를 처방하는데 있어서 의료 급여와 관련하여 제약이 많은 현실을 고려해 볼 때 일정 기간의 휴약기로 잔여효과를 기대할 수 있다면 환자를 진료하는 의사의 입장에 있어서 많은 위안을 받을 수 있겠다.

1. 언제 중단하며 이후 대처는?

1) 골절의 위험이 낮은 경우

비스포스포네이트를 투여할 필요는 없지만, 투여 중인 경우에는 일단 중단하고 경과를 관찰하면서 골밀도가 의미 있게 저하되거나 혹은 새로운 골절이 발생할 경우에 다시 투여를 시작한다.

2) 경도의 골절 위험이 있을 경우

3~5년 동안 비스포스포네이트를 투여한 다음 중단하고, 이후 골밀도가 의미 있게 저하되거나 골절이 발생하는 것 중 어느 것이라도 먼저 발생할 때 다시 투여를 시작하도록 한다.

3) 중등도의골절 위험이 있을 경우

5~10년 동안 비스포스포네이트를 투여한 다음 3~5년 동안 휴약기를 갖거나 혹은, 중단한 다음 골밀도가 의미 있게 저하되거나 골절이 발생하는 것 중 어느 것이라도 먼저 발생할 때 다시 투여를 시작하도록 한다.

4) 골절의 위험이 높을 경우

일단 10년 동안은 비스포스포네이트를 투여한 다음 1~2년 동안 휴약기를 갖거나 혹은, 중단한 다음 골밀도가 의미 있게 저하되거나 골절이 발생하는 것 중 어느 것이라도 먼저 발생할 때 다시 투여를 시작하도록 한다. 골절의 위험이 높으므로 휴약기 동안에는 랄록시펜이나 부갑상선호르몬 등과 같은 다른 약제를 투여할 것을 권한다.

2. 계속 투여해야 하는 경우는?

휴약기를 가져도 가능할 것이라는 근거를 제공하였던 FIT-FLEX연구에서 이후 5년을 관찰하는 동안 계속 투여한 군과 중단한 군 간에 비척추골절의 발생률은 차이가 없었으나 새롭게 발생한 임상적 척추골절은 계속 투여했던 경우에서 55%나 감소하였다. 사후분석에서 5년 연장을 시작하기 전 대퇴골 경부 T-값이 -2.5 보다 낮았던 환자에서 알렌드로네이트를 5년간 추가로 유지할 경우 비척추골절의 빈도가 감소하였다. 따라서 3~5년 동안 투여한 후 모든 환자들에서 무조건 투여를 중단하는 것 보다는 개개의 환자들을 차별화하는 것이 필요할 것이다. 결론적으로 척추골절의 위험이 매우 높거나 골다공증이 매우 심하거나 다른 위험요소들이 많을 경우에는 계속 투여하는 것이 골절의 예방에 효과적일 것으로 생각된다.

참고문헌

1. Black DM, Cummings SR, Karpf DB, et al. Randomised trial of effect of alendronate on risk of fracture in women with existing vertebral fractures. Fracture Intervention Trial Research Group. Lancet 1996;348:1535-41.
2. Black DM, Reid IR, Boonen S, st al. The effect of 3 versus 6 years of zoledronic acid treatment of osteoporosis: a randomized extension to the HORIZON-Pivotal Fracture Trial (PFT). J Bone Miner Res 2012;27:243-54.
3. Black DM, Schwartz AV, Ensrud KE, et al. Effects of continuing or stopping alendronate after 5 years of treatment. The Fracture Intervention Trial Long-TermExtension (FLEX): a randomized trial. JAMA 2006;296:2927-38.
4. Harris ST, Watts NB, Genant HK, et al. Effects of risedronate treatment on vertebral and nonvertebral fractures in women with postmenopausal osteoporosis: a randomized controlled trial. Vertebral Efficacy With Risedronate Therapy (VERT) Study Group. JAMA 1999;282:1344-52.
5. Khosla S, Burr D, Cauley J, et al. Bisphosphonate-associated osteonecrosis of the jaw: report of a task force of the American Society for Bone and Mineral Research, J BoneMiner Res 2007;22:1479-91.
6. Liberman UA, Weiss SR, Broll J, et al. Effect of oral alendronate on bone mineral density and the incidence of fractures in postmenopausal osteoporosis. The Alendronate Phase III Osteoporosis Treatment Study Group. N Engl J Med 1995;333:1437-43.
7. Luckman SP, Hughers DE, Coxon FP, et al. Nitrogen-containing bisphosphonates inhibit the mevalonate pathway and prevent post-translational prenylation of GTP-binding proteins, including Ras. J Bone Miner Res 1998;13:581-9.

8. McClung M, Harris ST, Miller PD, et al. Bisphosphonate therapy for osteoporosis: benefits, risks, and drug holiday. Am J Med 2013;126:13-20.
9. Odvina CV, Zerwekh JE, Rao S, et al. Severely suppressed bone turnover: a potential complication of alendronate therapy. J Clin Endocrinol Metab 2005;90:1294-301.
10. Reid IR, Brown JP, Burckhardt P, et al. Intravenous zoledronic acid in postmenopausal women with low bone mineral density. N Engl J Med 2002;346:653-61.
11. Riis BJ, Ise J, von Stein T, et al. Ibandronate: acomparison of oral daily dosing versus intermittent dosing in postmenopausal osteoporosis. J Bone Miner Res 2001;16:1871-8.
12. Rodan GA, Fleisch HA. Bisphosphonates: mechanisms of action. J Clin Invest 1996;97:26926.
13. Silverman SL, Landesberg R. Osteonecrosis of the jaw and the role of bisphosphonate: a critical review. Am J Med 2009;122:S33-45.
14. Watts NB, Chines A, Olszynski WP, et al. Fracture risk remains reduced one year after discontinuation of risedronate. Osteoporos Int 2008;19:365-72.
15. Watts NB, Diab DL. Long-term use of bisphosphonates in osteoporosis. J Clin Endocrinol Metab 2010;95:1555-65.

4-3 SERM과 TSEC

박형무

폐경 후 에스트로겐의 결핍은 열성 홍조와 야간 발한 등 혈관 운동성 증상과 심리적 증상을 유발하며 비뇨생식계의 위축, 피부노화, 심혈관질환, 골다공증, 치매 등을 촉진시킨다. 폐경 후 호르몬요법은 이러한 질환의 예방이나 치료를 위해 최선의 방법으로 생각되지만 잠정적인 암 발생의 위험성, 뇌혈관 질환과 혈전색전증, 담낭질환의 증가, 질 출혈 등으로 인해 사용이 제한되고 있다.

SERMs는 에스트로겐 수용체에 리간드로 작용할 수 있는 다양한 비스테로이드 복합체를 말한다. 그러나 에스트로겐과는 다르게 표적장기에서 에스트로겐의 작용효과(agonistic effects)와 길항효과(antagonistic effects)를 선택적으로 나타낼 수 있다. 그러므로 에스트로겐의 장점을 유지하면서 부작용은 피할 수 있다. 이런 상반된 작용이 동시에 나타나는 기전은 표적장기의 에스트로겐 수용체의 서로 다른 발현, 리간드와 결합 시 수용체의 구조적 변화, 세포 내의 자극단백(co-activators)과 억제단백(co-repressors)의 서로 다른 상호작용에 의한다.

SERMs은 크게 5가지 유도체, 즉 Triphenylethylenes, benzothiophenes, benzopyrans, naphtalenes, indoles 계열의 약물로 나누어진다. 대표적인 1세대 SERM인 타목시펜은 유방에 길항 작용을 보여 유방암의 치료와 예방에 사용되고 있다. 그러나 자궁내막에 대한 에스트로겐 작용으로 인해 자궁내막 증식등의 부작용이 나타난다. 2세대 SERM인 랄록시펜은 1980년대에 유방암 치료 목적을 위해 타목시펜 대체제로 개발되었으나 폐경 여성의 골다공증 치료 및 예방에 대한 효과가 입증됨에 따라 SERMs 중 골다공증 예방과 치료제로 처음 승인 받았다. 보다 광범위한 작용을 나타내는 3세대 SERMs으로 바제독시펜이 개발되어 있다. 현재 임상에 사용되는 SERMs와 그 활성도는 표 4-3-1, 그림 4-3-1에 나타나있다.

표 4-3-1 ▸ SERMs의 종류

* 현재 임상적 사용이 가능한 SERMs

Triphenylethylenes	Benzothiophenes	Naphthalenes	Benzopyranes	Indoles
Clomiphene*	Raloxifene*	Lasofoxifene*	Ormeloxifene	Bazedoxifene*
Tamoxifen*	Arzoxifene	Trioxifene	Levormeloxifene	Pipendoxifene
Toremifene*			EM-800	
Droloxifene				
Idoxifene				
TAT-59				
Ospemifene*				

Antagonist ← → Agonist

뼈
- Fulvestrant
- Bazedoxifene, Raloxifene, Lasofoxifene, Tamoxifen, Ospemifene
- 17βestradiol, ethinyl estradiol

자궁내막
- Fulvestrant
- Bazedoxifene
- Raloxifene
- Lasofoxifene, Ospemifene
- Tamoxifen
- 17βestradiol, ethinyl estradiol

유방
- Fulvestrant
- Bazedoxifene
- Raloxifene, Ospemifene
- Lasofoxifene
- Tamoxifen
- 17βestradiol, ethinyl estradiol

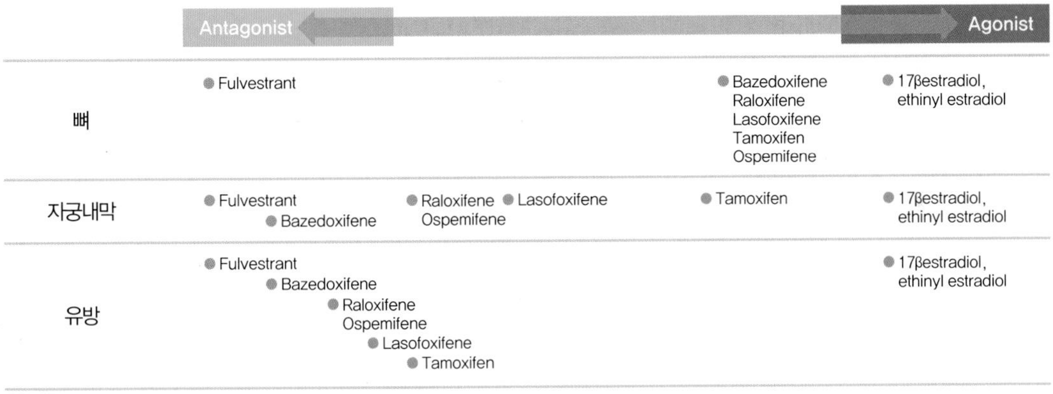

그림 4-3-1 ▸ SERMs의 각 표적장기에 대한 활성도

랄록시펜

Benzothiophene계열의 SERM으로 폐경 후 여성의 골다공증의 예방과 치료 그리고 유방암 고위험 여성에서 유방암의 예방을 목적으로 그 사용이 승인되었다.

1. 뼈에 대한 효과

랄록시펜은 뼈에 에스트로겐과 유사한 효과를 나타낸다. 조골세포에 대한 효과는 아직 정확히 밝혀져 있지 않고 파골세포에서는 뼈 미세환경의 IL6와 TNF를 조절하여 파골세포의 활성을 막는다. 여러 임상 연구들에서 랄록시펜이 골다공증 치료에 효과가 있다고 증명되고 있다.

골다공증이 있는 폐경 후 여성을 대상으로 시행되었던 MORE (Multiple outcomes of Raloxifene Evaluation) 연구에 의하면 랄록시펜 60 mg을 3년간 투여하였을 때 척추와 대퇴골골밀도는 위약군보다 2~3% 정도의 증가를 보였다. MORE 연구의 연장인 4년간의 추가 연구 CORE (Continuing Outcomes Relevant to Evista)에서도 척추와 대퇴골골밀도 증가가 총 7년 동안 유지되었다. 또한 랄록시펜은 3년간 위약군에 비해 골전환표지자를 26~34% 감소시키는 지속적이고 유의한 골전환표지자의 억제효과를 나타내었다.

골절에 관한 효과를 보면 랄록시펜은 기왕의 골절여부와 관계없이 새로운 척추골절의 발생을 감소시켰다. 골다공증이 있는 폐경 여성에게 3년간 랄록시펜을 투여 했을 때 척추골절을 50% 감소시켰고, 척추골절의 기왕력이 있는 군에서는 척추골절을 35% 감소시켰다. 그러나 대퇴골과 손목 골절의 위험도는 감소되지 않았다.

표 4-3-2 ▸ 랄록시펜의 골절에 대한 효과

골절	상대위험도	95% 신뢰구간
척추	0.64	0.53-0.76
척추 골절 기왕력 없는 경우	0.51	0.35-0.73
척추 골절 기왕력 있는 경우	0.66	0.55-0.81
비척추 골절	0.93	0.81-1.06
손목	0.83	0.66-1.05
발목	0.94	0.60-1.47
대퇴골	0.97	0.62-1.52

2. 비골격계에 대한 효과

랄록시펜은 유방 조직에서 에스트로겐 길항작용을 나타낸다. 많은 임상 연구들을 통해 raloxifene이 폐경 여성에서 유방암을 감소시키는 것이 입증되었다. MORE 연구에 의하면 골다공증이 있는 폐경후 여성에서 랄록시펜을 투여한 군의 유방암의 발생이 62% 감소하였고 에스트로겐 수용체 양성 유방암의 발생은 더욱 감소하여 상대위험도는 0.16이었다. 그러나 에스트로겐 수용체 음성 유방암의 위험도의 유의한 감소는 없었다. CORE연구에서 침윤성 유방암의 예방 효과가 다시 확인되었고 MORE, CORE연구를 종합해보면 침윤성 유방암과 에스트로겐 수용체 양성 유방암은 각각 66%, 76% 감소하였다. 유방암 고위험 폐경 여성을 대상으로 타목시펜과 랄록시펜을 효과를 비교한 STAR (Study of Tamoxifen & Raloxifene) 연구에서는 랄록시펜은 침윤성 유방암 예방 효과가 타목시펜과 유사하였으며 혈전색전증의 부작용은 유의한 감소를 보였다.

여러 연구에서 랄록시펜은 자궁 내막 증식의 위험을 증가시키지 않았다. 건강한 폐경 여성에서 랄록시펜을 투여시 자궁내막 두께, 모양, 자궁 부피에서 유의한 변화를 보이지 않았다. MORE, CORE 연구에서도 랄록시펜 투여가 질출혈, 자궁내막증식증, 자궁내막암의 위험은 증가하지 않았다.

랄록시펜은 혈중 콜레스테롤과 지단백질에 긍정적 효과를 보인다. 심장질환이나 심장질환의 위험요소를 가진 폐경 여성을 대상으로 한 RUTH (Raloxifene Use for the Heart)연구에서는 랄록시펜 투여시 LDL-C 4.4% 감소한 반면 HDL-C 2.3% 증가를 보였다. 그러나 심혈관질환의 위험성은 감소하지 않았다.

3. 부작용

랄록시펜의 부작용으로는 열성 홍조와 하지 통증을 들 수 있다. 열성 홍조는 12-15%서 나타나고 보통 치료 후 처음 수개월에 나타나며 용량에 비례한다. 일반적으로 그 정도가 가볍기 때문에 이로 인해 약 복용을 중단하는 경우는 드물다. 그리고 랄록시펜은 정맥혈전색전증의 위험성은 약 2-3배 증가시키며 이러한 위험성은 에스트로겐과 유사하다. 따라서 적어도 수술 3일 전에는 랄록시펜의 복용을 중단하여야 하며 수술 후 거동이 가능하면 이때부터 약을 다시 사용하는 것이 권고된다. 그리고 RUTH 연구에서 치명적인 뇌졸중이 약간 증가한다는 보고가 있다.

바제독시펜

가장 최근에 개발된 SERM으로 폐경후 여성의 골다공증 치료를 목적으로 유럽, 일본, 대만, 한국에 그 사용이 승인되었다.

1. 뼈에 대한 효과

바제독시펜은 뼈에 에스트로겐과 유사한 효과를 나타낸다. 바제독시펜의 골밀도와 골표지자에 관한 효과에 대해 2년간 진행된 연구에서 척추와 대퇴골골밀도를 위약군 보다 1~2% 정도 증가시켰다. 또한 바제독시펜은 골전환표지자인 오스테오칼신, CTX를 21~25% 감소시켜 유의한 골전환표지자 감소효과를 보였다.

골절에 관한 효과를 보면 3년간 진행된 연구에서 기존에 척추골절이 있거나 골다공증이 있는 여성들에게 바제독시펜 20 mg을 투여 시 새로운 척추골절이 42% 감소 되었고 그 후 연장된 연구에서 총 7년간 척추골절 감소 효과가 유지되었다. 전체적으로 비척추골절의 유의한 차이는 없었지만 골절의 위험도가 높은 여성들을 대상으로 한 사후 분석에서 바제독시펜은 비척추골절을 5년동안 50% 감소시켰다.

표 4-3-3 ▶ 바제독시펜의 골절에 대한 효과

골절	상대위험도	95% 신뢰구간
척추	0.58	0.38-0.89
골절 위험이 높은 여성에서 비척추 골절	0.50	0.28-0.90

2. 비골격계에 대한 효과

바제독시펜은 유방 조직에서 에스트로겐 길항작용을 나타낸다. 2년간 진행된 연구와 3년간 진행된 연구, 5년, 7년 연장된 연구 모두에서 바제독시펜은 유방암, 유방 낭종을 증가 시키지 않았고 유방조직을 자극한다는 증거는 없었다.

바제독시펜은 자궁내막에도 에스트로겐 작용을 보이지 않았다. 바제독시펜의 투여가 자궁내막의 두께를 증가시키지 않았고 자궁내막증식증이나 자궁내막암의 발생도 증가시키지 않았다.

바제독시펜은 혈중 콜레스테롤과 지단백질에 긍정적 효과가 있다. 혈중 총 콜레스테롤과 LDL-C은 감소하고 HDL-C은 증가시켰다. 그러나 심혈관 질환의 빈도는 유의한 차이가 없었다.

3. 부작용

바제독시펜을 투여한 12-24%에서 열성 홍조가 나타났고 바제독시펜을 투여 받은 군에서 하지 동통이 많았다. 정맥혈전색전증의 위험성은 약 2-3배 증가시키며 이러한 위험성은 에스트로겐과 유사하다.

그 외 SERMS

타목시펜은 유방암 치료와 예방을 위한 약제로 그 사용이 허가되어 있다. 뼈에 대한 효과로 골밀도가 증가하고 골전환표지자 또한 유의하게 감소된다. 지단백질 대사에서도 유익한 효과를 나타내어 총콜레스테롤, LDL-C를 감소시킨다. 그러나 자궁에 대해서는 에스트로겐 효과를 나타냄으로써 자궁내막암의 발생 위험이 있다.

라소폭시펜은 3세대 SERM으로 뼈에 에스트로겐 작용을 보이고 유방과 자궁에는 항에스트로겐 작용을 보여 유럽에서 골다공증 치료제로 승인되었으나 현재는 취소되었다. 임상 연구에서 유방암의 감소는 보였으나 자궁내막의 두께가 증가되는 것이 관찰되었다.

오스페미펜은 성교통 치료를 목적으로 미국에서 그 사용이 승인되어 있다. 한 연구에서 골전환표지자에 긍정적 효과를 보여 랄록시펜과 유사한 결과를 보였다. 폐경후 비뇨생식기계 위축이 있는 환자를 대상으로 한 1년간 연구에서 자궁내막을 자극하지 않으면서 질 상피에 에스트로겐 효과를 보였다. 유방암, 자궁내막증식증, 자궁내막암의 발생은 없었다. 향후 보다 많은 연구가 필요한 상태이다.

조직선택적 에스트로겐 복합체(TSEC, TISSUE SELECTIVE ESTROGEN COMPLEX)

TSEC은 SERM과 에스트로겐의 조직 선택적 활성이 혼합되어 작용하는 것에 기초하여 개발되었다. 이상적인 에스트로겐과 SERM의 병용 효과는 각각 성분의 유익한 효과를 보이면서 부작용을 나타내지 않는 것으로서 안면 홍조 및 질위축 증상을 효과적으로 치료하고 폐경후 골소실을 예방하는 동시에 유방과 자궁내막에 대한 자극이 없는 것이라야 한다. 한편 랄록시펜을 에스트로겐과 병용하여 투여한 경우 폐경증상 치료에는 효과적이나 자궁내막을 보호하지 못한다는 연구결과가 있다. 폐경 여성에 대해 현재로서는 SERMs만으로는 완벽하고, 이상적인 약제가 될 수 없으므로 SERMs와 에스트로겐을 복합함으로써 이러한 이성적 효과를 얻고자 개발된 약제이다.

1. 뼈에 대한 효과

CE/BZA (Conjugated estrogen/Bazedoxifene)의 뼈에 대한 효과를 알아보기 위한 SMART-1 (Selective estrogens, Menopause, And Response to Therpay-1) 연구가 진행되다. CE 0.45 mg/BZA 20 mg을 폐경 5년이 지난 여성과 폐경 후 1-5년 된 여성에게 각각 2년동안 투여하여 두 군 모두에서 요추골밀도가 3-4%, 대퇴골골밀도가 1.7% 정도 증가하였다. 또한 CE 0.45 mg/BZA 20 mg은 골전환표지자를 23~48% 감소시키는 골전환표지자 억제효과를 나타내었다.

현재 골절에 대한 효과는 밝혀진 것이 없다.

2. 비골격에 대한 효과

CE 0.45 mg/BZA 20 mg 투여는 유방조직에서 어떠한 위험성의 증가도 없었다. 2년간 진행된 SMART-5 연구에서 유방암은 증가하지 않았고 유방통증, 유방촬영에서의 이상소견, 유방 치밀도 역시 증가하지 않았다.

SMART-1, SMART-5 연구에 의하면 CE 0.45 mg/BZA 20 mg를 2년간 투여했을 때 2년간 자궁내막증식증이나 자궁내막암의 유병률은 1%이하였고 자궁내막의 두께 변화가 1 mm 미만으로 자궁내막에 보호효과가 있음이 증명되었다. 그리고 대상군의 88%가 1년 안에 무월경이 초래 되었다.

SMART-5 연구에서 지질대사에 대한 효과는 총 콜레스테롤, LDL콜레스테롤을 낮추는 결과를 보였고, 중성지방은 약간 상승하였다.

CE 0.45 mg/BZA 20 mg를 질위축증에도 개선되는 효과가 관찰되었다.

3. 부작용

SMART-1,2,3,5를 종합하여 보았을 때 CE 0.45 mg/BZA 20 mg를 투여시 약제 관련 부작용은 위약군과 유사한 결과를 보였고 정맥혈전증 및 뇌혈관질환, 사망은 발생하지 않았다. 약을 중단하는 경우는 7.5%로 위약군보다 낮았으며 주로 약을 중단하게 되는 이유는 열성 홍조, 상복부 통증, 오심, 두통이었다.

참고문헌

1. Archer DF, Pinkerton JV, Utian WH, et al. Bazedoxifene, a selective estrogen receptor modulator: effects on the endometrium, ovaries, and breast from a randomized controlled trial in osteoporotic postmenopausal women. Menopause 2009;16:1109-15
2. Barrett-Connor E, Mosca L, Collins P, et al. Raloxifene Use for the Heart (RUTH) Trial Investigators. Effects of raloxifene on cardiovascular events and breast cancer in postmenopausal women. N Engl J Med. 2006;355:125-37
3. Christiansen C, Chesnut CH III, Adachi JD, et al. Safety of bazedoxifene in a randomized, double-blind, placeboand active-controlled Phase 3 study of postmenopausal women with osteoporosis. BMC Musculoskelet Disord 2010;11:130
4. Cohen FJ, Watts S, Shah A, et al. Uterine effects of 3-year raloxifene therapy in postmenopausal women younger than age 60. Obstet Gynecol. 2000;95:104-10.
5. de Villiers TJ, Chines AA, Palacios S, et al. Safety and tolerability of bazedoxifene in postmenopausal women with osteoporosis: results of a 5-year, randomized, placebo-controlled phase 3 trial. Osteoporos Int 2011;22:567-76
6. Ettinger B, Black DM, Mitlak BH, et al. Reduction of vertebral fracture risk in postmenopausal women with osteoporosis treated with raloxifene: results from a 3-year randomized clinical trial. Multiple Outcomes of Raloxifene Evaluation (MORE) Investigators. JAMA. 1999;282:637–45
7. Kagan R, Williams RS, Pan K, et al. A randomized, placebo- and active-controlled trial of bazedoxifene/conjugated estrogens for treatment of moderate to severe vulvar/vaginal atrophy in postmenopausal women. Menopause 2010;17:281-9.
8. Miller PD, Chines AA, Christiansen C, et al. Effects of bazedoxifene on BMD and bone turnover in postmenopausal women: 2-yr results of a randomized, double-blind, placebo-, and activecontrolled study. J Bone Miner Res 2008;23:525-35
9. Mirkin S, Komm BS, Pan K, et al. Effects of bazedoxifene/conjugated estrogens on endometrial safety and bone in postmenopausal women. Climacteric 2013;16:338-46.
10. Palacios S, de Villiers TJ, Nardone FC, et al. Assessment of the safety of longterm bazedoxifene treatment on the reproductive tract in postmenopausal women with osteoporosis: results of a 7-year, randomized, placebo-controlled, phase 3 study. Maturitas 2013;76:81-7
11. Pickar JH, Yeh IT, Bachmann G, et al. Endometrial effects of a tissue selective estrogen complex containing bazedoxifene/conjugated estrogens as a menopausal therapy. Fertil Steril 2009;92:1018-24.

12. Pinkerton JV, Utian WH, Constantine GD, et al. Relief of vasomotor symptoms with the tissue-selective estrogen complex containing bazedoxifene/conjugated estrogens: a randomized, controlled trial. Menopause 2009;16:1116-24.
13. Pinkerton JV, Archer DF, Utian WH, et al. Bazedoxifene effects on the reproductive tract in postmenopausal women at risk for osteoporosis. Menopause 2009;16:1102-8
14. Pinkerton JV, Harvey JA, Pan K, et al. Breast effects of bazedoxifene-conjugated estrogens: a randomized controlled trial. Obstet Gynecol 2013;121:959-68.
15. Siris ES, Harris ST, Eastell R, et al. Continuing Outcomes Relevant to Evista (CORE) Investigators. Skeletal effects of raloxifene after 8 years: results from the Continuing Outcomes Relevant to Evista (CORE) study. J Bone Miner Res. 2005; 20:1514-24

4-4 부갑상선호르몬

한기옥

부갑상선호르몬은 84개의 아미노산으로 이루어진 폴리펩티드로 혈중 칼슘농도가 감소되면 부갑상선에서 분비된다. 주된 작용은 뼈와 신장에 직접 작용하여 골흡수를 조장하고 신세뇨관의 칼슘 재흡수를 증가시킨다. 또한 신장에서 활성비타민D인 칼시트리올의 생성을 촉진하고, 이를 통한 간접작용으로 장내 칼슘흡수를 증가시켜 궁극적으로 혈중 칼슘을 높인다.

부갑상선호르몬의 뼈에 대한 복잡한 이중작용이 관찰된다. 체내 칼슘평형의 불균형이 발생되면 파골세포의 형성을 증가시켜 골흡수를 촉진하지만, 간헐적 부갑상선호르몬 투여는 오히려 조골세포의 성장을 촉진하고 사멸을 감소시켜 골형성을 증가시키는 현상이 관찰된다.

부갑상선호르몬 유사체(PTH1-34; Teriparatide)는 미국 FDA에서 승인된 유일한 골형성촉진제로 폐경후골다공증, 스테로이드-유발골다공증, 성기능저하증을 동반하였거나 골절위험이 높은 남성골다공증 등의 적응증으로 2002년 승인되었다. 이외 유럽국가들에서는 부갑상선호르몬(PTH1-84; Preos®) 자체도 골다공증 치료제로 승인-사용하고 있다. 2015년 1월에는 부갑상선 호르몬(PTH1-84; Natpara®)이 부갑상선기능저하증 치료제로 미국 FDA에서 승인되었다. 최근 부갑상선호르몬관련펩티드(PTHrP) 유사체들이 골형성촉진제로 개발되고 있다.

약물역학 및 작용기전

PTH1-34는 피하주사 후 빠르게 흡수되어 5-10분 이내 혈중 최고치에 이르고 반감기는 약 90분이며 2시간이내에 소실된다. 부갑상선호르몬(1-84)는 늦은 반응을 보여 피하주사 후 60-90분에 혈중 최고치에 이르고 반감기는 150-180분이고 점차 감소되어 12-24시간에 기저치로 복귀된다. 부갑상선호르몬(1-84) 치료가 PTH1-34에 비하여 고칼슘혈증, 고칼슘뇨증 등 부작용이 좀더 빈번히 일어나고 골형성촉진 효과가 감소되는 현상은 이러한 약물역동학적 차이로 설명 가능하다. 반면, 부갑상선호르몬(1-84)의 긴 약물노출 기간, 혈중 칼슘 증가-유지효과는 부갑상선기능저하증 치료로 사용될 경우 오히려 강점으로 작용하여 최근 치료제로 승인-사용되고 있다.

간헐적 부갑상선호르몬의 투여는 골표면세포(lining cell)의 조골세포로의 분화를 유도한다. 또한 조골세포의 증식 및 분화의 촉진, 세포사멸의 억제 등을 유도하여 결과적으로 활성화된 조골세포의 수를 증가시킨다. 이는 세포사멸억제 단백인 Bcl-2, 다수의 시토카인 및 성장인자들의 발현-생성 증가 등이 적어도 부분적으로 기인한다고 설명된다. 또한 골세포에서 발현되는 골형성억제인자인 스클레로스틴을 억제하는 효과가 연구되어 골형성촉진의 중요한 기전 중의 하나로 증명되었다.

동물 및 인간을 대상으로 한 골조직연구에서는, 부갑상호르몬치료는 골재형성을 증가시킬 뿐 아니라 골형성 또한 촉진시킨다는 증거들이 관찰된다. 부갑상선호르몬의 간헐적 투여로 해면골의 골량 뿐만 아니라 연결성(connectivity) 까지도 증가되며, 해면골의 미세구조 형태도 막대형(rod-like pattern)에서 판상형(plate-like pattern)으로 호전됨이 관찰된다. 특이하게도 해면골간 터널화(intratrabecular tunneling) 현상이 PTH1-34로 치료한 폐경후 여성에서뿐 아니라 부갑상선호르몬(1-84)로 치료한 부갑상선기능저하증 환자 모두에서 관찰되는데, 이는 두꺼워진 해면골 사이를 활성화된 파골세포가 골흡수로 관통-분리한 현상으로 이해되고 있다(그림 4-4-1).

부갑상선호르몬(1-84) 치료로 피질골 두께의 증가가 관찰되지 않고 오히려 다공화(porosity)가 증가되는 경향이 보고된 반면, PTH1-34는 골막과 골내막의 골형성촉진으로 피질골 두께의 증가를 유도하였고 다공화의 증가는 관찰되지 않았다고 보고한다. 이 차이는 펩티드의 구조 차이에 기인될 수도 있겠으나 두 약제의 약물역동의 차이로도 일부 설명 가능할 것으로 여겨진다.

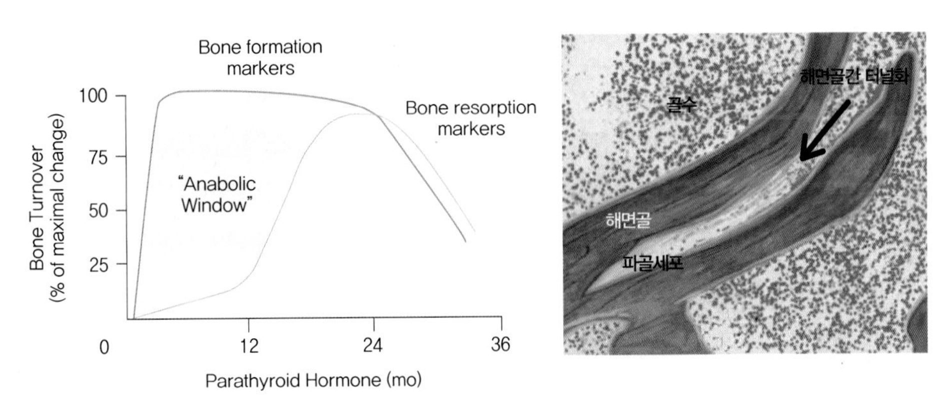

그림 4-4-1 ▸ 부갑상선호르몬 치료에 의한 동화작용의 창 (anabolic window; 좌) 및 해면골간 터널화 (intratrabecular tunneling; 우)

임상 효과

세편의 대규모 3상 임상연구에서 부갑상선호르몬의 탁월한 골형성촉진 효과가 증명되었다.

총 1,637명의 폐경후골다공증 여성을 대상으로 수행한 약 2년간의 임상연구(FPT, Fracture Prevention Trial)에서, PTH1-34를 하루 20 μg용량으로 치료하였을 때 위약군에 비하여 척추골절의 위험이 65%, 비척추골절 위험이 54% 감소하였다. 요추골밀도는 9%, 대퇴골전체골밀도는 3% 증가되었다. 흥미롭게도 골형성지표는 치료 첫 달부터 증가되기 시작하는 반면, 골흡수지표는 약 6개월 이후에야 증가되었다. 이는 골형성이 선행된 이후에 골흡수가 진행되는 것으로 해석되고, 이 사이의 기간을 동화작용의 창(anabolic window)이라고 부른다. 이 시기에 부갑상선호르몬의 골형성(modeling) 작용이 최고에 이를 것으로 추정된다(그림 4-4-1).

부갑상선호르몬(1-84)을 사용한 총 2,532명의 폐경후 여성을 대상으로 한 임상연구(TOP, Treatment of Osteoporosis with PTH)의 경우, 하루 100 μg을 18개월간 피하주사하였을 때 척추골절 발생위험이 58% 감소한다고 보고하였다. 그러나 고관절골밀도의 유의한 증가에도 불구하고 비척추골절의 발생은 위약군과 유사하게 관찰되었다. PTH1-34에 비하여 임상효과가 크지 않으며, 오히려 고칼슘혈증, 고칼슘뇨증의 부작용 발생이 높게 보고되어 골다공증 치료에 대한 미국 FDA 승인은 실패하였다.

척추골절이 있는 총 578명의 일본 남녀 환자를 대상으로 한 임상연구(TOWER, Teriparatide Once-Weekly Efficacy Research)에서는 PTH1-34 56.5 μg을 72주동안 일주에 한번씩 피하주사 하여 골밀도의 유의한 증가와 척추골절의 재발이 위약군에 비하여 80% 감소되는 효과를 보고하였다. 연구 규모가 작아 비척추골절에 대한 효과를 입증할 수 없었지만 약물투여 주기를 다양화할 가능성을 보여주었다.

병용(COMBINATION), 전환(SWITCH) 및 순차(SEQUENTIAL) 치료효과

대규모 임상연구들에서 일관되게 입증된 골형성촉진 효과에도 불구하고 부갑상선호르몬치료를 장기적으로 할 수 없으므로, 단기간에 골형성촉진 효과를 높이기 위한 타 약제와 병용치료, 순차치료 등이 시도되어 보고되고 있다. 또한 단기치료 후 타 약제로 바꾸었을 경우의 효과에 대한 연구들이 다양하게 보고되고 있다. 구체적인 연구결과는 4-6 병용요법에서 다루고자 한다.

골절치료 효과

골절치유 동물모델에서 부갑상선호르몬치료는 가골형성(callus formation) 및 무기질화의 증가, 골절봉합의 성공률 및 골절부위의 강도 증가 등의 긍정적인 효과들이 보고되었다. 사람의 경우도 동물모델에서 보이는 골절치료의 긍정적인 효과들이 보고되고 있지만 잘 디자인된 임상연구는 거의 없어서 앞으로 이에 대한 연구들이 필요하다.

부작용 및 금기증

고칼슘혈증이 약 10%정도 발생한다고 보고되고 있다. 대부분 치료 후 6개월 이내 발생되며 칼슘-비타민D 보충량을 줄이면 쉽게 조절된다. 혈청 칼슘 11 mg/dl 이상의 고칼슘혈증은 1% 미만에서 보고된다. 그 외 부작용으로는 기립성저혈압, 어지러움증, 근육경련, 주사부위 이상반응 등이 보고된다.

동물실험에서 골육종이 유의하게 증가하였기 때문에 주의가 요망된다. 그러나 문제가 된 실험은 어린 쥐를 대상으로 고용량의 PTH1-34를 장기간 투여하였던 경우이고 이 발표로 인하여 인간을 대상으로 한 3상 임상시험 연구가 2년만에 조기 중단되게 되었다. 따라서 부갑상선호르몬치료는 안정성에 대한 데이터 부족으로 18-24개월로 제한된다. 사람에서는 3례의 골육종이 보고되었고 이는 일반인들에서의 발생과 차이가 없다. 그럼에도 불구하고 파제트병, 원인불명의 알칼리인산분해효소 상승, 성장판이 아직 닫히지 않은 소아환자, 과거 방사선 조사력이 있는 환자 등 골육종 발생위험군에서는 사용 금기로 알려져 있다.

이외 골격계의 일차성 또는 전이 악성종양 환자, 일차성 부갑상선 항진증으로 고칼슘혈증을 보이는 환자, 신부전 환자 등에서는 부갑상선호르몬의 사용을 피해야 한다. 신-뇨로 결석 및 통풍의 과거력이 있는 환자에서는 부갑상선호르몬이 혈중 칼슘 및 요산을 상승시킬 수 있으므로 주의하여야 한다.

새로운 골형성촉진제로 개발되는 PTHrP 유사체

PTHrP는 고칼슘혈증을 유발한 악성종양으로부터 분리-발견되었으며 특정 암세포에서 분비될 뿐 아니라 정상세포들에서도 분비된다고 알려졌다. PTHrP는 부갑상선호르몬 수용체인 PTH-1 수용체에 결합하여 부갑상선호르몬과 같은 효과를 낸다. 최근 PTHrP를 부갑상선호르몬과 같이 간헐적으로 주사하여 골형성 촉진효과를 관찰하였고, 이를 기반으로 골형성촉진제로서 3상연구가 진행되고 있다.

참고문헌

1. Black DM, Greenspan SL, Ensrud KE, et al. The effects of parathyroid hormone and alendronate alone or in combination in postmenopausal osteoporosis. New Engl J Med 2003;349:1207–15.
2. Cosman F, Eriksen EF, Recknor C, et al. Effects of intravenous zoledronic acid plus subcutaneous teriparatide [rhPTH(1-34)] in postmenopausal osteoporosis. J Bone Miner Res 2011;26:503–11.
3. Cosman F, Nieves J, Zion M, et al. Daily and cyclic parathyroid hormone in women receiving alendronate. New Engl J Med 2005;353:566–75.
4. Cosman F. Anabolic and antiresorptive therapy for osteoporosis: combination and sequential approaches. Curr Osteoporos Rep. 2014;12:385-95.

5. Deal C, Omizo M, Schwartz EN, et al. Combination teriparatide and raloxifene therapy for postmenopausal osteoporosis: results from a 6-month double-blind placebo-controlled trial. J Bone Miner Res 2005;20:1905–11.
6. Finkelstein JS, Hayes A, Hunzelman JL, et al. The effects of parathyroid hormone, alendronate, or both in men with osteoporosis. New Engl J Med 2003;349:1216–26.
7. Greenspan SL, Bone HG, Ettinger MP, et al. Effect of recombinant human parathyroid hormone(1-84) on vertebral fracture and bone mineral density in postmenopausal women with osteoporosis: a randomized trial. Ann Intern Med. 2007;146:326-39.
8. Muschitz C, Kocijan R, Fahrleitner-Pammer A, et al. Antiresorptives overlapping ongoing teriparatide treatment result in additional increases in bone mineral density. J Bone Miner Res 2013;28:196–205.
9. Nakamura T, Sugimoto T, Nakano T, et al. Randomized Teriparatide [human parathyroid hormone (PTH) 1-34] Once-Weekly Efficacy Research (TOWER) trial for examining the reduction in new vertebral fractures in subjects with primary osteoporosis and high fracture risk. J Clin Endocrinol Metab 2012;97:3097-106.
10. Neer RM, Arnaud CD, Zanchetta JR, et al. Effect of parathyroid hormone(1-34) on fractures and bone mineral density in postmenopausal women with osteoporosis. New Engl J Med 2001;344:1434–41.
11. Schafer AL, Sellmeyer DE, Palermo L, et al. Six months of parathyroid Hormone(1-84) administered concurrently versus sequentially with monthly ibandronate over two years: the PTH and ibandronate combination study (PICS) randomized trial. J Clin Endocrinol Metab 2012;97:3522–29.
12. Ste-Marie LG, Schwartz SL, Hossain A, et al. Effect of teriparatide [rhPTH(1-34)] on BMD when given to postmenopausal women receiving hormone replacement therapy. J Bone Miner Res 2006;21:283–91.
13. Tsai JN, Uihlein AV, Lee H, et al. Teriparatide and denosumab, alone or combined, in women with postmenopausal osteoporosis: the DATA study randomised trial. Lancet 2013;382:50–6.

4-5 기타 약제

윤현구

현재 국내에서 골다공증 치료제로 승인된 약제는 비스포스포네이트 제제인 알렌드로네이트, 리세드로네이트, 이반드로네이트, 파미드로네이트, 졸레드론산 등이 있으며, 여성호르몬, 선택적 에스트로겐 수용체 조절제, 부갑상선호르몬 제제인 테리파라타이드및 활성형 비타민D 등이 있다. 칼시토닌과 스트론튬 등도 승인되었으나 제한적 사용을 권장하고 있다. 이번 장에서는 활성형 비타민인 칼시트리올(calcitriol), 알파칼시돌(alphacalcidol) 및 칼시토닌(calcitonin)의 골다공증 치료에 대해 다루도록 하겠다.

활성형 비타민D(칼시트리올, 알파칼시돌)

천연 비타민D라는 일반 비타민D는 햇빛에 반응하여 피부에서 광합성되거나 또는 보충제 혹은 식사 공급원으로부터 얻는다. 사람에서는, 비타민D는 간에서 수산화되어 비타민D 유사체인 알파칼시돌 (1α-hydroxycholecalciferol)로 되고 이는 다시 신장에서 수산화되어 칼시트리올 (1,25 dihydroxy cholecalciferol)이 된다. 비타민D 유사체들의 장점으로, prodrug인 알파칼시돌은 연령증가와 관련된 신장기능 저하로 인한 신장에서 바타민 D의 수산화감소의 효과를 피하고, 반면 칼시트리올은 연령증가에 따른 간 및 신장기능 저하로 인한 비타민D 합성의 문제점을 피할 수 있다. 그러나 높은 효능때문에 이러한 비타민D 유사체들의 사용은 비용문제 뿐만 아니라 일반 비타민D 보충제와 비교하여 고칼슘혈증 및 고칼슘뇨증의 위험과 연관이 있다.

1. 칼시트리올

1) 생리적, 약물학적 효과

칼시트리올 [1,25$(OH)_2$D]는 비타민D의 대사 산물로 hydroxylase에 의해서 25(OH)D로부터 전환된다. 1,25$(OH)_2$D는 비타민D수용체를 통하여 골대사, 근육 기능 및 면역 반응을 포함한 많은 생물학적 과정에서 중요한 역할을 한다. 세포수준에서 전구조골세포와 전구파골세포간의 작용에 의한 파골세포 형성은 1,25$(OH)_2$D에 의해 간접적인 영향을 받는다. 조골세포의 비타민D 수용체 (VDR)에 1,25$(OH)_2$D가 결합하여 RANKL의 발현을 증가시켜서 전구파골세포에 있는 이의 수용체인 RANK에 결합하여 성숙파골세포가 되도록 유도한다. 1,25$(OH)_2$D는 조골세포에서 칼슘 결합 단백질, 즉 오스테오칼신 및 오스테오폰틴의 생산을 자극하는 것으로 보고되어 있다. 조골세포의 전사 조절인자인 Runx2도 1,25$(OH)_2$D에 의해 조절된다. 조골세포에 비타민D 수용체를 과발현시킨 형질 전환 마우스에서 골형성이 증가되어 뼈에 1,25$(OH)_2$D의 직접적인 효과를 암시한다. 장기수준에서는 비타민D는 장, 뼈, 신장에 영향을 주어 칼슘 및 인 등이 포함된 골대사에 영향을 준다. 골다공증은 골재형성의 불균형이 특징으로 성호르몬, 비타민D 결핍 등에 의해 유도되며, 위장관, 뼈, 부갑상선 같은 표적 장기에서 비타민D에 대한 수용체 또는 수용체 친화력 결여에 의해서도 유도된다. 부적절한 1,25$(OH)_2$D 수치는 장내 칼슘흡수를 저하시켜서 더 많은 칼슘이 골격으로부터 유리되어 골흡수가 증가하게 된다. 또한 불충분한 비타민D 호르몬 농도는 조골세포에 의해 유리되는 골기질 단백질의 합성을 제한시키게 된다. 골전환에 중요한 사이토카인의 조절과 골기질 단백질 합성의 제한은 골량과 골의 질에 부정적 영향을 준다. 따라서 1,25$(OH)_2$D 치료는 특히 노년층에서 골다공증 환자들에게 도움이 될 수 있다.

골격계에 긍정적인 효과 이외에, 칼시트리올은 근육강도와 근육기능에 중요한 역할을 한다.

근육 기능에 대한 비타민D의 효과는 여러 경로를 통해 근육대사에 영향을 준다. 첫째, 1,25$(OH)_2$D와 특이하게 결합하는 골격근육세포에 비타민D 수용체는 리간드-수용체 상호작용을 유도하여 전사 복합체로 이어지게 한다. 둘째, 1,25$(OH)_2$D는 아마도 비타민D의 세포막 수용체를 통해 몇 분 이내에 전류의존성 칼슘채널과 칼슘 유리에 의해 활성화되는 칼슘채널을 통하여 칼슘 흡수를 증가시키는 작용을 하는 증거가 있다. 마지막으로, 근강도는 근육세포내의 VDR 유전자 형에 의해 영향을 받는 것으로 보인다.

2) 골표지자에 미치는 효과

골밀도의 변화를 확인하는데는 시간이 걸리므로, 단기간 임상연구는 골표지자의 변화를 1차 목표로 하게 된다. 칼시트리올 효과를 관찰하기 위하여 골다공증 진단을 받은 폐경 후 여성에서 6개월에서 8년정도 사용한 연구에서 대부분 적어도 1년은 지속적으로 복용하였으며, 칼시트리올 용량은 1일 0.5 에서 1.0 μg이었고 가장 흔한 용량은 1일 0.5 μg을 투여한 연구들에서 칼시트리올만 사용한 연구에서는 기저보다 골형성이 유의한 증가가 있었고, 칼시트리올 치료군과 위약 혹은 칼슘요법과 비교한 연구들에서는, 칼시트리올 치료군에서 과도한 골흡수지표인 부갑상선호르몬수치가 감소하고, 유의한 골흡수 감소, 골형성의 유의한 변화를 보고하였다. 다른 연구에서는 칼시트리올과 대조군사이에 골표지자의 차이가 없다고 하였다. 초기 폐경여성군과 70세여성군에서 칼시트리올, 호르몬대체요법, 위약군을 비교한 연구에서는, 초기 폐경여성들에서 칼시트리올과 위약군 사이에 차이가 관찰되지 않았지만, 칼시트리올을 투여한 70세 여성군에서는 위약군과 비교하여 골흡수가 감소하였다.

이상의 연구결과들에서 칼시트리올 요법이 골표지자의 통계적 유의한 변화를 주어 골소실의 감소 효과를 보고하였다. 일반적으로 많은 환자군에서 골표지자로 관찰한 골대사를 호전시키는데 칼시트리올요법이 효과적이었다.

3) 골밀도 및 골절에 미치는 효과

골밀도 측정 및 변화는 골절의 위험을 결정하는데 가장 중요한 예측 인자 중 하나이다. 여러 연구에서 다양한 환자군을 대상으로 칼시트리올이 골밀도 변화에 미치는 효과를 관찰하였다. 이들 연구중에서 칼시트리올의 1일 용량은 0.25~1.0 μg의 범위였고 0.5μg/일 이 가장 많이 사용되었다. 연구기간은 6개월에서 8년이었고 대부분의 연구는 1년과 3년 사이였다. 11개 연구는 위약군과 비교하여 통계학적으로 골밀도가 적어도 한곳 혹은 이상에서 칼시트리올군에서 유의한 증가를 보고하였다. 5개 연구에서는 칼시트리올군과 위약군사이에 골밀도의 변화가 없다고 보고하였다. 3개의 연구는 칼시트리올요법이 비스포스포네이트, 1주에 1회 100,000 IU의 비타민D, 알파칼시돌 같은 제제와 동등함을 보고하였다. 골밀도 변화와 관련하여 칼시트리올 단독요법을 관찰한 연구 대부분에서 상당한 골소실을 갖고 있는 폐경여성들을 대상으로 시행되었는데, 칼시트리올요법이 위약군과 비교하여 골밀도변화에 대하여 유의한 긍정적인 효과를 보고하였다. 골밀도의 변화는 골다공증 골절의 가장 흔한 부위인 요추부에서 일반적으로 관찰되었고, 연구에 따라 요추부위, 요골 원위부, 대퇴부위 혹은 총 골밀도에서 유의한 차이를 보고하였다. 그러나, 2개의 연구에서 칼시트리올과 위약군간에 차이가 없다고 하였다. 칼시트리올 (1일 0.25 μg, 2회)군과 비타민D 400 IU 투여군사이에 골무기질량의 차이가 없음을 관찰하였고, 2년에 걸친 칼시트리올군과 위약군 사이에 요추골밀도 차이가 없음을 보고하였다. 전반적으로, 대부분의 연구들에서 칼시트리올은 이미 골소실을 갖고 있는 폐경여성에서 골소실을 완화시키거나 되돌릴 수 있음을 입증하였다.

장기이식을 시행한 환자들에서 뼈와 관련하여 칼시트리올 단독요법 연구에서, 칼시트리올(1일 0.5~0.75 μg)과 칼슘을 투여받은 이식환자들이 칼슘만 투여받은 환자들보다 유의한 높은 골밀도 증가가 있음을 관찰하였다. 다른 연구에서는 칼슘과 호르몬 요법을 받은 군에 비해 칼시트리올, 칼슘 보충제 및 호르몬 요법을 받은 이식 환자군 사이에 골밀도변화의 차이가 없었다고 하였다.

글루코코르티코이드 요법으로 상당한 골소실이 있는 환자들에게 칼시트리올을 투여한 연구에서. 요추골밀도가 유의하게 증가한 보고가 있었고, 대조군과 비교하여 칼시트리올군에서 대퇴골골밀도의 유의한 증가가 관찰되었다. 칼시트리올 단독요법에 대한 연구가 일차성 골다공증을 갖고 있는 남성들을 대상으로 시행되어, 양군간에 유의한 차이는 없었지만, 칼시트리올군에서 대퇴골골밀도가 2% 증가하였고 위약군에서는 변화가 없었다고 보고하였다.

칼시트리올 단독요법이 골절발생에 미치는 효과가 보고되었으나, 대부분이 사후분석이었고 통계적 파워가 부족하다. 대조군 없이 시행한 연구에서 칼시트리올요법이 기저 골절률보다 골절률을 유의하게 감소시킴을 보고되었다. 3년간 대규모연구에서 칼시트리올군은 년간 100명의 환자에서 12개, 대조군에서는 44개의 골절발생율이 관찰되었고($p<0.05$), 다른 연구에서는 칼시트리올군에서는 년간 1000명

의 환자에서 297개, 위약군에서 823건의 골절발생을 보고하였다. 이식 환자를 대상으로 한 연구에서, 대조군에서는 22개 골절, 칼시트리올에서는 1개 골절 (P <0.05)을 보고하였고, 다른 연구에서는 통계적으로 차이는 없었지만 칼시트리올군의 3.4%, 대조군의 13.6%에서 새로운 골절이 있음을 관찰하였다. 나머지 4개의 연구에서는 칼시트리올군과 대조군사이에 골절률의 차이가 없었다고 하였다.

보고된 연구들의 결과가 모두 일치하지 않지만, 대부분은 칼시트리올 단독요법이 골소실 예방에 효과적이라고 결론지었다. 칼시트리올이 골절을 유의하게 감소시키는 연구결과들이 보고되었지만, 다른 연구는 골절률에 차이가 없다고 보고하였다. 칼시트리올의 단독 요법은 뼈의 소실을 방지 할 수 있지만, 적은 수의 연구에서만 골절을 1차목표로 하여서 골절에 대한 증거는 아직은 많지는 않다.

칼시트리올과 다른 약제와의 병합요법이 다양한 대상군에서 골밀도 변화에 미치는 효과를 관찰한 연구들이 보고되어 있다. 연구기간은 6개월에서 3년이었고 대부분이 1-2년 사이이었다. 대부분의 연구는 골다공증이 있는 폐경기 여성들이었고 한 연구에서는 글루코코르티코이드 유발 골다공증 환자들이고, 다른 연구는 건강한 폐경기 여성들이었다. 일부 연구는 비스포스포네이트와 칼시트리올 병합요법, 칼시트리올과 호르몬대체요법(HRT, Hormone replacement therapy)과의 병합요법이었다. 비스포스포네이트와 칼시트리올의 병합요법을 관찰한 연구에서 모두 대조군보다 1곳 이상에서 유의한 골밀도 변화를 보고하였다. 1년간 알렌드로네이트 단독투여시 요추골밀도는 3.7%, 알렌드로네이트와 칼시트리올 병합투여시에는 6.8% 증가하여 양군간에 유의한 차이가 있음을 보고하였다. 다른 연구에서도 유사한 결과로, 에티드로네이트 복용환자군에서는 2.7%, 에티드로네이트와 칼시트리올 병합군에서는 5.2%의 증가로 양군간에 통계적 차이가 관찰되었다. 소변 내 칼슘배설이 칼시트리올에 의해 유의하게 증가하고 알렌드로네이트 투여시에는 유의한 감소가 있음을 관찰하였지만, 칼시트리올과 알렌드로네이트 병합군에서는 기저치와 비교하여 안정된 상태를 유지하였다. 이러한 소견은 칼시트리올에 의한 고칼슘뇨증의 발생을 억제하기 위하여 중요한 연구결과이다. 국내 연구에서도 칼시트리올-알렌드로네이트 병합요법이 요추부 골밀도를 유의하게 증가시킨다고 하였다. 이러한 연구들은 비스포스포네이트와 칼시트리올의 병합요법이 골밀도를 증가시키는데 효과적임을 분명히 보여주었다. 폐경 여성들에서 칼시트리올과 HRT의 병합이 미치는 효과를 관찰하여 대조군과 비교하여 골밀도의 유의한 증가가 보고하였다. 일반적으로 골밀도의 증가는 매년 2-4%의 범위로 컸다. 이중 2개의 연구는 HRT와 칼시트리올 병합이 HRT단독요법보다 골밀도에 관해서는 유의하게 우수하였다, 반면 다른 1개의 연구에서는 HRT단독요법군과 HRT-칼시트리올병합 사이에 차이를 발견하지 못하였다.

골절에 대해서는 칼시트리올과 HRT병합요법이 골절률이 미치는 효과를 관찰하였으나 골절률률의 차이가 관찰되지 않았다. 칼시트리올군에서 4.9%, HRT/칼시트리올군에서 7.8%의 골절률률을 보고하였고, 대조군과 HRT단독군에서는 각각 10.7%, 11.9%이었지만, 이들 차이는 통계적으로 유의하지 않았다. 다른 연구에서는 유의한 차이는 없었지만, 새로운 골절발생이 HRT/칼시트리올군에서 12%, HRT군에서 22%임을 보고하였다. 칼시트리올과 다른 치료약제와의 병합이 골절률을 감소시킨다는 예비증거가 제시되었지만, 장기간의 연구로부터 좀더 결정적인 증거가 필요하다.

4) 안전성

많은 연구에서 칼시트리올 치료로 참여자들에서 고칼슘혈증과 고칼슘뇨증이 발생함을 보고하였다. 고칼슘혈증의 빈도는 칼시트리올 치료에서 40%까지도 나타날 수 있는 흔한 부작용으로 칼시트리올 치료시에 종종 용량 감소 혹은 중단을 하게 된다. 고칼슘혈증을 보고한 대부분의 연구들에서 칼시트리올을 1일 1회보다 더 투여하였다. 이는 투여빈도가 고칼슘혈증 발생과 가장 관련이 있는 것으로 사료된다. 고칼슘혈증의 높은 발생률에도 불구하고, 경증 혹은 중등도이며, 사망 또는 생명을 위협하는 독성들은 보고되지 않았다. 아시아인을 대상으로 한 중국의 연구에서는 연구종료시 시행한 초음파검사상 신결석 혹은 석회화는 관찰되지 않았다. 칼시트리올 요법의 부작용이 경하거나 관찰되지 않았으며, 혈중 칼슘과 인의 농도는 정상을 유지하였다. 고칼슘혈증의 낮은 빈도는 서양에서 사용된 용량보다 적게 투여된 1일 0.25 μg이 중국의 환자들에게는 저용량일 수 있기 때문이라고 설명하고 있다. 이는 칼슘 보충제와 함께 저용량의 칼시트리올 요법은 중국 노인군에서는 안전하다는 것을 시사하고 있다. 칼시트리올의 과잉 복용은 고칼슘혈증, 고칼슘뇨증, 고인산 혈증을 초래할 수 있기 때문에 약물 용량을 조절하기 위하여 혈청 칼슘 및 인 농도, 소변 칼슘 배설 및 부갑상선호르몬을 추적할 필요가 있다.

2. 알파칼시돌

칼시트리올 이외에 활성형 비타민D인 알파칼시돌이 골다공증 치료제로 국내에서 승인을 받고 사용할 수가 있다. 알파칼시돌도 칼시트리올처럼 개발된지 수 십년이 되었지만 무작위 대조연구 등 아직 자료가 많지 않다. 알파칼시돌의 골밀도 혹은 골절과 관련된 연구결과들의 메타분석을 폐경기 골다공증과 신경학적 문제를 갖고 있는 노인군을 대상으로 시행하여, 알파칼시돌이 척추골절과 비척추골절발생의 상대적 위험도(RR, Relative Risk)를 0.60, 0.71로 감소시킴을 보고하였다. 건강인 혹은 골다공증 환자 사이, 혹은 대조군들에게 칼슘제제를 복용한 것에 따른 반응에 유의한 차이는 없었다. 글루코코르티코이드에 의한 골다공증환자에게 알파칼시돌(1일 1 ug 알파칼시돌 + 500 mg 칼슘)과 일반 비타민D (1일 1000 IU 비타민D3 + 500 mg 칼슘)를 비교하였는데. 척추골밀도를 유지하는데 일반 비타민D제제보다는 알파칼시돌이 우월함을 보고하였고, 36개월간의 관찰 기간동안 일반 비타민D군에서 새로운 척추골절이 더 많이 발생하였다. 알파칼시돌에 대한 남성골다공증의 골절발생에 관련된 메타분석에서 알파칼시돌보다는 비스포스포네이트 제제인 졸레드론산, 알렌드로네이트, 리세드로네이트, 이반드로네이트와 테리파라타이드가 우월하고, 골밀도 증가와 골절감소효과에는 제일 낮은 약제이지만 아직 골다공증 치료를 목적으로 사용을 할 수 있겠다. 최근에는 근육량에 긍정적인 효과를 주어 간접적으로 골다공증 골절에 영향을 줄 수 있다는 보고가 있다. 근육량이 비타민D군에서는 유지되는 반면 대조군에서는 유의한 감소가 있었다. 이 효과는 알파칼시돌을 투여받은 낮은 근육량의 환자들에서 특히 현저하여, 알파칼시돌이 근육량을 증가시킴을 제시하고 있다. 근감소증은 운동수행능력과 삶의 질을 감소시키지만 아직 효과적인 치료가 없고, 골다공증과 근감소증간의 유사성 때문에 골다공증에 사용되는 알파칼시돌의 효과가 도움을 줄 수 있을 것이다. 비타민D는 낮은 근육량을 갖는 환자들에서 근육량을 유지하고 골격 근육지수를 증가시키므로 낮은 근육량을 갖는 골다공증 환자에게 효과적일 수 있다. 임상의들은 골다공증약을 처방할 때 주로 골대사와 골밀도에 초점을 맞추고 있지만 활성형 비타민D 요법의 비골격계 이점도 고려해야 하겠다.

칼시토닌

칼시토닌은 혈중 칼슘농도를 낮출 수 있는 호르몬으로 1961년 처음 알려졌다. 칼슘 감소효과뿐만 아니라, 칼시토닌은 파골세포에 직접 작용하여 골흡수를 억제한다. 이런 특성이 고칼슘혈증과 골다공증의 치료제로서 칼시토닌이 개발되게 하였다. 그러나 정상적인 골격 항상성에 칼시토닌의 생물학적 기능은 아직 확실하지 않다.

1. 임상 약물학

1) 주사제제

사람, 돼지, 연어 및 장어의 칼시토닌 염기서열을 근거로 사람에서 사용하기 위하여 약제가 개발되었다. 칼시토닌 1 단위 IU는 젊은 공복시 150g의 쥐에 주사하여 1시간에 혈중 칼슘 10%를 감소시키는데 필요한 펩티드양의 1/100로 정의한다. 연어 칼시토닌 1단위는 0.25 ug의 펩티드이며, 반면 사람 칼시토닌 1단위는 5 ug의 펩티드에 해당한다. 쥐에서 결정된 효능 비율은 20:1이다. 다른 종의 칼시토닌 사이에 수용체 부착과 약물역동학적 특성의 차이 때문에 이런 효능차이를 사람에서 동등한 생물학적 효과로 적용할 수 없다. 쥐 뼈와 신장 세포에 결합능은 연어 칼시토닌이 제일 높고 돼지, 사람 칼시토닌의 순으로 결합한다. 75단위 사람 칼시토닌은 혈중 칼슘과 cAMP를 자극하는데 50단위의 연어 칼시토닌의 칼슘저하효과와 같다.

2) 비강제제

피하주사에 대한 낮은 순응도와 지속성을 극복하기 위하여 연어, 장어, 사람 칼시토닌의 비강제제가 개발되었다. 외부 혈중 칼시토닌 수치의 증가가 주사제보다 느리지만, 농도가 지속되는 것이 비강제제에서 관찰된다. 비강 투여 후 혈중 총 칼시토닌 수치의 생물학적 효과가 일반적으로 용량의존적이지만, 200단위의 비강용은 주사로 투여하는 칼시토닌 30-80 단위와 효과가 유사하다. 비강 칼시토닌의 상대적 생물학적 이용은 용량의존적이지 않으며, 투여량의 약 22%가 이용되고 반면 근육주사는 70%이다. 그러므로 근육주사제와 비강제제의 효능 비율은 1:2.8 ~1:3.5이다. 임상에서 비강 점막을 통한 칼시토닌의 흡수는 일정하지 않을 수 있는데, 비강 점막(비염, 만성 부비동염 등)이상이 흔한 노인환자들에서 약제의 접촉에 제한을 받을 수 있기 때문이다. 일정치 않은 흡수와 분무기를 잘못 사용하는 것이 적절치 않은 효과와 일정치 않은 결과에 기여할 수 있다. 이런 이유로 경구투여제제가 필요하여 개발되었다. 경구용 칼시토닌제제가 골량을 증가시키는데 비강용 스프레이보다 우월할 수 있으나, 골절 예방에 대한 예비연구는 고위험 폐경여성에서 척추골절의 빈도를 감소시키는데 실패하였다.

2. 골다공증에서 임상적 효과

1) 골다공증 치료

연령증가와 관련된 골다공증에서 칼시토닌으로 치료한 환자들에서 칼슘균형이 호전되고 뼈 침착이 증가되고 골흡수가 감소됨을 보여주었다. 2년간 연어 칼시토닌을 피하주사로 100 단위(IU) 투여한 군과 경구로 칼슘과 비타민D (1일 400단위)군간에 비교하였다. 측정한 평균 총 체내칼슘이 치료군과 대조군 사이에 차이가 없었지만, 기저치로 정상화되는 변화는 18개월 치료기간 동안 대조군에 비해 칼시토닌치료군에서 높았고, 이후는 감소되는 경향을 보였다. 칼시토닌 치료동안 소변내 칼슘이 증가하기 때문에 저자들은 총 체내 칼슘의 증가가 장내 칼슘흡수의 증가에 의해 매개된다고 결론지었다. 이런 결과들은 1984년 골다공증 치료에 칼시토닌 주사제의 사용을 미국 FDA가 승인할 수 있게 하였다. 추가적인 연구에서 1일 100단위를 1년간 칼시토닌 주사치료가 DXA로 측정한 척추, 대퇴부에서 골밀도가 유의하게 증가함을 확인하였다. 간헐적인 연어 칼시토닌의 주사제 투여 (2일에 1회 100 단위)는 효과가 덜하였다.

비강스프레이 제제을 이용한 이후의 임상연구들은 연어 칼시토닌 1일 200단위가 골다공증 여성들에서 근위부 및 원위부 요골에서 골소실을 예방한다고 하였다. 장기간 연구에서 상완골 골밀도는 아니지만 척추골밀도가 용량과 관련하여 증가되었다. 골감소증이 있는 여성들에서 비강스프레이 연어 칼시토닌 200단위의 매일 투여는 척추골소실이 예방되었지만, 1주일에 3회투여는 효과가 없었다.

골밀도에 미치는 칼시토닌의 효과는 알렌드로네이트 혹은 에스트로겐에 비해 변화가 상당히 낮았고, 랄록시펜에 비해서는 그렇게 낮지 않았다. 그러나, 초기 골밀도, 골절정도 및 기타 양상이 다른 환자군을 대상으로 한 다른 연구들에서 다른 결과가 나올 수 밖에 없다. 늦은 폐경기여성들에서 골소실 예방에 칼시토닌이 효과적이지만, 골밀도가 높은 초기 폐경기 여성들에서는 관찰되지 않는다. 이런 소견들은 골재형성이 증가된 사람들이 정상 골전환율을 갖는 사람들보다 빠르게 골소실을 하는 경향이 있기 때문에, 낮은 골밀도를 갖고 있는 높은 골전환율을 교정하는 경우 예견되는 효과에 대한 부분적인 설명이 될 수 있다.

2) 폐경기 골소실예방

골다공증치료에 사용되는 용량의 칼시토닌이 초기 폐경기여성들에서 골소실을 예방할 수 있다는 증거가 제시되지만, 척추 및 부속골에 양의 효과를 증명하는 자료가 부족하고, 대단위 대조예방연구의 결여가 상대적 제한적이어서 골다공증 예방으로 사용되고 있지는 않다.

3) 골다공증 골절 예방

칼시토닌의 골다공증 골절예방효과는 PROOF (Prevent Recurrence of Osteoporotic Fractures) 연구에서 보고되었다. 무작위 이중맹검 위약대조연구로 칼시토닌 비강스프레이 (1일 100, 200, 400단위)를 다른 용량을 사용하여 관찰한 연구이다. 1255명의 폐경기 골다공증여성들을 대상으로 다기관에서 등록되었다. 5년 후에 200단위 비강 칼시토닌 사용군에서 위약군보다 새로운 척추골절의 상대적 발생위험이 36% 감소되었다. 반면, 100단위 사용군에서는 효과가 없었고, 400단위 사용군은 고위험군에서 상대적 골절위험이 유의하지 않게 감소가 있었다. 골다공증 치료로 승인된 비강용 칼시토닌 스프레이 용량이 척추골절을 감소시키는데 효과적임을 확인시키지만, 골절과 골밀도에 용량에 따른 반응의 결여는 어느 정도 제한요소이다. PROOF연구의 다른 제한점으로 5년간 높은 탈락율이다 (59%). 그러나 치료군들간에 잘 비교할 수 있고, 위약군의 탈락에서 적극적 약물사용군보다 골밀도의 감소가 높아서, 결과에 문제가 있을 수 있다는 가능성을 감소시킨다.

유럽의 후향적연구와 PROOF연구만이 비척추골절에 칼시토닌의 효과를 본 연구이다. MEDOS (The Mediterranean Osteoporosis) 연구는 대퇴골골절의 위험에 골대사에 영향을 주는 약제의 효과를 관찰하였는데, 유럽의 14개 센터에서 설문지를 근거로한 골절에 대한 후향적 연구를 하였다. 5500명이상의 여성에서 대퇴골골절 발생에 대한 결과는 칼시토닌, 에스트로겐 혹은 칼슘단독 복용군이 대퇴골골절의 위험을 유의하게 감소시켰다. 대퇴골골절의 상대적 위험은 평균 2년간 칼시토닌을 사용한 여성들에서 0.69(CI 0.51-0.92)이었다. 후향적 연구이면서 유럽국가간 차이, 자료수집, 골다공증에 대한 약제 등의 차이라는 제한점이 있지만, 이 보고는 골다공증에 칼시토닌을 사용할 수 있는 결과를 제공하였다. 불행히도, 칼시토닌의 대퇴골골절에 대한 전향적 연구는 없고, PROOF 연구에서는 비강용 칼시토닌 스프레이 200단위군에서 유의하지 않으나 대퇴골골절의 감소경향을 보여주었고, 모든 비척추골절의 36% 감소 100단위군에서만 관찰되었고, 척추골절에서는 효과가 없었다. 골밀도의 적은 변화임에도 불구하고 척추골절 발생의 유의한 감소는 칼시토닌의 제한점이 아니다. 같은 관찰이 랄록시펜같은 다른 골다공증 약제에서도 보고되었다. 비강용 칼시토닌에 의한 골전환 표지자의 감소가 12-15%로, 비스포스포네이트에서 보고보다 훨씬 적어서, 200단위 칼시토닌과 10mg 알렌드로네이트를 사용한 각각의 골절예방 임상연구에서 보고된 골절의 상대적 위험감소가 비교적 차이가 적은 것과는 일치하지 않는다.

비강용 칼시토닌 (1일 200단위)이 새로운 척추골절 위험을 감소시킨다는 효과가 대조 임상연구에서 보고되었다. 그러나 비척추골절에 대한 증거가 부족하여 골다공증 치료의 2선 약제로 위치하고 있다.

3. 임상적 저항

파제트병의 초기 연구에서, 골전화 표지자가 칼시토닌요법 시작 후 빠르게 감소하지만, 일부 환자들에서 지속적 치료를 하는 3-9개월내에 기저치로 된다고 보고되었다. 칼시토닌의 치료작용에 대한 저항현상을 'escape phenomenon'이라고 하며, 골다공증환자들에서 칼시토닌의 장기간 치료시에 관찰되기도 한다, 분명한 반응의 소실이 골흡수억제제의 작용과 단순히 관련이 있을 수 있지만, 골밀도에 대한 효과는 대부분 다시 채워질 수 있는 재형성 공간(remodeling space)의 크기에 좌우된다. 재형성 공간이 일단 다시 채워지면, 더 이상의 골밀도의 증가는 일어날 수 없다. 그럼에도 다른 기전을 고려할 수 있다. 파제트 환자에서 칼시토닌에 대한 저항은 외부 펩티드에 대한 항체의 발현이 연관되어 있다. 골다공증에서는, 연어 칼시토닌에 대한 항체 형성이 주사제 혹은 비강용 스프레이 제제 모두에서 15개월이상 사용하는 환자들의 60~75%에서 증명되었지만, 중성화 항체의 출현이 반응의 소실과 연관이 있어 보이지 않는다. 이는 PROOF연구의 결과에서도, 칼시토닌 결합 항체가 치료군의 34%에서 관찰되었지만, 항체와 골격계 반응간의 연관성은 없었다. 드물기는 하지만, 사람 칼시토닌으로 치료한 환자들에서 혈중 항체가 칼시토닌의 생물확적 활동을 중화시킬 수 있다. 다른 가설로는, 칼시토닌에 대한 골격계 반응의 점차적인 소실은 수용체 강하-조절로 설명하고 있는데, 다른 용량의 연어 칼시토닌를 쥐에게 지속적으로 투여한 후 신장에서 증명되었다. 그러나 이 기전은 사람에서는 확인되지 않았다.

4. 진통효과

칼시토닌의 진통작용은 아직 논란의 여지가 있고 생물학적 근거도 불분명하다. 많은 가설들이 칼시토닌의 진통작용을 설명하지만 만족할만하게 증명된 것은 없다. 통증을 조절하는 뇌에 칼시토닌 결합부위가 증명되어 칼시토닌이 직접적으로 중추신경계에서 조절할 수 있다는 가능성을 높였다. 그러나 사람에서 칼시토닌을 경막하로 직접주사하여 진통효과에 대한 증거는 아직 확실하지 않다. 다른 가설로는, 칼시토닌이 일부 연구들에서 말초 베타 엔도르핀수치가 연어 칼시토닌을 정맥주사한 후 증가하였다고 보고하였다. 그러나 다른 연구에서는 관찰되지 않았다. 말초 베타 엔도르핀의 생물학적 역할은 아직 확실하지 않다.

5. 안전성

주사용 칼시토닌의 가장 흔한 이상반응은 홍조와 주사부위 자극이다. 이런 반응은 연어 칼시토닌보다 사람칼시토닌에서 더 많이 나타난다. 다뇨등 비뇨기 증상과 두통, 구토 등도 보고되어 있다. 비강용 연어 칼시토닌 제제가 주사용 연어 및 사람 칼시토닌제제보다 이상반응은 전반적으로 낮은 빈도로 나타난다. 비강제제의 이상반응으로 홍조가 제일 많고 비강 울혈 및 자극, 비염 등이 있다. 비출혈과 부분적 후각장애도 보고 되었다. 2012년7월까지, 비강용 연어칼시토닌 제제는 1일 200단위로 많은 국가에서 폐경기 골다공증치료제로 사용되었다. 장기간 비강 및 경구 칼시토닌에 노출된 환자들에서 암의 발생이 증가되는 소견으로 EMA (European Medicines Agency)에서는 유럽에서 골다공증치료로 비강용 칼시토닌의 사용을 금지하였다. 주사제 칼시토닌은 갑작스런 부동으로 이차적인 골소실 예방을 위해 아직 적응증을 갖고 있다. 주사제 칼시토닌은 파제트병 및 종양에 의한 고칼슘혈증에서는 단기간 사용할 것을 권하고 있다. 미국에서는 비강 및 주사 연어 칼시토닌 제제의 설명서에 암발생의 위험이 증가된다는 문구가 들어가고, 골다공증의 치료에 칼시토닌을 사용제한할 것을 전문가들이 권고하고 있다.

참고문헌

1. Aloia JF, Vaswani A, Yeh JK, et al. Calcitriol in the treatment of postmenopausal osteoporosis. Am J Med 1988; 84:401–8
2. Caniggia A, Nuti R, Martini G, et al. Efficacy and safety of long-term, open-label treatment with calcitriol in postmenopausal osteoporosis: a retrospective analysis. Curr Ther Res 1996; 57:857–68
3. Chesnut CH, Silverman S, Andriano K, et al. A randomized trial of nasal spray salmon calcitonin in postmenopausal women with established osteoporosis: the prevent recurrence of osteoporotic fractures study. Am J Med 2000; 109: 267-76
4. Ebeling PR, Wark JD, Yeung S, et al. Effects of calcitriol or calcium on bone mineral density, bone turnover, and fractures in men with primary osteoporosis: a two-year randomized, double blind, double placebo study. J Clin Endocrinol Metab 2001; 86:4098–103
5. Gruber HE, Ivey JL, Baylink DJ, et al. Long-term calcitonin therapy in postemenopausal osteoporosis. Metab Clin Exp 1984; 33: 295-303
6. Ito S, Harada A, Kasai T, et al. Use of alfacalcidol in osteoporotic patients with low muscle mass might increase muscle mass: An investigation using a patient database. Geriatr Gerontol Int 2014; 14(Suppl. 1): 122–128
7. Kanis JA, Johnell O, Gullberg B, et al. Evidence for efficacy of drugs affecting bone metabolism in preventing hip fracture. BMJ 1992; 305: 1124-28
8. Liao R, Yu M, Jiang Y, Xia W. Management of osteoporosis with calcitriol in elderly Chinese patients: a systematic review. Clinical Interventions in Aging 2014;9: 515–26
9. Marx SJ, Woodward CJ, Aurbach G.D. Calcitonin receptors in kidney and bone. Science 1972; 178: 998-1001
10. O'Donnell S, Moher D, Thomas K, et al. Systematic review of the benefits and harms of calcitriol and alfacalcidol for fractures and falls. J Bone Miner Metab 2008; 26:531–42
11. Ott SM, Chesnut CH 3rd. Calcitriol treatment is not effective in postmenopausal osteoporosis. Ann Intern Med 1989; 110:267–74

12. Reginster JY, Gaspar S, Deroisy R, et al. Prevention of osteoporosis with nasal salmon calcitonin: effect of anti-salmon calcitonin antibody formation. Osteoporos Int 1993; 3: 261-64

13. Sairanen S, Karkkainen M, Tahtela R, et al. Bone mass and markers of bone and calcium metabolism in postmenopausal women treated with 1,25-dihydroxyvitamin D (Calcitriol) for four years. Calcif Tissue Int 2000; 67:122–7

14. Sambrook P, Henderson NK, Keogh A, et al. Effect of calcitriol on bone loss after cardiac or lung transplantation. J Bone Miner Res 2000; 15:1818–24

15. Sato Y, Maruoka H, Oizumi K. Amelioration of hemiplegia-associated osteopenia more than 4 years after stroke by 1a-hydroxyvitamin D3 and calcium supplementation. Stroke 1997; 28:736–9

16. Shiraki M, Kushida K, Yamazaki K, et al. Effects of 2 years' treatment of osteoporosis with 1ahydroxy vitamin D3 on bone mineral density and incidence of fracture: a placebo-controlled, double-blind prospective study.Endocrinol J 1996 ;43:211–20

17. Singer FR, Fredericks RS, Minkin C. Salmon calcitonin therapy for Paget's disease of bone. Arthritis Rheum 1980; 23: 1148-54

18. Tilyard MW, Spears GF, Thomson J, et al. Treatment of postmenopausal osteoporosis with calcitriol or calcium. N Engl J Med 1992; 326:357–62

19. Vazquez G, de Boland AR, Boland R. Stimulation of Ca2+ release-activated Ca2+ channels as a potential mechanism involved in non-genomic 1,25(OH)2-vitamin D3-induced Ca2+ entry in skeletal muscle cells. Biochem Biophys Res Commun 1997;239 :562–65

20. Wimalawansa SJ. Long- and short-term side effects and safety of calcitonin in man: a prospective study. Calcif Tissue Int 1993; 52: 90-3

4-6 병용요법

홍성빈

골다공증은 장기적인 치료를 필요로 하는 질환으로 현재까지 승인되어 사용되고 있는 약제는 골절의 위험도를 감소시키나 골절의 위험은 남아 있어 이를 극복하기 위한 병용요법에 대한 관심은 계속되어 왔다. 또한 임상적으로 치료 반응이 없는 경우 다른 치료를 고려해야 할 필요가 있어 병용 또는 순차적으로 다른 기전의 약제로 변경 후 골밀도, 골전환표지자를 관찰한 연구가 계속되어 왔다.

골다공증 치료에서 병용요법에 대한 정확한 정의는 없으나 동일 기간에 두 가지 약물을 동시에 투약하는 방법과 한가지 약물치료 전후에 다른 약물을 사용하는 연속요법(sequential therapy)를 포함하여 언급되고 있다.

병용요법은 뼈의 골량과 질적 향상을 통한 골절예방을 위해 서로 기전이 다른 약물들을 같이 사용함으로써 각각의 효과 이상의 결과를 안전하게 얻는 것이 이유이다. 초기의 연구에서 다른 기전의 골흡수억제제의 병용요법이 시도되었으나 그다지 큰 관심을 받지 못하다가 골형성을 촉진하는 테리파라타이드(PTH1-34), PTH1-84 같은 약물의 사용이 가능해 짐에 따라 다시 조명을 받고 있다. 또한 데노수맙 같은 다른 기전의 골흡수억제제가 개발되어 병용치료 시 기존과 다른 좋은 효과를 보여 주고 있어 좀더 관심을 가질 필요성이 있다. 칼슘과 비타민D는 일반적으로 골다공증 치료의 필수적 요소로 보고 있어 병용요법의 범주에는 포함시키지 않았다. 그러나 다른 비타민D 제형이 개발되고 있어 향후에는 병용치료의 범주에 포함될 가능성도 있다.

본 장에서는 골형성 촉진제와 골흡수억제제의 병용요법 및 골흡수억제제들간의 병용요법에 대하여 고찰하고자 한다. 부갑상선호르몬은 현재 PTH1-34만 국내에서 허가되어 있으나 1-84에 대한 연구결과도 같이 언급하였다. 데노수맙 역시 현 시점에서는 국내에서 사용이 허가되어 있지 않으나 향후 사용이 기대되므로 포함시켜서 다루었다.

골형성촉진제와 골흡수억제제의 병용요법

골흡수억제제와 골형성 촉진제를 병용투여시는 효과를 증가시킬 수 있을 것이라는 기대와 골교체율의 감소로 인하여 골형성 효과를 방해할 것이라는 우려가 있었다. 또한 PTH1-34 치료는 18-24개월에 한해 허가되어 사용기간의 제한이 있으며 치료 초기에 피질골이 변화에 따라 대퇴골골밀도의 일시적 감소현상이 있어 이의 보완적 측면에 따른 병용요법이 시도되고 있다.

병용요법에서 시도된 골형성촉진제는 PTH1-34, 1-84이며 골흡수억제제는 비스포스포네이트가 많이 연구되었다. 이론적으로는 두 가지 약물의 기전으로 각각 사용시보다 효과가 좋을 것으로 예측하였으나 측정부위, 측정방법, 같이 사용한 골흡수억제제의 종류, 기존의 치료경험에 따라 다른 결과를 보였다. 따라서 기존의 치료여부에 따라 나누어 보고자 한다.

1. 동시 병용투여

1) 골형성 촉진제와 여성호르몬 또는 랄록시펜 동시 투여

폐경후여성 247명을 대상으로 과거 여성호르몬제 치료 여부에 따라 나누어 1년간 PTH1-34, 40 μg 매일 주사와 여성호르몬제제를 병용치료하였다. 기존에 여성호르몬 치료력이 없는 경우에 요추골밀도 16%, 고관절 6%로 더 높은 골밀도의 증가가 있었다. 여성호르몬제 단독에 비해서는 골밀도가 증가되었으나 PTH1-34 단독군이 없어서 이를 비교하지는 못했다.

랄록시펜을 동시 투여한 연구로는 Deal 등이 폐경후여성 137명을 대상으로 PTH1-34, 20 ㎍과 PTH1-34+랄록시펜 두 군으로 나누어 6개월 동안 시행하였다. 골형성표지자인 PINP (procollagen type I amine-terminal propeptide)는 양군에 비슷하였으나 골흡수표지자인 CTX는 병용치료군에서 낮게 증가되었다. 요추골밀도의 증가는 비슷하였으나 대퇴골전체골밀도는 병용치료군에서 증가되었다(2.3% vs 0.7%).

기존의 골다공증치료를 연장하여 병용요법과 비교한 연구로, 1년 이상 여성호르몬 대체요법을 받아오던 폐경후 골다공증환자에서 PTH1-34를 25 ㎍씩 3년 동안 병합요법을 실시한 뒤 이들을 여성호르몬 대체요법 단독군과 비교시 척추와 대퇴골골밀도의 유의한 상승 및 척추 골절률의 유의한 감소가 관찰되었다. 골전환표지자는 PTH1-34 치료 후 6개월 째 가장 뚜렷한 상승 소견을 보였으며 골흡수표지자보다 골형성표지자가 뚜렷했다.

기존에 랄록시펜을 투여하던 환자에게 랄록시펜 단독, PTH1-34와의 병합치료군으로 나누어 치료시 병용치료군에서 요추골밀도는 10%, 대퇴골전체골밀도는 3%로 증가되었다. 이러한 연구들은 여성호르몬이나 선택적 에스트로겐수용체조절제와 같은 비교적 약한 골흡수억제제의 경우, 부갑상선호르몬으로 전환치료 또는 병용치료할 경우 부갑상선호르몬의 골형성촉진 효과를 억제하지 않음을 보여주었다.

2) 골형성촉진제와 비스포스포네이트

기존의 골흡수억제제에 골형성촉진제를 추가 또는 변경할 지에 대한 두 가지 연구가 있었다.

Finkerlstein등은 여성 93명을 대상으로 알렌드로네이트를 무작위 배정 후 6개월간 치료 후 PTH1-34 40 ㎍ 단독, 알렌드로네이트 유지군, 병용치료군으로 나누어 치료하였다. 알렌드로네이트 투여군에서 요추, 대퇴골전체골밀도의 증가가 적었다. 그러나 연구를 마친 군을 대상으로 분석시는 골밀도의 차이가 없었다. 요골골밀도는 단독 치료군에서 의미 있는 감소가 있었으며 전신골밀도는 차이가 없었다. 이전 연구와 달리 PTH 단독치료군에서 대퇴골전체골밀도의 증가가 관찰되었다. 이 연구는 24개월간 시행되었으나 18개월에 이미 뚜렷한 차이를 보여 이는 결과에 영향을 주지 않았을 것으로 생각이 되며 이 때 사용된 용량은 40 μg 으로 허가용량보다 높았다.

PTH1-84, 알렌드로네이트(PaTH, parathyroid hormone and alendronate study)연구에서 Black 등은 238명을 대상으로 PTH1-84, 알렌드로네이트 단독, 병용요법군 세군으로 나누어 골전환표지자, 이중에너지X-선흡수계측법, 정량적컴퓨터단층촬영으로 골의 변화를 평가하였다. 이중에너지X-선흡수계측법로 측정한 척추골밀도는 유사하였으며(6.3, 4.6, 6.1%) 대퇴골전체골밀도는 병용요법군에서 의미 있는 증가를 보였으나 PTH1-84 단독군은 의미있는 차이가 없었다(1.9 vs 0.3%). 요골골밀도는 병용군(-1.1%)에 비해 PTH1-84 단독군(-3.4%)에서 감소되었다. PINP는 PTH1-84 단독군에서 증가되었다. 정량적컴퓨터단층촬영으로 측정한 요추 용적측정골밀도는 PTH1-84 단독군이 병합군에 비해 2배 이상 증가되었다(25.5, 12.6%), 그러나 피질골골밀도는 고관절에서 -1.7% 감소되었으며, 병용치료군에서는 차이가 없었다. 골절은 드물게 발생하였으며 군간 차이는 없었다. 따라서, 동시 병용요법에서는 알렌드로네이트 같은 강력한 골흡수억제제는 골형성촉진제의 골형성 효과를 방해하는 것으로 생각되었다. 따라서 부갑상선호르몬의 골형성촉진효과를 방해하지 않는 골흡수억제제의 경우는 다른 효과를 나타낼 것으로 기대하였다.

남성골다공증에서 리세드로네이트와 병합치료를 한 경우는 단독치료에 비해 요추골밀도는 차이가 없었으며 대퇴부경부 및 전체 골밀도는 PTH1-34 단독에 비해 증가되었다.

기존에 알렌드로네이트치료(102명)과 랄록시펜치료(98명) 경험이 있는 여성을 대상으로 PTH1-34가 병합 또는 변경되는 것을 관찰한 연구에 의하면 모든 군에서 골밀도와 골전환표지자의 상승이 관찰되었으나 골표지자 특히 CTX의 상승은 PTH1-34 단독군에서 1개월째에 빨리 상승하여 비스포스포네이트의 중단은 골흡수를 증가시키는 것을 알 수 있다. 첫 6개월에 대퇴골전체골밀도를 오히려 감소시켰으며 6개월, 18개월째 요추, 대퇴골전체골밀도는 병합군에서 단독군보다 높았다. 용적골밀도로 측정한 대퇴골골밀도는 병합군에서 PTH1-34 단독군에 비해 증가되었다. 병용치료군에서는 골강도가 증가하였으며 PTH1-34단독군에서 감소되지 않았다.

PTH1-34는 골형성기간을 늘리기 위한 주기적 요법에 대한 연구도 계속되었다. 최근 24개월간 3개월 주기 또는 지속주사군을 비교한 결과가 발표되었다. 알렌드로네이트를 같이 유지한 경우는 주기적으로 투여하여도 지속적으로 주사한 군과 동등한 골밀도를 보였으나 알렌드로네이트 비투약군에서는 낮은 골밀도를 보였다.

골감소가 있는 83명의 남성을 대상으로 PTH1-34와 알렌드로네이트 병용요법 연구에서, 단독, 병용요법을 비교하였다. 6개월 이전에 알렌드로네이트 치료력이 있는 대상자에서 PTH1-34를 병용하여 24개월간 같이 사용하였다. 24개월 때 요추 골밀도는 PTH 단독군에서 다른 두 군에 비해 유의한 증가를 보였으며 대퇴골경부골밀도는 PTH1-34 단독군이 알렌드로네이트 단독군보다 유의하게 높았고 병합치료군은 중간 정도의 변화를 보였다. 그러나 대퇴골전체골밀도는 세 군간에 차이가 없었다.

병용투여의 장점은 졸레드론산과 PTH1-34, 20 μg과 1년간 병용투여한 연구에서 나타났다. 병용투여군은 요추골밀도는 7.5% 증가하여 PTH단독치료군과 유사한 증가를 보였으나 병용투여군에서 조기에 골밀도의 상승이 관찰되었다. 또한 대퇴골전체, 대퇴골경부골밀도는 병용투여군에서 2.3, 2.2%로 PTH1-34 단독군 1.1, 0.1%에 비해 증가되었다. 병용투여군에서 골흡수표지자인 CTX는 빠르게 감소되어 2달 정도 유지 후 점차 증가되어 1년 때 치료 전 수치로 회복되었다. PINP는 6개월째부터 점차적으로 증가하는 양상을 보였다. 이러한 골전환표지자의 변화양상은 병용요법시 비스포스포네이트가 PTH1-34의 골형성 작용을 둔화시키는 기간은 상대적으로 짧은 기간임을 나타내는 것일 수 있다. 그러나 이러한 조기 골밀도 상승이 골절예방에 도움이 될 것인지는 아직 연구가 필요하다. Muschitz 등은 125명의 폐경후 여성을 PTH1-34로 9개월간 단독치료 후 계속 단독치료를 지속한 군과 랄록시펜 또는 알렌드로네이트를 이후 추가병용투여한 군으로 무작위분류-관찰하였다. 골흡수지표가 추가병용투여후 유의하게 감소되었고 특히 알렌드로네이트 추가군에서 감소효과가 컸다. 척추 및 대퇴골전체골밀도는 연구 18개월에 알렌트로네이트 추가군이 각각 9.2%, 4.2%, 랄록시펜 추가군이 각각 10%, 4.4%로 부갑상선호르몬 단독유지군에 비하여 증가되었음을 관찰하였다. 척추 및 대퇴부의 용적측정골밀도 역시 추가병용군에서 현저한 증가가 관찰되었다.

3) 골형성촉진제와 데노수맙

여성 94명에서 데노수맙(60 mg 6개월마다 피하주사) 와 PTH1-34를 병용, 또는 단독치료군과 비교하였다. 6개월 12개월에 요추, 대퇴골전체골밀도에서 병용치료군에서 단독 치료군에 비해 높았다. 골전환표지자는 PTH 단독군에서는 모두 증가되었고 데노수맙단독과 병용치료군에서는 1년까지 감소되어 유지 되었다. 그러나 병용치료군에서는 오스테오칼신, PINP같은 골형성 표지가가 데노수맙 단독군보다 덜 억제되었다. 1년간 이 연구를 연장하여 24개월 째 시행한 골밀도는 병용요법군에서 12.9%로 가장 높게 증가되었으나 세 군간에 골밀도는 의미있는 차이가 없었다. 같은 연구에서 12개월에 HRpQCT로 관찰 시 피질골밀도와 피질골두께를 증가시키고 요골 피질골 다공성을 감소시켰다.

현재까지 연구를 정리하면 골다공증 치료력이 없는 여성에서 PTH1-34와 알렌드로네이트의 병용치료는 추가적 이득이 관찰되지 않으며 졸레드론산과의 동시 투여시는 첫 3-6개월사이에 골밀도의 상승이 급격하게 일어나지만 12개월 요추 골밀도에서도는 차이가 없었으며 대퇴골전체골밀도에 이득이 있었다. 데노수맙의 경우는 PTH1-34와의 병용치료가 척추, 대퇴골전체골밀도에서 추가적인 효과가 있었다. 이는 골흡수는 억제가 확실하게 되나 골형성은 덜 억제되는 것과 관련이 있을 수 있다.

2. 순차적 사용

1) 골형성 촉진제 전 골흡수억제제의 사용

이전 치료는 대부분 골흡수억제제 단독으로 사용되었으며 이후 골형성촉진제가 상대적으로 임상에 늦게 사용되어 이전에 골흡수억제제로 치료 중이었다가 골형성촉진제로 변경된 경우가 이에 해당되겠다. OPTAMISE (Open-label Study to Determine How Prior Therapy with Alendronate or Risedronate in Postmenopausal Women with Osteoporosis influences the Clinical Effectiveness of Teriparatide) 연구에서 리세드로네이트, 알렌드로네이트를 2년 이상 사용 후 PTH1-34로 변경하여 1년간 치료하였다. 리세드로네이트치료군에서 1개월 때 PINP의 증가가 더 높게 나타났으며 1년째 알렌드로네이트군에 비해 골밀도가 높게 증가되었다. 이런 차이는 뼈에 대한 약제의 결합능의 차이로 생각된다

PTH1-34 투약 전 골흡수억제제로써 랄로시펜과 알렌드로네이트 복용군을 비교한 연구에서 랄록시펜을 복용하였던 군에서 알렌드로네이트 복용 군보다 PTH 치료 초기 6개월간 척추 및 대퇴골골밀도의 상승이 유의하게 높은 소견을 보여 알렌드로네이트가 골형성을 방해하는 것을 나타내었다.

전향적으로 시행된 EUROFORS (The European study of Forsteo) 연구는 심한 골다공증이 있는 폐경후 여성을 대상으로 시행하였으며 비스포스포네이트를 사용하지 않았던 84명과 투약력이 있는 419명이 포함되었다. 2년째 척추와 대퇴골골밀도를 비교하였을 때 골흡수억제제를 복용력이 있는 군에서 적은 골밀도 상승을 보였다. 이전 골흡수억제제의 투약 기간이나 골흡수억제제 중단 후 PTH1-34 치료를 시작하기까지의 기간은 골밀도 변화와 유의한 연관성을 보이지 않았다.

요약하면 PTH1-34 이전 골흡수억제제의 사용은 PTH1-34의 골형성작용을 둔화시킬 수 있으나 이는 골흡수억제제의 골흡수 억제강도에 따라 달라질 수 있다. 기존의 골흡수억제제는 처음 6개월째 PTH1-34의 골밀도 상승 효과를 감소시키나 이후 12-24개월 지속시 의미있는 증가를 보인다. 비스포스포네이트를 중단시는 골흡수가 급격히 증가하여 골흡수표지자의 증가가 기존의 치료력이 없는 군에 비하여 빠르게 증가하는 것과 일치하는 소견이다.

2) 골형성 촉진제 후 골흡수억제제의 사용

부갑상선호르몬치료를 종료하면 골밀도가 감소하게 되며 현재 PTH1-34는 18-24개월에 한하여 허가되었다. 따라서 부갑상선치료 중단 후 골밀도를 유지하기 위한 다른 약제의 연속적인 치료가 요구된다. 폐경후 여성에서 PTH1-84의 1년 치료 후 알렌드로네이트를 연속해서 투여하면 대퇴골골밀도의 유의한 증가와 함께 요추골밀도가 14.6% 상승되어 부가적인 골밀도 상승작용을 관찰할 수 있었다. 테리파라타이드를 중단 후 골흡수억제제를 투여하여 30개월간 관찰한 연구에서도 골흡수억제제로 변경한 경우는 골밀도가 유지된 반면 중단군은 지속적인 골밀도의 감소를 보였다. 그러나 골밀도의 변화와 달리 골절 예방 효과는 약제 추가여부에 관계없이 유지되었다.

랄록시펜을 이어서 사용하였을 때 골밀도가 유지 또는 증가되는 소견을 보였다. 남성을 대상으로 한 연구에서도 2년간 PTH1-84 치료에 연이어 2년간 비스포스포네이트 치료를 사용한 경우는 사용하지 않은 군에 비해 요추골밀도가 상승이 유의하게 높은 소견을 보였다.

글루코코르티코이드-유발골다공증에서 PTH1-34와 여성호르몬 대체요법을 1년간 병용치료한 경우 생화학적 골표지자는 병합요법 동안 상승하였다가 이후에 여성호르몬만 유지하는 경우에는 치료전 수준으로 감소하였다. 여성호르몬만으로 병합요법에 상승되었었던 골밀도를 유지하고 있는 것을 관찰할 수 있다. 대퇴골골밀도는 첫 1년에는 2% 상승하였고 여성호르몬대체요법만을 사용한 1년 후에는 4.7%상승되어 유의한 증가를 보였다. 이러한 연구는 글루코코르티코이드-유발골다공증에서 병용요법 후 여성호르몬 대체 요법이 골밀도 유지에 도움이 준다는 것을 보여주었다.

요약하면 PTH1-34단독치료 후 알렌드로네이트, 랄록시펜, 여성호르몬으로 변경하는 것은 PTH1-34 중단군에 비해 의미있게 요추골밀도 또는 대퇴골골밀도를 유지 또는 증가시켰다.

골흡수억제제들의 병용요법

비스포스포네이트 제제들과 에스트로겐, 또는 랄록시펜, 칼시토닌과 에스트로겐, 에스트로겐과 안드로겐 제제의 병합요법에 대한 보고가 있다. 골밀도는 상승효과를 보이고 있으나 골절 감소 효과에 대해서는 연구가 없다.

1. 골흡수억제제들의 동시 사용

58명의 폐경후여성에서 4년간 여성호르몬과 초기 비스포스포네이트인 에티드로네이트의 주기적치료를 병용하였을 때 요추와 대퇴골골밀도가 각각 약제의 단독치료군에 비하여 유의하게 상승하였다.

1년 이상 여성호르몬을 사용해 온 폐경후 여성에서 알렌드로네이트의 병용투여도 요추와 대퇴전자부 골밀도를 상승시켰다. 65세 이상의 여성을 대상으로 3년간 여성호르몬 치료와 알렌드로네이트를 병용투여한 연구에서는 각각의 단독치료군보다 척추와 대퇴골의 유의한 골밀도 상승을 보였고 리세드로네이트와 여성호르몬치료의 병용요법도 치료 1년에 리세드로네이트 단독군보다 유의한 골밀도 상승이 관찰되었다.

반면 여성호르몬치료와 알렌드로네이트를 2년간 같이 투여한 연구에서는 병용요법군이 여성호르몬 단독치료군보다 우월한 골밀도 상승을 보였으나 알렌드로네이트 단독 치료군과 비교시는 차이가 관찰되지 않았다.

알렌드로네이트(5 mg 매일 복용)과 랄록시펜을 331명의 폐경후 골다공증 여성을 대상으로 단독, 병합군으로 나누어 요추와 대퇴골골밀도를 평가하였다. 랄록시펜, 알렌드로네이트, 병용요법군에서 각각 요추골밀도의 변화는 2.1, 4.3, 5.3%였으며 대퇴골골밀도 변화는 1.7, 2.7. 3.7%로 병용투여군에서 단독사용군에 비해 상승한 소견을 보였다.

여성호르몬치료와 칼시토닌의 병용요법에서는 단독치료군 보다 골밀도 상승에 긍정적인 효과를 보여 주었다.

2. 골흡수억제제의 연속요법

동일 비스포스포네이트 계열에서 다른 제제로의 변경 또는 랄록시펜 등의 선택적 에스트로겐 수용체 조절제에서 비스포스포네이트로 변경하거나 또는 반대로 변경하는 경우는 일반적인 치료과정에서 많이 관찰된다.

약제 휴약기가 진료지침에서 권고되면서 비스포스포네이트를 중단 후 다른 약제로 변경하는 경우에 대한 연구가 있다.

STAND (Study of transitioning from alendronate to denosumab) 연구는 기존에 강력한 골흡수억제제를 쓰던 환자가 다른 기전의 강력한 골흡수억제제로 변경 시 추가적인 이득이 있는지를 살펴보았다. 적어도 6개월 이상 주1회 알렌드로네이트 70 mg을 복용하였던 폐경후 여성에서 알렌드로네이트 지속군과 데노수맙 60 mg을 6개월마다 주사하여 비교 시 데노수맙군에서 6개월, 1년째에 병용군에서 요추 및 대퇴골골밀도가 유의하게 증가하였으며 골전환표지자는 더욱 감소되었다.

기타의 병용 요법

1년 이상 알렌드로네이트를 사용한 군과 약물치료 기왕력이 없는 폐경후 골다공증 여성군으로 나누어 스트론튬을 투여할 경우 기존에 알렌드로네이트 투여군에서 1년 째 골밀도의 상승이 저하되었으며 치료 2년 후에도 지속적으로 골밀도의 상승이 억제되고 있음이 보여졌다. 이런 결과는 스트론튬 치료전 사용한 비스포스포네이트가 골재형성을 억제함으로써 새로 형성된 뼈의 양이 감소되고 새로운 뼈에 흡착되는 스트론튬 양이 적어지는 것으로 생각되고 있다.

진료지침에서의 권고사항

미국골다공증재단(NOF) 진료지침(2015)에서는 연속치료 시 골형성촉진제 치료 후 골흡수억제제 치료를 하는 것이 일반적으로 선호되며 동시병용치료에 대한 연구는 매우 심한 골다공증 환자에서 국한되어 척추, 대퇴골골절에 대하여 드물게 시행되어 아직 권고하고 있지 않다.

미국임상내분비학회(AACE) 진료지침에서는 PTH1-34와 골흡수억제제는 골밀도과 골전환표지자의 변화를 일으킬 수 있으나 이는 골흡수억제제에 따라 다르며 병합요법 시는 이로 인한 의료 비용과 이상작용의 잠재적 가능성을 증가시키므로 골절위험도에 대한 결과가 충분하기 전까지는 동시 투여는 권장하고 있지 않다.

기존에 골흡수억제제를 복용하던 환자에서 PTH1-34 같은 골형성촉진제로 변경하는 것은 골밀도, 골질의 향상 등 추가적 이익이 있을 것으로 생각된다. 그러나 골절발생을 일차적 평가변수로 한 연구가 없어서 골밀도, 골표지자로 추정해 볼 수 없는 한계가 있다. OPTAMISE, EUROFORS 연구는 기존의 골흡수억제제의 사용이 골밀도의 반응을 다소 감소시킨다고 하였다. 비스포스포네이트 치료 중 골절이 발생하거나 골밀도가 감소하거나 너무 낮은 경우는 기존 비스포스포네이트를 유지하면서 PTH1-34를 병용치료하는 것을 고려해 볼 수 있다. 또는 다발성 골절을 동반한 골다공증 환자에서 기존에 치료력이 없다면 PTH1-34/데노수맙 또는 PTH1-34 치료 후 비스포스포네이트 치료를 고려해 볼 수 있다.

아직 병합 또는 연속치료가 단독치료에 비해 우월한지와 어떤 방식으로 병합하는 것이 효과적인지는 명확하지 않으며 골절을 최종변수로 한 연구가 필요하다.

참고문헌

1. Bilezikian J. Combination anabolic and antiresorptive therapy for osteoporosis: Opening the anabolic window. Curr Osteoporos Rep 2008;6: 24–30.
2. Black DM, Greenspan SL, Ensrud KE, et al. The effects of parathyroid hormone and alendronate alone or in combination in postmenopausal osteoporosis. N Engl J Med 2003;349:1207-15
3. Boonen S, Marin F, Obermayer-Pietsch B, et al.. Effects of previous antiresorptive therapy on the bone mineral density response to two years of teriparatide treatment in postmenopausal women with osteoporosis. J Clin Endocrinol Metab 2008;93:852–60
4. Chevalier Y, Quek E, Borah B, et al. Biomechanical effects of teriparatide in women with osteoporosis treated previously with alendronate and risedronate: results from quantitative computed tomography-based finite element analysis of the vertebral body. Bone 2010;46:41-8
5. Cosman F, Eriksen EF, Recknor C, et al. Effects of intravenous zoledronic acid plus subcutaneous teriparatide [rhPTH(1-34)] in postmenopausal osteoporosis. J Bone Miner Res 2011;26:503-11
6. Cosman F, Keaveny TM, Kopperdahl D, et al. Hip and spine strength effects of adding versus switching to teriparatide in postmenopausal women with osteoporosis treated with prior alendronate or raloxifene. J Bone Miner Res 2013;28:1328–36
7. Cosman F. Anabolic and antiresorptive therapy for osteoporosis: combination and sequential approaches. Curr Osteoporos Rep 2014;12:385-95
8. Cosman F, Nieves JW, Zion M, Garrett P, Neubort S, Dempster D, Lindsay R. Daily or Cyclical Teriparatide Treatment in Women With Osteoporosis on no PriorTherapy and Women on Alendronate. J Clin Endocrinol Metab 2015;100:2769-76

9. Deal C, Omizo M, Schwartz EN, et al. Combination teriparatide and raloxifene therapy for postmenopausal osteoporosis: results from a 6-month double-blind placebo-controlled trial. J Bone Miner Res 2005;20:1905-11
10. Finkelstein JS, Hayes A, Hunzelman JL, et al.. The effects of parathyroid hormone, alendronate, or both in men with osteoporosis. New Engl J Med 2003;349:1216–26.
11. Finkelstein JS, Wyland JJ, Lee H, et al. Effects of teriparatide, alendronate, or both in women with postmenopausal osteoporosis. J Clin Endocrinol Metab 2010;95:1838–45.
12. Kendler DL, Roux C, Benhamou CL, et al. Effects of denosumab on bone mineral density and bone turnover in postmenopausal women transitioning from alendronate therapy. J Bone Miner Res 2010;25:72-81
13. Lindsay R, Nieves J, Formica C, et al. Randomised controlled study of effect of parathyroid hormone on vertebral-bone mass and fracture incidence among postmenopausal women on oestrogen with osteoporosis. Lancet 1997;350:550–55.
14. Leder BZ, Tsai JN, Uihlein AV, et al. Denosumab and teriparatide transitions in postmenopausal osteoporosis (the DATA-Switch study): extension of a randomized controlled trial. Lancet. 2015; 19:1147-55
15. Muschitz C, Kocijan R, Fahrleitner-Pammer A, et al. Antiresorptives overlapping ongoing teriparatide treatment result in additional increases in bone mineral density. J Bone Miner Res 2013;28:196–205.
16. Schafer AL, Sellmeyer DE, Palermo L, Hietpas J, et al. Six months of parathyroid Hormone(1-84) administered concurrently versus sequentially with monthly ibandronate over two years: the PTH and ibandronate combination study (PICS) randomized trial. J Clin Endocrinol Metab 2012;97:3522–9.
17. Ste-Marie LG, Schwartz SL, Hossain A, et al. Effect of teriparatide [rhPTH(1-34)] on BMD when given to postmenopausal women receiving hormone replacement therapy. J Bone Miner Res 2006;21:283-91
18. Tsai JN, Uihlein AV, Burnett-Bowie SA, et al. Comparative effects of teriparatide, denosumab, and combination therapy on peripheral compartmental bone density, microarchitecture, and estimated strength: the DATA-HRpQCT Study. J Bone Miner Res 2015;30:39-45
19. Walker MD, Cusano NE, Sliney J Jr, et al.. Combination therapy with risedronate and teriparatide in male osteoporosis. Endocrine 2013;44:237–46.

4-7 새로운 약제

이승훈

현재 골다공증 치료제는 비스포스포네이트를 포함한 골흡수억제제가 대부분을 차지하고 있다. 골형성 촉진제로는 부갑상선호르몬(PTH, parthyroid hormone)의 간헐적 주사요법으로 PTH1-34인 테리파라타이드(teriparatide)와 PTH1-84 제제가 사용되고 있다. 최근 골의 병태생리, 골재형성, 골세포 간의 신호전달체계에 대한 지식의 증가함에 따라 다음과 같은 새로운 골다공증 치료 표적 들이 알려지고 있다(표 4-7-1, 그림 4-7-1).

표 4-7-1 ▸ 골다공증 치료의 새로운 약제

표적	예	약물 분류	임상시험	투여
골흡수억제제				
RANK 리간드	데노수맙 (Denosumab)	RANKL 항체	승인	피하
카뎁신K	Odanacatib	카뎁신K 억제제	3(완료)	경구
	ONO-5334		2(완료)	경구
c-src kinase	Saracatinib	c-src 억제제	1(완료)	경구
αVβ3 인테그린	L-000845704	αVβ3 인테그린 길항제	2(완료)	경구
Chloride channel-7 (ClC-7)	NS3736	Chloride channel-7 억제제	전임상(완료)	경구
Glucagon-like peptide2(GLP2)		GLP2 작용제	2(완료)	피하
골형성촉진제				
PTH 수용체	Abaloparatide	PTHrP 유사체	3	피하
	BA058 경피 패치		2(완료)	피부
	PTHrP(1-36)		1	피하
칼슘 감작 수용체	Ronacaleret	Calcilytic 제제	2(중지)	경구
	MK-5442		2(중지)	경구
스클레로스틴	Romosozumab	스크레로스틴 항체	3	피하
	Blosozumab		2(완료)	피하
Dickkopf-1	BHQ 880	Dickkopf-1 항체	전임상(완료)	피하
Activin 수용체	ACE-011 (ActRIIA-IgG1)	Activin 수용체 길항제	1(완료)	피하

골흡수억제제

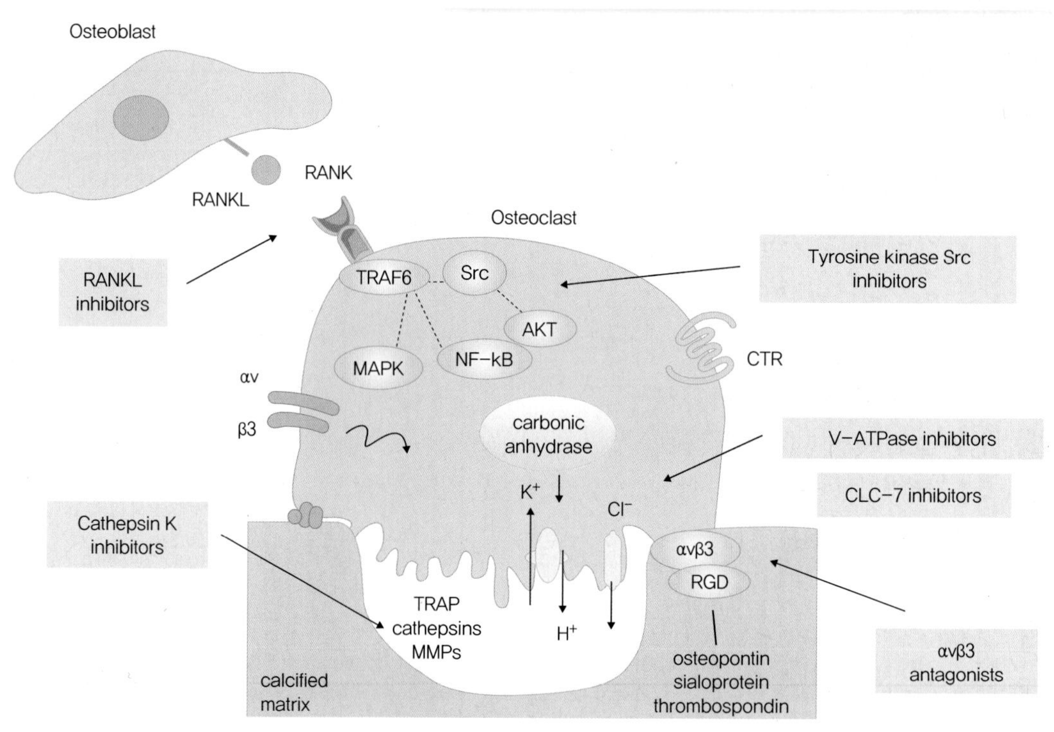

그림 4-7-1 ▸ 파골세포의 생리와 개발되는 치료제

1. RANKL 억제제: 데노수맙(Denosumab)

1) 약제의 특성

① 작용기전: 파골세포가 활성화되는데 가장 중요한 시토카인으로 알려진 RANKL은 파골세포 및 파골전구세포에 위치한 수용체인 RANK와 결합하여 파골세포의 형성과 활성을 촉진한다(1-3 파골세포 참고). RANKL에 대한 사람 단세포 항체로 개발된 것이 데노수맙이다.

② 비스포스포네이트와 비교되는 특징

가. 가역성: 데노수맙을 투여중단 시 골전환표지자가 증가하였다가 2년째에는 위약군과 비슷한 농도를 유지하며, 투약 중지군과 위약군 간에 골절 발생에 차이가 없었다.

나. 위장관 부작용이 없으며, 6개월 마다 한번 피하로 투여하기 때문에 장기간의 약물 순응도를 증가시킬 수 있다.

다. 신장으로 배설되지 않기 때문에, 신기능 장애가 있는 환자에서 사용 가능할 수 있으나, 심한 신기능저하(크레아티닌 청소율 <30 mL/min) 혹은 혈액투석환자에서는 심한 저칼슘혈증이 발생 가능하다.

2) 약제

데노수맙 60 mg을 6개월 간격으로 상지, 허벅지 및 복부에 피하주사한다.

3) 골격계 효과

① 3상 임상시험(FREEDOM, Fracture Reduction Evaluation of Denosumab in Osteoporosis Every 6 Months): 7,868명의 폐경후 여성을 대상으로 데노수맙 60 mg을 6개월마다 피하 주사하면서 3년간 관찰한 연구에서 방사선학적 척추골절은 68%, 비척추골절은 20%, 대퇴골골절은 40%로 유의하게 감소하였으며, 요추골밀도는 9.2% 증가하였고, 대퇴골전체골밀도는 6.0% 증가하였다. 골흡수표지자인 혈청 카르복시말단 텔로펩타이드(CTX, C-telopeptide of collagen cross-links)는 데노수맙 사용군에서 1개월에 86%, 6개월에 72%, 3년에 72% 감소하였다. 반면 골형성표지자인 혈청 제1형 전아교질의 아미노말단 프로펩티드(PINP, procollagen type I N-terminal propeptide)는 데노수맙 사용군에서 각각 18%, 50%, 76% 감소하였다.

② FREEDOM 3년 연장연구: 6년 후에는 요추골밀도가 15.2%, 대퇴골전체골밀도가 7.5%, 대퇴골경부골밀도가 6.7% 증가하였으며(그림 4-7-2), 골전환표지자는 더 이상 감소 없이 유지되었다.

③ 비스포스포네이트(알렌드로네이트)와의 효과 비교 연구(DECIDE, Determining Efficacy: Comparison of Initiating Denosumab versus Alendronate): 1,189명의 폐경후 여성에서 1년 동안 데노수맙 60 mg를 매 6개월마다 피하 투여한 군과 알렌드로네이트 70 mg을 주 1회 경구 투여한 군과 비교한 연구에서 데노수맙은 1년후 요추골밀도를 5.3%(알렌드로네이트: 4.2%), 대퇴골전체골밀도 3.5%(알렌드로네이트: 2.6%), 대퇴골경부골밀도 2.4%(알렌드로네이트: 1.8%) 증가시켜 알렌드로네이트에 비해 의미 있는 변화가 관찰되었다. 데노수맙 투여 군에서 CTX가 1개월째에 89%(알렌드로네이트: 61%), 6개월째에 77%(알렌드로네이트: 73%), 12개월째에 74%(알렌드로네이트: 76%) 감소하였다.

④ 비스포스포네이트(알렌드로네이트) 사용 후 데노수맙 투여 효과에 대한 연구(STAND, Study of Transitioning from Alendronate to Denosumab): 알렌드로네이트를 6개월 이상 사용한 504명의 폐경후 여성에서 데노수맙으로 변경한 군이 요추골밀도가 3.03%(알렌드로네이트: 1.85%), 대퇴골전체골밀도가 1.90%(알렌드로네이트: 1.05%) 증가되어 알렌드로네이트를 계속 사용한 군에 비해 의미 있는 변화가 관찰되었다.

⑤ 테리파라타이드와의 병합요법에 관한 연구(DATA: Preplanned continuation of the Denosumab and Teriparatide Administration): 95명의 폐경후 골다공증 여성에게 데노수맙과 테리파라타이드를 2년간 병합 또는 각각 단독 투여한 연구에서 병합투여군의 요추골밀도

는 12.9%, 대퇴골경부골밀도 6.8%, 대퇴골전체골밀도 6.3% 증가하였다. 이러한 결과는 테리파라타이드 단독 치료군의 9.5%, 2.8%, 2.0% 증가와 데노수맙 단독 치료군의 8.3%, 4.1%, 3.2% 증가보다 의미 있는 골밀도 증가로서 골흡수억제제와 골형성촉진제 병합치료의 가능성을 제시하였다.

⑥ 남성에서 데노수맙의 효과에 관한 연구(ADAMO): 228명의 골감소증 및 골다공증 남성에게 1년간 데노수맙을 사용한 연구에서 요추골밀도는 5.7%, 대퇴골전체골밀도 2.4%, 대퇴골경부골밀도 3.1%가 증가하였다. 골흡수표지자인 CTX는 데노수맙 투여 15일 후 81% 감소되었으며 6개월에 65% 감소, 12개월에 60% 감소하였다.

⑦ 호르몬 억제 치료를 받는 암 환자에서의 데노수맙의 효과: 아로마타제억제제 치료를 받는 전이되지 않은 유방암 환자에서 데노수맙의 2년간 치료는 요추골밀도를 7.6%, 대퇴골전체골밀도 4.7%, 대퇴골경부골밀도 3.6% 증가시켰다. 남성호르몬 억제치료를 받는 전이되지 않은 전립선암 환자에서 데노수맙의 2년간 치료는 요추골밀도를 6.7%, 대퇴골전체골밀도 4.8%, 대퇴골경부골밀도 3.9% 증가시켰다. 새로운 척추골절의 발생도 데노수맙 치료 12개월에 85%, 24개월에 69%, 36개월에 62% 감소하였다.

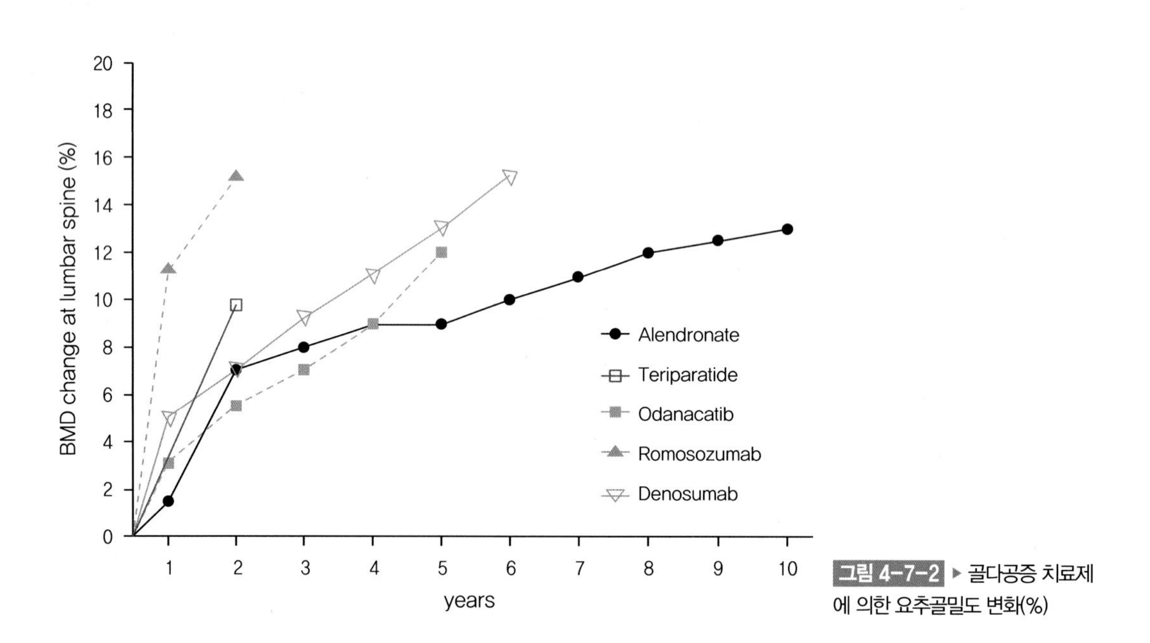

그림 4-7-2 ▸ 골다공증 치료제에 의한 요추골밀도 변화(%)

4) 이상반응

FREEDOM 연구결과 상 습진, 고창(flatulence), 연조직염(cellulitis)이 의미 있게 증가되었다. 현재까지 골다공증 치료에 사용되면서 보고된 이상 반응으로 비전형대퇴골골절, 턱뼈괴사, 저칼슘혈증, 아나필락시스가 있다. 칼슘과 비타민D를 적절히 보충하는 경우에는 심한 저칼슘혈증이 관찰되지 않으나 흡수장애증후군이나 신기능 저하가 있는 경우에는 저칼슘혈증 발생 위험이 증가한다. 장기간의 안정성은 아직 알려져 있지 않다.

2. 카뎁신K 억제제(Cathepsin K inhibitors)

1) 약제의 특성

① 작용기전: 카뎁신K는 파골세포에서만 특징적으로 발현되는 시스테인 단백분해효소로서 제1형 콜라겐과 같은 기질단백을 분해하는 역할을 한다(1-3 파골세포 참고). 따라서, 이 효소를 억제하는 카뎁신K 억제제는 파골세포에 의한 골흡수를 억제할 수 있다.

② 비스포스포네이트와 비교되는 특징

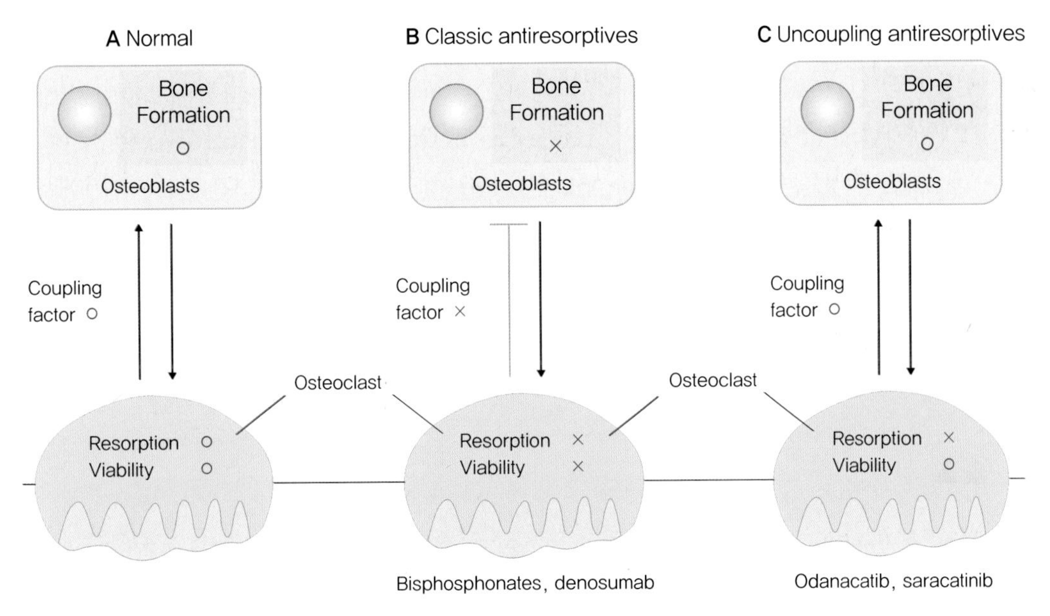

그림 4-7-3 ▸ 골흡수억제제의 커플링에 대한 작용에 따른 분류

가. 커플링풀림(uncoupling) 효과(그림 4-7-3): 카뎁신K는 성숙하여 활성화된 파골세포에서 나타나기 때문에 이 효소의 억제는 파골세포에 의한 골흡수능은 억제하지만 파골세포의 생존력은 유지시킨다. 이러한 효과는 파골세포의 자멸사를 유도하는 비스포스포네이트와 RANKL 억제제와는 달리 파골세포에서 분비되는 커플링 인자(coupling factor)는 유지할 수 있어 골흡수를 억제하는 동안에도 골형성을 유지할 수 있다.

나. 가역성: 비스포스포네이트는 투약 중단 후에도 잔여 효과가 있지만, 카뎁신K 억제제는 투약 중단 후에는 잔여 효과가 없다.

다. 비스포스포네이트로 치료 시 골밀도가 초기 1년에 가장 많이 증가하며 3년 이후에는 증가가 미미한 반면에 카텝신K 억제제로 치료 시 골밀도가 매년 일정하게 증가한다(그림 4-7-2).

라. 경구 투여하며 위장관 부작용이 적다.

2) 약제

① Relacatib, balicatib: 피부와 관련된 심각한 부작용(국소피부경화증과 유사한 피부경화와 발진)으로 인하여 개발이 중단되었다. 이유는 피부에 발현되는 다른 카텝신(B, L, S)에 대한 친화력 때문이라 생각된다.

② 오다나카티브: 카텝신K에 대한 높은 특이성과 강한 골흡수억제 효과가 있어 최근 골밀도 및 골절에 대한 제3상 임상시험 결과가 발표되었다.

③ ONO-5334: 폐경후 여성에 대해 제2상 임상시험 결과가 보고되었다.

3) 골격계 효과

① 오다나카티브의 3상 임상시험(LOFT, long-Term Odanacatib Fracture Trial): 7,868명의 폐경후 여성을 대상으로 odanacatib 50 mg을 주 1회 복용하여 5년간 치료한 연구에서 임상적인 척추골절은 72%, 방사선적 척추골절은 54%, 비척추골절은 23%, 대퇴골골절은 47% 감소하였다. 요추골밀도는 11.2%, 대퇴골전체골밀도는 9.5% 증가하였다(그림 4-7-2). 골흡수표지자인 소변의 아미노말단 텔로펩타이드(NTX, N-telopeptide of collagen cross links) 및 혈청 CTX는 치료 후 수주 이내에 감소하기 시작하여 6개월 후에 각각 55.6% 및 53.0%까지 최고로 감소하였다. 이후 혈청 CTX는 천천히 증가하지만 기저치보다는 낮은 상태로 유지되었다. 골형성표지자인 뼈특이알칼리인산분해효소(BSALP, bone-specific alkaline phosphatase), P1NP는 투여 초기에는 감소하여 6개월 후 각각 25% 및 40%까지 감소한다. 이후 다시 증가하여 2~3년 뒤에는 BSALP, P1NP 모두 기저치로 회복되었다. 오다나카티브를 2년간 투여 후 위약으로 전환한 군에서는 5년째 골흡수표지자는 기저치에 가깝게 회복되었다(그림 4-7-4).

② ONO-5334의 2상 임상시험: 285명의 폐경후 여성에 1년간 ONO-5334를 50 mg 1일 2회 매일, 100 mg 매일, 300 mg 매일 경구 투여한 연구에서 ONO-5334를 매일 300 mg 경구투여 시 1년 뒤에 요추골밀도는 5.1% 증가하였고 대퇴골전체골밀도는 3.0% 증가하였다. ONO-5334를 매일 100 mg 경구투여 시 소변 NTX는 56% 감소되었으나 300 mg을 경구투여 시 70% 감소하였다. P1NP나 BSALP의 농도는 매일 300 mg 투여할 경우에만 억제되었고 나머지 용량에서는 기저치로 회복되었다.

4) 이상반응

전반적으로 큰 부작용은 없었으나, LOFT 결과에서 국소피부경화증 유사(morphea-like) 피부병변이 오다나카티브군에서는 12명(0.1%)으로 대조군의 3명(0.1%)에 비해 많이 발생하였다. 병변은 약물을 중단하면 호전되었다. 비전형 대퇴골골절은 오다나카티브군에서 5명(0.1%), 대조군에서는 발생하지 않았다. 두 군 모두 턱뼈괴사는 발생하지 않았다. 두 군 간에 전신경화증, 심각한 호흡기감염, 골절의 지연교합 발생에는 유의한 차이가 없었다. 심방세동은 오다나카티브군에서 91명(1.1%), 대조군에서 80명(1.0%) 발생하였다. 주요 심혈관질환은 오다나카티브군에서 215명, 대조군에서 194명 발생하여 위험비(hazard ratio)가 1.12(95% 신뢰구간 0.93-1.36)였다. 주요 심혈관질환에 대해 추가 분석 중이다.

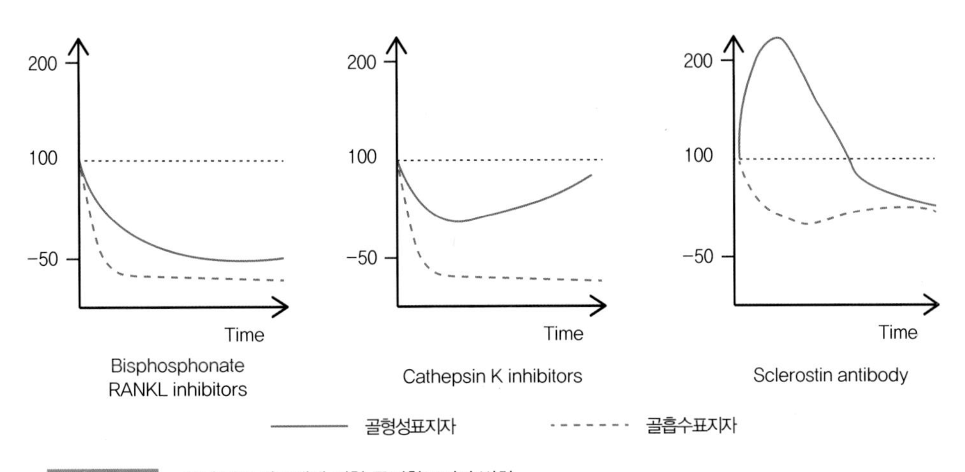

그림 4-7-4 ▸ 골다공증 치료제에 의한 골전환표지자 변화

3. Src kinase 억제제(Src kinase inhibitors)

1) 약제의 특성:

① 작용기전: c-Src kinase는 tyrosine kinase로써, 파골세포에 발현한다. c-Src kinase는 골흡수를 하는 파골세포의 주름경계(ruffled border)의 형성에 관여하며 파골세포의 생존에 관여하는 PI3K/Akt 신호전달체계에 관여한다(1-3 파골세포 참고).

② 비스포스포네이트와 비교되는 특징: 커플링풀림(uncoupling) 효과(그림 4-7-3), 경구 투여하며 위장관 부작용이 적다.

2) 약제

saracatinib (AZD0530)

3) 골격계 효과

① 1상 임상시험: 44명의 남성에서 Saracatinib를 60-250 mg을 복용하였는데, 250 mg 경구 복용 시 혈청 CTX가 88% 감소 되는 것을 확인하였다.

② 2상 임상시험: 골다공증에 대한 2상은 없으며, 골육종증(NCT00752206)과 골전이(NCT00558272)등에 대해서만 진행 중이다.

4. αVβ3 길항제

1) 약제의 특성:

① 작용기전: 인테그린 αVβ3는 파골세포에서 발현되는 중요한 인테그린이다. 파골세포가 골표면에 부착되는 정확한 기전은 모르지만 파골세포에서 생산하는 인테그린의 역할과 관련이 있다. 파골세포에서 표현되는 αvβ3 인테그린은 비트로넥틴, 오스테오폰틴, 골시알로단백 등에 존재하는 RGD (arginine-glycine-aspartic acid) 단백서열과 결합하게 된다. 이러한 작용은 파골세포의 생존을 촉진시켜(1-3 파골세포 참고), 인테그린 αVβ3를 억제시키는 것이 골흡수 억제작용을 억제할 수 있다.

② 비스포스포네이트외 비교되는 특징: 커플링풀림(uncoupling) 효과(그림 4-7-3), 경구 투여하며 위장관 부작용이 적다.

2) 약제

L-000845704

3) 골격계 효과

① 2상 임상시험: 폐경후 여성 227명에서 1년간 L-000845704을 100 혹은 400 mg 하루 한번 혹은 200 mg 하루 2번 복용시켰다. L-000845704을 200 mg 하루 2번 복용 시에 요추골밀도는 3.5% 증가하였고, 대퇴골전체골밀도는 1.7%, 대퇴골경부골밀도는 2.4% 증가하였다. 소변 NTX는 42% 감소시켰다.

4) 이상반응

특별히 알려진 부작용은 없었으나, 치료군에서 두통, 피부염, 가려움, 발진 등이 증가하는 경향을 보였다.

5. ClC7 (Chloride channel 7) 억제제

1) 약제의 특성:

① 작용기전: Chloride channel은 Cl 배출을 통해 골흡수강을 산성화시켜 골흡수작용을 하여 (1-3 파골세포 참고), chloride channel을 억제시키는 것이 골흡수 억제작용을 억제할 수 있다.

② 비스포스포네이트와 비교되는 특징: 커플링풀림(uncoupling) 효과(그림 4-7-3), 경구 투여하며 위장관 부작용이 적다.

2) 약제

NS3736

3) 골격계 효과

전임상시험으로 NS3736 30mg/Kg을 쥐에 경구 복용 시에 난소절제술에 의한 골감소를 억제하였다. 골흡수는 억제 되었으나, 골형성에는 영향을 받지 않았다.

6. GLP2 (Glucagon-like peptide 2)

1) 약제의 특성:

① 작용기전: GLP2는 장의 내분비 세포에서 음식에 의해 분비되는 호르몬이다. 골교체는 일중 변동을 보여 골흡수는 낮에 감소하며 밤에 증가하는 양상을 보인다. 이러한 일중 변동에 음식 섭취가 일부 관여하고 있다고 보고되고 있다. 따라서, 음식에 의해 분비되는 호르몬인 GLP2가 이러한 작용을 매개하며, 골재형성에 영향을 끼쳐 골흡수는 감소시키지만 골형성에는 영향을 끼치지 않는다고 보고되고 있다.

② 비스포스포네이트와 비교되는 특징: 커플링풀림(uncoupling) 효과(그림 4-7-3), 피하 주사로 투여한다.

2) 약제

GLP2

3) 골격계 효과

① 1상 임상시험: GLP2를 1.6 mg 혹은 3.2 mg을 60명의 폐경후 여성에서 밤에 피하주사 시 골흡수표지자인 혈청 CTX는 30% 정도 감소시키나, P1NP나 오스테오칼신과 같은 골형성표지자에는 영향을 주지 않았다.

② 2상 임상시험: 폐경후 여성 160명에서 GLP2를 밤에 0.4 mg, 1.6 mg, 3.2 mg을 피하 주사 시 4개월 후에 대퇴골전체골밀도는 1.1% 증가하였다. 혈청 CTX는 위약 군에 비해 30% 감소하는 양상을 보였다.

4) 이상반응

특별히 알려진 부작용은 없었으나, 치료 군에서 주사 부위의 발적 혹은 간지러움이 보고되었다.

7. 기타 약제

1) V-ATPase 억제제

파골세포의 주름경계 및 산성 상태를 유지시키는 양자 발생 아데노신트리포스파타제(H+-ATPase)에 대한 억제제가 치료 표적으로 연구되고 있다.

새로운 골형성 촉진제

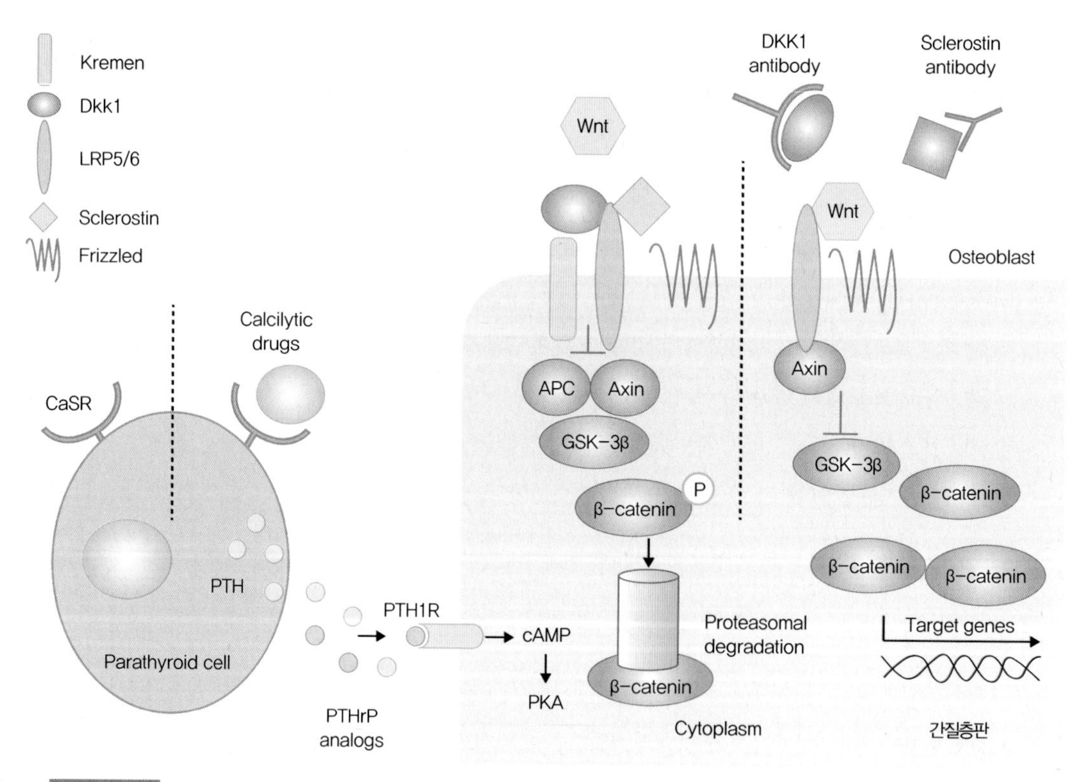

그림 4-7-5 ▸ 조골세포의 생리와 치료제

1. PTHrP 유사체

1) 작용기전

PTHrP는 PTH와의 유사성으로 PTH 수용체에 작용하기 때문에 PTHrP 유사체가 골형성 작용을 갖게 된다(그림 4-7-5).

2) 약제

① Abaloparatide (BA058): 합성 PTHrP 유사체로 피하 주사

② BA058 경피 패치: 경피 패치로 투여

③ PTHrP(1-36): 피하 주사

3) 골격계 효과

① Abaloparatide: 222명의 폐경후 여성에서 6개월 동안 abaloparatide를 20 μg, 40 μg, 80 μg를 투여 시에 요추골밀도의 증가가 각각 2.9%, 5.2%, 6.7%로 테리파라타이드 투여군(5.5%), 위약군(1.6%)에 비해 유의하게 증가되었다. Abaloparatide를 80 μg를 투여 시에 대퇴골경부골밀도의 증가가 3.1%로 테리파라타이드 투여군(0.8%), 위약군(0.8%)에 비해 유의하게 증가되었다. Abaloparatide를 40 μg, 80 μg를 투여 시에 대퇴골전체골밀도의 증가가 각각 2.0%, 2.6%로 테리파라타이드 투여군(0.5%), 위약군(0.4%)에 비해 유의하게 증가되었다. 테리파라타이드와는 달리 대퇴골골밀도의 증가폭이 크며 고칼슘혈증의 위험도가 낮은 것이 특징이다. 최근 심한 골다공증 폐경후 여성의 척추골절 예방에 대한 3상 연구가 진행 중이다(NCT01343004).

② BA058 경피 패치: 250명의 폐경후 여성에서 BA058 경피 패치 50 μg, 100 μg, 150 μg의 효과를 보는 연구가 진행 중이다(NCT01674621).

③ PTHrP(1-36): 105명의 폐경후 여성에서 PTHrP(1-36) 400 μg, 600 μg을 테리파라타이드 20 μg을 3개월간 투여하였다. 골형성표지자인 P1NP가 세군 모두에서 초기 15일에 증가한다. 테리파라타이드 20 μg 투여군의 P1NP 증가는 PTHrP(1-36) 400 μg, 600 μg 보다 2~4배가 유의하게 높았다. 그러나, 골밀도의 증가는 2% 내외였다.

4) 이상반응

치료 군에서 두통, 주사부위반응이 보고되었다. 고칼슘혈증은 적었다.

2. Calcilytics

1) 작용기전

세포외 칼슘은 G-단백과 연관된 칼슘 표면 수용체(CaR, Calcium surface receptor)를 통하여 부갑상선호르몬의 분비를 조절하게 된다. Calcilytics은 칼슘 수용체에 길항제로 작용하여 저칼슘혈증처럼 인지시켜 부갑상선호르몬을 분비하게 한다(그림 4-7-5).

2) 약제

① Ronacaleret: 2상 임상시험에서 효과가 미비하여 조기 종료되었다.

② JTT-305(MK-5442): 2상 임상시험에서 효과가 미비하여 조기 종료되었다.

3) 골격계 효과

① Ronacaleret: 폐경후 여성 569명에서 ronacaleret를 100 mg, 200 mg, 300 mg, 400 mg을 1년 동안 경구 투여한 2상 임상시험 결과 요추골밀도의 증가가 0.3~1.6%로 테리파라타이드(9.1%), 혹은 알렌드로네이트(4.5%)에 비해 증가하지 않아 조기 종료 되었다.

② JTT-305(MK-5442): 폐경후 여성 383명에서 MK-5442를 2.5 mg, 5 mg, 7.5 mg, 10 mg, 15 mg을 6개월 동안 경구 투여한 2상 임상시험 결과 골밀도 증가가 없어 조기 종료 되었다. 골형성표지자인 P1NP는 1달 후부터 증가하여 6개월에는 MK-5442를 5 mg, 10 mg, 15 mg을 사용 시에 21%, 40%, 57% 증가하였다. 골흡수표지자인 CTX는 MK-5442를 15 mg을 사용 시에 계속 증가하여 6개월째에 유의하게 증가하였다.

4) 이상반응

특별히 알려진 부작용은 없었으며, 두통, 설사 혹은 변비 등이 보고되었다.

3. 스클레로스틴에 대한 항체

1) 작용기전

스클레로스틴은 골형성 억제 작용을 가지고 있는데, LRP5/6에 부착하여 조골세포에 중요한 Wnt 신호 체계를 억제한다(2-3 조골세포 참고). 따라서, 스클레로스틴의 작용을 억제하면 골형성 효과를 보이리라 예측할 수 있으며 스클레로스틴이 골세포(osteocyte)에서 주로 발현된다는 것은 주로 뼈에만 작용할 수 있다고 판단된다(그림 4-7-5).

2) 약제

① Romosozumab (AMG785)

② Blosozumab

3) 골격계 효과

① Romosozumab: 폐경후 여성 419명에서 romosozumab를 피하주사로 매달 70 mg, 140 mg, 210 mg을 매달 혹은 140 mg, 201 mg을 3달 마다 투여 받거나 경구 알렌드로네이트 70 mg을 1주 마다, 테리파라타이드 20 μg을 매일 피하주사로 투여하여 12개월 동안 치료한 2상 임상시험 결과에서 Romosozumab 210 mg을 매달 투여 시 요추골밀도의 증가가 11.3%로 테리파라타이드군(7.1%), 알렌드로네이트(4.1%), 위약군(-0.1%)에 비해 유의하게 증가되었다. 대퇴골전체골밀도의 증가도 4.1%로 테리파라타이드군(1.3%), 알렌드로네이트군(1.9%), 위약군(-0.4%)에 비해 유의하게 증가되었다. 대퇴골경부골밀도의 증가도 3.7%로 테리파라타이드군(1.1%), 알렌드로네이트군(1.2%), 위약군(-0.2%)에 비해 유의하게 증가되었다(그림 4-7-2). Romosozumab를 투여 시 골형성표지자는 일시적으로 증가된다. 증가는 초기 1주에 시작하여 1달 째 가장 많아 증가하였다가 12개월 째 정상으로 돌아가거나 정상보다 약간 낮은 수치로 감소하게 된다. 골흡수표지자는 초기에 감소하여 첫 주에 가장 많이 감소하였다가 증가하며 기저치로 회복되었다가 210 mg을 매달 투여 군에서 3개월 째부터 감소되어 12개월 째 정상보다 약간 낮은 수치로 감소하게 된다(그림 4-7-4).

② Blosozumab: 폐경후 여성 120명에서 blosozumab을 피하주사로 4주마다 180 mg을 4주마다, 180 mg을 2주마다, 270mg를 2주마다 투여하여 12개월 동안 치료한 2상 임상시험 결과에서 Blosozumab 270 mg을 2주마다 투여 시 요추골밀도가 17.7%, 대퇴전체골밀도가 6.7%, 대퇴골경부골밀도가 6.3% 증가하였다. Blosozumab를 투여 시 골형성표지자는 일시적으로 증가된다. 증가는 1달 째 가장 많아 증가하였다가 6주 까지는 정상이상으로 유지되다가 12개월 째 정상으로 감소하게 된다. 골흡수표지자는 초기에 감소하여 3개월 째 정상으로 회복되어 12개월 째 정상보다 약간 낮은 수치로 감소하게 된다(그림 4-7-4).

4) 이상반응

특별히 알려진 부작용은 없었으며, 주사부위 반응 들이 주로 보고되었다.

4. DKK1 (Dickkopf 1) 항체

1) 작용기전

DKK1은 자연적으로 발생하는 Wnt 신호 체계 억제제로 LRP4/5와 frizzled Wnt 수용체 간의 상호작용을 방해한다(1-2 조골세포 참고). 따라서, DKK1의 작용을 억제하면 골형성작용을 보이리라 예측할 수 있다(그림 4-7-5). 다만 Wnt 신호체계의 증가가 악성종양(대장암, 간암)과 연관되었다는 보고가 있어서 Wnt 신호 체계를 장기간 활성화시키는 것에 대한 우려를 갖고 있다.

2) 약제

DKK1에 대한 사람 단세포 항체(BHQ 880)

3) 골격계효과

① 전 임상시험: DKK1에 대한 사람 단세포 항체를 생쥐에게 다양한 농도(0.15, 0.5, 1.5, 5, 15 mg/Kg)의 용량으로 피하 주사 하였을 때에 15 mg/Kg 투여 시에 골밀도가 6.1%(테리파라타이드군: 6.3%) 증가하였다.

② 1상 임상시험: 골다공증에 대한 1상은 없으며, 다발성 골수종에 대한 임상시험만 실시되었다.

5. 용해성 액티빈 수용체 억제제

1) 작용기전

액티빈은 TGFβ 계열로써 뇌하수체에서 FSH의 생산을 증가시킨다. 골대사에 대한 역할은 많이 알려져 있지 않지만, A 형 액티빈 수용체(ACR1, Activin receptor type A) 혹은 액티빈 수용체-유사 kinase 2(ALK2, activin receptor-like kinase 2)는 BMP 수용체 중의 하나이다. BMP는 골형성을 증가시키는 성장인자 들의 하나로 알려져 있다.

2) 약제

ACE-011 (사람 액티빈 수용체 IIA형의 세포외 영역과 사람 IgG1의 Fc 분획을 합친 융합 단백질: 액티빈에 부착하여 수용체와의 결합 방해)

3) 골격계 효과

① 전 임상시험: ACE-011 10mg/Kg을 원숭이에 주 2회 3개월 동안 피하 주사 시에 요추골밀도가 13%, 대퇴골밀도가 15% 증가하였다. BSAP 이나 CTX의 농도에는 차이가 없어 골형성을 촉진하고 골흡수를 억제하는 두 가지 작용을 가진 것으로 판단된다.

② 1상 임상시험: ACE-011를 다양한 농도와 투여 방법(0.01-3.0 mg/Kg 정주 혹은 0.03-0.1 mg/Kg 피하주사)으로 투여 시 농도 의존적으로 BSAP은 증가하였으며, CTX는 감소하였다.

4) 이상반응

특별히 알려진 부작용은 없었으며, 두통, 오심, 구토, 주사부위 반응 들이 보고되었다.

참고문헌

1. Bone HG, Chapurlat R, Brandi ML, et al. The effect of three or six years of denosumab exposure in women with postmenopausal osteoporosis: results from the FREEDOM extension. J Clin Endocrinol Metab 2013;98:4483-92.
2. Eastell R, Nagase S, Ohyama M, et al. Safety and efficacy of the cathepsin K inhibitor ONO-5334 in postmenopausal osteoporosis: the OCEAN study. J Bone Miner Res 2011;26:1303-12.
3. Ferrari S. Future directions for new medical entities in osteoporosis. Best Pract Res Clin Endocrinol Metab 2014;28:859-70
4. Fitzpatrick LA, Dabrowski CE, Cicconetti G, et al. The effects of ronacaleret, a calcium-sensing receptor antagonist, on bone mineral density and biochemical markers of bone turnover in postmenopausal women with low bone mineral density. J Clin Endocrinol Metab 2011;96:2441-9.
5. Glantschnig H, Hampton RA, Lu P, et al. Generation and selection of novel fully human monoclonal antibodies that neutralize Dickkopf-1(DKK1) inhibitory function in vitro and increase bone mass in vivo. J Biol Chem 2010;285:40135-47.
6. Hannon RA, Clack G, Rimmer M, et al. Effects of the Src kinase inhibitor saracatinib (AZD0530) on bone turnover in healthy men: a randomized, double-blind, placebo-controlled, multiple-ascending-dose phase I trial. J Bone Miner Res 2010;25:463-71.
7. Halse J, Greenspan S, Cosman F, et al. E A phase 2, randomized, placebo-controlled, dose-ranging study of the calcium-sensing receptor antagonist MK-5442 in the treatment of postmenopausal women with osteoporosis. J Clin Endocrinol Metab 2014;99:E2207-15.
8. Henriksen DB, Alexandersen P, Hartmann B, et al. Four-month treatment with GLP2 significantly increases hip BMD: a randomized, placebo-controlled, dose-ranging study in postmenopausal women with low BMD. Bone 2009;45:833-42.
9. Horwitz MJ, Aµgustine M, Khan L, et al. A comparison of parathyroid hormone-related protein(1-36) and parathyroid hormone(1-34) on markers of bone turnover and bone density in postmenopausal women: the PrOP study. J Bone Miner Res 2013;28:2266-76.
10. Leder BZ, O'Dea LS, Zanchetta JR, et al. Effects of abaloparatide, a human parathyroid hormone-related peptide analog, on bone mineral density in postmenopausal women with osteoporosis. J Clin Endocrinol Metab 2015;100:697-706.
11. Lotinun S, Pearsall RS, Davies MV, et al. A soluble activin receptor Type IIA fusion protein (ACE-011) increases bone mass via a dual anabolic-antiresorptive effect in Cynomolgus monkeys. Bone 2010;46:1082-8.

12. McClung MR, Grauer A, Boonen S, et al. Romosozumab in postmenopausal women with low bone mineral density. N Engl J Med 2014;370:412-20.
13. Murphy MG, Cerchio K, Stoch SA, et al. Effect of L-000845704, an alphaVbeta3 integrin antagonist, on markers of bone turnover and bone mineral density in postmenopausal osteoporotic women. J Clin Endocrinol Metab 2005;90:2022-8.
14. Rachner TD, Khosla S, Hofbauer LC. Osteoporosis: now and the future. Lancet 2011;377:1276-87.
15. Recker RR, Benson CT, Matsumoto T, et al. A randomized, double-blind phase 2 clinical trial of blosozumab, a sclerostin antibody, in postmenopausal women with low bone mineral density. J Bone Miner Res 2015;30:216-24.
16. Ruckle J, Jacobs M, Kramer W, et al. Single-dose, randomized, double-blind, placebo-controlled study of ACE-011(ActRIIA-IgG1) in postmenopausal women. J Bone Miner Res 2009;24:744-52.
17. Schaller S, Henriksen K, Sveigaard C, et al. The chloride channel inhibitor NS3736 prevents bone resorption in ovariectomized rats without changing bone formation. J Bone Miner Res 2004;19:1144-53.

제 5 장

골다공증 비약물 요법

O s t e o p o r o s i s

5-1 칼슘과 비타민D

민용기

칼슘과 비타민D의 적절한 보충은 골다공증의 예방과 치료에 필수적이다. 칼슘과 비타민D가 부족하면 혈청 칼슘농도를 일정하게 유지하기 위해 부갑상선호르몬(PTH) 농도가 증가하는 이차성 부갑상선항진증이 발생하고, 골재형성이 증가하며 이에 따라 골소실과 골절 위험이 증가한다.

칼슘

칼슘은 1808년에 영국의 화학자인 Humpry Davy가 처음으로 분리해낸 원소로 체내에 가장 많이 포함되어 있는 무기질이다. 체내 칼슘의 99%는 수산화인회석(hydroxyapatite, $Ca_{10}[PO4]_6[OH]_2$) 형태로 뼈와 치아에 존재하며 나머지 1%는 혈액, 세포외액, 근육과 기타 세포에 존재한다. 칼슘은 체중의 약 1.5-2%를 차지하여 정상 성인의 경우 신체 내에 약 1,000 g의 칼슘이 포함되어 있다. 칼슘은 뼈와 치아를 단단하게 하며, 혈액 응고, 근육의 수축과 이완, 신경의 흥분과 자극 전달, 세포내 신호전달, 호르몬분비 등 중요한 생리조절기능을 담당하고 있다.

출생 시 뼈에는 약 30 g의 칼슘이 포함되어 있고 이는 성인이 되면서 약 30-40배 증가한다. 뼈의 칼슘량은 청소년기에 증가하여 30세 전후에 최대골량에 도달하고 이후 남녀 모두 매년 1-2% 가량 서서히 소실된다. 여성의 경우 칼슘소실은 폐경후 수년간 현저하다. 대퇴부 골절이 있는 여성은 전체 칼슘량의 약 50%가 소실되어 있다는 보고도 있다. 칼슘소실이 인생의 후반부에 현저하다는 사실은 골다공증 환자뿐만 아니라 정상인에서도 뼈를 유지하는데 칼슘영양이 중요하다는 점을 시사한다.

뼈의 강도는 뼈에 포함되어 있는 칼슘량과 밀접한 관계가 있고, 이는 골밀도에 반영된다. 골밀도는 유전적인 요소에 의해 결정되는 부분이 많다고 알려져 있으나, 칼슘섭취가 불충분할 경우에는 유전적으로 결정된 골밀도에 이르지 못하거나 획득한 골밀도를 유지하지 못한다. 칼슘섭취의 차이에 따라 최대골량이 5-10%가량 변화하고, 칼슘을 충분히 섭취하면 골밀도가 감소하지 않거나 골절의 빈도가 감소한다고 알려져 있다. 칼슘섭취가 일정한 수준 이하로 떨어지면 부갑상선호르몬의 농도가 증가하여 골흡수가 증가하며, 약리적 용량의 칼슘은 부갑상선호르몬 분비를 억제하여 골교체율을 감소시키고 골소실을 억제한다. 따라서 적절한 칼슘섭취가 골성장을 촉진하고 골소실을 예방하는데 반드시 필요하다. 칼슘섭취 부족에 인해 세포 기능의 장애가 발생하는 경우는 드물지만 칼슘섭취가 장기간 부족하면 혈중 칼슘농도를 정상으로 유지하기 위하여 뼈의 칼슘을 이용하게 된다.

칼슘은 역치영양소(threshold nutrient)로 필요한 양보다 적게 섭취하면 골량이 감소하나 섭취를 필요 이상으로 증가시켜도 더 이상의 이익은 없는 것으로 알려져 있다. 칼슘섭취의 차이에 따라 최대골량이 5-10%가량 변화하고, 충분한 칼슘을 섭취하면 골밀도가 증가하고 골절의 빈도가 감소한다고 알려져 있다.

1. 칼슘의 흡수

세포외액의 칼슘농도를 일정하게 유지하기 위해서는 장, 신장, 뼈에서 발생하는 칼슘 대사가 균형을 이루어야 한다. 이러한 균형은 부갑상선호르몬과 활성형 비타민D인 칼시트리올(calcitriol, 1,25$(OH)_2$D) 등에 의해 조절되며, 이에 따라 혈청 칼슘농도는 항상성을 유지하고 있다.

인류 초기의 음식에는 칼슘함량이 많았기 때문에 칼슘이 흡수되는 것을 억제할 필요가 있었고 장의 칼슘흡수효율이 낮아도 문제가 되지 않았으며, 흡수된 칼슘을 보유할 기전도 필요하지 않았다. 이런 환경에서 진화된 인간은 칼슘섭취가 부족해진 현대에도 성인의 경우 음식에 포함된 칼슘의 25-35%만 흡수하게 되었다.

칼슘흡수는 능동적 흡수와 수동적 흡수로 이루어진다. 능동적 흡수는 세포가로방향경로(transcellular pathway)를 통해 이루어지며 칼시트리올과 비타민D 수용체(VDR, vitamin D receptor)의 작용에 의해서 조절된다. 칼슘섭취가 낮거나 중등도일 경우 대부분의 칼슘은 능동적 기전을 통해 장에서 흡수된다. 칼슘의 능동적 흡수는 VDR이 가장 많이 발현되는 십이지장에서 주로 발생하고, TRPV6(transient receptor potential cation channel, vanilloid family member 6)라는 칼슘이온채널에 관여하는 유전자의 상향조절에 의존한다. 즉, 칼슘흡수효율이 높아지기 위해서는 VDR과 TRPV6이 상향조절되어야 한다.

수동적 흡수인 세포곁경로(paracellular pathway)를 통한 흡수는 점막세포사이의 간극을 통해 이루어지며 전기화학적농도차에 의존한다. 수동적 흡수는 칼슘섭취량이 많은 경우 좀더 잘 발생하며, 장의 어느 부위에서도 발생할 수 있으나 주로 십이지장, 공장, 회장에서 잘 발생한다.

몇몇 대사연구의 결과 남성과 임신하지 않은 여성의 평균칼슘흡수(mean calcium absorption 또는 fractional calcium absorption)는 칼슘섭취량의 약 25%이다. 소변으로는 전체 칼슘섭취의 평균 22%가, 대변으로는 75%가 배설되며, 이외에도 땀, 피부, 모발을 통해 소량의 손실이 발생한다. 일반적으로 평균칼슘흡수와 칼슘섭취는 직접적인 연관 관계가 있다. 그러나 칼슘섭취가 매우 낮을 경우 칼슘섭취와 평균칼슘흡수는 반비례하며, 칼슘섭취가 하루 2,000 mg에서 300 mg으로 감소한 경우 건강한 여성은 평균칼슘흡수가 27%에서 약 37%로 증가한다는 연구결과가 있다. 이러한 적응은 1-2주 사이에 일어나며 혈청 칼슘이 감소하고 혈청 부갑상선호르몬의 농도가 증가하는 현상이 동반된다. 칼슘섭취가 매우 적은 경우 칼슘흡수가 증가되어도 적정한 양의 칼슘이 흡수되기에는 충분하지 않아서 최종적인 칼슘흡수량은 감소한다.

여러 가지 인자들이 장의 칼슘흡수에 영향을 준다. 40세 이후, 폐경인 경우 평균칼슘흡수는 매년 평균 0.21%씩 감소한다는 연구가 있다. 노인 여성에서는 칼시트리올 농도를 증가시켜도 평균칼슘흡수가 증가하지 않는다는 보고도 있다.

칼슘의 흡수는 비타민D 외에도 칼슘영양상태, 섭취량, 국소적인 인자와 음식성분에 의해서도 영향을 받는다. 옥살산염(oxalate), 피틴산염(phytate), 다량의 밀기울(wheat bran)에 포함되어 있는 식품섬유의 섭취가 많은 경우 칼슘흡수가 감소한다(표 5-1-1).

표 5-1-1 ▶ 장의 칼슘흡수에 영향을 주는 인자들

칼슘흡수 증가		칼슘흡수 감소	
신장 1,25$(OH)_2$D 생산 증가	성장	신장 1,25$(OH)_2$D 생산 감소	비타민D 결핍
	임신		만성신부전
	수유		부갑상선기능저하증
	일차성 부갑상선기능항진증		비타민D-의존 구루병 제1형
	특발성 고칼슘뇨증(일부)		노화
신장 외 1,25$(OH)_2$D 생산 증가	사르코이드증	글루코코르티코이드 과잉	
	B 세포 림프종	갑상선기능항진증	
국소인자	라이신	국소인자	옥살산염
	아르기닌		피틴산염
	유당(lactose)		식품섬유(다량의 밀기울)

2. 칼슘 항상성의 조절

혈액 내의 이온화 칼슘농도는 좁은 생리학적 범위 내에서 유지가 되며, 혈청 칼슘농도는 주로 비타민D와 부갑상선호르몬의 역할을 통해 이루어진다. 비타민D는 포유류에서 칼슘 항상성(homeostasis)을 유지하는데 매우 중요한 역할을 한다. 혈청 칼슘농도가 감소하면 부갑상선에서는 칼슘수용체(CaSR, calcium-sensing receptor)를 통해 칼슘농도의 감소를 감지하게 되고 혈중 칼슘농도를 일정하게 유지하기 위해서 부갑상선호르몬을 분비한다. 분비된 부갑상선호르몬은 신장에서 활성형 비타민D인 칼시트리올의 합성을 자극하며 칼시트리올은 소장에서 칼슘의 흡수를 증가시킨다. 부갑상선호르몬과 칼시트리올은 뼈에서 골흡수를 증가시켜 칼슘의 혈중 농도를 증가시킨다. 혈중 칼슘농도가 정상화되면 부갑상선호르몬의 분비는 억제되고, 소변으로의 칼슘배설은 증가한다. 칼슘섭취가 장기간 낮을 때에는 뼈에서의 지속적으로 칼슘이 소실되어 골량이 감소한다.

칼슘농도가 급격하게 증가되면 갑상선의 C-세포에서 칼시토닌이 분비되어 골흡수를 억제하며, 혈청 칼슘농도가 낮아진다. 칼시트리올은 수용체와 결합하여 부갑상선호르몬의 생성과 분비를 억제하기도 한다. 혈청 칼시트리올은 혈청 인의 농도에 의해 조절되기도 하는데, 혈청 인농도가 증가하면 칼시트리올

형성이 감소하고, 인농도가 낮은 경우 칼시트리올 형성이 증가한다.

3. 칼슘의 배설

사구체에서 여과되는 칼슘의 98%는 능동적 또는 수동적 과정에 의해 재흡수가 된다. 여과된 칼슘의 약 70%는 근위세뇨관(proximal tubule)에서 재흡수되고, 25–30%는 헨레 고리에서 재흡수되며, 나머지 4–9%는 원위세뇨관과 집합관(collecting duct)에서 재흡수된다.

근위세뇨관에서는 대부분의 칼슘이 수동적으로 재흡수된다. 능동적 흡수는 헨레 고리의 비후상행각(TAL, thick ascending limb)에 존재하는 CaSR에 의해 조절된다. 여과된 칼슘량이 적은 경우 CaSR가 활성화되어 많은 양의 칼슘재흡수가 이루어진다. 원위세뇨관에는 TRPV5라는 이온채널이 능동적 칼슘운송을 조절하며 이 과정은 칼시트리올과 에스트리올에 의해 조절된다. 집합관도 수동적 칼슘재흡수에 관여하지만 그 비율을 크지 않다. 전형적인 성인 남녀의 하루 칼슘배설량은 200 mg(5 mmol)이다. 신장으로 배설되는 200 mg은 장에서 흡수되는 칼슘의 양과 같아 항상 균형을 이룬다.

부갑상선호르몬이 증가하면 헨레 고리의 비후상행각과 원위세뇨관에서 칼슘재흡수가 증가되고, 소변의 칼슘배설이 감소한다. 반면에 부갑상선호르몬이 감소하면 칼슘의 배설이 증가한다. 고혈압이 있거나 세포외액의 양이 증가되어 있는 경우 근위세뇨관에서의 칼슘재흡수는 감소하기 때문에 칼슘배설이 증가한다. 혈청 인농도가 증가하면 부갑상선호르몬을 자극하여 칼슘재흡수를 증가시키고 따라서 칼슘배설이 감소한다(표 5-1-2).

표 5-1-2 ▶ 신장의 칼슘배설에 영향을 주는 인자들

칼슘배설 증가	칼슘배설 감소
부갑상선호르몬 감소	부갑상선호르몬 증가
세포외액 증가	세포외액 감소
혈압 증가	혈압 감소
혈청 인 감소	혈청 인 증가
대사성 알칼리증	대사성 산증

4. 칼슘의 영양섭취기준

칼슘섭취 부족과 장의 칼슘흡수율 감소가 골다공증의 발생에 중요한 역할을 한다. 칼슘섭취가 일정한 수준이하로 감소하면 골소실이 발생하므로 역치 이상의 섭취가 반드시 필요하다. 칼슘은 가장 섭취 수준이 낮은 영양소 중의 하나로 보건복지부에서 시행한 2013년의 제6기 국민건강 영양조사에 의하면 칼슘섭취량은 권장섭취량의 71.1%로 매우 낮은 비율을 보였다. 칼슘은 1–2세의 영아기를 제외한 전 연령대에서 섭취가 부족했고 특히 12–18세와 65세이상의 권장섭취량에 대한 섭취비율은 60% 수준이었다. 여자 중 칼슘의 평균필요량 미만 섭취자 분율은 70.6%이었다. 칼슘의 주요 급원식품은 우유(전체 섭취

량의 15.5%)이며, 배추김치, 멸치, 달걀, 요구르트, 백미, 파, 라면, 두부, 치즈 등이었다.

연령 50-64세인 경우 하루 칼슘섭취량은 521.1 mg이었고, 65세 이상의 경우 399.0 mg 이었다. 이중 남자는 50-64세인 경우 하루 칼슘섭취량은 563.3 mg이었고, 65세 이상의 경우 475.5 mg이었다. 여자는 50-64세인 경우 하루 칼슘섭취량은 479.6 mg이었고, 65세 이상의 경우 344.8 mg으로 남자보다는 여자에서 섭취 부족이 많았으며, 남녀 모두에서 65세 이상의 연령층에서 섭취량이 가장 낮았다.

칼슘은 음식을 통해 섭취하는 것이 가장 좋다. 칼슘은 우유나 치즈, 요구르트 등의 유제품에 많이 포함되어 있으며, 유제품이 아닌 음식으로는 두부, 뼈째 먹는 생선, 브로콜리, 청경채, 겨자와 순무의 어린 잎, 아몬드 등이 있다. 시금치에는 칼슘함유량이 많으나, 옥살산과 같은 칼슘흡수 억제제가 포함되어 있어 실제 흡수되는 칼슘량은 많지 않다고 알려져 있다. 우리나라 식생활에 있어서 칼슘섭취의 주요 급원식품으로는 남녀모두에서 우유, 배추김치, 멸치, 두부, 무청의 순서이나, 우유를 통한 섭취 비율이 약 15%에 불과해 우유 및 유제품의 섭취를 대폭 늘리기 전에는 우수한 칼슘 공급원을 확보하기 어려운 실정이다. 2015년 보건복지부에서 개정한 영양섭취기준(dietary reference intake) 중 칼슘권장량은 다음과 같다(표 5-1-3). 50세 이상 한국 여성의 칼슘 권장섭취량은 2005년 하루 800 mg이었으나 2010년에는 700 mg, 2015년에는 다시 800 mg으로 변동되었다.

표 5-1-3 ▸ 한국인의 연령별, 성별 1일 칼슘 영양섭취기준(2015년)

*남자는 65세 이후 700 mg

	권장섭취량(mg)		상한섭취량(mg)
연령(세)	남자	여자	남.여
6-8	700	700	2,500
9-11	800	800	3,000
12-14	1,000	900	3,000
15-18	900	800	3,000
19-49	800	650	2,500
50 이상	750*	800	2,000
임신부		+280	2,500
수유부		+370	2,500

일본의 경우 50세 이상의 여성은 하루 650 mg, 70세 이상에서는 600 mg 섭취가 권장된다. 영국은 남녀 모두 19세 이후에는 하루 700 mg의 칼슘섭취를 권장하고 있다. 2010년 미국 IOM (Institute of Medicine)에서 발표한 칼슘의 권장섭취량은 51세 이상의 여성은 1,200 mg, 남성의 경우 1,000 mg 이었다.

음식을 통한 칼슘섭취량이 부족한 경우 칼슘보충제의 투여가 필요하지만, 이 경우에도 음식의 칼슘섭취량과 칼슘보충제 섭취량을 더한 총량이 권장섭취량을 초과할 필요는 없고 부족한 부분만 보충을 해준다. 미국의 경우에도 폐경여성에 대한 National Osteoporosis Foundation의 칼슘 권장섭취량과 IOM의 권장섭취량은 동일한 1,200 mg이다.

대한골대사학회에서는 50세 이상의 남성과 폐경후여성에게 1일 800~1,000 mg의 칼슘섭취를 권장한다. 이를 위해 음식을 통한 칼슘섭취를 증가시키는 것이 일차적으로 필요하며, 음식을 통한 칼슘섭취가 용이하지 않은 경우 칼슘보충제의 사용을 권장한다. 칼슘보충제는 소량으로 나누어 분복할 것을 권한다.

5. 칼슘염의 종류

음식을 통한 칼슘섭취가 부족한 경우에는 칼슘강화 음식(calcium-fortified food)을 섭취하거나 약제로 보충할 수 있다. 다양한 칼슘염이 임상에서 사용되고 있으며 이들의 칼슘함유량은 서로 다르기 때문에 투여 시 고려해야 한다(표 5-1-4). 골분(bone meal), 백운석(dolomite) 등은 흡수도 잘되지 않고, 카드뮴, 납, 수은 등에 오염되어 있을 가능성도 있기 때문에 권장되지 않는다. 칼슘을 보충하기 위해 가장 많이 사용되는 탄산칼슘(calcium carbonate)은 위산분비가 감소되어 있는 경우 흡수가 낮아지므로 음식과 함께 복용해야 한다. 위산은 투여된 칼슘염이나 음식의 음이온 성분에서 칼슘이 해리되는 것을 촉진시킨다. 그러므로 무위산증이 있는 환자는 탄산칼슘을 음식과 함께 복용하거나, 구연산칼슘(calcium citrate)처럼 흡수에 위산이 필요하지 않은 칼슘염을 복용하는 것이 좋다. 한꺼번에 많은 양의 칼슘을 섭취하는 것 보다는 하루 2 -4회로 나누어 복용하는 것이 흡수에 도움이 된다.

표 5-1-4 ▸ 여러 가지 칼슘염의 칼슘함유량

칼슘염	칼슘함유량(%)
탄산칼슘	40
구연산칼슘	24.1
구연산말산칼슘	23.7
젖산칼슘	13
황산칼슘	36.1

6. 칼슘이 골밀도 및 골절에 미치는 영향

1) 골밀도

칼슘투여 초기에는 골흡수가 억제되어 칼슘의 균형이 향상되며, 칼슘투여 3-6개월 후에는 골흡수 억제에 따른 골형성이 감소하면서 골교체율이 감소한다. 이후 칼슘균형은 변화하지 않거나 경미하게 음성으로 변화하게 된다. 부갑상선호르몬과 칼시트리올의 감소도 골교체율 감소에 부분적으로 영향을 준다고 알려져 있다. 국민건강영양조사를 분석한 연구에서 적어도 하루 668 mg의 칼슘섭취와 20 ng/mL 이상의 혈청 25(OH)D 농도가 골량을 유지하기 위해 필요하다고 보고하였다.

칼슘보충은 골다공증의 예방과 치료에 사용되는 다른 약제의 병합요법으로도 중요한 역할을 한다. 폐경후골다공증 환자의 치료에서 여성호르몬을 단독으로 사용하는 경우보다 칼슘과 병용해서 사용하면 뼈보호효과가 더욱 증가한다. 비스포스포네이트를 투여하는 경우에도 칼슘을 병용하면 골밀도 증가, 골절감소의 효과가 현저해 진다는 보고도 있다.

폐경 직후에는 칼슘섭취와 골소실과 연관이 거의 없어 칼슘섭취를 증가시켜도 골소실률을 크게 감소시키지 못한다. 폐경후 5년 이내에는 1일 500 mg의 칼슘투여가 골밀도 감소를 예방하지 못하지만 폐경후 6년이 경과하고 칼슘섭취가 적은 여성에서 1일 500 mg의 칼슘투여는 골소실을 지연시켰다는 보고가 있다. 또한 폐경후 3년 뒤부터 1일 1,000 mg의 칼슘을 투여하면 골소실이 억제된다는 보고도 있다. 건강한 폐경여성 301명을 대상으로 2년간 500 mg 칼슘에 해당하는 구연산말산칼슘(calcium citrate malate)이나 탄산칼슘을 투여한 연구에서 폐경후 5년이 경과되지 않은 경우 칼슘투여가 골밀도의 감소를 예방하지 못하고, 폐경후 6년이 경과되고 칼슘섭취가 하루 400 mg이하였던 군에게 칼슘을 투여하면 골소실이 지연되며, 구연산말산칼슘이 탄산칼슘보다 효과적이라고 보고하고 있다.

무작위대조시험들을 메타분석한 연구에서 음식을 통한 칼슘섭취 시 전체 대퇴부의 골밀도가 1년 후에 0.6-1.0% 증가하였고, 2년 후에는 전체 대퇴부, 요추, 대퇴 경부의 골밀도가 0.7-1.8% 증가하였다. 칼슘보충제를 투여한 연구들에서도 골밀도의 증가는 유사하여, 칼슘섭취량 증가에 의한 골밀도의 상승은 크지 않았다.

2) 골절

칼슘투여가 골절 위험도를 감소시킨다는 일부 연구도 있으나, 감소의 정도는 크지 않다. 칼슘섭취가 매우 낮은 경우 칼슘의 보충이 도움이 될 수 있으나, 척추골절에 대한 칼슘투여의 효과는 다른 치료법에 비하여 효과가 작기 때문에 심한 골다공증의 치료에서 칼슘 단독투여는 권장되지 않는다. 최근 여러 논문을 분석한 연구에서 음식을 통한 칼슘섭취는 골절의 위험도를 감소시키지 못하였고, 보충제를 통한 칼슘섭취는 경미하게 골절은 감소시켰으나 그 결과는 일정하지 않았다고 보고하고 있다.

칼슘 보충이 폐경후여성의 골밀도와 골절에 미치는 영향을 연구한 메타분석에서 칼슘을 2년 이상 투여한 경우 골밀도가 유의하게 증가하였으며 척추와 비척추골절 위험도는 감소하였으나 통계적 의의는 없었다는 연구도 있다. 폐경후여성을 대상으로 칼슘보충이 골밀도와 골절에 미치는 영향을 조사한 무작위대조시험 15개의 메타분석에서 폐경후여성에게 칼슘을 2년 이상 투여한 경우 플라세보군에 비해 골소실을 감소시키는데 더욱 효과적이라는 결과를 관찰할 수 있었다. 이 메타분석에서 골밀도 증가의 효과는 크지 않았으나 골밀도가 일관성 있게 증가하였다. 한편, 이 연구에서 척추골절의 상대위험도는 0.77(95% 신뢰구간 0.54-1.09)이었고, 비척추골절의 상대위험도는 0.86(95% 신뢰구간 0.43-1.72)으로 골절을 감소시키는 경향을 보였으나 통계적인 차이는 없었다.

지역사회의 노인에게 칼슘을 투여한 연구에서는 유의한 결과를 나타내지 않는 경우도 있고, 오히려 골절의 위험도가 증가한다는 대규모 연구들도 있다. 또 골절군과 비골절군간에 칼슘섭취의 차이가 없다는 연구도 있다. 칼슘을 섭취하면 뼈가 튼튼해진다고 상식적으로 알고 있으나, 역학 연구에서는 칼슘섭취가 많은 지역에서 대퇴골골절 발생률이 증가하고, 칼슘섭취가 적은 지역에서 대퇴골골절이 감소되어 있다.

칼슘섭취와 대퇴골골절 위험도의 관계를 평가한 전향적 코호트연구의 메타분석에서 여성과 남성의 경우 모두 총 칼슘섭취와 대퇴골골절 위험도와는 연관성을 관찰할 수 없었다. 비척추골절 발생과 800 - 1,600 mg의 칼슘보충제 섭취와의 관계를 연구한 무작위대조시험에서도 비척추골절 발생의 상대위험도는 0.92(95% 신뢰구간: 0.81 - 1.05)로 플라세보군에 비해 통계적으로 유의하게 감소하지 않았다. 오히려 대퇴골골절을 분석한 무작위대조시험들의 메타분석에서 칼슘투여군은 플라세보군에 비해 대퇴골골절의 위험도가 1.64(95% 신뢰구간: 1.02 - 2.64)로 증가되었다.

최근 폐경여성을 19년간 추적검사한 전향적 코호트 연구에서 칼슘섭취를 5개의 군으로 나누어 분석한 결과, 칼슘섭취가 제일 많은 군의 대퇴골골절 위험도가 중간 섭취군에 비해 통계적으로 유의하게 19% 증가하여, 칼슘섭취를 필요량 이상으로 증가시킬 경우 골절의 위험도가 감소하지 않는다는 결과를 보여주고 있다.

7. 칼슘투여의 이상반응

칼슘보충제 투여는 위장장애나 변비 이외에는 중대한 부작용이 없지만, 고칼슘혈증, 신장결석, 고칼슘뇨증이 있는 환자에게는 칼슘투여를 줄이거나 중단하여야 한다. 탄산칼슘을 통한 칼슘섭취가 하루 4,000 mg 이상이 되면 장에서의 수동적 칼슘흡수가 지속적으로 증가하기 때문에 고칼슘뇨증, 신장기능장애, 고칼슘혈증 등을 특징으로 하는 밀크알칼리증후군(milk alkali syndrome)이 발생할 수 있다. 이러한 현상은 개인차가 있어 이보다 적은 칼슘섭취를 해도 이상소견이 나오는 경우도 있다.

신장결석이 있거나 흡수성 고칼슘뇨증(absorptive hypercalciuria)이 있는 환자에게는 과도한 칼슘을 투여하는 것은 금기로 알려져 있으나, 대부분의 신장결석은 수산칼슘(calcium oxalate)에 의해 발생하기 때문에 칼슘보다는 수산염 성분이 신장결석과 더욱 연관이 있다. 식사의 칼슘섭취를 감소시키면 장에서 칼슘과 수산염의 결합이 감소되며, 오히려 결합되지 않은 수산염의 흡수가 증가해서 신장결석의 위험도가 증가한다.

식이 칼슘섭취와 신장결석의 관계에 대한 대규모 연구에서 칼슘섭취가 많은 경우 신장결석의 위험도가 감소한다는 결론을 내리고 있다. 신장결석의 과거력이 없는 91,731 명의 성인 여성을 대상으로 식이 칼슘과 칼슘보충제 등이 신장결석 발생에 미치는 영향을 12년간 관찰한 대규모 연구에서 식이 칼슘섭취와 신장결석 발생은 역상관관계가 있어 식이 칼슘섭취가 가장 많은 군이 가장 적은 군에 비해 신장결석 위험도가 0.65(95% 신뢰구간: 0.50 - 0.83)로 감소하였다. 이 연구에서 칼슘보충제를 복용한 여성의 신장결석 위험도는 1.20(95% 신뢰구간 1.02 - 1.41)로 증가하였으나, 이는 칼슘보충제인 탄산칼슘을 음식과 함께 복용하지 않았기 때문에 발생한 결과일 가능성이 있다. 이외에도 설탕, 나트륨을 많이 섭취하면 신장결석 위험도가 증가하였고, 수분, 칼륨의 섭취량이 많은 경우 신장결석 위험도가 감소하였다. 탄산칼슘 하루 1,000 mg과 콜레칼시페롤 하루 400 IU를 7년간 복용하는 경우 신장결석의 위험도가 1.17배(95% 신뢰구간: 1.02 – 1.34) 증가한다는 보고도 있다.

과거의 몇몇 연구에서 칼슘섭취와 심혈관질환의 위험도 사이에는 역상관관계가 있어 칼슘섭취가 증가하면 심혈관질환이 감소한다는 보고들이 있었고, 칼슘섭취에 의해 혈압감소, 혈청 지질의 개선, 체중감소 등이 생기면서 심혈관질환의 위험도가 감소된다고 설명하고 있다. 그러나 최근 여성 노인이 칼슘보충제를 과다하게 복용하면 심근경색 등 심혈관질환의 위험도가 증가한다는 몇몇 발표도 있었으며, 2010년 8월 미국골대사학회(American Society for Bone and Mineral Research)에서는 칼슘보충제는 상대적으로 소량을 섭취해도 이득이 있고, 많이 섭취하는 것이 반드시 좋은 것은 아니며, 노인이나 신장기능이 나쁜 경우 칼슘보충제가 심혈관질환의 위험도를 높일 가능성이 있다고 밝히고 있다.

칼슘보충제의 과다 투여가 심근경색증 등 심혈관질환 증가(고령 환자나 신질환이 있는 경우)와의 연관성에 대한 논란이 지속되고 있으며 칼슘섭취가 부족하거나 과다하면 전체 사망률과 심혈관질환 사망률이 증가한다는 연구도 있다. 국민건강영양조사를 분석한 연구에 따르면 한국인 성인에서 식이 칼슘섭취가 하루 300 mg 이하이거나 1,200 mg 이상인 경우 심혈관질환 위험도 수치가 증가한다는 연구도 있다.

비타민D (VITAMIN D)

비타민D는 골격 성장 및 유지, 무기질의 항상성 유지에 필수적인 호르몬이고, 골다공증의 예방과 치료뿐만 아니라 근력, 근육 수축 및 신경근육기능 조절에도 중요한 역할을 한다. 칼슘과 비타민D가 부족하면 이차성 부갑상선기능항진증이 발생할 수 있고, 분비된 부갑상선호르몬에 의해 골교체가 촉진되면 골소실과 골절 위험이 증가한다. 비타민D는 골격계 이외의 조직에서도 중요한 역할을 한다. 비타민D가 결핍되면 골연화증, 골다공증뿐만 아니라 유방암, 대장암, 전립선암 등의 악성종양, 고혈압, 당뇨병, 결핵, 면역장애와 연관된 질환이 증가한다는 보고들이 많다.

1. 비타민D의 생성과 대사

비타민D는 변형된 스테로이드(secosteroid) 호르몬으로 1930년대에 분리되고 구조가 알려졌다. 비타민D는 파장 290–315 nm의 자외선 B (UV–B)에 노출된 피부에서 생성되거나, 음식을 통해서 섭취되는데, 비타민D가 다량 함유된 식품은 흔하지 않기 때문에 음식을 통한 섭취는 매우 제한적이다. 비타민D는 측쇄의 구조에 따라 비타민D_2(ergocalciferol)와 비타민D_3(cholecalciferol)로 나뉜다. 비타민D_3는 우리 몸에서 생성되는 비타민D로 연어, 고등어 등 기름진 생선이나 간유, 난황 등에 포함되어 있으며, 비타민D_2는 효모나 식물에 존재한다. 비타민D는 생리적 활성이 없다.

UV-B에 의해 피부의 7-dehydrocholesterol이 풋비타민D (previtamin D_3)로 전환되고, 프리비타민D3는 온도에 의해 비타민D로 이성화(isomerization)된다. 풋비타민D_3의 약 50%는 2시간 내에 비타민D로 변한다. 비타민D는 피부에서 혈액 내로 들어와 비타민D 결합 단백질과 결합하게 된다. 풋비타민D_3의 일부는 UV-B에 의해 생리적 활성이 없는 루미스테롤(lumisterol)이나 타키스테롤(tachysterol)로 이성화한다. 혈액 내로 들어가지 못한 비타민D3는 UV-B에 의해 수프라스테롤(suprasterol) I, 수프라스테롤 II로 이성화한다. 이러한 기전에 의해 햇빛을 지나치게 쪼여도 비타민D 독성이 발생하지 않는다.

비타민D는 간에서 시토크롬 P450 비타민D-25-수산화효소(25-hydroxylase, CYP2R1)에 의해 수산화되어 25(OH)D로 전환된다. 25(OH)D는 혈액에 가장 많은 농도로 존재하는 비타민D이며, 비타민D 영양상태를 반영한다. 간의 25-수산화효소는 엄격하게 조절되는 효소가 아니기 때문에 피부의 비타민D 생성이 증가하거나 섭취가 많아지면 25(OH)D의 농도가 증가하게 된다. 연령이 증가하면 햇빛을 쪼이는 시간이 감소하고 피부에서 생성되는 효율도 감소하기 때문에 혈청 25(OH)D 농도가 감소한다.

생리적 활성이 없는 25(OH)D는 다시 신장에서 1α-수산화효소(CYP27B1)에 의해 수산화되어 활성 호르몬인 칼시트리올(1,25$(OH)_2D$, calcitriol)로 전환된다(그림 5-1-1). 칼시트리올은 1968년 처음으로 분리되고 구조가 알려졌다. 칼시트리올 생성의 주된 장기는 신장이지만, 활성화된 대식세포, 조골세포, 각질세포, 전립선, 대장, 유방에서도 1α-수산화효소가 발현되며, 이들 세포나 조직은 칼시트리올 생성 능력이 있다. 또 임신때 태반에서도 칼시트리올이 생성된다. 조직에서 국소적으로 생성되는 칼시트리올은 칼슘 항상성과는 관련이 없고, 세포 성장, 세포자멸사, 혈관생성, 분화, 면역 조절 등에 관여한다. 칼시트리올은 25(OH)D에 비해 비타민D 수용체에 대한 친화력이 약 1,000배 높다.

1α-수산화효소의 활성은 부갑상선호르몬, 저인산염혈증에 의해 증가한다. 이외에도 성장호르몬, 프로락틴, IGF1 등이 칼시트리올의 생산을 증가시킨다. 칼시트리올은 뼈에서 섬유모세포성장인자(FGF23, fibroblast growth factor 23)의 생성을 증가시킨다. 증가된 FGF23은 1α-수산화효소의 활성을 억제하고 24-수산화효소의 발현을 증가시킨

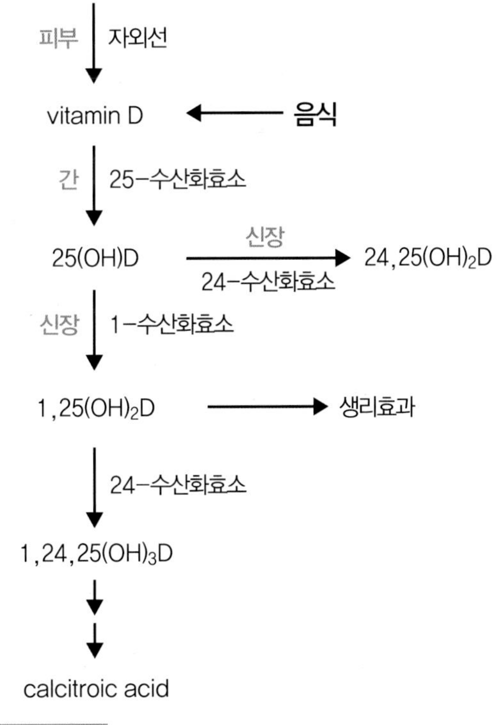

그림 5-1-1 ▸ 비타민D의 대사 경로

다.

칼시트리올은 24-수산화효소에 의해 1,24,25$(OH)_3$D를 거쳐 칼시트로익산(calcitroic acid)으로 전환된다. 25(OH)D는 24-수산화효소에 의해 24,25$(OH)_2$D로 전환되어 1α-수산화될 수 있는 25(OH)D의 농도를 낮춘다.

2. 비타민D의 생리학적 효과

칼시트리올은 장의 칼슘흡수를 조절하는 가장 중요한 호르몬으로 장세포의 칼슘 결합단백질인 칼빈딘(calbindin)의 형성을 촉진시켜 칼슘흡수를 증가시킨다. 흡수가 증가되어 상승한 혈청 칼슘은 부갑상선호르몬농도를 낮추어 부갑상선호르몬에 의한 골흡수 증가를 간접적으로 억제한다. 칼시트리올은 장세포에서 인의 흡수도 증가시킨다. 비타민D는 신장에서 칼슘과 인의 재흡수도 증가시켜 소변으로의 배설을 감소시키는데, 이 효과는 미약해서 미네랄 대사의 항상성에 미치는 효과는 작다. 한편 칼시트리올은 파골세포의 분화를 촉진시켜 골흡수를 간접적으로 증가시키는 물질로도 알려져 있다.

비타민D는 골격 성장 및 유지, 무기질의 항상성 유지에 필수적인 호르몬이지만, 골격계 이외의 조직에서도 중요한 역할을 한다. 비타민D가 작용하기 위해서는 세포의 비타민D 수용체와 결합해야 한다. VDR은 1969년에 발견되었고, 1987년 구조가 규명되었다. 뼈, 신장, 소장에 칼시트리올과 결합하는 VDR이 존재한다는 것은 잘 알려져 있으나, 심장, 위장, 췌장, 뇌, 피부, 성선, 면역 세포 등 여러 장기와 조직에 VDR이 존재한다. 이는 비타민D가 비골격계 건강의 유지와 질병의 예방에 중요한 역할을 한다는 것을 시사한다.

비타민D 농도가 낮거나 VDR의 유전적 변형이 있는 경우 골연화증, 골다공증뿐만 아니라 유방암, 대장암, 전립선암 등의 악성종양, 고혈압, 당뇨병, 결핵, 면역장애와 연관된 질환 등이 증가한다는 보고들이 많다. 한편 칼시트리올은 증식 억제, 분화촉진, 면역조절 효과가 있다고 알려져 있으며 건선, 제1형 당뇨병, 류마티스관절염, 다발성경화증, 크론씨병, 고혈압, 심혈관질환, 여러 가지 종양의 치료제로 시험되고 있다.

3. 비타민D 영양 상태의 분류

비타민D 영양상태의 임상적 지표로 혈청 25(OH)D 농도를 사용한다. 폐경후골다공증 여성을 대상으로 혈청 25(OH)D 농도를 분석한 결과 비타민D 불충분이 전세계적으로 매우 많았고, 한국이 가장 심한 나라 중의 하나였다. 최근 연구에 의하면 골다공증 환자뿐만 아니라 정상 성인에서도 햇빛 노출이 감소하고 음식으로 섭취되는 양도 적기 때문에 비타민D 영양 상태가 불충분하다는 보고들이 증가하고 있다. 연령이 증가하면 햇빛을 쪼이는 시간이 감소하고 피부에서 생성되는 효율도 감소하기 때문에 혈청 25(OH)D 농도가 감소한다.

비타민D 영양상태의 평가기준에 대해서는 의견의 일치가 되어있지 않다. 미국의 NOF, 미국 내분비학회, IOF에서는 혈청 25(OH)D 농도가 30 ng/mL 이하인 경우 비타민D 불충분(inadequacy), 20 ng/mL 이하는 비타민D 결핍(deficiency)으로 정의한다. 한편 유럽의 European Society for Clinical and Economic Aspects of Osteoporosis and Osteoarthritis, 미국의 IOM, 영국의 NOS에서는 혈청 25(OH)D 농도가 20 ng/mL 이상이면 충분하다고 정의하고 있다. 혈청 비타민D 농도는 임상적 지표들에 따라 다르다는 연구도 있으며, 부갑상선호르몬을 임상적 지표로 했을 경우 혈청 25(OH)D 농도는 18.4 ng/mL, 고혈압을 임상적 지표로 했을 경우 27.2 ng/mL이 역치였다. 75세 이상의 여성, 체질량지수가 25 kg/m^2 이상인 대상이 75세 미만의 남성, 체질량지수 25 kg/m^2 미만인 경우보다 역치가 낮았다는 보고도 있다. 우리나라의 경우 20 ng/mL 이상이면 뼈의 건강 유지에 충분하다는 연구도 있다.

4. 비타민D의 영양섭취기준

자연계에 비타민D가 다량 함유된 식품은 많지 않다. 비타민D_3는 연어, 고등어 등 기름진 생선이나 간유, 난황 등에 포함되어 있다. 우유와 마가린, 곡류, 빵 등에 비타민D를 첨가하기도 한다. 비타민D_2는 효모(yeast)나 식물에 존재한다.

우리나라의 경우 한국인을 대상으로 한 비타민D의 최저 필요량에 대한 기초연구가 많지 않은 실정이며, 햇빛을 쪼이면 피부에서 생합성이 되는 특수성으로 인하여 식품을 통한 권장량 설정이 쉽지 않다. 2015년 발표된 보건복지부의 비타민D의 충분섭취량은 19-64세의 경우 하루 400 IU(5 μg)이고 65세 이상에서는 600 IU으로 5년 전에 비해 증가했지만, 많은 골다공증 연구에서는 이보다 많은 용량의 비타민D 섭취를 권하고 있다. 미국 NOF에서는 50세 이상의 성인에게 하루 800-1,000 IU의 비타민D 섭취를 권장하고 있다. 비만하거나 골다공증이 있거나, 햇빛 노출이 제한되어 있는 경우 등은 하루 2,000 IU까지 복용을 늘리도록 권하고 있다. 2010년 발표된 미국 IOM의 권고에서도 성인의 비타민D 섭취량을 400 IU에서 600 IU로 증가시켰으며, 71세 이후에는 800 IU 섭취를 권장하고 있다. 대한골대사학회에서는 50세 이상의 남성과 폐경후여성에게 1일 800 IU의 비타민D 섭취를 권장하고 있다.

비타민D 결핍이 의심될 경우 혈청 25(OH)D 농도 측정이 필요하다. 골다공증 환자들과 노인, 흡수장애 환자, 만성신부전증, 햇빛 노출이 없는 환자 등은 비타민D 결핍 위험도가 높다. 골다공증의 예방을 위해 혈액 25(OH)D 농도는 최소 20 ng/mL 이상을 유지하도록 한다. 골다공증의 치료, 골절 및 낙상의 예방을 위해 30 ng/mL 이상이 필요할 수도 있다. 혈청 비타민D 농도가 30 ng/mL 이상으로 유지되면 부갑상선호르몬 분비가 억제되며, 소장에서 칼슘이 최대로 흡수되고, 비타민D 결핍에 의한 낙상의 위험도가 감소하게 된다. 비타민D 흡수장애를 유발할 수 있는 위장질환 및 흡수장애 질환, 항경련제(phenytoin이나 phenobarbital 등) 또는 결핵약제를 투여받는 환자, 간질환, 신장질환, 악성종양, 비타민D 결핍성구루병, 이차성 골다공증의 원인감별이 필요한 경우에는 요양급여를 인정받을 수 있다.

5. 비타민D 투여 방법

임상에서는 활성형 비타민D(칼시트리올, 알파칼시돌)와 비활성형 비타민D(비타민D_2, 비타민D_3)가 사용되는데, 활성형 비타민D는 주로 치료제로 사용되며, 권장섭취량에서 언급되는 비타민D는 비활성형 비타민D로 칼슘이나 종합영양제에 복합되어 사용되거나 비타민D 단독제제로 사용되고, 골다공증 치료제인 비스포스포네이트에 포함되어 있는 경우도 있다.

비타민D 단독제제는 경구나 주사로 투여할 수 있다. NOS에서는 소량의 비타민D를 경구로 투여하는 것을 권장하고, 300,000 IU 이상의 비타민D를 간헐적으로 투여하는 것은 추천하지 않는다. 경구로 비타민D 500,000 IU를 1년에 1번 투여하였을 경우에 낙상 상대위험도가 위약군에 비해 1.15배 증가하였고, 골절 상대위험도는 1.26배 증가하였다는 보고가 있다.

비타민D는 파장 290-315 nm의 자외선 B (UV-B)에 노출된 피부에서 주로 생성되는데, 피부에서의 비타민D 생성은 멜라닌색소의 정도, 노화, 위도, 햇빛 노출시간, 자외선차단제 사용여부 등에 의해 많은 영향을 받는다. 흑인의 경우 동일한 비타민D 생성을 위해 백인에 비해 5배 이상의 노출시간이 필요하고, 노인의 경우 젊은 사람에 비해 피부생산이 감소하며, 위도가 높은 북반구의 경우 겨울에는 햇빛 노출을 하여도 생성이 되지 않는다. 자외선차단제를 바르는 경우 피부의 비타민D 생성은 심하게 억제된다. 햇빛에 전신을 1 MED (minimal erythema dose)로 노출하면 비타민D 10,000 - 25,000 IU를 경구로 복용한 것과 유사하고, 체표면적의 25%를 1 MED의 25%에 해당하는 햇빛에 1주에 2 -3회 노출하면 적당량의 비타민D가 피부에서 생성되며, 적당량의 햇빛 노출 후 자외선차단제를 바르는 것을 바람직하다는 주장도 있다.

6. 비타민D가 골밀도 및 골절에 미치는 영향

1) 골밀도

비타민D 보충제 단독 투여가 골밀도에 미치는 영향에 대한 연구는 대부분 골밀도의 향상을 보이고 있지 않으나 일부 연구에서는 골밀도의 향상을 보고하고 있다. 골밀도가 향상된다는 메타분석 결과 요추골밀도는 비타민D 투여 1년 후 유의한 차이가 있었고 대퇴골골밀도는 최소 2년 후 유의한 차이가 있었다. 골밀도에 미치는 영향은 비활성형이 활성형 비타민D에 비해 적어 활성형 투여 시 대조군에 비해 전신골밀도가 평균 2.1% 증가한 반면 비활성형 비타민D는 0.4% 증가하였다. 활성형 비타민D를 1일 0.5 μg 이상 투여 시 비활성형 비타민D보다 요추와 원위요골골밀도 증가가 더 컸다.

2) 골절

대부분의 연구에서 비타민D를 단독으로 투여한 경우 대퇴골골절이나 다른 새로운 골절을 예방한다는 결과를 보이고 있지 않다. 골절에 대하여 긍정적인 결과를 보이고 있는 메타분석 결과 비타민D를 1일 700~800 IU 투여하면 대퇴골골절과 비척추골절이 각각 26%, 23% 감소했지만 400 IU를 투여하면 골절 예방 효과가 없었다. 또한 비타민D 투여가 척추골절의 상대위험도를 37% 낮추고 비척추골절의 상대위험도도 낮추는 경향을 보였다. 골절에 대하여 긍정적인 결과를 보이고 있는 대부분의 연구에서 혈청 25(OH)D의 농도가 증가하면 골절위험도가 감소하는 현상이 관찰되고 있고, 골절을 감소시킬 수 있는 혈청 25(OH)D 농도는 적어도 30 ng/mL 이상이 되어야 한다는 결론을 내리고 있다. 이 혈청 농도는 하루 700-800 IU 또는 그 이상의 비타민D를 섭취해야 도달할 수 있다. 이보다 많은 양을 섭취했을 때 골절의 위험도가 더욱 감소하는 가에 대해서는 잘 알려져 있지 않다.

비타민D와 칼슘을 함께 투여한 경우에는 골절의 위험도를 감소시킨다는 보고들도 있다. 평균 84세 여성에게 1일 칼슘 1,200 mg과 비타민D 800 IU를 18개월간 투여한 결과 대퇴골골절 위험도가 43%, 비척추골절 위험도가 32% 감소하였다. 65세 이상 성인에서 1일 칼슘 500 mg과 비타민D 700 IU를 3년간 투여한 결과 비척추골절 상대위험도가 58% 낮아졌다는 보고도 있다. 평균 75세 성인에서 비타민D 100,000 IU를 4개월에 한번씩 5년간 경구투여한 결과 골절의 상대위험도가 22% 감소했다는 보고도 있다. 혈청 25(OH)D의 농도 증가와 골절위험도의 감소는 양의 상관관계가 있으며, 비타민D를 투여하면 낙상 위험도가 20% 이상 감소된다는 메타분석도 있다.

반면에 노인 여성에서 칼슘과 비타민D를 투여 시 골절의 상대위험도에 차이가 없었다는 보고도 있다. 폐경후여성에서 1일 칼슘 1,000 mg과 비타민D 400 IU를 약 7년간 투여한 WHI (Women's Health Initiative) 연구에서 위약군에 비해 골절 위험도는 감소하지 않았으나 복약 순응도가 높은 군에서는 대퇴골골절 상대위험도가 29% 감소하였다.

7. 비타민D 투여의 이상반응

일반적으로 하루 800-1,000 IU의 비타민D를 투여하는 경우 부작용은 드물게 발생하며, 성인에서 하루 4,000 IU를 복용하여도 부작용이 없다는 보고도 있다. 비타민D는 지용성으로 체내 지방에 저장이 되기 때문에 비활성형 비타민D에 의한 독성 증상이 나타나면 치료를 중단한 후에도 수주간 증상이 나타날 수 있다. 약리적 비타민D 투여의 가장 중요한 부작용은 장에서 칼슘과 인의 흡수 증가, 골격의 골흡수 증가에 의한 고칼슘혈증, 고인산혈증 및 고칼슘뇨증이다. 이외에도 오심을 동반한 위장관증상, 신경근육증상, 갈증 등의 부작용이 발생할 수 있다. 고칼슘혈증이나 고칼슘뇨증이 장기간 지속되는 경우 신결석증이나 신석회화증이 발생할 수 있고 이에 의해 신장기능이 나빠질 수 있다. 고칼슘뇨증은 고칼슘혈증이 생기기 전에 발생하므로 이상 반응이 의심되면 6~8주마다 정기 검사를 시행하여 투여량을 조절하도록 한다.

덴마크에서 연구된 후향적 관찰연구에서는 혈청 25(OH)D 농도가 20-24 ng/mL인 경우 사망률이 가장 낮았고, 혈청 농도가 4 ng/mL 로 매우 낮은 경우 사망률이 2.13배 증가하고, 56 ng/mL으로 증가된 경우에도 사망률이 1.42배 증가하다고 보고하고 있다. 또 다른 메타분석에서는 혈청 25(OH)D 농도가 제일 낮은 군이 제일 높은 군에 비해 사망률이 1.57배로 높았다.

칼슘과 비타민D 섭취에 대한 대한골대사학회 권고안

50세 이상의 남성과 폐경 여성에게 칼슘과 비타민D의 적절한 공급은 골다공증 및 골절의 예방과 치료를 위해 필수적이다.

칼슘은 1일 800~1,000 mg 섭취를 권장한다.

한국인의 1일 칼슘섭취량은 권장량에 비해 부족하기 때문에 음식으로 칼슘섭취를 증가시키는 것이 일차적으로 필요하며, 음식을 통한 칼슘섭취가 용이하지 않은 경우에는 보충제의 사용을 권장한다.

비타민D는 1일 800 IU 섭취를 권장한다.

비타민D 결핍이 의심될 경우에는 혈액 25(OH)D 농도 측정이 필요하다. 골다공증의 예방을 위하여 혈액의 25(OH)D 농도는 최소 20 ng/mL 이상을 유지하도록 한다. 골다공증의 치료, 골절 및 낙상의 예방을 위해서는 30 ng/mL 이상이 필요할 수도 있다.

참고문헌

1. 한국인 영양섭취기준 2015, 보건복지부
2. Adams JS, Hewison M. Update in vitamin D. J Clin Endocrinol Metab 2010;95:471-8.
3. Avnell A, Mak JCS, O'Connell D, et al. Vitamin D and vitamin D analogues for preventing fractures in postmenopausal women and older men. Cochrane Database of Systematic Reviews 2014, Issue 4, Art. No.: CD000227
4. Bischoff-Ferrari HA, Shao A, Dawson-Hughes B, et al. Benefit-risk assessment of vitamin D supplementation. Osteoporos Int 2010;21:1121-32.
5. Bischoff-Ferrari HA, Willett WC, Orav EJ, et al. A pooled analysis of vitamin D dose requirements for fracture prevention. N Engl J Med 2012;367:40-9.
6. Bolland MJ, Grey A, Avenell A, et al. Calcium supplements with or without vitamin D and risk of cardiovascular events: reanalysis of the Women's Health Initiative limited access dataset and meta-analysis. BMJ 2011;342:d2040.
7. Bolland MJ, Leung W, Tai V, et al. Calcium intake and risk of fracture: systematic review. BMJ 2015;351:h4580.
8. Hunt CD, Johnson LK. Calcium requirements: new estimations for men and women by cross-sectional statistical analyses of calcium balance data from metabolic studies. Am J Clin Nutr 2007;86:1054-63.

9. Francis RM, Aspray TJ, Bowring CE, et al. National Osteoporosis Society practical clinical guideline on vitamin D and bone health. Maturitas 2015;80:119-21.

10. Hansen KE, Johnson RE, Chambers KR, et al. Treatment of vitamin D insufficiency in postmenopausal women: a randomized clinical trial. JAMA Intern Med 2015;175:1612-21.

11. Hwang S, Choi HS, Kim KM, et al. Associations between serum 25-hydroxyvitamin D and bone mineral density and proximal femur geometry in Koreans: the Korean National Health and Nutrition Examination Survey (KNHANES) 2008-2009. Osteoporos Int 2015;26:163-71.

12. Hwang YC, Ahn HY, Jeong IK, et al. Optimal serum concentration of 25-hydroxyvitamin D for bone health in older Korean adults. Calcif Tissue Int 2013;92:68-74.

13. Jackson RD, LaCroix AZ, Gass M, et al. Calcium plus vitamin D supplementation and the risk of fractures. N Engl J Med 2006;354:669-83.

14. Joo NS, Dawson-Hughes B, Kim YS, et al. Impact of calcium and vitamin D insufficiencies on serum parathyroid hormone and bone mineral density: analysis of the fourth and fifth Korea National Health and Nutrition Examination Survey (KNHANES IV-3, 2009 and KNHANES V-1, 2010). J Bone Miner Res 2013;28:764-70.

15. Kim KM, Choi SH, Lim S, et al. Interactions between dietary calcium intake and bone mineral density or bone geometry in a low calcium intake population (KNHANES IV 2008-2010). J Clin Endocrinol Metab 2014;99:2409-17.

16. LeFevre ML; U.S. Preventive Services Task Force. Screening for vitamin D deficiency in adults: U.S. Preventive Services Task Force recommendation statement. Ann Intern Med 2015;162:133-40.

17. Michaelsson K, Melhus H, WarensjoöLemming E, et al. Long term calcium intake and rates of all cause and cardiovascular mortality: community based prospective longitudinal cohort study. BMJ 2013;346:f228.

18. Reid IR, Bolland MJ, Grey A. Effects of vitamin D supplements on bone mineral density: a systematic review and meta-analysis. Lancet 2014;383:146-55.

19. Sohl E, de Jongh RT, Heymans MW, et al. Thresholds for serum 25(OH)D concentrations with respect to different outcomes. J Clin Endocrinol Metab 2015;100:2480-8.

20. Tai V, Leung W, Grey A, et al. Calcium intake and bone mineral density: systematic review and meta-analysis. BMJ 2015;351:h4183.

5-2 식생활 관리

박용순

뼈의 구성과 영양

뼈는 무기질과 유기질로 구성되어 있으며, 무기질인 칼슘과 인이 수산화인회석(hydroxyapatite) 형태로 유기질 사이에 끼어 있다. 골조직이 침착되고 유지되고 복구되는 것은 모든 다른 조직처럼 세포의 조직 형성 과정에서 이루어지고, 단백질, 비타민C, D, K, 구리, 망간, 아연 등의 무기질이 이 과정에서 중요한 요인으로 작용한다.

골다공증의 병인과 영양

골다공증은 폐경과 노화 등의 여러 가지 원인으로 골량이 감소하고 골의 강도가 감소되어 골절이 쉽게 일어나는 질환으로 정의된다. 골조직이 감소되면 정상적 뼈보다 구멍이 많아져서 골격의 구조도 약해지고 골절의 위험을 현저하게 증가시킨다. 유전, 호르몬, 운동, 영양 등의 골다공증 병인 중, 영양은 골량 및 골질에 영향을 줄 뿐 아니라 골절의 발생 및 치유에도 중요하다. 골량은 유전적인 요소에 의해 결정되지만, 최대골량을 획득하는 시기는 청소년기로 이 시기의 적절한 영양공급, 특히 칼슘, 비타민D, 단백질의 섭취는 일생동안의 골밀도를 높게 유지하는 결정적인 영향 요인으로 작용하게 된다. 최대 골밀도를 이루고 난 이후에는 뼈의 흡수가 침착보다 증가하게 되어 뼈의 탈무기질화는 진행하게 되며, 이 정도와 속도에 영양적 요인으로 칼슘, 비타민D, 불소, 마그네슘, 아연, 비타민K의 섭취가 관여하게 된다.

역학 연구에서 여성의 경우 최대골량을 10%(약 1 SD) 증가시키면 골절의 위험을 50% 감소시킬 수 있다고 한다. 또한 고관절 주위에 근육이나 지방이 충분하면 넘어질 때 뼈에 가는 충격을 완화시키고, 골절의 치유 시간을 단축시킬 수 있으므로 충분한 영양섭취는 골량과 골질을 양호하게 유지하여 골절을 예방할 뿐만 아니라 회복에도 영향을 준다. 골 건강에 관여하는 여러 영양소 중 가장 결핍되기 쉬운 영양소가 칼슘이며, 칼슘섭취가 고관절골절의 위험을 감소시킨다는 보고 이후, 칼슘섭취와 골절 위험에 대한 연구는 최근에도 많은 연구가 되고 있다. 칼슘 이외의 다양한 영양소가 골 건강에 중요하게 작용하는데 특히, 비타민D는 칼슘의 체내 흡수에 관여함으로서 골 건강을 유지하기 위한 필수 영양소이며, 그 이외에 여러 비타민과 무기질, 단백질, 지방산, 식물성 에스트로겐도 골 건강에 영향을 주는 영양 요인으로 알려지고 있다.

칼슘

1. 칼슘과 골다공증

1) 칼슘의 기능

칼슘은 인체에 가장 많이 존재하는 무기질로 성인 체중의 약 1.5~2%, 즉 1~2 kg 존재한다. 그 중 99%는 뼈와 치아에 존재하며 나머지 1%는 혈액, 세포 외액, 근육 등에 있다. 칼슘은 골격계와 치아의 형성 및 유지에 필수적인 성분일 뿐만 아니라 심장 근육의 수축, 세포 분화, 혈액 응고, 산 염기 평형, 신경 흥분 전달도 작용한다. 혈액 중 칼슘의 농도는 호르몬으로 조절되며, 칼슘섭취가 부족하면 혈액 중 칼슘농도를 유지하기 위하여 부갑상선 항진으로 뼈에서 칼슘 용출이 증가하게 된다. 따라서 충분한 칼슘섭취로 혈액 중 칼슘농도를 유지하는 것이 부갑상선 호르몬에 의한 골흡수를 막고 건강한 골조직을 유지할 수 있는 가장 좋은 방법이라고 할 수 있다.

2) 생애주기별 칼슘 필요량

칼슘은 골형성의 기본단위인 수산화인회석을 형성하여 유기질인 콜라겐과 함께 뼈를 견고하게 만드는 역할을 하는 영양소로 골 형성에 필요한 최소량의 칼슘은 섭취해야 골소실을 예방하게 된다. 생애주기별 성장과 칼슘의 대사 및 흡수 정도가 달라서 성장에 따른 칼슘축적량, 칼슘흡수율, 불가피 소실량, 소변과 대변으로의 배설량 등을 고려하여 칼슘필요량을 설정하게 된다. 영유아기 부터 성장기 청소년까지는 성장을 위한 필요량이 부가되어 섭취량을 늘려야 하며, 또한 성인기에도 매일 땀, 피부, 소변, 소화관내로 분비되는 약 200~300 mg 정도의 불가피한 소실량을 고려하여 충분한 칼슘을 섭취해야 골량을 유지하게 된다.

북미와 유럽에 거주하는 성인의 하루 칼슘섭취량이 400 mg 미만일 경우 골밀도에 부정적인 영향을 주게 되고, 골다공증과 골절의 위험을 높인다는 연구가 많다. 그러나 역설적이게도 평균칼슘섭취량이 선진국에 비해 낮은 개발도상국에서 고관절골절 발생률이 선진국에 비해 낮다. 칼슘필요량은 개인의 생물학적 특성, 식이, 생활양식과 환경에 따라 매우 다양하며, 골다공증의 위험은 칼슘섭취 이외에 수많은 요인에 의해 영향을 받는다. 비록 이 역설을 설명하기 위한 연구가 아직은 부족하지만 칼슘의 섭취량이 낮은 개발도상국에 사는 사람들의 식습관과 생활양식에 그 답이 있을 것으로 추정된다. 추정 가능한 원인으로 동물성 단백질, 나트륨, 카페인의 낮은 섭취량, 과일, 채소, 콩과식물, 전곡류의 풍부한 섭취, 활발한 신체활동과 햇빛 노출 등을 들 수 있는데 이 요인들은 모두 칼슘의 손실을 최소함으로 칼슘 요구량을 감소시키고 이로 인해 골밀도를 증가시킬 가능성이 있다.

성인기의 칼슘 평형을 유지하기 위하여 칼슘 필요량은 체중 kg 당 9.39 mg/일로 간주하였고, 한국인의 남녀 체위기준을 가산하여 각각 남자 750 mg/일, 여자 650 mg/일으로 설정하였다. 50세 이상 남녀의 경우는 모두 700 mg으로 설정하였다. 그러나 IOM과 NOF에서는 폐경여성의 칼슘권장섭취량을 1,200 mg으로 제시하고 있고, 한국 폐경여성을 대상으로 한 연구에서는 폐경후 6~10년 경과한 여성의 칼슘섭취에 따른 골밀도에 유의한 차이가 나타났으며 이 결과로 보아 충분한 칼슘섭취는 폐경여성의 골소실을 지연시키는 것으로 보인다.

임신 기간 중 태아에 25~30 g의 칼슘을 공급하고, 9개월 수유에 50~75 g의 칼슘이 소모되므로 이 시기에 칼슘이 공급되지 않으면 여성의 골량이 감소된다. 임신 중에는 호르몬의 변화가 동반하여 장에서의 칼슘흡수률이 증가된다. 수유 때는 장내칼슘흡수가 임신 전으로 감소하고 골의 재형성은 증가되어 있으므로 골소실이 올 수 있으므로 충분한 칼슘보충으로 여성의 골량을 유지하여야 한다. 연령별 여성과 남성의 칼슘권장량은 표 5-2-1과 같다.

표 5-2-1 ▸ 한국인의 일일 칼슘권장량 한국인의 영양섭취기준 2015

연령	남성(mg)	여성(mg)
1-2세	500	500
3-5세	600	600
6-8세	700	700
9-11세	800	800
12-14세	1,000	900
15-18세	900	800
19-49세	800	700
50세 이상	750	800
임신부		+280
수유부		+370

3) 한국인의 칼슘섭취 현황

한국인의 하루 평균칼슘섭취량은 2010년 남자 584.1 mg, 여자 474.9 mg, 2013년 남자 561.0 mg, 여자 452.6 mg으로 나타나 한국인의 권장섭취량에 못 미치는 것으로 조사되었으며, 여자의 섭취량이 남자보다 약 100 mg 정도 적게 섭취하는 것으로 나타났다. 소득수준에 따른 칼슘의 섭취 수준을 비교할 때 소득수준이 높은 계층의 칼슘섭취비율은 좀 더 높은 것으로 조사되었다(그림 5-2-1). 2011년 국민건강영양조사를 중심으로 서울 경기지역 성인여성의 골밀도와 칼슘섭취와의 상관성 연구에서 골다공증 환자의 평균칼슘섭취량은 389.6 mg/일로 정상군의 528.5 mg/일 보다 유의한 낮게 섭취하였다. 위에서 언급한 바와 같이 최소 필요량 400 mg/일 미만을 섭취하면 골다공증의 위험이 증가하는 것으로 나타났다. 건강증진센터 내원자의 연구 보고에 의하면 칼슘섭취량이 평균 660 mg/일이였으며, 40%를 동물성 식품으로 섭취하고 있었다. 동물성 칼슘섭취가 1일 315 mg(전체 칼슘의 약 50%) 이상일 때 척추골밀도가 유의하게 높았다. 65세 이상 여성에게서 영양섭취량 중 칼슘, 총단백질, 동물성 단백질섭취가 요추 골밀도와 유의한 상관관계가 있었다.

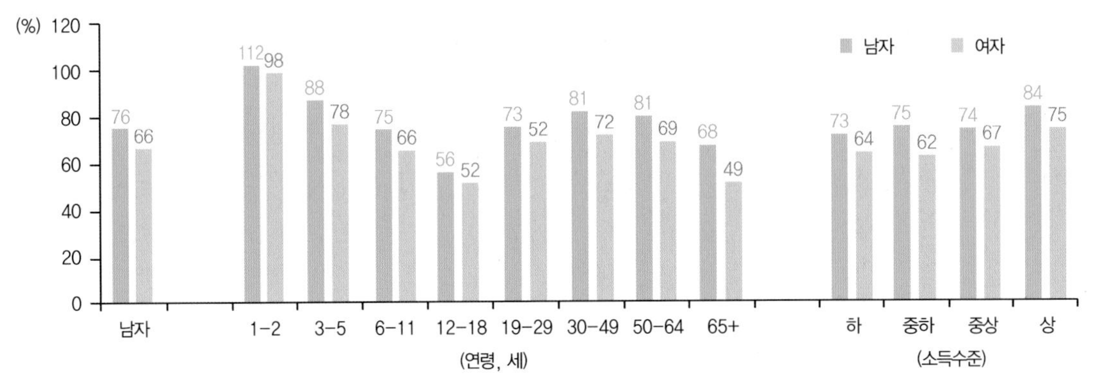

그림 5-2-1 ▸ 2013 국민건강영양조사 칼슘권장량 대비 섭취비율

4) 칼슘의 급원식품

칼슘이 풍부한 식품으로는 우유(음료 또는 가루형태), 유제품(치즈, 요구르트, 우유발효음료), 장어 등과 같은 어류, 뱅어포, 멸치 등의 뼈째 먹는 생선은 좋은 급원 식품이다. 짙은 녹색 채소(겨자식물, 순무잎, 케일, 브로콜리), 견과류, 종자류(참깨), 두부(염화마그네슘이 아니라 황산칼슘을 사용해 생산된 두부), 감귤류 주스, 두유 등에도 칼슘이 풍부하다. 그러나 육류, 과일, 흰색 채소, 밥, 국수와 같은 곡류에는 적게 들어 있다. 칼슘함유 식품 및 함유량은 표 5-2-2와 같다. 재배된 토양에 있는 무기질 함량이 다르고, 식물의 수분 함량이 달라서 들어 있는 칼슘함량에 차이가 날 수 있다.

표 5-2-2 ▶ 칼슘함유 식품 및 함유량

식품군	식품명	식품량 (g)	함유량 (mg)	식품군	식품명	식품량 (g)	함유량 (mg)
곡류군	녹두	30	30.3	채소군	달래	70	75.1
	팥	30	20.6		갓	70	116.9
	토란	130	35.0		비름	70	102.4
	고구마	100	24.0		미역줄기	70	72.7
어육류군	미꾸라지	50	368.0		물미역(익힌것)	70	649.6
	장어	50	78.5		고춧잎	25	52.7
	청어	50	43.5		무청	50	124.5
	정어리	50	47.0		깻잎	20	42.2
	북어	15	36.8		케일	70	196.7
	양미리(건)	15	17.4		근대	70	49.6
	멸치	15	148.7		냉이	50	72.5
	뱅어포	15	65.4		고구마순	70	37.8
	노가리	15	65.4		아욱	50	47.0
	굴	70	66.0		우엉	50	28.0
	중새우	50	38.5		취	70	86.8
	꽃게	70	71.5		시금치	70	29.0
	조갯살	70	39.3		배추김치	70	32.0
	정어리통조림	50	120.5	지방군	참깨	8	92.4
	꽁치통조림	50	99.0		호두	13	11.9
	고등어통조림	50	83.5		아몬드	13	29.9
	두부	80	100.8		땅콩	13	6.7
	순두부	200	96.0	우유군	우유	200	210.9
	연두부	150	93.0		호상요구르트	110	115.5
	유부	30	89.3		아이스크림	80	104.0
	계란	1개	20		탈지우유	200	200.0
과일군	금귤	60	45.0		치즈	30	152.4

5) 칼슘의 생체이용률

칼슘의 생체이용률은 식품에 함유되어 있는 칼슘량 뿐 아니라 칼슘흡수률에 의해 결정된다. 칼슘의 흡수는 식이에 포함된 다른 영양소와 혈중 칼슘농도를 조절하는 호르몬에 의해 영향을 받는다. 성인의 칼슘흡수률은 20~40%이나 성장기 어린이나 임신부의 흡수률은 증가하고 노인기에는 감소하여, 특히 폐경기 여성은 20% 정도에 불과하다.

우유 및 유제품을 섭취하지 않고, 식품을 통해 적절량의 칼슘을 섭취하는 것은 어렵다. 우유는 칼슘함량이 높을 뿐 아니라 유당 및 카제인이 장에서 칼슘흡수를 돕고, 비타민D 함량도 높아서 칼슘흡수율이 25~35%로 가장 좋다. 유당불내성이 있거나 우유 섭취 시 설사, 복통 등의 증상이 있는 사람은 우유나 유제품을 소량씩 섭취하거나 식사와 함께 섭취하면 그 증상이 줄어 들 수 있다. 유당분해효소가 첨가된 식품이 사용 될 수도 있다. 그러나 다량의 우유를 마실 때는 체중 및 혈중 콜레스테롤의 상승에 주의해야 하므로 저지방 우유가 권장된다.

식물성 식품은 종류에 따라 차이가 있으나 동물성 식품에 비해 칼슘흡수율이 낮은데 이는 식물성 식품에 함유된 수산(oxalate) 및 피틴산(phytate)이 장내에서 칼슘과 불용성 복합체를 형성하여 칼슘의 흡수를 방해하기 때문이다. 그러나 우리나라는 칼슘의 60% 이상을 식물성식품으로부터 섭취하며, 식물성 칼슘도 골다공증의 위험을 낮출 수 있다는 보고가 있다.

진한 녹색잎 채소(브로콜리, 케일, 겨자, 무순, 시금치)는 다량의 칼슘이 함유되어 있지만, 칼슘흡수를 저해하는 수산염(oxalate)와 섬유소가 함유되어 있어 칼슘흡수율이 낮다. 채소의 종류에 따라 칼슘흡수율이 다른데, 무청은 51.6%, 브로콜리 52.6%, 배춧잎은 53.8% 등 이다. 시금치, 땅콩 등에는 상당량의 수산이 들어 있으며 우유와 같이 섭취 시 우유의 칼슘흡수율이 떨어진다. 우유와 땅콩을 같이 섭취한 경우는 우유만 섭취한 경우보다 실제로 칼슘흡수율이 감소한다. 피틴산은 곡류, 두류, 종실류 및 견과류에 1~5% 함유되어 있으며 칼슘뿐 아니라 아연의 생체이용률도 감소시킨다. 곡류의 칼슘함량은 도정 정도에 따라 달라지는데 전곡류와 통밀가루는 도정된 밀가루보다 칼슘함량이 높다. 곡류에 함유된 섬유소가 칼슘흡수에 미치는 영향은 미미하다. 그러나 채식주의자가 하루 50 g 이상의 섬유소를 섭취했을 때 소장에서 칼슘흡수가 방해될 수 있다는 연구가 있다. 소화되지 않는 올리고당은 장 점막량을 증가시켜 칼슘흡수를 증가시킨다는 연구가 있다. 분해, 생성 되어 올리고당이 되는 이눌린은 치커리, 양파, 아스파라거스, 엉겅퀴에 많이 들어 있다. 칼슘흡수에 영향을 주는 요인들을 정리하면 표 5-2-3과 같다.

표 5-2-3 ▸ 칼슘흡수에 영향을 주는 요인

칼슘흡수에 도움을 주는 요인	칼슘흡수를 방해하는 요인
비타민D, 유당(lactose), 포도당, 비타민C, 단백질	섬유소, 수산 , 피틴산, 나트륨, 인, 고지방식, 카페인, 탄닌, 흡연, 음주

① 나트륨

나트륨과 칼슘이 신세뇨관에서 같은 운반(transport)계로 재흡수 되기 때문에 과다한 나트륨섭취는 칼슘의 재흡수를 저해한다. 신장에서 100 mmol(2.3 g) 나트륨 배설시 1 mmol(40 mg)의 칼슘이 빠져나간다. 성인여성에게서 하루 1 g의 나트륨을 더 섭취하면 뼈에서 칼슘소실이 일어나서 골소실은 1년에 1% 증가된다. 하루 8 g 이상 고나트륨섭취군에서 6 g 이하 저나트륨섭취군에 비해 낮은 대퇴경부골밀도를 보였으며, 고나트륨섭취군 내에서도 칼슘을 하루 평균 1일 600 mg 이하 섭취할 때 대퇴경부의 골밀도가 유의하게 낮게 나타났다. WHO/FAO에서는 나트륨섭취목표량을 2g(소금 5g) 이하로 설정하고 있으나, 2013년 국민건강영양조사에 의하면 30-49세의 성인의 나트륨섭취량이 가장 높았으며, 남자는 목표섭취량 대비 280%, 여자는 188%를 섭취하여 나트륨은 과잉 섭취하고 있는 것으로 조사되었다.

② 단백질

동물성 단백질은 고칼슘뇨증을 일으킬 수 있으며, 황함유 아미노산이 풍부한 동물성 단백질은 체내 환경을 산성으로 만들어, 이를 중화하기 위해 뼈로부터 골격염(skeletal salts)의 유출을 증가시킬수 있다, 즉, 과다한 육류식이로부터 생성된 산을 중화시키기 위해 뼈로부터 칼슘이 빠져나가는 것으로 생각된다. 그러나 역학 인구에서 하루 단백질 섭취량이 76 g 이상일 때에 42 g 이하일 때와 비교하여 소변으로 칼슘 배설이 증가하지 않았다는 보고도 있다. 또한 이러한 칼슘배설 효과는 충분한 양의 과일과 채소와 식물성 단백질이 포함된 식이로 신체를 알칼리 환경으로 만들어 주므로 억제할 수 있다.

③ 인

인은 인체에 0.6 kg 정도 함유되어 있는데, 85%가 뼈와 치아에 있고 칼슘과 2:1 비로 결합하고 있다. 적당량의 인 섭취는 부갑상선호르몬의 분비를 자극하여, 간접적으로 신세뇨관에서의 칼슘재흡수를 증가시킴으로 소변으로의 칼슘손실을 감소시키나, 칼슘섭취가 부족한 상태에서 다량의 인을 섭취하게 되면 부갑상선호르몬의 혈중농도를 상승시키고, 골에서의 칼슘용출을 자극할 수 있다. 인은 거의 모든 식품에 풍부하여 특히 가공식품과 탄산음료에 많이 함유되어 있다.

비타민D

비타민D는 피부에서 자외선에 의해 생성되거나, 음식으로 섭취된다. 또한 칼슘섭취가 1일 200 mg 이하로 장, 신장, 땀 등으로 인한 배설량보다 적을 때는 혈중의 부갑상선호르몬과 1,25$(OH)_2$D가 증가되어 파골세포에 의한 골흡수가 시작된다. 비타민D는 소장에서의 칼슘흡수에 작용하며, 특히 칼슘 식이가 부족할 때 비타민D에 의한 능동적 칼슘흡수 기전이 중요하다. 칼슘섭취량이 하루 500 mg 정도라도 비타민D가 충분하면 칼슘의 음성 균형(negative balance)을 예방 할 수 있다.

비타민D의 주 저장 형태는 25(OH)D이며, 혈중 25(OH)D 수치를 측정하여 비타민D 상태를 알게 된다. 혈청 25(OH)D 농도가 50 nmol/L(20 ng/mL) 이상일 경우 비타민D 상태가 적정하다고 판단된다. 유럽 11개국 연구에서 겨울철 고령여성의 비타민D 상태가 노르웨이(19 ng/mL)보다 그리스(8.4 ng/mL)에서 나쁜 것은 햇볕 양보다 어류 및 비타민D 강화 식품섭취량의 차이로 보인다. 한국 폐경여성에게서도 겨울철 비타민D 혈중농도가 많이 낮음을 보고하였다. 나이가 들수록 피부에서 비타민D의 합성이 감소하기 때문에 음식으로 섭취하지 못하거나 위장질환으로 흡수되지 않으면 비타민D의 부족이 일어나게 된다.

메타분석한 연구에서 비타민D 섭취량(식품 섭취량 + 보충제)이 600 IU 이상인 경우 요추골절의 위험이 유의하게 감소하였으며, 이 들의 혈중 25(OH)D 농도가 30 ng/mL 정도였다. NHANES III에서도 20세 이상 남녀의 혈중 25(OH)D 농도에 따른 칼슘섭취량이 골밀도에 미치는 영향을 조사하였는데, 혈중 25(OH)D 농도가 20 ng/mL 이하 일 때는 칼슘섭취가 증가할수록 골밀도가 증가하였다. 그러나 혈중 25(OH)D 농도가 50 ng/mL 이상일 때는 칼슘섭취와 골밀도는 유의한 관련이 없어 칼슘보다는 비타민의 역할이 중요함을 강조하였다.

비타민D 함유 식품은 흔하지 않아 우유, 기름진 생선, 생선 간유, 달걀노른자 등에 동물성 식품에는 비타민D_3(cholecalciferol)가, 버섯 등 식물성 식품에는 비타민D_2(ergocalciferol)가 함유되어 있다(표 5-2-4). 그러나 비타민D_2는 25(OH)D로의 전환율이 비타민D_3보다 낮다. 한국인을 대상으로 섭취기준에 대한 연구가 부족하여 50세 이하 성인은 400 IU(5 μg), 50세 이상은 600 IU(10 μg)로 충분섭취량이 설정되어 있다. 미국 NOF에서는 50세 이상의 성인에게 하루 800-1,000 IU, 대한골대사학회에서는 하루 800 IU의 비타민D 섭취를 권하고 있다.

표 5-2-4 ▸ 비타민D 함유식품 및 함유량

식품	식품량	함유량(IU)
대구간유	1 큰 술(15 mL)	1,360
청어	100 g	930
연어	100 g	495
정어리	100 g	295
뱀장어	100 g	270
강화우유	1 컵	100
새우	100 g	100
간, 닭	100 g	50
간, 소	100 g	20
달걀	1 개	25
버섯	100 g	20

비타민K

비타민K는 지용성 비타민으로서 1,4-나프타퀴논 고리를 가지고 있는 화합물을 말한다. 필로퀴논(phylloquinone, K1)은 식물성 식품인 녹색채소(시금치, 브로콜리), 양배추에 함유되어 있고, 메나퀴논(menaquinone, K2)은 장내세균에 의해 합성되거나 우유, 육류, 달걀 등 동물성 식품에도 들어 있다. 메나디온(menadione, K3)은 합성형이며, 자연에 존재하는 형태보다 2배의 활성을 가진다. 비타민K는 식품 중에 광범위하게 분포되어 있으며, 장내 박테리아에 의한 공급되는 양은 채내 요구량의 10-20% 정도이다. 비타민K에 의존하는 골기질 단백질로는 오스테오칼신이 대표적이며, 쿠마틴 항응고 치료에 의한 비타민K 결핍은 오스테오칼신에 영향을 주어 골건강에 악영향을 줄 수 있다. 폐경여성에게 비타민K를 보충하였을 때 골소실이 감소하였다는 연구가 있다.

그 외 비타민

비타민C는 구리와 함께 콜라겐의 교차 결합에 필요하며, 가장 적게 섭취하는 군(일일 7~57 mg)에서 골소실 속도가 빠르다고 한다. 비타민A는 지용성 비타민으로 레티놀과 비타민A 전구체인 베타카로틴이 있다. 베타카로틴의 생물학적 활성도는 레티놀의 1/6이다. 한국인 성인의 권장섭취량은 1일 600~7500 μgRE (Retinol Equivalents)이며, 3,000 μgRE 이상을 복용할 때는 독성이 일어날 수 있다. 만성 독성은 두통, 식욕부진, 간 독성, 고칼슘혈증, 골밀도 감소 등이다. 레티놀은 간, 유제품, 기름진 생선에, 베타카로틴은 진한 녹색잎 채소, 옥수수, 토마토, 오렌지에 많이 들어 있다. 식이 내 비타민A의 과다 섭취가 골밀도를 감소시키고 고관절골절을 증가시킬 수 있다고 하나, 베타카로틴의 과다 섭취는 골절과 관련이 없다. 그러나 최근에는 비타민A 함유 보충제를 쓴 폐경기여성에게서 고관절골절은 1.18배였지만 모든 골절의 위험도는 증가되지 않았다는 보고도 있다.

그 외 무기질

마그네슘의 체내 보유량은 25 g 정도로, 이중 60~70%는 칼슘, 인과 결합하여 골격이나 치아에 존재하며 칼슘, 인 결정의 표면 특성을 변화시킨다. 또한 마그네슘은 세포 내에서 ATP와 복합체를 형성하고 있으며, 효소와 수송체, 핵산의 보조인자로소 에너지 대사에 관여하고 신경전달과 근육의 수축 및 이완을 조절한다. 마그네슘을 2년간 투여하여 골절이 방지 되고 골밀도가 증가되더라는 보고도 있다. 마그네슘의 결핍은 전 연령층에서 나타날 수 있으나, 알코올 중독이나 장에서 소실될 때 흔히 온다. 이때 낮은 골량을 보이게 되는데 마그네슘 결핍 때 거의 동반되는 칼슘 결핍이나 장에서 단백질의 소실도 골다공증에 관여하리라고 본다. 마그네슘은 식물 색소인 엽록소의 구성 성분이므로 녹색잎 채소에 풍부하고 콩류, 견과류, 덜 도정된 곡류에 풍부하나 전곡과 시금치에 함유된 피틴산은 마그네슘의 흡수를 저해한다.

골격의 형성에는 칼슘 이외에도 아연, 구리, 망간 등의 미량 원소가 필요하다. 특히 아연은 체내 약 2~3 g 정도 함유되어 있는데 28% 정도가 뼈와 치아에 분포 되어 있다. 나이가 듦에 따라 소변 내에 아연이 증가하는데, 골다공증이 있을 때 더 높고, 폐경여성에게서 에스트로겐 투여 시 감소하였다. 아연은 붉은 살코기, 굴 등 동물성 식품에 풍부하다.

기타

1. 식물성 에스트로겐

식물성 에스트로겐은 네 가지 군으로 분류되는데 페놀, 스테로이드, 사포닌, 테르페노이드계의 4 종류이다. 페놀계인 이소플라본이 가장 흔하고 많이 연구되었는데 이소플라본은 콩에 많이 들어있다. 식물성 에스트로겐은 비활성형에서 장의 배당체(glucosidase)에 의해 genistein과 daidzein 으로 바뀌고, 이는 다시 장내 균에 의해 equol 등으로 바뀐다. 식이 내 콩 이소플라본과 골밀도와의 관계에 대한 연구(SWAN 연구)에서 폐경 전 일본여성에게만 genistein과 골밀도가 연관이 있어 많이 섭취하는 군에서 적게 섭취하는군보다 골밀도가 7.7% 높았다. 식물성 에스트로겐은 독성은 거의 없어 보이지만, 장기간 사용할 때의 영향에 대한 연구가 아직 없다.

2. 지방산

지방산은 이중 결합의 존재와 수에 따라서 이중 결합이 없는 포화지방산, 하나 있는 단일 불포화 지방산, 두 개 이상 있는 다가불포화 지방산으로 나눈다. 다가불포화 지방산은 이중 결합의 위치에 따라 오메가-3, 오메가-6, 오메가-9 지방산이라고 한다. 이 세 가지 지방산 사이의 비율이 질병을 예방하는 데 중요하다. 오메가-3(n-3) 지방산은 골표지자 및 골밀도에 긍정적 효과가 있다. 폐경 이후의 급격한 골소실은 염증성 사이토카인인 인터루킨-1, 인터루킨-6, TNFα등에 의해서이다. 또한 오메가-3 지방산은 ATPase를 조절하여 십이지장에서 칼슘의 흡수를 촉진할 수 있다. 폐경후 한국여성을 대상으로 한 연구에서도 혈중 오메가-3 지방산 수치와 골밀도는 양의 상관관계가 있었다.

3. 차 등 음료

차에는 불소와 식물성 에스트로겐, 망간 등이 함유되어 있다. 차를 마신 기간이 길수록 골밀도가 증가되었고, 차의 종류에 따른 차이는 없었다. 그러나 미국여성을 대상으로 한 WHI 연구에서는 차를 마시는 것과 골절과 연관이 없었다. 카페인의 과다섭취는 골밀도에 악영향을 줄 수 있으나 적당량의 섭취는 골다공증과 관련이 없다. 콜라는 골밀도과 음의 상관관계가 있었으나 다른 탄산음료와 관련은 명확하지 않다. 알코올 남용은 골다공증 및 골절을 증가시킨다. 이때 골소실은 골형성의 감소에 의한 것이며 대부분의 연구에서 오스테오칼신 수치의 감소가 술을 끊으면 증가 된다. 그러나 적정한 알코올섭취가 뼈 건강과 골절위험에 부정적인 영향을 미치는지에 대해서 일치된 증거는 없다.

4. 칼슘보충제

칼슘은 음식으로 충분한 양을 섭취하는 것을 권하지만, 음식으로 적절한 섭취가 불가능할 때에는 의사와 상의하여 그 부족한 양을 평가하고 약제로 보충하는 것이 바람직하다. 칼슘보충제를 사용하는 경우는 칼슘염의 종류, 적절한 사용법, 변비와 같은 부작용을 최소화하여야 하며, '많이 섭취할수록 좋다'는 생각을 갖는 것은 위험하다. 가장 널리 사용되는 칼슘보충제로는 탄산칼슘(calcium carbonate)으로 칼슘이 잘 녹아 흡수되기 위해서는 산이 필요하기 때문에 식사와 함께 복용해야 하고, 철의 흡수를 방해가 되기 때문에 철 보충제와 동시에 섭취하면 안 된다. 칼슘보충제는 소량으로 여러 번에 나누어 섭취하는 것이 좋고 비타민D가 함유된 칼슘보충제가 권장된다. 고령의 환자나 신장 질환이 있는 경우 필요 이상의 칼슘보충제 투여는 고칼슘뇨증, 요석증, 심혈관질환의 위험이 증가할 수 있다.

골다공증의 예방 및 치료시의 식이 지침

골다공증 위험 감소를 위한 영양적 고려사항은 표 5-2-5와 같다.

표 5-2-5. 골다공증 위험 감소를 위한 영양적 고려사항

A 영양적으로 균형 잡힌 식사를 한다.
B 매일 칼슘이 풍부한 식품을 2회 이상(어린이나 청소년, 임산부 등은 3회 이상) 섭취한다.
C 체중 증가를 막기 위해 저지방 우유를 마시고, 유당 불내성시는 발효유 등이 좋다.
D 비타민D와 오메가 3 지방산이 풍부한 생선을 일주일에 2회 이상 섭취한다.
E 싱겁게(하루 5 g 이하의 소금) 먹고, 권장량의 3배 이상의 단백질이나 하루 50 g 이상의 섬유소 섭취를 피한다.
F 칼슘, 마그네슘 및 식물성 에스트로겐이 풍부한 콩, 두부를 충분히 섭취한다.
G 비타민C, K 등의 비타민과 칼륨, 마그네슘 등의 무기질섭취를 위해 신선한 채소와 과일을 충분히 먹는다.
H 이상체중을 유지하며, 무리한 체중 감량은 삼간다.
I 탄산음료나 커피의 섭취를 줄인다. 카페인 음료가 필요할 때는 차(녹차, 홍차 등)로 마신다.
J 흡연을 피하고 술은 가능한 한 1-2잔만 마신다.

참고문헌

1. 농촌자원개발연구소, 식품성분표 제7개정판. 농촌진흥청 2006.
2. 보건복지부, 2013년 국민건강영양조사 제6기 1차년도.
3. 대한골대사학회지 2009;16:103-10.
4. 보건복지부, 한국영양학회 한국인 영양섭취기준, 2015.
5. Bischoff-Ferrari HA, Kiel DP, Dawson-Hughes B, et al. Dietary calcium and serum 25-hydroxyvitamin D status in relation to BMD Among U.S. adults. J Bone Miner Res 2009;24:935-42.
6. Bolland MJ, Grey A, Avenell A, et al. Calcium supplements with or without vitamin D and risk of cardiovascular events: reanalysis of the Women's Health Initiative limited access dataset and meta-analysis. BMJ 2011;342:d2040.
7. Greendale GA, FitzGerald G, Huang MH, et al. Dietary soy isoflavones and bone mineral density : results from the study of women 's health across the nation. Am J Epidemiol 2002;155:746-54.
8. Lee RD. Diseases of the musculoskeletal system. In Nutrition therapy & pathophysiology 2nd ed. Belmont; Wadsworth Cengage Learning; 2011.
9. Moon HJ, Kim TH, Park Y, et al. Positive correlation between erythrocyte levels of n-3 polyunsaturated fatty acids and bone mass in postmenopausal Korean women with osteoporosis. Annals Nutr Metab 2012;60:146-63.
10. Park HM, Heo J, Park Y. Intake of calcium from plant sources and the risk of osteoporosis in postmenopausal Korean women: A case-control study. Nutr Res 2011;31:27-32.
11. U.S. Department of Health and Human Service. Bone health and osteoporosis - a report of the surgeon general, 2004.

5-3 운동과 재활

김동환

골다공증 치료의 비약물적 방법에는 흔히 생활습관 관리 및 운동, 재활을 생각하게 된다. 이 중 운동은 과연 어떤 기전으로 치료가 가능한 것인지, 어떤 방법이나 양을 어떻게 해야 하는 지 등등 궁금한 부분은 많은데 명쾌한 정답은 없는 것이 사실이다. 여러 연구에서도 제시하듯이 개개인의 능력에 따라서, 가지고 있는 기질적인 정도에 따라 다르게 작용할 수 있기 때문에 어떤 공식화된 운동 및 재활 프로그램이 나오기 힘들 것이다.

따라서 이 단원에서는 지금까지 알려진 다양한 연구를 바탕으로 골다공증에서의 운동의 역할과 실제, 다양한 골다공증 관련 재활 치료에 대해 알아보고자 한다.

골다공증에서의 운동의 역할

1. 운동과 골밀도

운동이 골밀도에 미치는 영향에 대한 연구는 매우 많다. 각 연구는 세부적으로 다양한 결과를 보이지만, 운동이 골밀도를 어느 정도 변화시킬 수 있다는 결론은 동일하다. 2011년 코크란 리뷰에서는 '비록 그 통계학적인 유의성은 상대적으로 작으나, 운동은 중요한 정도로 골밀도의 감소를 줄이며 폐경여성의 골손실을 피할 수 있는 잠재적으로 안전하고 효과적인 방법이다.'라고 결론지은 바 있다.

운동의 종류에 따른 골밀도의 변화는 비체중부하 상태에서 시행하는 점진적 저항성 근력강화운동은 대퇴 경부의 폐경후 골밀도 손실을 의미 있게 감소시키고, 전자부의 골밀도 손실은 1% 가량 감소시킬 수 있다고 보고되었다. 이외에 척추의 골밀도 손실을 줄이기 위한 운동으로는 유산소와 무산소 운동의 병용이 가장 효과적인 것으로 알려지고 있다. 동일한 운동을 12년간 지속적으로 시행한 후 그 효과를 조사한 연구에서도, 다양한 결합운동이 척추와 대퇴경부의 골밀도 감소를 줄였다고 보고되었다.

운동의 시작 시기에 따른 효과에 대해서는 비교적 이견이 없어, 청소년기 이전에 운동을 시작하여 지속한 경우 골밀도의 증가 효과가 가장 큰 것으로 알려져 있다. 청소년기 이전의 운동이 골밀도와 골량에 미치는 효과는 1~6% 정도로, 청소년기 이후의 운동 효과인 0.3~2%에 비해 월등히 앞선다고 알려져 있다. 그래서 체조, 배드민턴, 테니스, 배구, 농구 등과 같은 고강도 스포츠는 청소년기 이전의 시기에 뼈에 긴장을 제공하는 좋은 운동이 될 수 있다. 그에 비해 폐경전 연령대의 성인에서 혼합 운동이 척추에,

고충격 운동이 대퇴경부의 골밀도 감소를 막아준다는 보고는 있으나 그 정도는 소아에서보다 미미하였다. 폐경 이후의 성인은 고저항 운동이 척추의 골밀도를 다소 증가시킬 수 있다는 보고가 있으나 대퇴경부에 대하여는 상반된 결과를 보이며, 특히 저항운동이나 지구력운동 등은 큰 영향을 미치지는 못하는 것으로 알려지고 있다.

2. 운동과 골강도

운동과 골강도의 관계에 대한 연구들은 골밀도를 이용한 연구결과만큼 의견 일치를 보이지는 않는다. 이는 뼈의 강도나 골량을 계측하고 구조를 예측하는 방법이 골밀도만큼 잘 정리되어 있지 않고 일반적이지 않기 때문으로 생각된다. 골밀도를 이용한 연구에 비해 수가 매우 적지만 운동은 시작한 연령(age-specific effect)이나 성별(gender-specific effect)과 밀접한 관계를 가지며 골강도를 변화시킬 수 있어, 성장이 종료되지 않은 시기의 남자에서 운동이 하지의 골강도를 작지만 유의하게 증가시키는 것으로 보고하고 있다. 흥미로운 것은 이러한 효과가 같은 시기의 여자에게는 나타나지 않는다는 것이다. 마찬가지로, 성장이 일단 종료되면 운동은 남녀 모두에서 골강도에 의미 있는 영향을 미치지 않는 것으로 알려져 있다. 즉, 여아나 폐경전 여성에게 운동은 골강도에 미치는 영향이 거의 없는 것으로 보인다. 한 연구에서는 운동을 한 군 중에 순응도가 가장 높았던 군과 순응도가 가장 낮았던 군만을 비교했을 때, 장기간 순응도가 높았던 군에서 피질골 두께, 골크기, 골강도가 유의하게 증가되었다고 보고하여 운동의 지속성이 중요함을 강조하였다. 일단 폐경이 되면 대부분의 연구에서 운동이 골강도에 큰 영향을 미치지는 않는 것으로 알려졌다. 일부의 연구에서는 운동을 한 군이 그렇지 않은 군에 비해 위치 특이적인 효과(site-specific effect)가 해면골보다는 피질골에 나타났지만, 그 효과 역시 일정 강도 이상의 운동에 꾸준히 참여하는 경우에만 나타날 수 있다고 보고하였다. 결론적으로는 많은 연구와 주장이 있으나, 운동은 사춘기 이전 남아에서만 작지만 의미 있게 골강도의 증가를 보이며, 그 이외의 연령과 성별에서는 전체적으로는 유의한 영향이 없으나 운동의 순응도나 지속성 등에 따라 약간의 영향을 받을 수 있다.

3. 부동 상태와 골밀도

운동의 효과와는 반대로 근육의 긴장이 전혀 없는 부동 상태에서는 골소실이 두드러지게 나타나며, 대표적인 예로 뇌졸중이나 척수손상과 같이 전신적으로 몸을 움직이지 못하는 상황에서는 이러한 골소실이 진행된다. 만약 이러한 상황이 청소년기에 발생하였다면 그 사람의 일생에 있어 최대 골량을 형성하는 시기의 장애가 있는 것으로, 이후 발생할 수 있는 골다공증에 취약한 상태가 될 수 있다. 어떤 원인이든 30% 이상의 지주골량이 소실되면 골량은 유지될 수 있지만 골절의 위험도는 증가한다. 건강한 사람의 하지를 움직이지 못하도록 고정시키면 5~6주부터 칼슘의 소실이 증가하여, 혈중칼슘이 고농도로 유지된다. 이때 질소화합물도 함께 소실되는데 이는 칼슘과 단백질이 정상적인 상태보다 빠르게 소실됨을 의미한다. 또한 뇌졸중의 치료를 위해 장기간 절대 안정한 환자는 1주마다 약 0.9%의 골무기질이 감소한다.

우주비행을 하는 동안 1개월에 4 g씩 칼슘 균형이 감소한다는 보고가 있었는데, 이는 중력이 골밀도에 영향이 있음을 의미하며, 이때 우주선에서 운동을 하거나 일을 하면 골소실을 어느 정도 감소시킬 수 있다. 따라서 체중부하와 육체적 활동과 같은 기계적 자극을 뼈에 가하면 골형성과 골재건으로 작용함을 알 수 있다.

근육의 무게도 골량을 결정하는 중요한 요인 중 하나다. 예를 들면, 요추부 신전근의 근력과 요추의 골밀도와는 상관관계가 있다. 일부 보고에서도 골량이 운동이나 체력단련과 유관하며 근육의 무게와 골량은 나이가 들면서 감소한다고 한다. 이것은 나이가 들면서 활동성이 감소하는 것과 관계가 있으며, 노인에게도 운동을 통한 체력단련으로 근육량을 증가시키면 골소실의 비율을 감소시킬 수 있다는 것을 말해준다.

4. 골절 위험성에 미치는 운동의 효과

골절 발생과 관련된 많은 전향적 연구를 종합하면 운동의 종류 및 시작한 시기 등과 상관없이 운동을 한 군은 그렇지 않은 군에 비해 약 4% 가량의 골절 감소를 보이나 이는 통계적으로는 유의한 차이가 없는 정도의 변화로 보고되었다. 그렇지만 운동이 골절의 발생 위험성을 줄일 수 있다는 결론을 도출한 연구가 많으며, 이는 운동이 근력을 충분히 유지할 수 있게 도와주고, 동시에 보행 속도와 자세의 조정을 충분히 유지시켜줌으로써 낙상을 예방하여, 그로 인해 골절이 감소된다는 이론으로 설명이 가능하다. 그러나 한편으로는 노인 환자들에게 운동을 지나치게 권유함으로써 오히려 낙상의 위험성을 증가시키고, 운동으로 인한 관절통이나 요통, 두통 등으로 인해 오히려 골다공증 환자의 활동을 감소시켜 근력 감소를 유발할 수 있다는 점, 그리고 폐경 전 여성이 지나친 운동을 하게 되면 오히려 골감소증, 식욕 감퇴, 무월경에 이르게 되어 결과적으로는 피로골절을 증가시키는 위험에 빠질 수도 있는 점 등을 고려한다면 운동의 단점에 대한 깊은 고찰과 상담도 반드시 필요하다.

골다공증 운동의 실제

앞서 기술한 바와 같이 개인적인 특성 때문에 정형화된 골다공증 운동프로그램을 제시하기는 어렵다. 그래서 현재 재활의학 영역에서 의견을 종합하여 시행할 수 있는 실제 운동프로그램의 예를 간단히 살펴보고자 한다. 우선 Sinaki 등이 제시한 T-값에 따른 재활운동의 예를 표 5-3-1에 제시하였다.

표 5-3-1 ▶ T-값에 따른 재활운동의 예

-1 SD 이상	-1 ~ -2.5 SD	-2.5 SD 이하
• 환자 교육과 예방적 검사 • 물건 들기 기술의 습득 • 적절한 영양 (칼슘 및 비타민D) • 짧은 거리의 조깅 • 체중부하 훈련 • 유산소 운동 • 복근과 등 근육 강화운동 • 척추기립근 조건화 운동	• 골다공증 치료를 위한 진료의뢰 • 환자 교육과 예방적 중재술 • 통증 관리 • 등 근육 강화운동 • 제한된 무게들기 훈련 (10-20lB 이하) • 유산소 운동과 일일 40분 걷기 • 근육강화운동 ; 주 3회 체중부하 훈련 • 자세 운동 ; WKO (weighted kypho-orthosis)와 함께 골반 기울이기, 등 펴기 운동 • 프렝켈(Frenkel) 운동과 낙상 예방 • 태극권 (Tai chi exercise) 등 응용 • 필요 시 골흡수억제제 복용	• 약물치료 • 통증 관리 • 관절가동력, 근력강화, 조건화 운동 • 필요 시 한 낮에 휴식, 온냉치료, 스트로킹 마사지 • 등 신전근 강화 운동 • 가능하다면 하루에 40분 걷기, 프렝켈 운동 • 주 1-2회 수중 운동 • 낙상 예방 프로그램 • 자세 운동 ; WKO (weighted kypho-orthosis)와 함께 골반 기울이기, 등 펴기 운동 • 척추 압박골절 예방 (필요시 보조기 착용) • 척추 긴장 예방 (5-10lB 이하로 물건 들기) • 균형과 보행보조기 평가 • 욕실, 부엌, 작업치료를 통한 자기자조 촉진 및 안전 • 한 손에 1-2lb 무게로 근력강화운동을 시작하여 5lb로 점차 증량 • 필요시 SPEED (spinal proprioceptive extension exercise dynamic) 프로그램 • 고관절 보호대 착용 • 척추 신전운동

또한 Sinaki 등은 49~60세의 폐경기여성 59명에게 1~6년간 25명은 척추신전근 강화운동, 9명은 척추굴곡근 강화운동, 19명은 척추신전과 굴곡근 강화운동, 6명은 아무런 운동을 하지 않고 척추압박골절에 대한 방사선 추적검사를 실시하였다. 그 결과 신전근 강화운동군은 16%, 굴곡근 강화운동군은 89%, 신전과 굴곡근 강화운동군은 53%, 운동을 하지 않은 군은 67%에서 척추압박골절이 발견되어, 폐경기여성에게 향후 골절을 예방하는 데 척추신전근 강화운동이 가장 좋은 것으로 보고하였다. 또한 복합운동이나 체중부하가 없는 근력운동, 특히 척추 신전근을 포함한 근력 운동이 척추골절의 빈도를 낮춘다는 연구 결과를 근거로, 의자에 앉거나 바닥에 무릎을 대고 허리를 펴는 척추 신전근 운동이 권장된다. 그러나 윗몸일으키기나 과도한 척추의 굴곡이 요구되는 운동은 오히려 척추골절 등의 손상을 야기할 수 있으므로 피해야 한다.

골다공증을 위한 척추 운동의 예는 다음 그림 5-3-1과 같다.

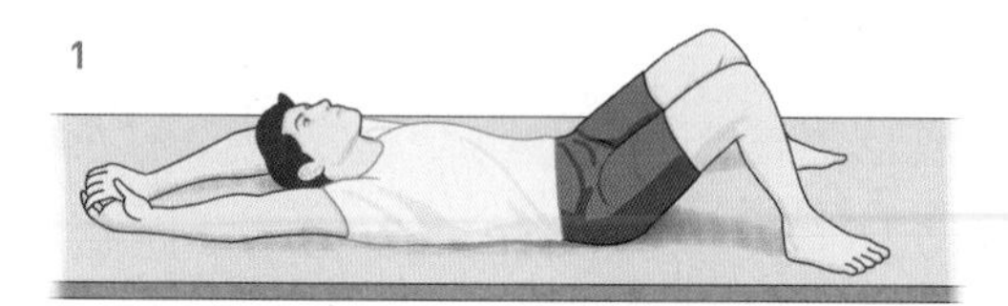

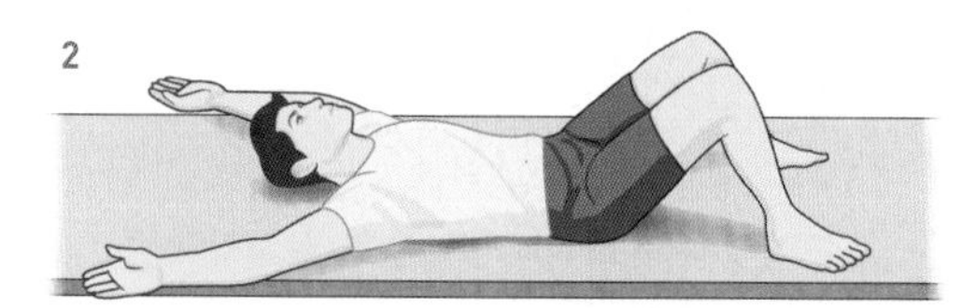

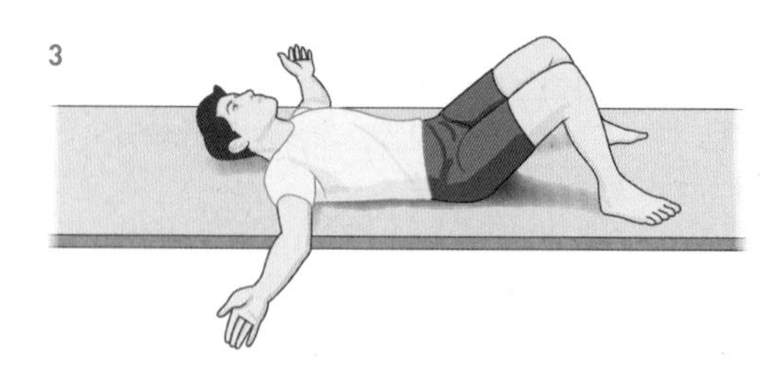

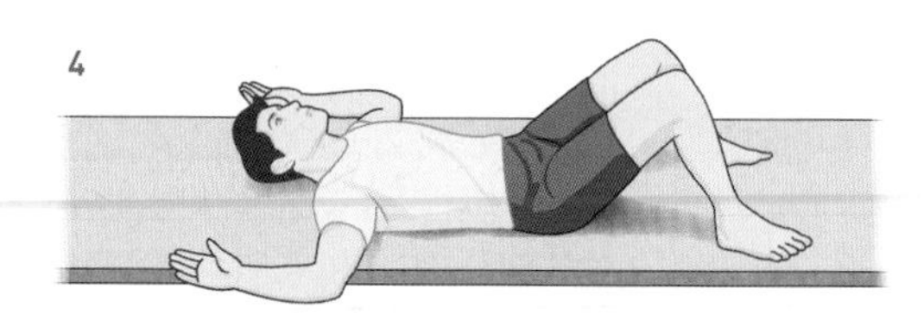

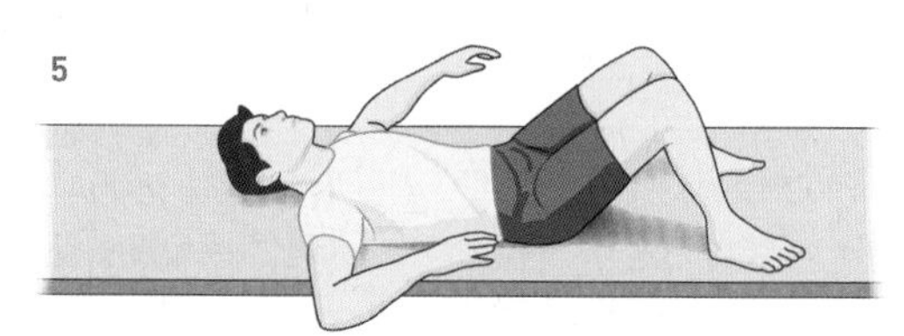

A. 누워서 등과 어깨 펴기 운동, 유연성 운동(비저항성 운동)

그림 5-3-1 ▸ 골다공증의 운동

A. 비저항성 운동으로 누워서 등과 어깨 펴기 운동, 유연성 운동으로 가볍게 시작한다. 아주 심한 골다공증환자나 처음 운동할 때 시작하는 요령이다.

B. 앉은 자세에서 머리 뒤로 양손에 깍지를 끼고 양 팔꿈치를 뒤로 젖히면서 심 호흡과 함께 10~15회 반복하여 대흉근 늘리기 및 의자에 앉아서 팔꿈치를 굽힌 상태에서 양 팔꿈치를 머리 또는 가슴 뒤로 젖히면서 가슴과 등을 펴는 운동이다.

C. 바로 누운 자세에서 무릎을 굽히고 복근과 요추 굴곡근에 등장성 수축을 하여 요추전만 부위를 감소시키는 골반 세우기 운동이다.

D. 바로 누운 자세에서 발바닥은 바닥에 댄 후 무릎을 90도로 굽히고 고개를 5~10 cm 정도 들면서 등장성으로 복근에 힘을 주는 운동 및 바로 누운 자세에서 양 손은 허리 밑에 깔고, 숨을 깊게 들이 마시고 무릎을 펴고 복근에 힘을 준 후 양 다리를 10~15도 정도 올리는 운동이다. 각 5~10초 정도 시행한다.

E. 엉덩이를 발뒤꿈치에 붙이면서 팔꿈치를 펴고 손을 앞으로 쭉 내밀면서 어깨관절을 신전하고 이마를 바닥에 대는 고양이 스트레칭 자세(cat-stretch position)이다.

F. 베개를 복부에 깔고 엎드려서 고개를 약간 드는 운동으로 대표적인 요추신전근 강화운동이다.

G. 팔꿈치를 펴고 양 손바닥과 양 무릎을 땅에 대고 두 손과 두 발을 엎드린 후(준비 자세), 한 발씩 무릎을 펴고 위로 올리는 요추신전근과 대둔근 강화운동이다.

H. 하지만 흉 · 요추를 과도하게 굴곡시키는 운동이나 자세는 척추압박골절을 유발하거나 악화시킬 수 있기 때문에 절대 금지해야 한다.

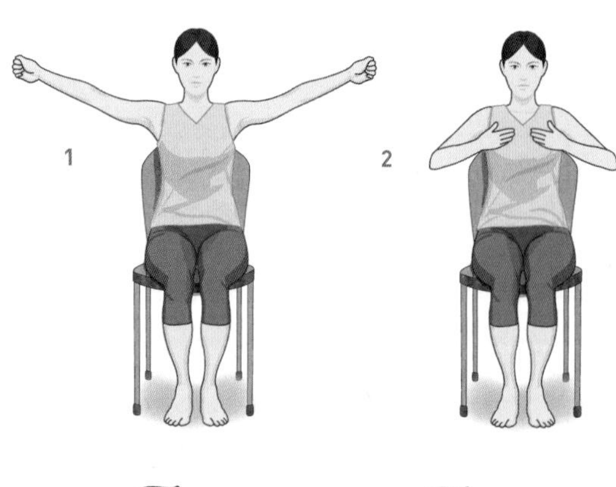

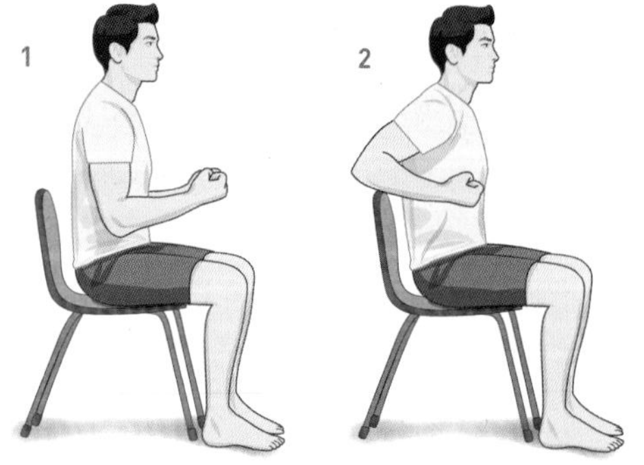

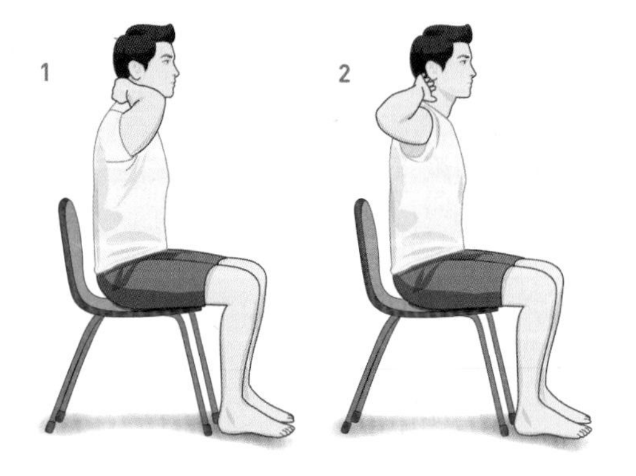

B. 심 호흡과 함께 대흉근 늘리기와 등 펴기 운동

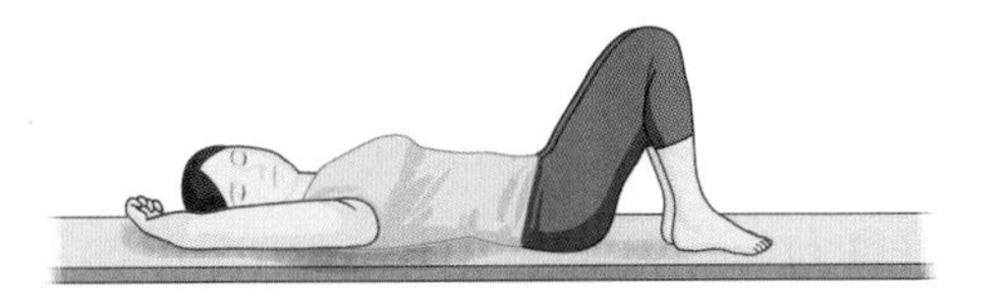

C. 골반세우기, 복근 및 요굴근 등장성 운동

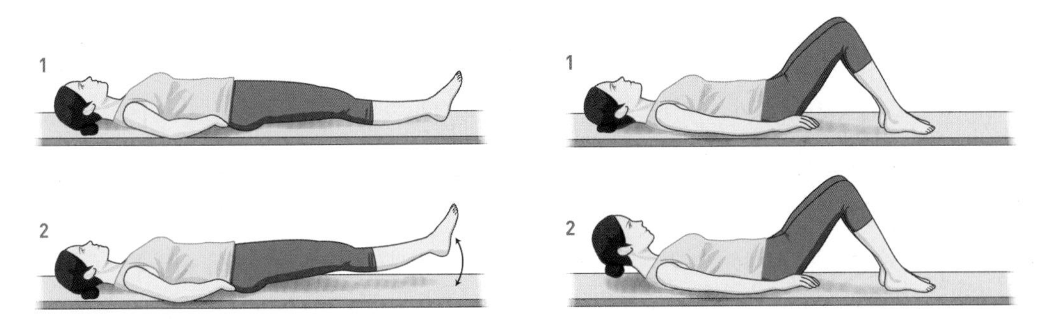

D. 등장성 복근 강화 운동

E. 고양이 스트레칭 운동

G. 요신근 및 대둔근 근력강화운동

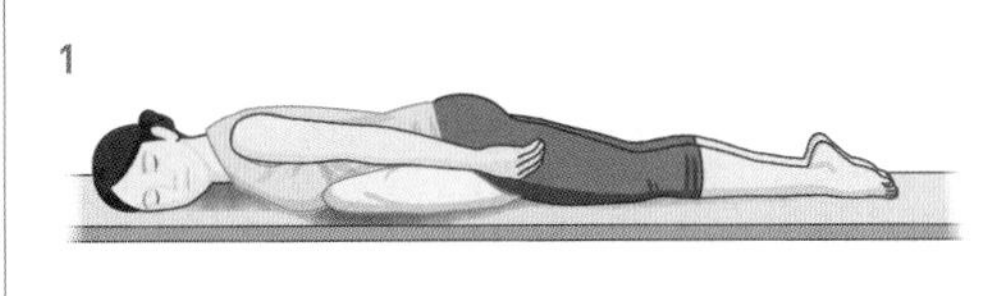

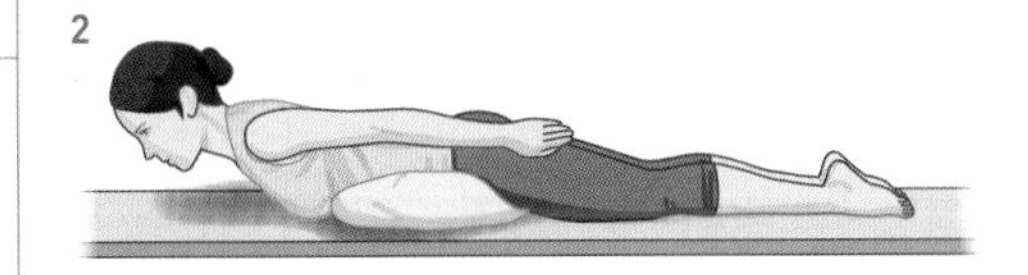

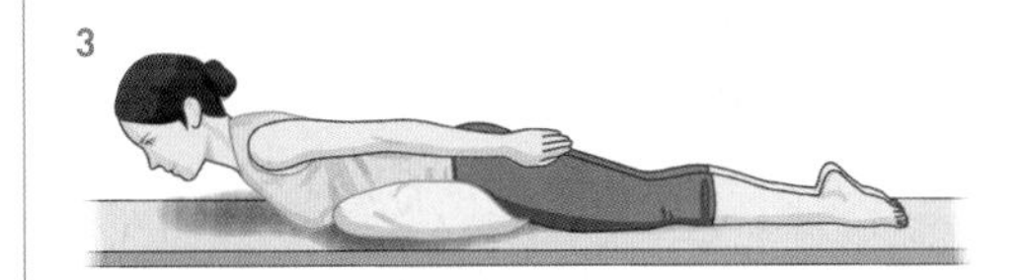

F. 엎드려서 등 펴기 운동

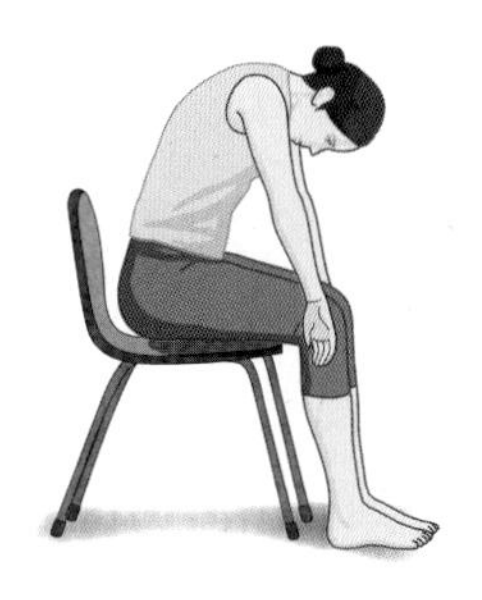

H. 흉 · 요추 굴곡 운동(금기사항)

골다공증의 재활

골절이 발생하지 않는 한 골다공증은 증상이 없다. 하지만 다양한 동반된 근골격계 통증이 함께 동반되는 경우가 많으며, 특히 폐경기 이후의 중년층이나 노인에서는 여성호르몬 등과 관련된 통증이 유발되는 경우가 많으므로 간과해서는 안 될 것이다. 대표적으로 통증의 원인이 되는 골절이 있는 경우에는 급성기와 만성 통증 조절 방법이 약간 다르게 진행된다.

척추골절로 인하여 급성 통증이 생기면 우선 단단한 침상의 바닥 위에 양털과 같은 부드러운 것으로 덮은 2인치 정도의 매트 위에서 2일 이내의 침상 안정을 실시한다. 2일 이내의 침상 안정이 골소실을 악화시킨다는 보고는 없다. 얇은 베개(7 cm 미만)를 머리에, 그리고 약간 높은 베개를 무릎 밑에 받치고 바로 누운 자세로 안정하여 척추의 부하를 줄여야 한다. 그러나 바로 누운 자세보다 옆으로 누운 자세가 편하면 옆으로 눕도록 한다. 이때는 옆구리 밑에 얇은 베개를 받쳐 향후 요추부 염좌나 척추측만증을 예방해야 한다. 골절 주변 부위 근육의 경직 및 근육통, 관절통 등을 감소시키기 위하여 통증유발점 차단술, 척추 후관절 차단술, 경막외 차단술 등을 실시하여 통증을 완화시킴으로써 올바른 침상 안정을 취하게 해야 한다. 이 외에 마약류가 아닌 경한 진통제와 변비를 대비한 약물복용을 고려한다. 물리 치료는 초기에 냉찜질을 한 후 서서히 열치료, 전기자극 치료, 가벼운 마사지 등을 실시하여 통증으로 인한 경직을 감소시켜야 한다. 지나친 운동은 금지하고 올바른 자세 교육을 시행한다. 또한 척추 보조기는 가능한 올바른 자세를 보조하는 데 이용하며, 척추 보조기의 종류는 골다공증의 정도, 환자의 나이, 활동 정도, 환자 순응도에 따라 결정한다. 척추 보조기 이외에 장거리 보행 등에는 지팡이나 바퀴 달린 보행기를 사용할 수 있다.

만성통증의 관리에는 잘못된 자세 개선을 위한 WKO (weighted kypho-orthosis)를 이용하고, 꾸준한 통증 관리를 위한 물리치료를 시행한다. 그러나 척추 보조기의 목적 중 하나는 등에 통증이 있더라도 안정된 상태에서 걸을 수 있도록 하는 것이지만 통증 때문에 너무 오랫동안 착용하면 등 근육의 위축이 오게 된다. 이를 방지하기 위해 흉곽 근육의 근력강화 및 근육의 안정성을 위한 운동을 꾸준히 해야 한다. 또한 적절한 약물 중재술을 시작해야 한다.

노인 환자의 대퇴골골절의 가장 중요한 요인은 골다공증이 아니라 낙상이라는 말이 있을 정도로 낙상은 골다공증 환자가 반드시 피해야 하는 위험 요소이다. 낙상을 피하기 위해서는 근력 뿐 아니라 각 근육의 협동 및 조절능력이 충분히 유지되어야 한다. 그리고 노인들은 시력의 저하, 균형 이상, 전정기관의 변화, 인지기능 감소, 기립성 저혈압, 심혈관 탈조건화, 요실금, 발과 신발 문제 등의 증상이 동반될 수 있으므로 우선 정기적인 낙상위험에 대한 선별검사를 시행하여 해당하는 원인을 제거하고 필요한 다인성 중재노력이 시행되어야 한다. 그 예로 안정적인 보행을 위해 보행 보조 장치(지팡이나 보행기 등)를 사용할 수 있는데, 지팡이는 대퇴골골절이나 질환이 있을 때에는 반대쪽 손에, 슬관절부 이하의 질환이 있을 때에는 같은쪽 손에 짚는 것이 역학적으로 유리하다. 만일 하지에 특별한 문제가 없다면 아무 쪽이나 통증이 없는 쪽의 상지를 사용해도 무방하다. 신발이나 옷에 충격 완화장치인 패드(hip pad 등)를 대는 것은 골절 예방이나 충격 완화와 관련하여 약간의 이견은 있지만, 다른 적극적인 조치를 피할 수 있는 상황이 아니라면 사용하는 것이 권장될 수 있다. 개별적인 운동에 대한 권고는 상황에 따라 다를 수 있지만, 적절한 보조기를 착용한 후 시행하는 가벼운 정도의 골프 등은 가능하며, 수영은 골밀도를 증가시키지는 않으나 근력강화와 균형 발달 등으로 낙상이 방지되어 골절 예방에 도움이 되므로 골다공증에 유리한 운동이다. 쪼그리는 동작이 아닌 허리와 등을 펴고 시행하는 고정형 자전거운동도 도움이 되며, 햇볕을 쬐며 시행하는 가벼운 산책 정도의 운동은 근력을 잃지 않기 위해서 뿐 아니라 항상 부족할 수 있는 비타민D의 체내 합성을 위해서도 권장할 수 있는 운동이다.

참고문헌

1. 김희상. 골다공증. 한태륜. 재활의학. 5판. 군자출판사; 2014. p.1187-96.
2. Bodnar M, Skalicky M, Viidik A, et al. Interaction between Exercise, dietary restriction and age-related bone loss in a rodent model of male senile osteoporosis. Gerontology 2012;58:139-49.
3. Bonner FJ, Chesnut III CH, Lindsay R. Osteoporosis; In Physical medicine & rehabilitation: Principles and practice. 4th ed. Philadelphia: Lippincott Williams & Wilkins;2005. p699-719.
4. Chan K, Qin L, Lau M, et al. A randomized, prospective study of the effects of Tai Chi Chun exercise on bone mineral density in postmenopausal women. Arch Phys Med Rehabil 2004;85:717-22.
5. Daly RM. The effect of exercise on bone mass and structural geometry during growth. Med Sport Sci 2007;51:33-49.
6. de Kam D, Smulders E, Weerdesteyn V, et al. Exercise interventions to reduce fall-related fractures and their risk factors in individuals with low bone density: a systematic review of randomized controlled trials. Osteoporos Int 2009;20:2111-25.
7. Dionyssiotis Y, Paspati I, Trovas G, et al. Association of physical exercise and calcium intake with bone mass measured by quantitative ultrasound. BMC Womens Health 2010;10:10-2.
8. Grossman JM. Osteoporosis prevention. Curr Opin Rheumatol 2011;23:203-10.
9. Howe TE, Shea B, Dawson LJ, et al. Exercise for preventing and treating osteoporosis in postmenopausal women. Cochrane Database Syst Rev 2011;7:CD000333.
10. Kemmler W, von Stengel S, Bebenek M, et al. Exercise and fractures in postmenopausal women: 12-year results of the Erlangen Fitness and Osteoporosis Prevention Study (EFOPS). Osteoporos Int 2012;23:1267-76.
11. Liu PY, Brummel-Smith K, Ilich JZ. Aerobic exercise and whole-body vibration in offsetting bone loss in older adults. J Aging Res 2011;379674.

12. Niu K, Ahola R, Guo H, et al. Effect of office-based brief high-impact exercise on bone mineral density in healthy premenopausal women: the Sendai Bone Health Concept Study. J Bone Miner Metab 2010;28:568-77.

13. Pfeifer M, Sinaki M, Geusens P, et al. ASBMR Working Group on musculoskeletal Rehabilitation: Musculoskeletal rehabilitation in osteoporosis: a review. J Bone Miner Res 2004;19:1208-14.

14. Sinaki M. Osteoporosis; In Physical medicine & rehabilitation, Braddom RL. 4th ed. Saunders ; 2011. p.913-33.

제 6 장

골다공증 골절

O s t e o p o r o s i s

6-1 골절의 생역학

양규현

골다공증은 뼈의 강도가 감소하여 쉽게 취약골절(fragility fracture)을 일으키는 상태를 말하는데 여기서 취약골절이라 함은 서있는 높이나 그 보다 낮은 위치에서 넘어질 때 발생하는 저에너지 골절로 정의된다. 뼈의 강도는 일반적으로 골량과 골질에 의해서 결정되는데 골질은 골 미세구조의 변화, 골교체율 및 구성 성분의 변화 등에 의해서 결정된다. 생체에서는 골량을 직접 측정할 수 없어서 골밀도로 대신 추정하는데, 피질골의 골밀도와 골강도는 1차 함수관계에 있지만 해면골은 같은 골밀도라도 그 구조적 차이에 따라 골강도가 매우 다르기 때문에 골밀도는 일반적으로 골강도의 일부만을 반영한다고 한다. 골다공증에서 여러 가지 골흡수억제제의 치료 결과를 보면 골밀도의 증가와 골절 예방률이 비례하지 않는 것을 볼 수 있으며 이는 아마도 골교체율 감소만으로도 골질을 향상시킨다고 추정하고 있다.

일단 몸 어느 부위에 취약골절이 발생하면 또 다른 부위에 취약골절이 발생할 위험이 그렇지 않은 환자에 비하여 2-5배 정도 증가되기 때문에 1차 골절의 예방이 무엇보다도 중요하다.

골절이란 골의 연속성이 없어진 것을 뜻하며, 골절 발생은 외력의 크기와 방향 그리고 골내 변형률(strain)에 의하여 결정된다. 변형률이란 원래의 크기에 비하여 변화한 비율을 뜻하며, 변화된 차이를 원래의 크기로 나눈 값이다. 그림 6-1-1은 응력(단위 면적당 걸리는 힘; stress)과 변형률(strain)을 나타낸 그림이다. 물체에 외력이 계속 작용하면 탄성영역을 넘어서면서 항복점에 이르러 물체에 변형이 오며, 최대 응력점을 지나면 곧바로 파괴된다. 그러나 큰 외력이 아니어도 반복되는 외력은 조직을 손상시키며 뼈에도 미세골절이 끊임 없이 발생하게 되어 골재형성 기전을 통하여 손상된 뼈는 제거되고 새로운 신생골로 복구된다. 그러나 미처 복구되기 전에 계속하여 외력이 작용하면 피로골절(fatigue fracture)을 일으키며, 골다공증과 같이 뼈에 결함이 있어 반복되는 일상적인 외력에 의해서 발생하는 피로골절을 특별히 부전골절(insufficiency fracture)이라 부른다(그림 6-1-2).

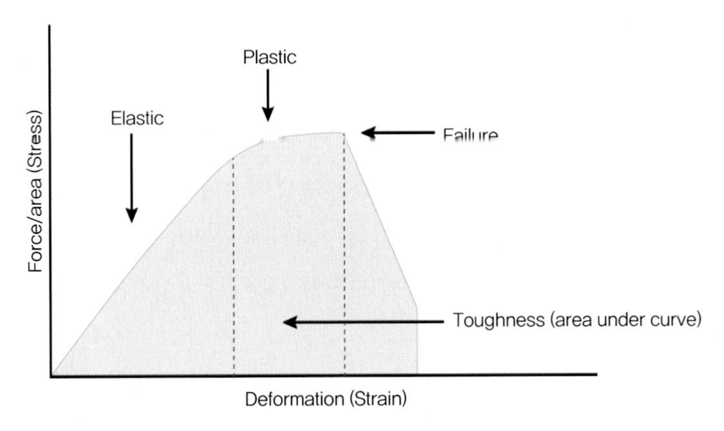

그림 6-1-1 ▶ 응력 변형률 곡선

물체에 외력이 계속 작용하면 탄성영역을 넘어서면서 항복점에 이르러 물체에 변형이 오며, 최대 응력점을 지나면 곧바로 파괴된다.

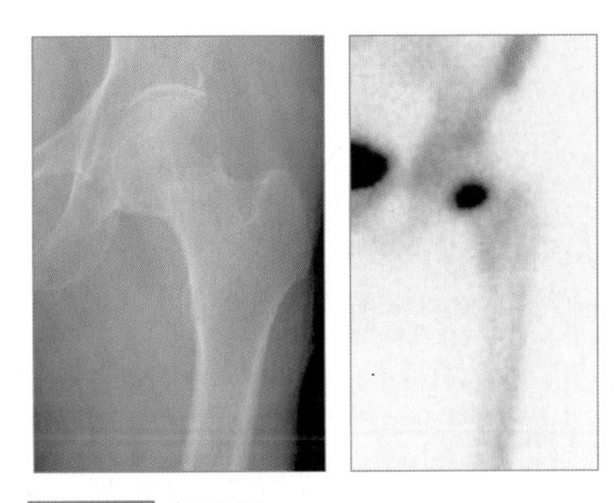

그림 6-1-2 ▶ 부전골절

좌측의 방사선 소견에서는 골절을 확인할 수 없으나, 우측의 골스캔 검사(bone scan)로 골다공증에 의한 대퇴골 경부의 피로(부전)골절을 진단하였다.

피질골의 변화

뼈가 외력에 의해 골절이 될 때까지 버티는 힘은 뼈를 구성하는 재질과 관성 모멘트에 의하여 결정된다. 원주에서 굽힘(bending) 혹은 비틀림(torsion)에 대해서 저항하는 관성 모멘트는 반지름의 네제곱에 비례한다. 피질골의 성분이 균일하다고 가정하고 이를 대퇴골에 적응하면 면적 모멘트는 외경의 4승 빼기 내경의 4승에 비례한다. 즉 같은 골량이라 할지라도 벽이 얇고 큰 외경을 가진 경우가 작은 외경과 두꺼운 벽을 가진 경우보다 외력에 잘 저항함을 알 수 있다(그림 6-1-3). 이중에너지X-선흡수계측법으로 평가하면 단위 면적당 골밀도는 오히려 감소된다. 그러나 지나치게 외경이 크고 벽이 얇아지면 buckling ratio (external radius/wall thickness)가 10 이상이 되어, 쉽게 우그러지게 된다. 이런 현상은 대퇴골 전자부 골절에서 잘 설명된다. 뼈의 크기는 출생 시 남녀의 차이를 보이지 않으나 사춘기가 되면서 남성은 남성호르몬의 영향으로 근력이 강해지고, 체중도 늘어나며 그 결과 뼈에 작용하는 외력도 커진다. 이에 따라 골세포는 성장인자들을 분비하여 뼈를 감싸는 골막에 존재하는 조골세포를 자극하여 외벽이 두꺼워 진다. 이러한 외경 증가의 효과는 평생 지속되며, 노인의 경우 남성이 여성에 비하여 골절률이 낮은 이유로 설명되고 있다(그림 6-1-4). 하지만 고령이 되면 피질골을 구성하는 하버시안 시스템 내 하버시안관이 커지면서 다공성이 증가되어 외력에 대한 저항력은 점차로 감소하게 된다.

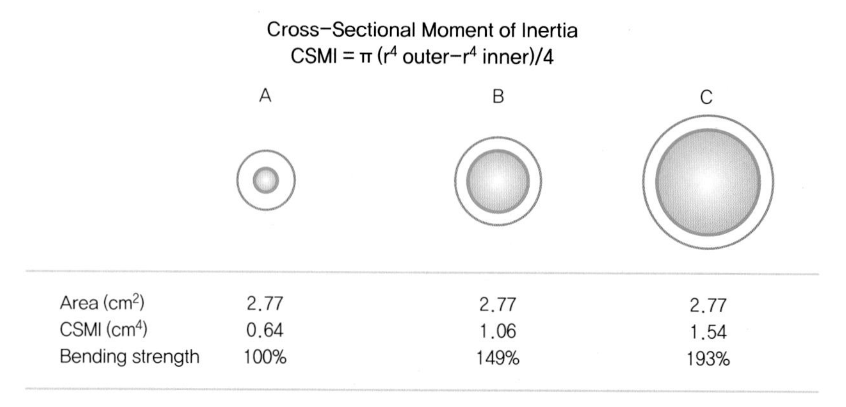

그림 6-1-3 ▸ 피질골의 형태와 면적 모멘트의 변화

원주에서 면적 모멘트는 반지름의 네제곱에 비례한다.

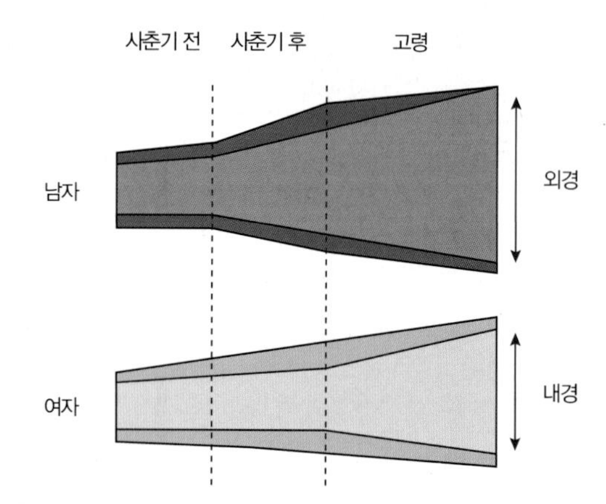

그림 6-1-4 ▸ 연령 및 성별에 따른 대퇴골 외경 및 내경의 변화

남성은 사춘기에 외경이 급격히 증가하며 이 효과는 평생 지속된다.

피질골은 단단하기 때문에 많은 하중을 감당하는데, 특히 대퇴골의 외측 피질골에는 보행시 상당한 견인부하가 걸린다. 이런 곳은 사소한 골량 혹은 골질의 변화만으로도 부전골절이 잘 생길 수 있으며 특히 골흡수억제제나 스테로이드 제제 등으로 인하여 골질이 변화될 때 미세골절이 축적되어 비전형적 대퇴골골절을 일으킬 수 있다(그림 6-1-5).

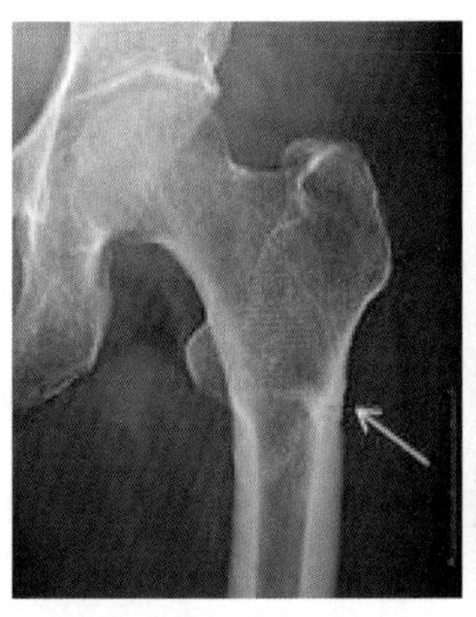
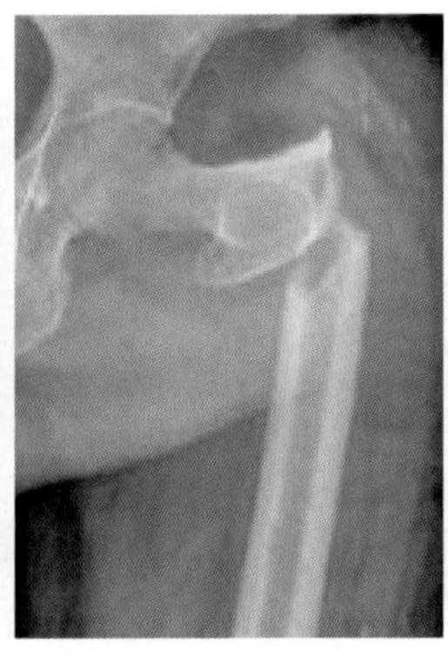
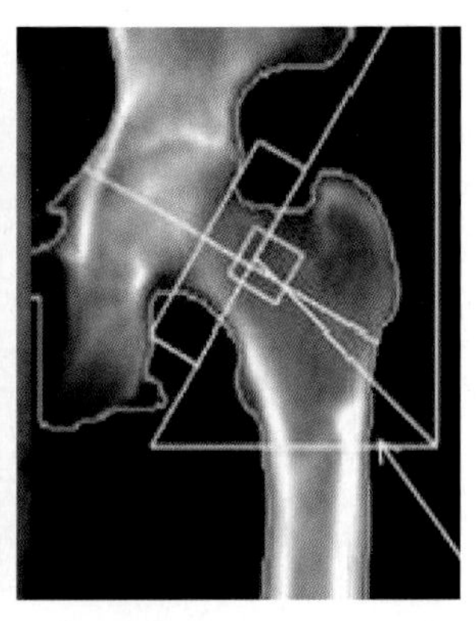

그림 6-1-5 ▸ 비스포스포네이트 제제를 사용한 72세 여자 환자에서 발생한 좌측 전자하부 부전골절 사례

단순 방사선 사진상 외측 피질골의 외측부터 시작된 골절이(짧은 화살표) 내측으로 이동하고 있으며 그 이후 사소한 낙상으로 인하여 완전 골절이 발생함. 골절 전에 촬영한 이중에너지X-선흡수계측법을 이용한 대퇴골 영상에서(우측 영상 내 긴 화살표) 외측 피질골의 병변(골수강내 가골)이 관찰됨.

해면골의 변화

건강한 해면골에는 판상의 해면골이 서로 얽혀 있으며, 여러 방향에서 작용하는 힘에 적응할 수 있도록 진화되었다. 해면골은 뼈의 무게를 줄이기 위하여 다공성이며, 관절 주위에서는 관절 연골을 보호하기 위하여 탄성 영역이 보강되었다. 표면적이 피질골에 비하여 매우 넓기 때문에 우리 몸에서 피질골 무게의 1/4 밖에 차지하고 있지 않지만, 골대사량은 4배 이상이다. 따라서 골다공증과 같은 골대사질환에서 가장 먼저 변화를 보이는 곳은 해면골이다. 해면골의 변화를 생역학적 측면에서 관찰해 보면 철저하게 자기 보호 본능을 따르고 있음을 알 수 있다. van der Linder 등은 미세 CT 영상과 유한요소법(finite element study)으로 해면골을 재구성하여 외력을 가했을 때 발생하는 변형률을 계산한 결과 전체적으로 균일하게 골량을 감소시키면 많은 골소실이 있어도 외력에 잘 버티지만 높은 변형 (high strain) 영역인 수직골주를 손상시키거나 골흡수에 따른 stress riser가 있으면 저항력이 급격히 감소함을 증명하였다. 실제로 골다공증 초기에는 해면골은 판상의 구조에서 막대모양으로 변하지만 서로의 연결 구조를 유지하고 있다. 수직골주에 걸리는 하중이 수평골주에 비해 높기 때문에 우리 몸은 수직골주의 중요성을 인식하여 우선 수평골주가 소실된다(그림 6-1-6). 하지만 Euler는 일정수의 수직골주 사이에 가로 놓인 수평골주의 수가 줄어든 경우 수직 압박력에 버티는 힘을 수평골주 간의 거리의 자승에 반비례함을 이론적으로 증명하였다(그림 6-1-7). 일단 압박골절이 흉추나 흉요추부에 발생하면 척주(spinal column)가 전방으로 쏠리며 무게 중심이 앞으로 이동하면서 지렛대의 원리에 의하여 상하위 척추에 더 많은 힘이 가해진다. 이것이 바로 척추골절 환자에서 재골절 위험이 4-5배 이상 증가하는 이유이며(그림 6-1-8), 골다공증 치료제를 사용하여도 재골절을 완전히 방지하지 못하는 원인이기도 하다. 따라서 첫 번째 척추골절이 생기지 않도록 하는 것이 중요하며 만약 척추골절이 발생하면 압박의 정도를 최소한으로 줄이기 위하여 척추성형술 등을 시행할 수 있다.

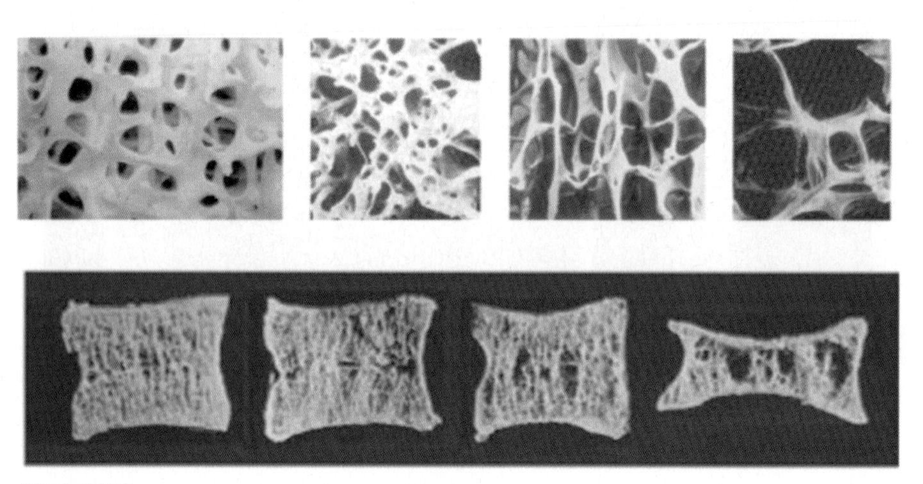

그림 6-1-6 ▸ 해면골의 미세구조 변화와 척추골절의 진행도

판상의 해면골은 막대 모양으로 변하고 더 진행되면 수평골주가 소실되며 최종적으로 수직골주마저 소실되어 압박골절이 진행된다.

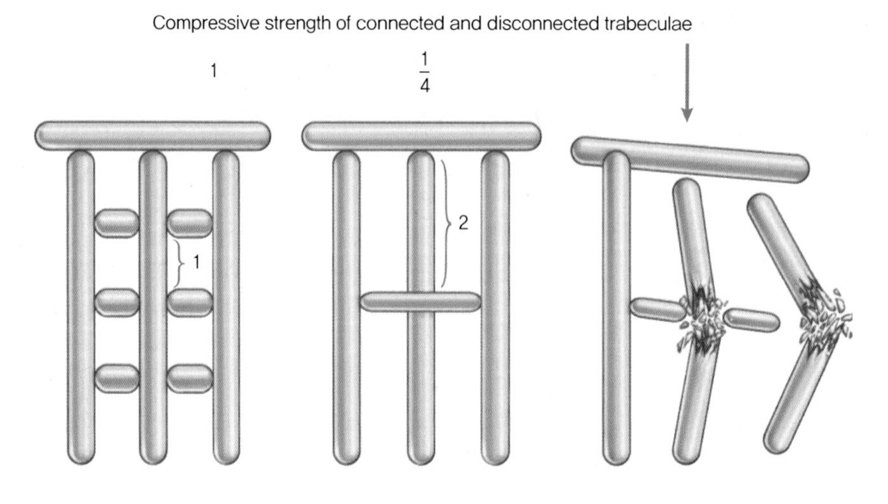

그림 6-1-7 ▸ Euler의 critical buckling stress

수평골주간의 거리가 2배로 증가하면 수직 압박력에 대한 저항은 1/4로 감소된다.

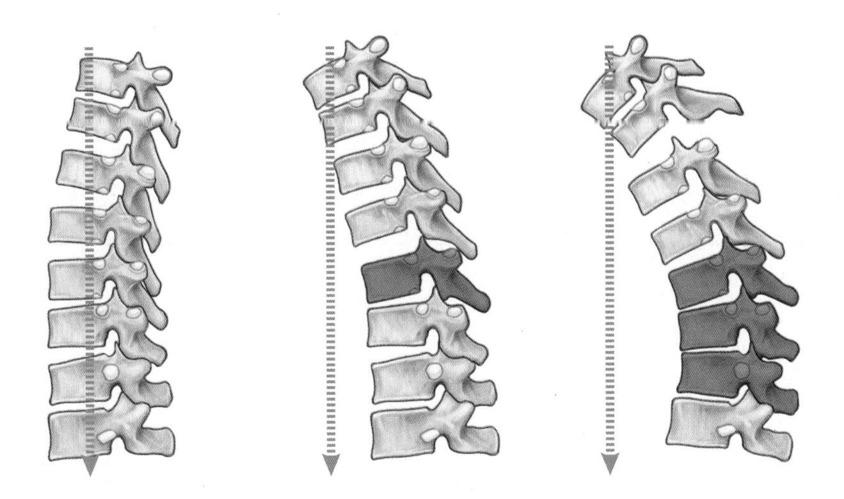

그림 6-1-8 ▸ 다발성 척추골절 모형

한 개의 척추가 골절되면 무게중심이 앞으로 이동하며 인접 척추의 재골절이 촉발되기 때문에 첫번째 골절을 막는 것이 매우 중요하다.

생역학의 임상적 응용

1. 골절치유

골절 치유 실험에서 치유 강도는 가골 반지름의 네제곱에 비례하기 때문에 가골 형성 과정은 매우 중요하다. 비스포스포네이트는 골재형성 과정을 억제하는데 가골에서 일어나는 연골내골화를 방해하는지에 대한 여러 가지 실험이 진행되었다. 결론적으로 비스포스포네이트는 임상적 골유합 시기까지는 골치유가 지연되지 않으며 비록 가골에서 연골내골화 과정 중 석회화된 연골조직의 제거를 지연시키지만 가골 반지름의 증가로 외력에 대한 저항력에는 큰 차이가 없다(그림 6-1-9). 즉 물질의 형질에는 다소 결함이 있으나 그 크기로 보정하여 결과적으로 큰 차이를 보이지 않으나 고용량을 사용한 동물 실험에서는 골절 치유가 지연되고 불유합을 일으킬 위험이 높은 것으로 보고되고 있다. 또한 장기간의 비스포스포네이트 사용은 골내 비스포스포네이트 농도를 증가시켜 골강도를 감소시킬 수 있으며 골형성부전증(osteogenesis imperfecta)의 치료로 파미드로네이트를 장기간 투여한 환자의 경우 교정절골술의 치유가 지연되었다고 한다.

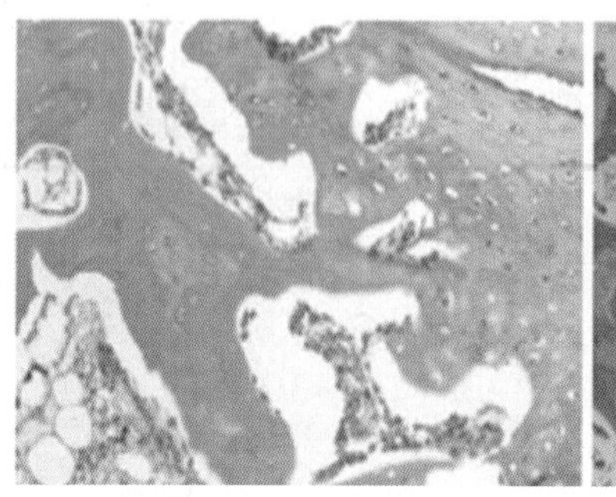

대조군

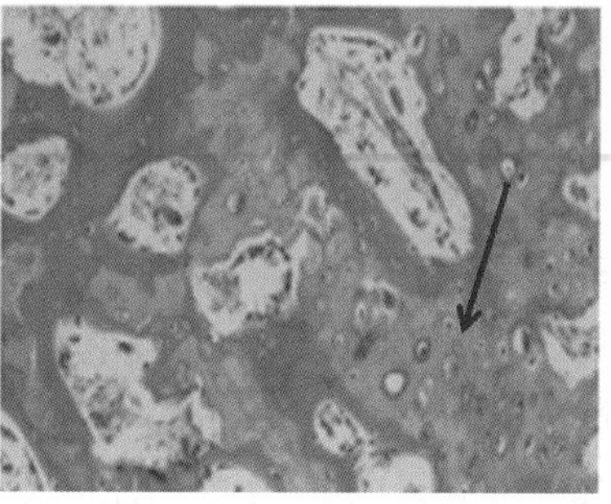

비스포스포네이트 치료군

그림 6-1-9 ▶ 비스포스포네이트 사용과 골절 치유과정의 차이

비스포스포네이트제제는 연골내골화 과정 중 석회화된 연골조직의 제거를 지연시키지만 가골 반지름의 증가로 외력에 대한 저항력에는 차이가 없다. 우측 사진의 석회화된 연골이 연골내 골화 과정에서 제거되지 못하고 가골속에 남아 있는 곳을 표시하고 있다.

2. 골절 위험도

일반적으로 건축물은 하중의 5배를 견딜 수 있도록 설계된다고 한다. 즉 골절 위험도는 실제하중/설계하중으로 표시되며 정상인 경우에는 0.2이다. 정상적인 척추는 몸무게의 5배에 해당하는 하중을 견딜 수 있다. 그러나 골다공증 환자가 단순히 몸을 앞으로 구부리는 것만으로도 지렛대의 작용으로 골절 위험도가 1에 가까워지며 물건을 양손으로 들고 허리를 갑자기 펼 때는 골절 위험도가 그 이상이 되어 척추 압박골절이 발생한다. 따라서 바닥에 있는 물건을 들 때는 반드시 무릎을 구부린 상태에서 물건을 몸에 붙여서 들어 올려야 한다(그림 6-1-10).

그림 6-1-10 ▶ 바닥에 있는 물건을 들어올릴 때의 올바른 자세

3. Hip axis length

Hip axis length가 길어지면 낙상 시에 지렛대의 원리에 의하여 큰 힘이 집중되는데 이것은 벽에 고정된 핀이 하중으로 인하여 휘는 정도는 그 길이의 세제곱에 비례하는 원리로 잘 설명된다. 따라서 hip axis distance가 긴 환자는 낙상 시 골절을 일으킬 위험이 상대적으로 더 높다.

4. 골절후 골소실

뼈는 정상적인 하중이 작용해야만 골강도를 유지할 수 있으며 외력이 작용하면 골세포는 세관(canaliculi)을 통해서 인접 조골세포에 신호를 전달하여 응력이 작용하는 곳에 새로운 해면골이나 하버시안계를 구축하도록 유도한다. 따라서 골절로 인하여 정상적인 체중 부하가 어려운 경우에는 급속한 골소실이 생기며 골유합 후 지속적으로 하중을 부가해도 원상태로 되돌리기가 쉽지 않다. 따라서 골절 환자의 골소실을 억제하기 위하여 비스포스포네이트제제의 투여가 바람직하다(그림 6-1-11). 최근의 보고에 의하면 부갑상선 호르몬을 하루에 한번씩 투여하면 골세포에서 스클레로스틴의 분비를 억제시키며 이는 wnt 신호 전달 체계의 음성되먹임(negative feedback)을 억제하여 결과적으로 골형성을 증가시키는 것으로 보고하고 있다.

스클레로스틴은 체중부하가 일어나지 않을 때 골세포에서 분비가 증가되기 때문에 부갑선호르몬은 골다공증이 심한 골절환자에서 침상 가료가 길어질 때 이론적으로 강점이 있다.

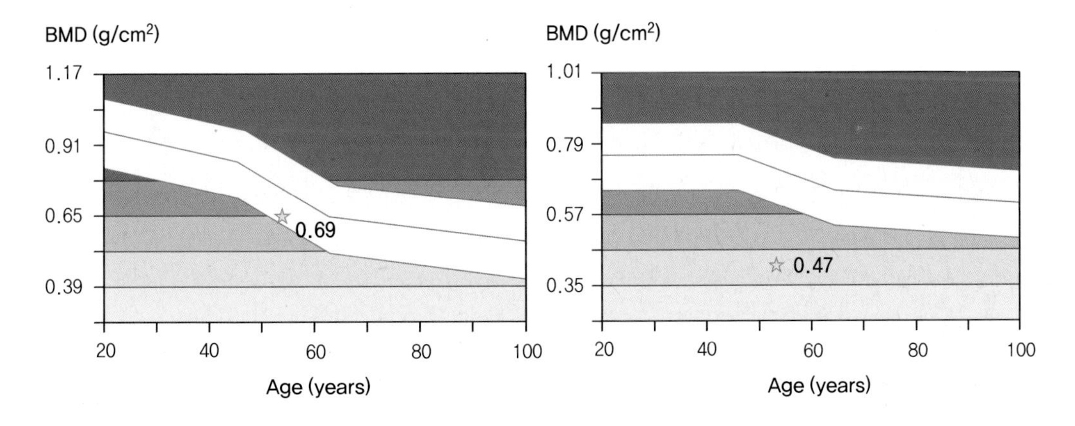

그림 6-1-11 ▸ 골다공증 골절로 침상 가료를 했던 환자의 골절 직후와 6개월 후 요추 골밀도

참고문헌

1. 박진오, 장준섭, 양규현 등. Disodium pamidronate가 외고정핀의 고정 강도와 골절 치유에 미치는 영향. 대한골대사학회지 2003;10:79-87.
2. Beck TJ, Oreskovic TL, Stone KL, et al. Structural adaptation to changing skeletal load in the progression toward hip fragility: the study of osteoporotic fractures. J Bone Miner Res 2001;16:1108-19.
3. Bell GH, Dunbar O, Beck JS, et al. Variations in strength of vertebrae with age and their relation to osteoporosis. Calcif Tissue Res 1967;1:75-86.
4. Black DM, Kelly MP, Genant HK, et al. Bisphosphonates and fractures of the subtrochanteric or diaphyseal femur. N Engl J Med 2010;362:1761-71.
5. Cao Y, Mori S, Mashiba T, et al. Raloxifene, estrogen, and alendronate affect the processes of fracture repair differently in ovariectomized rats. J Bone Miner Res 2002;17:2237-46.
6. Chapurlat RD. Odanacatib: a review of its potential in the management of osteoporosis in postmenopausal women. Ther Adv Musculoskel Dis 2015;7:103–9. DOI: 10.1177/759720X15580903.
7. Edwards BJ, Bunta AD, Lane J, et al. Bisphosphonates and Nonhealing Femoral Fractures: Analysis of the FDA Adverse Event Reporting System (FAERS) and International Safety Efforts: A Systematic Review from the Research on Adverse Drug Events And Reports (RADAR) Project. J Bone Joint Surg [Am] 2013;95:297-307.
8. Lenart BA, Neviaser AS, Lyman S, et al. Association of low-energy femoral fractures with prolonged bisphosphonate use: a case control study. Osteoporos Int 2009; 20:1353-62.
9. Kim S, Yang KH, Lim HS, et al. Detection of Prefracture Hip Lesions in Atypical Subtrochanteric Fracture with Dual-Energy X-ray Absorptiometry Images. Radiology 2014;270:487-95.
10. Mashiba T, Turner CH, Hirano T, et al. Effects of suppressed bone turnover by bisphosphonates on microdamage accumulation and biomechanical properties in clinically relevant skeletal sites in beagles. Bone 2001;28:524-31.
11. NIH Consensus Development Panel on Osteoporosis Prevention, Diagnosis, and Therapy. Osteoporosis prevention, diagnosis, and therapy. JAMA 2009;285:785-95.
12. Parfitt AM. Implications of architecture for the pathogenesis and prevention of vertebral fracture. Bone 1992;13:S41-7.
13. Sarkar S, Mitlak BH, Wong M, et al. Relationships between bone mineral density and incident vertebral fracture risk with raloxifene therapy. J Bone Miner Res 2002;17:1-10.

14. Schilcher J, Koeppen V, Aspenberg P, et al. Risk of atypical femoral fracture during and after bisphosphonate use: Full report of a nationwide study. Acta Orthopaedica 2015;86:100-7.

15. Seeman E. The structural and biomechanical basis of the gain and loss of bone strength in women and men. Endocrinol Metab Clin North Am 2003;32:25-38.

16. Shane E, Burr D, Abrahamsen B, et al. Atypical Subtrochanteric and Diaphyseal Femoral Fractures: Second Report of a Task Force of the American Society for Bone and Mineral Research. J Bone Miner Res 2014;29:1–23.

17. van der Linden JC, Homminga J, Verhaar JA, et al. Mechanical consequences of bone loss in cancellous bone. J Bone Miner Res 2001;16:457-65.

18. van Staa, Leufkens HG, Cooper C. et al. Does a fracture at one site predict later fractures at other site? A British cohort study. Osteoporos Int 2002;13:624-9.

19. Zioupos P, Currey JD. Changes in the Stiffness, Strength, and Toughness of Human Cortical Bone with Age. 1998;22:57–66.

6-2 골다공증 골절의 손상기전, 진단과 치료원칙

장재석

전 세계적으로 고령의 인구가 지속적으로 증가하고 있으며, 특히 우리나라는 증가 속도가 매우 빠르다. 그래서 곧 고령화 사회에서 고령사회로 진입하고, 2026년에는 65세 이상의 고령 인구가 20% 이상인 초고령화 사회가 된다고 한다. 이에 따라 서양에서는 골다공증 고관절골절의 증가율이 주춤한 것과는 대조적으로 고관절골절이 계속 증가하고 있다.

골다공증의 가장 큰 합병증은 골절이다. 그래서 골다공증의 치료 목표는 골절의 예방이다. 이 점을 고려하면, 골다공증 환자에서 골절이 발생한 것은, 골다공증에 대한 치료를 실패한 것이라고 할 수 있다. 그러나 골다공증 골절이 발생하면, 또 다른 부위의 골격에서 골절이 발생할 가능성이 매우 높으므로 골다공증 치료를 실시하여 다음 발생하는 골절을 예방하여야 한다. 그리고 고령의 여성들 중에는 자신이 골다공증 환자인 것을 모르고 있으며, 골절이 발생한 후에 골다공증을 알게 되는 경우가 많다. 이것은 골절이 발생하기 전에는 증상이 없는 것이 골다공증의 특징 중에 하나이기 때문이다. 우리나라 50세 여성이 평생 동안에 골다공증 골절이 발생할 확률은 56%로 매우 높고, 골다공증 골절로 인한 경제적, 사회적 손실이 매우 크므로 골다공증 골절의 예방은 매우 중요하다. 남성은 여성만큼 골다공증 골절이 많지 않지만, 50세 이상의 남성 중 약 5명중 1명은 평생에 골절을 경험하며, 고관절골절에서 여성보다 사망률이 높다.

고령의 골다공증 치료에서 장기간 고정을 하는 방법으로 치료하는 경우에는 근육이 위축되고, 골다공증은 더욱 악화되며, 관절 강직이 오고, 욕창이 발생할 수 있다. 이 보다 더욱 심각한 것은 혈전색전증이 발생하는 것이며, 폐색전증으로 사망할 수도 있다. 이러한 합병증을 피하는 방법은 빨리 거동을 하는 것이므로, 고령에서는 수술로 골절을 안정적으로 내고정하고, 조기에 재활 치료하는 방법으로 치료하게 된다.

손상기전

골다공증에서는 골량의 저하로 골의 강도가 저하되어 있다. 특히 해면골에서 골량의 감소가 심각하고, 해면골의 강도 저하가 피질골에 비하여 심하다. 그러므로 골다공증 골절은 해면골이 많은 골간단이나 척추에서 발생한다. 즉 근위 대퇴골, 원위 요골, 척추 및 근위 상완골에서 골절이 주로 발생한다. 골의 강도가 저하되어 있으므로 심한 외상이 아니고, 서 있는 높이 또는 그 이하에서 넘어지는 정도의 외상으로 발생하는 골절을 골다공증골절이라고 정의한다. 작은 외상으로 발생하지만, 골의 강도가 약하므로(골의 반경은 커지지만 피질골의 두께는 얇아짐) 여러 조각의 골절편을 갖는 분쇄 골절이 잘 발생한다. 한편 외상이 작으므로 X-선 촬영에서 골절선을 잘 관찰되지 않는 골절 형태도 있다.

골다공증 골절의 위험 인자는 낮은 골밀도, 골다공증 골절의 병력 또는 가족력, 저체중, 흡연 등이 있으며, 낙상이 잘 발생하는 경우가 포함된다. 낙상이 쉽게 발생하는 경우는 치매, 균형 감각의 저하, 신경정신과 약물 복용, 뇌졸중, 활동량이 매우 적은 경우 등이 있으며, 비타민D 결핍과 근감소증도 포함된다. 그리고 어두운 조명, 보행에 방해되는 가구, 미끄러운 욕실, 결빙 및 적설과 같은 환경적 요인도 관계된다(표 6-2-1).

표 6-2-1 ▸ 낙상의 위험인자

환경적 요인	어두운 조명 보행에 방해되는 물건, 가구 미끄러지기 쉬운 목욕실, 양탄자 결빙, 적설
내과적 위험요인	고령, 여성 저시력, 부정맥, 요실금 낙상력 기립성 저혈압, 기동 및 체위변동 제한 진정제(마약성 진통제, 항경련제, 향정신성 약물 등) 우울증, 불안, 인지능력 저하 영양실조, 비타민D 결핍
신경근육성 위험요인	평형감각 실조 근력 약화 척추기형

1) 낙상

낙상은 고관절골절을 일으키는데 매우 크게 관여하여 90% 이상의 골절이 낙상에 의하여 발생된다. 그리고 낙상은 근력 약화와 연관된다. 80세 이상에서 골흡수억제제로 골밀도의 증가를 보이지만 약제만으로는 골절은 줄이지 못한다는 보고는 낙상이 골밀도와는 무관하게 골절과 관계 있는 것을 의미하고, 낙상의 중요성을 보여주는 것이다. 65세 이상에서는 30%에서, 80세 이상에서는 40-50%에서 1년에 한 번 이상 낙상을 경험한다고 한다. 그러나 모든 낙상이 골절을 발생하는 것이 아니며, 약 10 - 15%에서 심각한 손상을 일으키고, 5%에서 골절이 발생하며, 고관절골절은 1-2%에서 발생한다고 한다. 그리고 한번 넘어지는 환자보다 자주 넘어지는 환자에서 골절이 발생할 가능성이 약 4배정도 높다. 낙상이 골절의 발생에 매우 중요하지만, 낙상을 평가하는 표준화된 대단위 연구 및 자료가 아직 없으며, 이 때문에 WHO에서 제정한 10년 내 골절 위험도(FRAX)를 산출하는 위험 인자 중에 낙상이 포함되지 않았다.

낙상의 형태에 따라 골절의 양상에 차이가 있다. 덜 활동적인 사람이 집안에서 서 있는 높이에서 천천히 앞으로 나아가는 넘어지는 경우에 고관절골절이 잘 발생한다. 특히 옆으로 넘어져 대퇴전자 부위로 충격이 가해지게 되면 근위 대퇴골골절이 잘 발생한다. 반면에 활동적인 분이 야외에서 빠르게 전진하면서 넘어지는 경우에는 손목이나 상완골 근위 골절이 잘 발생한다. 낙상은 겨울에(특히 눈이 왔거나, 길이 빙판일 때) 많이 발생한다. 고관절골절도 겨울에 많이 발생하는 경향이지만, 요골 및 상완골 골절만큼 계절적으로 큰 차이를 나타나지 않는다. 이는 대퇴골골절은 주로 실내에서 넘어져서 발생하는 경우가 많기 때문이다.

낙상으로 통증이 발생하면 거동을 많이 하지 못하므로 골다공증은 악화된다. 이와 함께 환자는 낙상에 대한 두려움이 발생하는 것도 큰 문제점이다. 낙상 후 약 30%의 환자는 낙상에 대한 두려움이 발생하여 활동을 자제하려고 하므로 골다공증 및 근력저하가 심해지는 악순환이 발생하며, 삶의 질이 저하된다.

2) 근감소증

근감소증에 의한 근력의 저하와 낙상과 매우 관계가 깊다. 고령에서 골다공증이 발생하는 것과 함께 근감소증도 오게 된다. 그리고 제2형 근섬유(fast muscle fiber)의 감소가 두드러지므로 넘어질 때 균형을 잡는 빠른 동작에 문제가 있으므로 낙상이 잘 발생하고, 골절도 잘 발생하게 된다. 골다공증과 마찬가지로 일차성 근감소증은 연령에 의한 것이며, 다른 원인에 의한 근감소증을 이차성 근감소증이라고 한다. 최근 유럽 근감소증 연구 기관에서(European Working Group on Sarcopenia in Older People ;EWGSOP) 근감소증에 대하여 근육의 감소 뿐 아니라 근력의 감소와 기능 저하가 동반하는 것으로 정의를 내리고 있으며, 근육의 기능은 근력과 신체 수행 능력으로 평가하였다. 그러므로 근육의 양을 측정하여 저하되었어도 근육의 기능이 정상이라면 근감소증이라고 할 수 없다. 근감소증에는 3단계로 나눌 수 있다. 근육양만 저하된 경우가 1단계이며, 근감소증의 전단계(pre-sarcopenia)라고 할 수 있다. 2단계는 근육의 양이 저하되었고, 근력의 저하 및 신체 수행 능력(muscular physical performance)중 하나가 저하된 경우이며, 3단계는 3가지가 모두 저하된 경우로 제일 심각한 상태이다. 근력은 대개 꽉지기강도 (grip strength)로 측정하고, 신체 활동은 걸음 속도로 판단하게 된다. 걸음 속도가 초당 0.8m 이하이면 근육의 양을 측정하게 되고, 걸음 속도가 초당 0.8m 이상이면 꽉지기강도를 측정한다. 꽉지기강도가 정상이면 근감소증이 아니며, 꽉지기강도도 저하되었으면, 근육 양을 측정하고 저하되었으면 근감소증으로 진단하며, 근육 양이 정상이면 근감소증이 아니라고 판정하게 된다. 그러나 아직 근감소증의 정의, 근력 감소의 적용 기준 등이 확실하지 않고, 발병 율에 대한 보고도 큰 차이를 보이며, 앞으로 이에 대한 논의가 필요하다.

3) 부전골절(insufficiency fracture)

골격의 강도가 매우 저하된 경우에는 외상이 없이 골절이 발생할 수 있으며, 이를 부전골절이라고 부른다. 골반골에서, 특히 천골과 치골에서 가장 잘 발생하며, 대퇴골 근위부와 척추에서 많이 관찰된다. 가장 흔한 원인은 심한 골다공증과 골연화증이다. 이외에 부갑상선항진증, 류마티스관절염, 신부전증(CKD), 방사선 치료후, 스테로이드 사용 등이 있다. 천추 골절은 X-선상 관찰하기가 힘들다. 환자는 주로 요통이라고 호소하므로 척추 협착증같은 척추 질환으로 오인하는 경우가 종종 발생한다. 골주사 검사(bone scan)에서 음영이 매우 증가되어 확인할 수 있으며, 천골에 H형태를 보일 수 있고, 치골지에 취약 골절이 동반된 경우도 있다. MRI에서는 골수 부종에 의한 신호 강도의 차이도 알 수 있으며, X-선에서는 보이지 않던 골절선이 확인된다. 대부분의 취약 골절은 보존적 가료로 잘 낫는다. 최근에 척추 골절에 골시멘트를 이용한 척추성형술과 같은 방법으로 천골 골절이나 요골 골절에 골시멘트를 삽입하여 골절의 움직임을 없게 하여 통증을 완화하고, 거동을 빨리 시키는 치료 방법을 시도하고 있다.

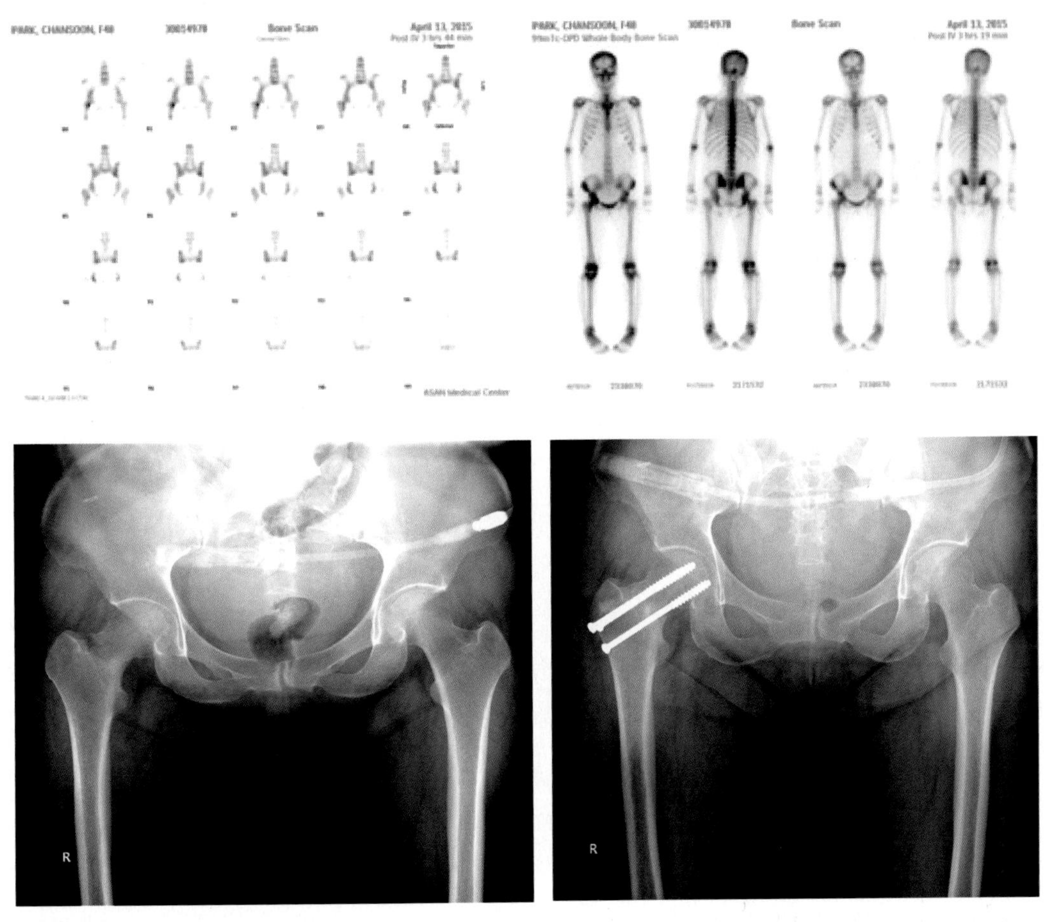

그림 6-2-1 ▸ 골다공증의 취약골절

복막투석을 하는 48세 여자환자로 우측 고관절 통증을 호소하여 내원하였으며, 외상의 경력은 없었다. X-선(A) 및 골주사 검사(B)에서 우측 대퇴골 경부의 하부에 부전골절이 의심되었다. 6주 후에는 대퇴골 경부 상부의 골절선이 확인되고(C) 골절 간격이 벌어지는 경향을 보였다(D). 3개의 나사못으로 고정을 실시하였으며, 벌어진 골절 간격은 좁혀지지 않아서 골이식을 실시하였음(E). 3개월 후의 X-선상 골절은 유합되고 있다(F).

가장 문제가 되는 골절은 대퇴골 경부의 부전골절이다. X-선 촬영에서 골절선이 나타나지 않기 때문에 진단이 늦어지는 경우가 많다. 그러나 골절의 전위가 발생하면, 간단한 내고정 수술로 치료할 수 있는 골절이 인공관절로 치환하는 큰 수술로 변할 가능성이 크다. 그러므로 고령의 골다공증이 심한 환자에서 서혜부 동통이 있는 경우에는 대퇴골경부골절을 의심하여야 한다. 대퇴골경부의 부전골절은 불완전 골절로 골절선이 대퇴골경부의 상부 또는 하부에 발생할 수 있다. 대퇴골경부 하부에 발생한 불완전 골절은 체중 부하로 압박하는 외력을 받으므로 안정적 골절에 속하는데, 이와 같은 형태는 젊은 연령(훈련중의 군인 또는 운동 선수 등)에서 발생하는 경우가 많다. 한편 고령의 부전골절에서는 대퇴골경부 상부에 발생하고, 골절선이 수직에 가까워서 전위가 발생하기 쉽고, 전위되면 내고정하는 방법으로 치료하기 힘든 형태의 불안정한 골절이 되는 경향이다. 그리고 전위가 되면 대퇴골두의 무혈성괴사가 발생할 수 있다. 그러므로 빨리 진단하여 3개의 나사못으로 전위가 되지 않게 간단히 고정하는 방법으로 치료하는 것이 좋다(그림 6-2-1).

진단

집안에서 미끄러져 넘어지는 외상력이 있으면서 통증을 호소하여 병원에 내원하면, 통증이 있는 부위를 중심으로 X-선 촬영을 실시하게 되며, 골절선을 확인하게 되면 진단을 내리게 된다. X-선 촬영은 전후면과 측면 사진을 찍는다. 고령에서는 골조직으로 전이하는 종양에 의하여 병적 골절이 발생할 수 있다. 병적 골절은 X-선 촬영으로 진단하기 힘든 경우가 많으며, 문진이 가장 중요하다. 과거에 종양 제거술이나 치료를 받은 경력을 알아야 하고, 방사선 치료 여부도 파악하여야 한다. 방사선 조사에 의한 취약 골절의 가능성도 있으며, 골절은 유합이 늦기도 하고, 불유합이 되는 경우도 있다.

약 2%에서는 X-선상 골절선을 확인할 수 없을 수 있다. 이 경우에는 동위원소를 이용한 골주사 검사(bone sacn)로 골절을 확인할 수 있다. 그러나 외상 후 48시간 ~ 72시간이 경과되기 전에 실시하면 음성으로 나올 수도 있다. 가장 확실하게 알 수 있는 방법은 MRI촬영이다. 골절 부위에 골수 부종과 함께 골절선을 확인하기 쉽고, 전이된 종양으로 골조직이 파괴되거나 골막 및 연부조직의 이상을 확인하여 병적 골절을 진단할 수 있다. 그리고 골밀도검사를 실시하여 골다공증 정도를 파악한다. 이와 함께 골다공증 약물 투약 경력 및 골교체율, 비타민D, 신기능 등에 대한 혈액 검사를 실시하고, 필요하면 이차성 골다공증에 대한 검사도 실시한다.

치료원칙

모든 골절의 치료 원칙은 다음과 같다. 우선 전위된 골절은 정복(reduction)을 하여 골절 유합이 잘 이루어지고, 골절 유합후 정상적인 기능을 갖는 골절 형태가 되게 하는 것이다. 2단계는 정복된 상태를 유지하는 것이다. 유지 기간은 연령 및 골절 부위에 따라 차이가 있다. 해면골이 풍부한 부위는 골절 유합 기간이 짧고, 피질골은 길기 때문이다. 마지막 3단계는 재활 치료로 골절되기 전 상태로 회복하는 것이다. 골다공증 환자는 고령이라는 점에서 치료 과정에서 젊은 연령의 환자와 다른 점이 있다. 우선 진단을 잘 내려야 한다. 취약 골절은 X-선 촬영으로 골절선이 관찰되지 않는 경우가 있다. 낙상과 같은 외상이 있는 경우가 많지만, 확실한 외상이 없는 경우도 있다. 통증을 호소하는 부위의 골절이 의심되는데 X-선은 정상인 경우에 골절이 없다고 단정을 내리지 못하고, 골주사 검사, CT 또는 MRI 검사를 실시하여 확인하여야 한다. 이러한 검사를 실시하지 못하는 경우에는 며칠 후에 X-선 촬영을 다시 실시하여야 하며, 이때에는 골절선이 나타나기도 한다. 고령에서는 악성 종양이 전이된 부위에 골절이 발생할 수 있다. 종양에 대한 과거력을 묻고, MRI 등을 고려하여야 한다.

고령에서는 거동을 못하면 골절후 내과적 합병증(폐색전증, 폐렴, 요로감염, 욕창 등)이 발생하며, 사망까지 할 수 있다. 이를 예방하기 위해 조기 거동을 하는 방법으로 치료하여야 한다. 그래서 고관절골절에서는 전위가 없는 안정 골절에서도 안정가료를 하지 않고, 수술로 내고정하여 곧 거동을 하게한다. 최근에는 평균 수명이 길어지면서 고령에서도 정상적 신체 기능을 원하는 경향이다. 이에 따라 골절 치료 방법에 변화를 가져왔다. 대표적인 예는 요골 원위부 골절이다. 요골 원위부는 해면골이 풍부하여 골다공증 골절이 잘 발생하고, 골절은 잘 유합하는 특징이 있다. 그래서 고령에서는 통상적으로 석고 붕대 고정으로 치료를 하였고, 부정유합(malunion)이 발생하여도 크게 상지의 기능에는 지장이 없는 것으로 여겨져 왔다. 그러나 최근에는 많은 노인들이 기구를 다루는 세밀한 손동작을 정상적으로 하기를 원하게 되었다. 그래서 전위된 골절은 수술하고 내고정하여 부정 유합이 없이 정상 기능을 하는 방향으로 치료하게 되었다.

1) 골다공증 골절에 대한 수술 방법과 내고정물의 발달

점차 심한 골다공증 환자들이 증가하면서 내고정하는 수술 방법과 기구들이 개발 되었다. 과거에는 골절편이 많은 골절에서도 최대한 골편을 잘 맞추고(anatomic reduction), 강력한 압박고정으로 골절 부위에는 움직임이 전혀 없는 방법으로 수술을 실시하였다. 이때에는 골절 부위에 가골이 형성되지 않으면서 골절 유합이 이루어진다. 그러나 이와 같은 방법으로 수술을 실시하면 연부조직 손상을 주게 되고, 골절 부위의 혈액 공급이 차단될 가능성이 높다. 그리고 이에 따른 불유합 및 감염이 오기 쉽다. 최근에는 골절 부위의 혈전을 그대로 유지하고, 혈전에서 형성하는 가골을 이용하여 골절 치료하는 방법이 각광을 받고 있다. 대표적인 예가 골수정 삽입술이며, 금속판도 골절부위에서 먼 부위를 절개하고 금속판을 골막보다 위에 위치하게 하면서 삽입한다. X-선을 이용하여 정복할 뿐 아니라, 나사못 고정도 실시하는 방법으로 수술을 실시한다. 이는 골절 부위에 완전한 안정(absolute stability)를 주는 것이 아니고, 부분적 안정(relative stability)를 주는 것이며, 골절 부위의 가골을 형성하게 한다.

이와 함께 골다공증 골절에 대한 수술시 사용되는 나사못의 고정은 골밀도와 관계되므로 골다공증골절에서는 나사못 고정의 실패가 많다. 이를 극복하기 위한 수술 방법과 내고정물이 개발되었다. 골절을 정복할 때, 해부학적 정복보다 더욱 안정되게 정복하는 방법을 시도한다. 골절 부위를 감입(impaction)시켜 골절 부위를 더욱 안정되게 하거나, 대퇴 경부 및 전자부 골절에서 외반(valgus) 형태로 정복하여 체중 부하시 골절 부위에서 전단력보다 압박하는 형태가 되게 하는 방법이다. 고정물이 고정하는 부위에(예를 들면, 압박고나사가 고정하는 대퇴 골두 부위) 골시멘트를 삽입하여 내고정물의 고정을 매우 안정되게 하는 방법도 있다. 그래서 대퇴 경부 골절에서는 내반형 감입골절로 응급실에 내원한 환자는 해부학적 정복을 시도하지 않고, 안정적인 내반 형태를 유지하면서 내고정(in-situ pinning)한다. 그리고 내고정물이 넓게 받쳐주는(buttressing) 형태의 내고정물이거나, 긴 내고정물을 사용할 수 있고, 잠김 금속판을 사용할 수 있다. 통상적으로 사용하는 금속판은 나사못이 골조직을 파고들면서 고정하고, 나사의 두부(head)는 금속판을 누르면서 골조직에 밀착시키는 것이다. 이때 나사의 두부와 금속판은 마찰력에 의하여 고정된다. 골다공증으로 나사못이 고정력을 상실하면, 나사의 두부와 금속판의 마찰력에 의한 고정도 약화되어 결국 내고정의 실패가 온다. 이에 반하여 잠금 나사못은 나사못 두부에도 나사로 되어 있고, 이에 맞게 제작된 잠금 금속판은 나사못 두부의 나사로 고정된다. 이는 마치 금속판과 나사못이 한 덩어리인 형태가 되며, 나사못과 골조직의 해리가 곧 금속판과 나사의 고정 실패가 되지 않는다. 그러므로 골다공증 골절을 내고정할 수 있는 획기적인 내고정물로 현재 사용되고 있다(그림 6-2-2). 그리고 대퇴 전자부 골절에 사용하는 압박고나사에서 대퇴 골두에 삽입하는 고나사의 형태를 나사에서 나선형 칼날(helical blade)형태로 바뀐 내고정물이 골다공증 환자에서 고정력이 탁월하여 사용되고 있다. 그리고 대퇴골두에 골시멘트를 삽입할 수 있게 나선형 칼날에 작은 구멍을 길게 만들어 사용하는 제품이 소개되고 있다.

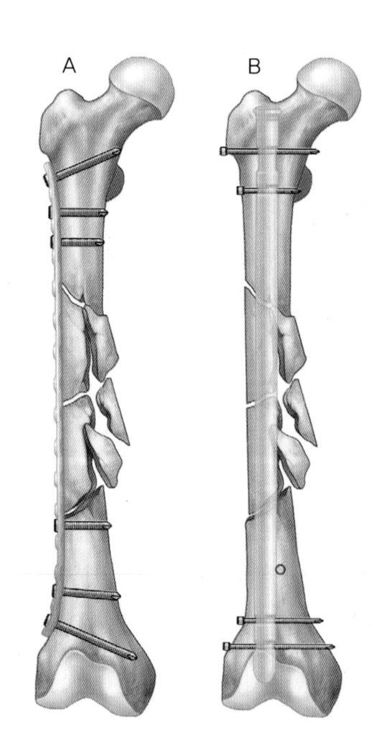

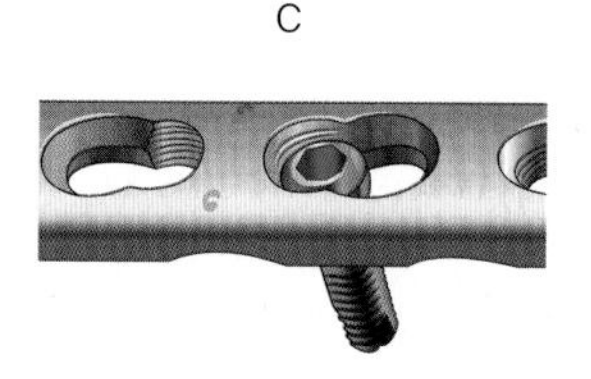

그림 6-2-2 ▶ 대퇴골골절의 고정

우측 대퇴골골절에 대하여 잠금 나사를 이용한 금속판(A)과 골수정(B)으로 내고정한 모식도이다. 골절 부위는 절개하지 않으므로 혈종에서 가골이 형성된다. 잠금 금속판은 양측 끝 부위에 잠금 나사로 고정하며, 잠금 나사의 두부에도 나사로 되어 있고, 이와 맞물리는 금속판의 나사와 고정되어 금속판과 나사는 한 덩어리와 같은 형태가 된다(C). 고정력이 뛰어나서 골다공증 골절에 이용한다.

2) 골다공증 골절후 관리

골다공증 골절 후에는 통증으로 거동을 못하여 발생하는 합병증으로 사망할 수도 있다. 그러므로 동반된 내과 질환의 악화 및 혈전증과 같은 새로운 합병증의 발생 여부를 파악하고, 이에 대한 치료를 하여야 한다. 그리고 골절에 대하여 주기적인 X-선 검사를 실시하여 골절이 순조롭게 치유되는 것을 확인하며, 동시에 관절운동, 근력 강화 및 보행 연습과 같은 재활 치료를 단계적으로 실시한다. 이와 함께 골절이 또 발생하는 것을 예방하는 치료를 하여야 한다. 여기에는 골다공증 치료와 낙상을 예방하는 치료이다. 골다공증 약제가 골절을 40% 정도 감소시킬 수 있으므로, 위장 장애 및 혈전증 여부 등을 파악하여 환자 개개인에게 적합한 골다공증 약제를 처방한다.

3) 이차 골절의 예방

골다공증 골절후 이차 골절의 발생 위험이 높다. 폐경 전후 여성에서 골절 후에는 골절이 없었던 환자에 비하여 이차 골절이 발생할 가능성이 2배 높다. 이차 골절은 처음 골절 부위의 반대편에 많이 발생한다. 척추 골절후 다시 척추 골절이 발생할 가능성은 4배로 다른 부위에 비하여 높다. 그러므로 골절후 골다공증 검사와 적극적 치료로 이차 골절의 예방이 필요하지만, 전 세계적으로 골절후 골다공증의 진단과 치료는 불충분하다. 골다공증 골절 환자는 고령으로 동반 질환이 많으며, 이로 인하여 마취 및 수술 후 회복에 많은 신경을 쓰게 되는데, 이때 골다공증 치료를 소홀히 할 수 있다. 그리고 환자들 중에는 골다공증에 대한 치료를 중요하게 여기지 않고, 도중에 치료를 포기하는 경우가 있다.

우리나라에서도 고관절골절후 골밀도검사를 36.4%에서 실시하고, 골다공증 약제 투여는 불과 23.1%에서 실시한 보고가 있으며, 서양에서도 약제 처방률이 5 - 32%로 매우 낮다. 손목 골절 후에는 더욱 심각하며, 우리나라에서 골밀도검사는 8.7%, 골다공증 약제 처방은 7.5%에서 이루어졌다.

이러한 문제를 해결하기 위하여 퇴원 후에도 골다공증의 진단과 효과적인 치료를 지속하는 여러 프로그램들이 개발되어 시도되고 있다. 영국, 호주와 유럽에서의 'Fracture Liaison Services', 캐나다에서의 'Osteoporosis Coordinator Programs'과, 미국에서는 'Care Management Program' 들이 있다. 그래서 골다공증에 대한 검사와 약물 복용하는 환자가 증가하고, 결국에는 골다공증 골절을 감소시켜 경제적인 효과와 함께, 환자는 삶의 질이 향상되는 좋은 결과 들이 보고되고 있다. 호주에서는 4년간 실시한 MTFL service로 타 병원에 비하여 이차 골절이 80%되었다고 하고, 캐나다는 OECP로 1년 동안에 이차 골절을 9% 저하시켰다고 한다. 영국은 Glasgow FLS로 보통 30%에서만 실시하던 골다공증 검사를 대퇴골골절 및 손목골절 환자의 95%에서 실시하여 이차 골절을 낮추고, 미국의 Kaiser SCL은 예상되는 이차 대퇴골골절의 37%를 감소하였다고 한다.

FLS (Fracture Liaison Service)는 다섯 단계로 이루어 진다. 첫째는 최근 골다공증 골절 환자를 찾아서 연락하고, 관리하는 그룹(FLS)에 포함시키는 것이 무엇보다 중요하다. 환자를 FLS에 포함하게 하는데 환자와 병실 또는 외래에서 직접 만나서 이야기하는 것이 가장 효과적이며, 편지 또는 1차 진료

담당의에게 부탁하는 방법이 있다. 환자 교육만으로는 골다공증에 대한 검사와 치료를 계속하는 것까지 되기는 힘들다고 한다. 다음은 환자에게 현재 상태와 이차 골절의 가능성 및 골절 위험도의 평가와 이차 골절을 예방에 대하여 교육하는 것이며, 2차 골절의 위험이 큰 환자를 찾는 것이다. 골밀도와 척추 사진 등을 찍고, 낙상 위험도 및 근력을 평가하게 된다. 세번째는 이차성 골다공증 여부 등에 대하여 정확한 진단을 내리는 것이다. 최근 골절환자 4명중 한명에서 이차성 골다공증이라고 한다. 네번째는 골절 위험이 높은 환자에게 적절한 골절 예방 조치를 시작한다. 환자에게 자료를 제공하고, 칼슘과 비타민D를 권하며, 운동하는 습관을 장려하고, 골다공증 약제를 복용하며, 낙상 위험 인자를 제거하여 낙상을 예방하도록 한다. 다섯번째는 지속적인 추시를 하는 계획을 짜서 치료가 유지되게 하며, 치료의 효과도 평가한다. 가까운 장래에 우리나라도 이와 같은 조직을 구성하여 골다공증 골절 환자를 관리하여야 할 것이다.

참고문헌

1. Aizer J, Bolstyer MB. Fracture Liaison Services: Promoting Enhanced Bone Health Care. Curr Rheumatol Rep 2014;16:455.
2. Barrett-Conner E, Sajjan SG, Siris ES, et al. Wrist fracture as a predictor of future fracture in younger versus older postmenopausal women: results from the National Osteoporosis Risk Assessment (NORA). Osteoporosis Int. 2008;19:607-13.
3. Bischoff-Ferrari HA , Willett WC , Wong JB, et al. Prevention of nonvertebral fractures with oral vitamin D and dose dependency: A meta-analysis of randomized controlled trials . Arch Intern Med 2009;169:551–61.
4. Bischoff-Ferrari HA. Prevention of Falls. In: Rosen CJ, editor. John Wiley & Sons;2013. p389-95.
5. Bogunovic L, Gardner MJ. Biomechanical considerations for surgical stabilization of osteoporotic fractures. Orthop Clin North Am. 2013;44:183-200.
6. Christodoulou S, Goula T, Ververidis A, et al. Vitamin D and Bone Disease. Biomed Res Int. 2013;39:6541.
7. Eisman JA, Bogoch ER, Harrington JT, et al. Making the First Fracture the Last Fracture: ASBMR Task Force Report on Secondary Fracture Prevention. J Bone Min Res 2012:27;2039-46.
8. Ha YC, Park YG, Nam KW, et al. Trend in hip fracture incidence and mortality in Korea: a prospective cohort study from 2002 to 2011. J Korean Med Sci 2015;30:483-8.
9. Kammerlander C, Erhart S, Doshi H. Principles of Osteoporotic fracture treatment. Best Practice & Res Clin Rheuma 2013;27:757-69.

10. Kim SR, Park YG, Kang SY, et al. Undertreatment of osteoporosis following hip fractures in jeju cohort study. J Bone Metab 2014;21:263-8.

11. Krestan CR, Nemec U, Nemec S. Imaging of Insufficiency Fractures. Semin Musculoskelet Radiol 2011;15:198–207.

12. Lampropoulou-Adamidou K, Karampinas PK, Chronopoulos E, et al. Currents of plate osteosynthesis in osteoporotic bone. Eur J Orthop Surg Traumatol 2014;24:427–33.

13. Miller AN, Lake AF, Emory CL. Establishing a fracture liaison service: an orthopaedic approach. J Bone Joint Surg Am 2015;97:675-81.

14. Mitchell PJ, Chen C. Secondary prevention and estimation of fracture risk. Best Practice & Research Clinical Rheumatology 2013;27:789–803.

15. Oliveira A, Vaz C. The role of sarcopenia in the risk of osteoporosis hip fracture. Clin Rheumatol 2015;34:1673-80.

16. Omsland TYK, Emaus N, Tell GS, et al. Ten-year risk of second hip fracture. A NOREPOS study. Bone 2013;52:493–7.

17. Park YG, Jang SM, Ha YC. Incidence, Morbidity and Mortality in Patients older than 50 Years with Second Hip Fracture in a Jeju Cohort Study. Hip & Pelvis 2014:26;250-5.

18. Ramachandran M, Little DG. Orthopedic Surgical Principles of Fracture management. In Rosen CJ, editor. John Wiley & Sons; 2013. p527-30.

19. Tejwani NC, Guerado E. Improving Fixation of the Osteoporotic Fracture:The Role of Locked Plating. J Orthop Trauma 2011;25:S56-S60.

6 3 척추골절

문성환

척추골절의 병리

1. 골절의 정의

골절(fracture)이란 뼈의 연속성이 완전 혹은 불완전하게 소실(loss of continuity)된 상태를 말한다. 사지 골절은 대부분의 경우 통증, 압통, 주위 관절 기능 장애 및 변형 등 진찰 소견으로 쉽게 진단할 수 있으나 불완전 골절이나 중심성 골격(척추)의 골절은 영상 진단으로 확진할 수 있다.

골다공증 골절(osteoporotic fracture)와 취약성 골절(fragility fracture) 이라는 용어가 혼용되어 사용되고 있어 규정하고자 한다. 골량이 감소하고 골질이 나빠지면 경미한 외상에도 골절이 발생한다. 통상적으로 골다공증 골절(osteoporotic fracture)라고 부르지만 실제적으로는 정상 골밀도, 골감소의 경우에도 경미한 외상으로 골절이 발생함으로 취약성 골절(fragility fracture) 이라는 명칭을 사용하기도 한다. 골밀도와 상관 없이 고령에서 저에너지 외상으로 발생하는 골절을 골다공증(osteo porotic fracture = fragility fracture) 골절로 범위를 넓혀 사용한다. 특히 2015년 5월 1일 이후 골다공증 골절로 진단 되면 전문 골다공증 치료제를 3년간 급여 처방이 가능함으로 정확한 골다공증 골절의 정의, 범위를 명확히 할 필요가 있다

대한골대사학회 골다공증 골절 위원회에서는 National Osteoporosis Foundation, National Institute for Health and Care Excellence, World Health Organization의 규정을 참고하여 골다공증 골절 범위를 국내 현실에 맞게 발표하였다. 이 기준에 따르면 골다공증 골절은 '50세이상 환자에서 키높이 이하 높이에서 넘어짐, 추락으로 발생한

저에너지 외상에 의해 주요부위(척추, 근위 대퇴, 손목, 근위 상완골) 부차부위(골반 및 천골, 갈비뼈, 원위 대퇴, 원위 상완골, 발목)에서 발생한 골절'로 정의한다(표 6-3-1).

표 6-3-1 ▸ 대한골대사학회의 골다공증 골절에 관한 의견

Age	50 years old or more
Gender	Male and female
Trauma	low- energy, fall from subject's height or below
Major site	Hip, Spine, Distal radius, Proximal humerus
Minor site	pelvis, Sacrum, Ribs, Distal femur, Distal humerus, Ankle
Diagnosis: history, physical examination, Pain radiograph	
In case of occult fracture: computed Tomography(CT), bone scintigraphy(BS), Magnetic resonance imaging(MRI)	

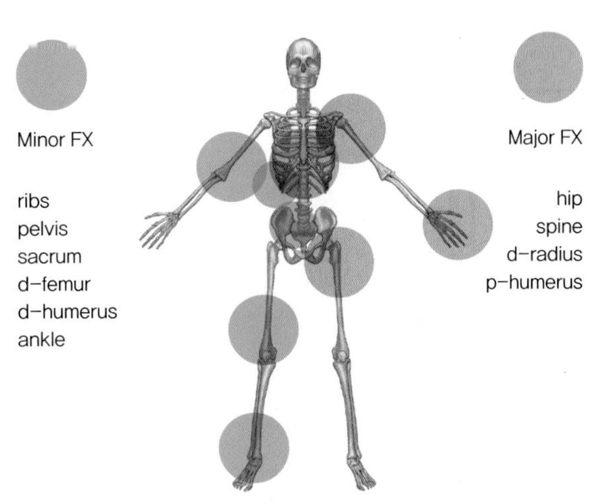

그림 6-3-1 ▸ major and minor osteoporotic (fragility) fracture. Fx: fracture, d: distal, p: proximal

2. 골절위험지수(factor of risk)

골절의 생역학적 원인을 골절위험지수로 요약할 수 있다. 즉 골격이 골절이전에 흡수할 수 있는 하중(골절한계치, failure load)과 그 골격에 가해지는 하중의 비를 의미한다. 골격이 흡수할 수 있는 하중은 그 골격의 골량 및 골질과 밀접한 관계가 있으며 골절위험지수가 1이상이면 가해지는 하중으로 골절이 발생하게 된다. 그러므로 골다공증 골절을 예방하기 위해서는 골밀도를 높이고 골질을 개선시켜 골절한계치를 높이는 방법과 주위 근육 강화, 반사 반응 개선, 대퇴골 보호장구 착용 등으로 골격에 가해지는 하중을 줄이는 두 가지 방법이 있다. 약제의 투여에 의한 골밀도의 증가만으로는 현실적으로 골절 위험도를 현저히 낮추기가 어렵지만 낙상 위험도 감소, 근육 강화, 보조기 착용 등으로 골격에 가해지는 외력을 낮추면 골밀도의 증가와 함께 더욱 효과적인 골다공증 골절의 예방이 될 수가 있다.

3. 위험인자

골다공증 골절의 주 위험인자로는 낮은 골밀도, 골다공증 골절의 병력, 골다공증 골절의 가족력, 저체중, 흡연 등이며 부 위험인자로는 치매, 뇌졸중, 균형감각이상, 신경계 약물 복용, 저 활동량, 과음, 카페인 섭취 등이다. 특히 이전 골절력은 추가 골절 및 이로 인한 사망률도 증가시키는데 척추 및 대퇴골골절 경력은 추가적인 골절 및 사망률을 7~10배 증가 시킨다고 한다.

이러한 골다공증 골절의 위험인자 중 가장 중요한 것은 낙상의 위험도(표 6-3-2)이며 이는 골밀도의 감소와 함께 가장 중요한 위험인자이다.

표 6-3-2 ▸ 낙상의 위험도

Environmental risk factors	• Low level lighting • Loose throw rugs • Lack of assist devices in bathrooms • Slippery outdoor conditions
Medical risk factors	• Age • Arrhythmias • Female gender • Poor vision and use of bifocals • Urgent urinary incontinence • Previous fall • Orthostatic hypotension • Impaired transfer and mobility • Medication (narcotic analgesics, anticonvulsants, psychotropics) causing oversedation • Depression • Reduced problem solving or mental acuity and diminished cognitive skills • Anxiety and agitation • Vitamin D insufficiency [(25(OH)D) < 30 ng/mL (75 nmol/L)] • Malnutrition
Neuromuscular risk factors	• Poor balance • Weak muscles • Kyphosis • Reduced proprioception
Fear of falling	

4. 연령에 따른 요통의 양상

요통은 전 연령군에서 흔히 발생하며 대개는 특별한 치료 없이도 수일 혹은 수주 이내에 증상이 소실된다. 젊은 연령층일 경우에는 주로 경미한 외상, 과사용 등에 의해 생기는 요추부 좌상(contusion) 염좌(sprain)가 가장 흔하며 고에너지 외상일 경우에는 척추골절 및 척수 신경마비 등이 생기기도 한다. 장년층이 되면서 추간판의 변성으로 인한 추간판 질환이 증가하고 이와 연관된 요통 및 좌골신경통이 생기며 더욱 연령이 증가하면 추간판과 척추의 퇴행이 고도로 진행되어 퇴행성 척추염 양상을 보이고 이와 연관되어 요추부의 경막(dural sac)이 압박되어 생기는 신경인성 파행을 보이기도 한다. 노령 인구에서는 특히 골다공증, 전이암, 혈액종양, 감염질환 등으로 척추에 병적 골절이 발생하며 주의 깊은 감별진단으로 원인 질환과 병적 골절을 치료해야 한다.

5. 골다공증과 요통의 연관성

골다공증은 자체만으로는 요통을 유발하지 않으며 골다공증 척추통은 주로 골절에 의한 통증으로 해석해야 한다. 척추골절이 없다면 골다공증이 아무리 심하더라도 요통의 원인을 퇴행성 추간판 질환, 염좌,

좌상, 퇴행성 척추염, 전이성 척추질환, 감염질환 등에서 찾아야 한다. 골다공증과 골관절염과의 관계에 대해 많은 연구가 있었는데 최근 역학조사에 의하면 척추 및 슬관절의 골관절염이 심할수록 척추의 골밀도는 증가되지만 이 증가된 골밀도가 골다공증 골절에는 예방효과가 없는 것으로 알려졌다. 즉 골관절염에 의한 통증, 관절운동 범위 감소 등이 넘어지는 확률을 증가시킴으로 결국은 골절이 증가하는 것이라 추정된다.

6. 골다공증 골절의 위험인자를 극복하는 방법

1) 골밀도 개선

운동 및 충분한 영양 공급, 그리고 비타민D 및 칼슘 보충 등으로 성장기 및 청장년기에 최대 골량을 높이고 폐경후 급격한 골소실을 막기 위한 골다공증 치료제의 투여와 이미 진행된 골다공증에서도 효과적인 골다공증 치료제 투여로 골밀도 및 골질을 호전시킬 수 있다.

2) 낙상 위험도 개선

일상생활에서 낙상의 위험요소(미끄러운 목욕탕, 마루, 계단, 미끄러지기 쉬운 카페트, 걸려 넘어지기 쉬운 작은 가구, 전선, 굽이 높은 신발, 어두운 조명)를 최대한 줄이고 시력 및 청력 유지, 관절주위 근육 강화 및 균형 유지, 보행 보조기 이용, 내과적 질환의 치료 및 중추신경 작용 약제 투약을 줄이는 등 복합적인 접근법으로 낙상 위험도를 현저히 낮출 수 있다.

7. 척추골절의 발생기전, 골절 역치

전향적 다기관 연구에서 일상 정형외과 외래에서 진구성 및 급성 척추골절 모두를 포함하여 내원한 여자 환자(1,239명)에서 골절력을 조사해 보면 총 1,381개의 골절에서 외상력이 없다고 진술한 경우가 30%로서 이런 경우는 환자가 외상을 경험하지 못했거나 자각하고 있지 못할 정도로 경미한 외력으로 골절이 발생한 경우로서 무증상의 척추골절로 정의할 수 있다(그림 6-3-2). 이러한 수치는 외래 진료에서 중요한 단서를 제공하는데 환자가 골절력, 외상력을 알려주지 않더라도 골다공증의 진단에 있어서 흉요추부 측면 단순 방사선 사진의 촬영이 필수적임을 알 수 있다. 평지에서 미끄러졌음 정도의 외상을 기억하는 경우는 49%정도였으며 계단에서 넘어진 정도의 외상을 기억하는 경우는 15%, 키 높이 정도에서의 넘어짐을 기억한 경우는 단지 6%에 불과하였다. 즉 골다공증 척추골절을 가진 환자의 64%는 단지 계단 높이 혹은 평지에서 미끄러지는 정도의 가벼운 외상으로 골절이 발생하였다고 볼 수 있다.

한국 여성의 골다공증 척추골절의 골절 한계치(척추골절 환자의 90 percentile에 해당하는 골밀도)는 0.85 g/cm^2이고 역시 한국여성의 대퇴경부골절의 골절한계치는 0.75 g/cm^2 대퇴전자부골절의 골절 한계치는 0.63 g/cm^2이다. 이러한 한국인의 수치는 동일한 연구방법에 의한 서양인 자료에 비해 낮은 편이다.

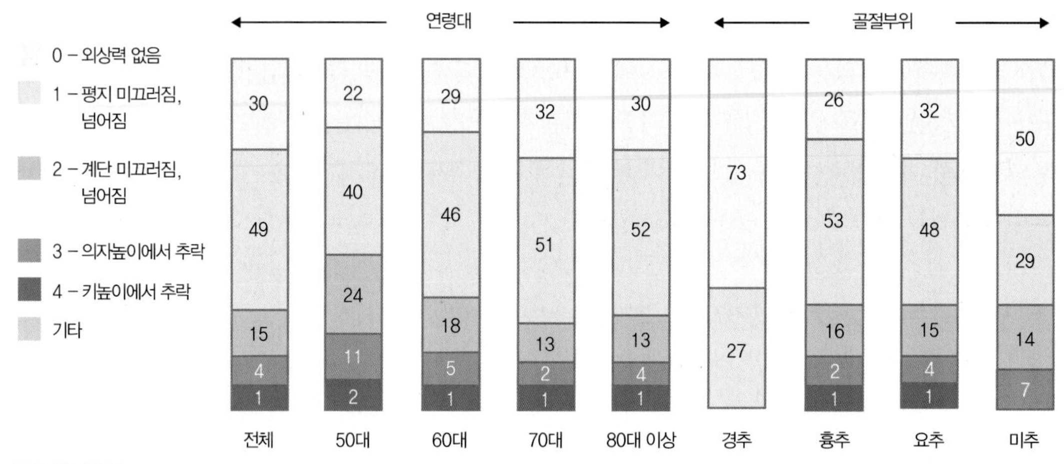

그림 6-3-2 ▸ 후향적 설문 조사에 의한 골다공증 척추골절의 손상 강도, 골절부위

8. 요통을 호소하는 골다공증 환자에서 척추 전문 협진이 필요한 경우

경미한 골다공증 척추골절인 경우에는 보조기, 진통소염제 등으로 빠르게 증상이 호전되며 이런 경우에는 척추 전문의의 협진이 필요 없으나 아래에 열거한 경우들에서는 정형외과 혹은 신경외과의 척추 전문의의 협진이 필요하다.

(1) 앉거나 설수 없을 정도의 급성 통증
(2) 1~2주간의 보존적 요법에도 반응하지 않는 요통
(3) 요통 혹은 척추통이 있으면서 단순 방사선사진상 골파괴(bone destruction), 골융해(osteolysis), 장요근(iliopsoas) 음영 증가 소견이 있을 때
(4) 하지 방사통(radiating pain)이 심하거나, 하지 감각 이상, 하지 근력 약화, 방광 및 항문 괄약근 조절이 되지 않는 경우, 하지의 심부건반사(deep tendon reflex)가 항진된 경우
(5) 하지에 신경학적 간헐적 파행(일정 거리를 걸으면 하지가 터져나갈 듯한 증상이 생겨 주저 앉아 쉬면 증상 소실되고 다시 일정 거리를 걸을 수 있는 것)이 있는 경우
(6) 전신 열감, 최근 체중감소, 암 혹은 혈액종양의 병력이 있는 경우

척추골절의 진단

1. 단순 X-선 사진

골다공증 척추골절이 의심될 때 가장 먼저 시행할 수 있는 검사이며 비록 급성, 아급성, 만성의 구분이 사진 소견만으로는 구분이 불가능하나 골절의 존재 여부는 확인이 가능하고 감염, 기형, 전이암 등 다른 심각한 이유에 의한 척추 통증의 가능성을 배제할 수 있다. 악성질환에 의한 압박 골절의 구별을 위해서는 PET CT, diffusion perfusion MRI가 필요하며 통상의 CT, MRI, X-선 사진으로는 구분이 불

가능하다. 그럼에도 불구하고 단순 X-선 사진은 골다공증 척추골절에서 중요한 위치를 차지하고 있다. 골절을 진단하면 그 이후에 진행될 골다공증 약물치료에 큰 영향을 미친다. 첫째, 골다공증 척추골절이 있으면 골밀도의 검사 및 결과 해석에 상관없이 국내 건강보험기준으로는 2015년 5월 1일 이후 3년간 약물을 보험 적용하여 처방할 수 있다. 이는 급성 및 만성의 구분이 없으며 진단명에 골절이 추가만 되면 보험적용 가능하다. 3년 투약 이후에도 건강보험기준으로는 그 기간내에 추가 골절이 있거나 골밀도검사에서 T-값 -2.5이하이면 추가 처방이 가능한 것으로 해석된다. 둘째, 골다공증 척추골절이 있으면 이후에 시행될 골다공증 약물치료에서 좋은 골절 예방효과를 기대할 수 있다. 이는 SERM제제나 이반드로네이트의 경우 전체 연구 결과에서는 약물에 의한 비척추골절 예방효과가 없으나 고위험군으로 분류되는 이미 척추골절을 가진 군에서는 약물에 의한 비척추골절 예방효과가 나타난다.

그리고 급성 혹은 진구성에 상관없이 이미 척추골절을 가지고 있는 경우에는 환자에서 예측 가능한 몇 가지의 위험을 설명해줄 수 있다. 첫째, 한번 골절된 경우에는 척추 및 비척추 모든 부위에서 재골절이 증가한다. 이는 골절이 없는 군에 비해 비척추골절(대퇴, 상완, 원위요골, 발목골절)의 경우 2~9배까지 증가한다고 한다. 둘째, 척추골절의 경우 사망률이 증가한다. 국내 자료에 의하면 골다공증 골절 후 1년 이내에 3.6%의 사망률을 보였다. 이는 대퇴골골절에 의한 사망률(16~17%)에 비해서는 낮은 편이기는 하나 캐나다 자료에 의하면 척추골절로 인한 사망률이 16%에 달하며 이는 골절 후 3년 동안 유의하게 증가되어 있었다. 대퇴골골절에 의한 사망률은 17%정도 되나 이러한 증가된 사망률은 골절 후 2년까지만 유의하였다. 골다공증 약물치료를 시행한 경우에는 골절로 인한 골절치료 후 사망률을 낮출 수 있음으로 적극적인 약물치료가 권장된다. 국내 연구에 의하면 약물의 종류 및 기간에 상관없이 골다공증 치료제의 처방이 있는 골절군에서 사망률이 처방이 없었던 군에 비해 43%나 낮았다. 셋째, 척추골절이 있으면 기형, 통증, 심폐기능 저하, 자존감 저하 등으로 환자의 삶의 질이 저하되며 이는 더욱 보행장애, 불용성 골다공증을 발생시켜 결국 재골절 증가, 사망률 증가의 악순환에 빠지게 된다. 특히 각 골절부위별로 삶의 질 저하를 평가하면 척추골절이 가장 낮은 삶의 질을 보였다. 넷째, 골다공증 척추골절이 발생하면 사회경제학적으로 많은 비용이 소모된다. 국내 자료에 의하면 2004년도 기준 전체 골절비용은 1조 500억원 정도이며 그중에서 골다공증 척추골절의 치료비용 및 경제력 소실 규모는 4,095억원으로 추계된다.

2. MRI

초기 골다공증 척추골절 진단 목적으로 MRI를 시행하는 것은 비용효과적으로 부담이 많다. 골절 자체는 단순 X-선 검사 및 진찰 소견으로 대부분 진단할 수 있다. 단지 병력상 악성질환, 혈액종양 등이 있거나 병력청취에서 감염 등이 의심되거나 신경학적 증상이 있을 경우에는 감별진단 및 신경관 침입 여부 조사를 위해 MRI를 시행할 수 있다. 골절 시기의 판별, 불유합 또는 Kummel's disease 확인에 도움을 준다.

3. 골스캔

골스캔도 일차적으로 시행하는 검사는 아니지만 급성 골절 여부 확인 감별진단을 위해 보조적으로 시행할 수 있다. 특히 침습적 수술을 예정하고 있는데 진구성 골절이 단순 X-선 사진에 여러 마디에서 발견되는 경우 정확한 시술 부위의 확인이 필요한 경우에 사용할 수 있으며 MRI검사를 시행할 수 없는 경우에도 보조적으로 사용 가능하다.

4. 골밀도측정기

최신 기종의 골밀도 측정기는 요추골밀도와 대퇴골밀도 뿐만 아니라 척추의 형태학적 분석을 동시에 진행하여 기존의 정량적 수치와 자동 비교되어 정량적으로 척추골절을 진단할 수 있다. 최근 단순 X-선 사진을 대체하는 정도의 정확도, 용이성, 검사의 신속성을 가진다고 하여 X-선 피폭도 줄이면서 한 번의 검사로 골밀도 측정과 함께 척추골절 진단을 동시에 시행할 수 있다. 단순 X-선 사진과의 골절 진단 정확도(특이도, 예민도) 비교에서도 거의 차이가 없다(그림 6-3-3). 그러나 아직 국내에서는 골밀도 측정기에 의한 골절진단은 급여사항이 아니므로 부차적인 진단 도구이다.

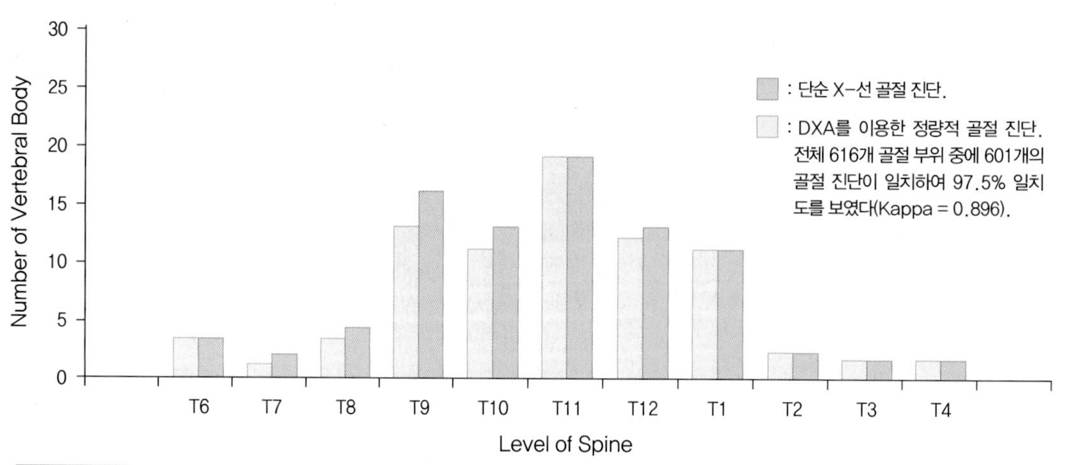

그림 6-3-3 ▸ 진단방법에 따른 골절진단 정확도

5. 감별진단

골다공증 척추골절로 내원하였을 때 감별진단은 필수적이다. 골다공증이 노인 환자에서 발생함으로 대부분이 지병을 가지고 있으며 악성질환을 가진 경우도 많이 있기 때문이다. 병력조사에서 악성질환 등이 감별되는 경우도 있지만 가끔 압박 골절이 원발 질환의 첫 번째 증상으로 발현될 수 있음으로 감별진단에 주의를 기울여야 한다. 자세한 병력과 통증의 강도, 통증의 형태, 기타 신체부위의 증후, 발열 여부 등을 자세히 조사하고 철저한 진찰을 시행하여야 하겠다. 필요하다고 판단되면 골스캔, MRI, PET CT, 혈액검사를 진행해야 한다. 특히 침습적 시술인 척추성형술, 풍선성형술을 예정하였다면 악성질환, 혈액

질환, 감염을 다시 한 번 생각하면서 진단하여야 하겠다.

척추골절의 분류

1. 형태학적 분류

골다공증 척추골절은 척추체의 붕괴 형태에 따라 분류한다. 척추체의 전방이 골절된 경우를 쐐기형(wedge compression fracture), 척추체의 전방 후방 높이는 유지되나 중간 높이가 감소한 골절을 어추형(biconcavity fracture), 척추체의 전방 중간 후방 높이 전부가 감소한 경우를 분쇄형골절(crush fracture)이 라고 정의한다(그림 6-3-4). 정량적으로 골절을 진단하기 위해서는 정상 형태 수치에 기준하여 3 표준편차 이하의 형태 변이를 골절이라고 정의한다. 한국 남녀의 전방추체 높이(Ha), 중간추체 높이(Hm), 후방추체 높이(Hp)를 표에 표시하였으며 이를 기초로 설상압박 비율(Ha/Hp), 양요 비율(Hm/Hp), 압궤 비율(Hpi/Hpi-1)을 계산하고 정상치에서 3 표준편차 이하의 수치를 골절로 정의하여 골절수치를 표 6-3-3, 6-3-4, 6-3-5에 제시하였다. 일상적인 진료에서 복잡한 수치를 대입하여 골절을 진단할 필요는 없으나 장애 진단, 보상관련, 법의학적으로 필요한 경우에 해당 척추체의 형태 변화가 한국인 척추 제원에 비교하여 정상 혹은 비정상(골절)을 판정하는데 유용할 것이다. 자세한 척추 제원을 이용하지 않고 직관적으로 압박비율을 가정하여 골절을 진단하는 반정량적 형태계측법도 유용하다(그림 6-3-4).

표 6-3-3 ▸ 한국인에서 정상 척추체의 전방, 중간, 후방 높이

	Ha (㎜)		Hm (㎜)		Hp (㎜)	
	female	male	female	male	female	male
T4	19.8 ± 1.5	20.8 ± 1.9	19.5 ± 1.5	20.4 ± 1.7	20.7 ± 1.7	21.6 ± 1.9
T5	20.2 ± 1.4	21.4 ± 1.8	19.6 ± 1.4	20.8± 1.8	21.3 ± 1.6	22.2 ± 1.9
T6	20.6± 1.4	21.9 ± 1.9	20.2 ± 1.4	21.4 ± 1.9	22.1 ± 1.6	23.0 ± 1.9
T7	21.7 ± 1.6	23.0 ± 1.9	21.3 ± 1.8	22.6 ± 1.9	23.2 ± 1.5	24.8 ± 1.7
T8	22.4 ± 1.6	24.1 ± 2.4	22.0 ± 2.0	23.5 ± 2.4	23.7 ± 2.0	24.9 ± 2.4
T9	22.7 ± 1.8	24.6 ± 2.5	22.3 ± 1.8	25.1 ± 2.4	24.1 ± 1.7	25.5 ± 2.2
T10	24.2 ± 1.6	23.2 ± 1.9	25.1 ± 2.4	24.9 ± 1.9	26.5 ± 2.3	26.0 ± 2.3
T11	25.6 ± 1.6	27.5 ± 2.1	25.2 ± 1.7	26.7 ± 2.0	27.1 ± 1.8	28.5 ± 2.1
T12	27.3 ± 1.8	29.3 ± 2.3	26.6 ± 1.7	28.4 ± 2.2	28.9 ± 2.3	30.4 ± 2.4
L1	29.6 ± 1.8	31.7 ± 2.0	29.1 ± 1.7	30.5± 2.0	30.1 ± 1.9	32.7 ± 2.4
L2	31.2 ± 1.4	33.1 ± 2.1	30.1 ± 1.6	31.6 ± 2.0	32.1 ± 1.5	33.8 ± 2.2
L3	31.8 ± 1.3	33.7 ± 2.2	30.1 ± 1.5	32.1 ± 2.1	31.8 ± 1.5	33.9 ± 2.2
L4	30.1 ± 1.3	33.2 ± 2.8	28.7 ± 1.6	31.6 ± 2.7	29.6 ± 2.5	32.8 ± 3.3
L5	31.1 ± 2.4	33.5 ± 2.7	28.6 ± 1.8	31.3 ± 2.7	27.7 ± 2.4	30.9 ± 3.3

Ha: anterior height, Hm: mid height, Hp: posterior height, mean ± standard deveiation.

표 6-3-4 ▸ 한국인에서 정상 척추 형태

	wedge ratio		concavity ratio		crush ratio	
	female	male	female	male	female	male
T4	0.957 ± 0.058	0.949 ± 0.052	0.934 ± 0.030	0.937 ± 0.028		
T5	0.950 ± 0.047	0.942 ± 0.049	0.973 ± 0.046	0.946 ± 0.050	0.946 ± 0.043	0.972 ± 0.052
T6	0.974 ± 0.037	1.000 ± 0.051	1.021 ± 0.070	1.124 ± 0.070	0.966 ± 0.048	0.965 ± 0.049
T7	0.952 ± 0.033*	0.959 ± 0.037*	0.967 ± 0.039*	0.965 ± 0.049*	0.981 ± 0.039	0.965 ± 0.047
T8	0.962 ± 0.038*	0.969 ± 0.042	0.979 ± 0.034	0.994 ± 0.038	1.012 ± 0.050	1.086 ± 0.063
T9	0.943 ± 0.032	0.922 ± 0.046	0.916 ± 0.029	0.920 ± 0.041	0.932 ± 0.059	0.925 ± 0.064
T10	0.933 ± 0.051	0.930 ± 0.030	0.921 ± 0.039	0.945 ± 0.026	0.938 ± 0.027	0.946 ± 0.054
T11	0.973 ± 0.052	1.035 ± 0.065	0.947 ± 0.049	0.937 ± 0.044	0.931 ± 0.036	0.940 ± 0.041
T12	0.940 ± 0.046	0.942 ± 0.051	0.946 ± 0.042	0.938 ± 0.035	0.933 ± 0.034*	0.933 ± 0.033*
L1	0.935 ± 0.028	0.946 ± 0.037	0.962 ± 0.038*	1.014 ± 0.063*	1.028 ± 0.027	1.038 ± 0.053
L2	1.052 ± 0.059	1.020 ± 0.068	1.024 ± 0.086	1.032 ± 0.055	1.090 ± 0.041	1.067 ± 0.046
L3	1.069 ± 0.058	1.041 ± 0.035	0.993 ± 0.040	0.929 ± 0.076	0.936 ± 0.066	1.030 ± 0.042
L4	1.040 ± 0.051	1.041 ± 0.049	1.033 ± 0.059	1.027 ± 0.070	1.038 ± 0.048	1.070 ± 0.044*
L5	1.066 ± 0.040	1.074 ± 0.055	1.036 ± 0.036	1.002 ± 0.040	0.969 ± 0.066*	0.946 ± 0.060*

Wedge ratio: Ha/Hp, Concavity ratio: Hm/Hp, Crush ratio: Hpi/Hpi-1, Ha: anterior height, Hm: mid height, Hp: posterior height, mean ± standard deveiation, * Student t-test ($p < 0.01$)

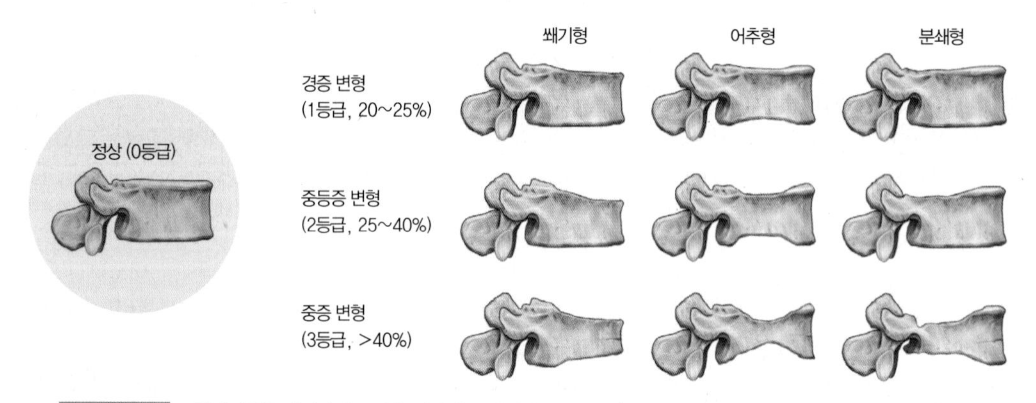

그림 6-3-4 ▸ 압박비율을 가정하여 골절을 진단하는 반정량적 형태계측법

표 6-3-5 ▸ 척추골절에서 형태학적 진단기준(deformity ratio below Mean − 3 × standard deviation)

	wedge ratio		concavity ratio		crush ratio	
	female	male	female	male	female	male
T4	0.783	0.791	0.843	0.852		
T5	0.808	0.793	0.832	0.775	0.816	0.813
T6	0.764	0.844	0.810	0.912	0.822	0.818
T7	0.852	0.846	0.847	0.827	0.863	0.822

T8	0.847	0.841	0.876	0.878	0.861	0.894
T9	0.846	0.783	0.3829	0.795	0.754	0.730
T10	0.779	0.779	0.839	0.804	0.865	0.782
T11	0.814	0.838	0.798	0.803	0.821	0.815
T12	0.800	0.787	0.819	0.832	0.830	0.832
L1	0.850	0.832	0.846	0.845	0.947	0.879
L2	0.875	0.816	0.766	0.867	0.967	0.929
L3	0.895	0.936	0.873	0.701	0.738	0.901
L4	0.885	0.891	0.855	0.816	0.893	0.936
L5	0.945	0.908	0.928	0.879	0.771	0.761

Wedge ratio: Ha/Hp, Concavity ratio: Hm/Hp, Crush ratio: Hpi/Hpi-1, Ha: anterior height, Hm: mid height, Hp: posterior height

2. 골절 판정 방법

단순 X-선 사진을 보고 직관적으로 골절을 진단하는 경우를 정성적(qualitative) 방법이라고 하며 일반 외래 진료 혹은 영상의학적 판독에서 이용한다. 직관적이고 빠른 진단 방법이므로 경험 있는 판독자가 많이 이용한다. 단순 X-선 사진을 보면서 정해진 대체적인 압박 비율을 참고하여 골절을 진단하는 경우를 반정량적(semi-quantitative) 방법이라고 하며 이는 경도 중등도 중증 골절을 구분할 수 있다. 역시 이 방법도 신속하게 효율적으로 진단하면서 골절의 심각도도 분류가능한 방법이다. 가장 정확하고 오차가 없는 방법은 영상의학적 수치에 의거한 정량적 판독법(morphometric qualitative method)라고 한다. 이 방법은 정확하기는 하나 정상 대조 수치가 있어야 하고 일일이 비교 계산하여야 함으로 장애 진단, 보상관련, 법의학적으로 필요한 경우에만 사용될 수 있다.

3. 골절 발생 위치

골다공증 척추골절은 주로 흉요추부에서 발생하며 드물게 경추 및 천추에 발생하기도 한다. 대한골대사학회 골다공증 골절 위원회에서는 흉추 요부골절을 주요 골다공증골절로 인정하였고 경추 골절은 제외하였으며 천골은 골반골과 함께 부차적인 골다공증 골절로 정의하였다. 실제적으로 상부 흉추(제 1-6 흉추)는 측면 X-선 사진상 판독이 어려운 부위여서 진단이 어려울 수 있으나 실제적으로 골절 호발 부위는 아니므로 그리 임상적으로 중요하지는 않다. 한국인에서 척추골절 발생부위를 보면 흉추 6, 7, 8부위에 약간의 호발부위가 있으면서 주로는 흉추 11, 12, 요추 1, 2부위에 가장 많이 발생한다(그림 6-3-5).

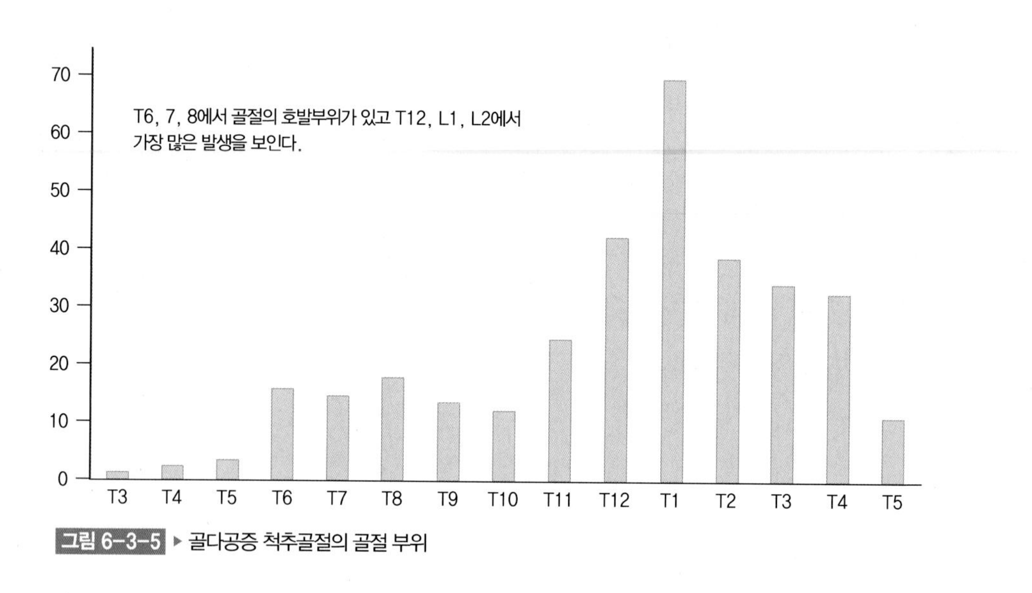

그림 6-3-5 ▸ 골다공증 척추골절의 골절 부위

전향적 다기관 연구에서 일상 정형외과 외래에서 진구성 및 급성 척추골절 모두를 포함하여 내원한 여자 환자(1,239명)에서 골절력 및 골절부위를 조사해 보면 총 1,381개의 골절부위(중복 골절 포함)중 경추는 22례, 천추는 14례로 두 부위를 합쳐도 2.6% 정도이나 흉추부는 511건으로 37%, 요추부는 834건으로 60%를 차지한다. 흉추 및 요추를 전부 합하면 1,345건으로 전체의 97.3%를 차지한다.

4. 삶의 질 관련, 사망률

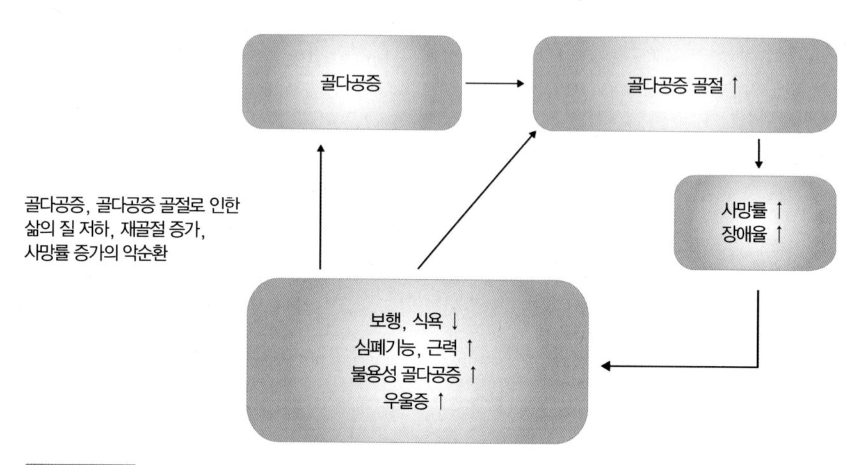

그림 6-3-6 ▸ 골다공증 골절의 악순환

척추골절로 인한 삶의 질 저하는 골절 자체의 통증으로 야기되는 급성 효과도 있지만 주로는 한 번 골절이 된 경우 골절은 치유되었더라도 잔존한 척추 압박 변형으로 필연적으로 삶의 질이 저하된다. 특히 골절로 인한 보행제한, 침상 안정, 불용성 골다공증 발생, 통증과 변형으로 인한 심폐기능저하, 식욕 저하, 자존감 저하, 이차 골절 발생, 사망률 증가, 의료비를 포함한 사회경제학적 비용 증가의 악순환이 계속 된다(그림 6-3-6). EQ-5D Korean version을 이용한 삶의 질 평가에서 골다공증 척추골절군이 유의하게 대조군에 비해 mobility, self-care, usual activity, pain/discomfort, anxiety/depression 모든 항목에서 level 2 이상 답한 례가 많았다. 점수로 환산한 EQ-5D index 및 VAS평가에서도 척추골절군이 대조군에 비해 유의하게 삶의 질이 저하되었다. 세부적으로 분석한 경우 모든 분석 항목에서 나이, 동반 질환에 상관없이 척추골절군의 EQ-5D index, VAS평가가 대조군에 비해 저하되었다. 이러한 골다공증 척추골절에서 삶의 질 저하 결과는 척추골절이 발생하기 전에 미리 골다공증 진단, 예방 및 적절한 투약으로 골다공증을 치료함으로써 척추골절을 예방해야 함을 제시하고 있다.

5. 사회경제학적 비용

골다공증 척추골절로 인한 의료비용을 포함한 사회경제학적 비용은 막대하다. 미국의 경우 2005년 추계로 170억 달러가 골다공증 및 이와 관련된 골절 치료비용으로 시용되고 있으며 이중 대퇴골골절이 14%이나 대퇴골골절 치료비용은 전체의 72%가 소모된다고 하며 이러한 골절 발생률과 비용은 2040년에는 2~3배 증가된다고 예견하고 있다. 특히 한국, 중국, 일본을 포함한 동아시아에서는 2040년쯤에는 대퇴골골절 발생률이 기하급수적으로 증가하여 세계최고가 될 것이라는 예견도 있다. 국내에서도 2004년도 건강보험심사평가원에 전산 청구된 자료로 추계하면 경제력 소실까지 포함하여 척추, 대퇴, 원위요골골절로 인한 골절 치료비용이 1조 500억원이며 그 중에서 척추골절 치료비용은 4,095억원에 달한다.

척추골절의 치료

골절 후 골다공증의 검사 및 이에 기초한 적극적 치료는 필수적이나 전 세계적으로 골절 후 골다공증 진단 및 치료는 불충분하다. 국내에서도 대퇴골골절 후 골밀도검사 비율은 9~20% 이내이며 골다공증 치료제 투여율도 약 10%에 머물러 있다. 골절 후 골다공증의 효과적인 진단 및 치료를 위해 영국에서는 fracture discharge program을 내과-정형외과 협동 프로그램으로 시행하여 고위험군인 골절 후 환자에게 가장 효율적이고 신속한 골다공증 치료를 시행하고 있다. 국내의 일부 대학병원에서도 같은 취지로 국내 현실에 맞는 Critical Pathway: Fracture Aftercare Save Team (FAST)을 개발하였다(그림 6-3-7).

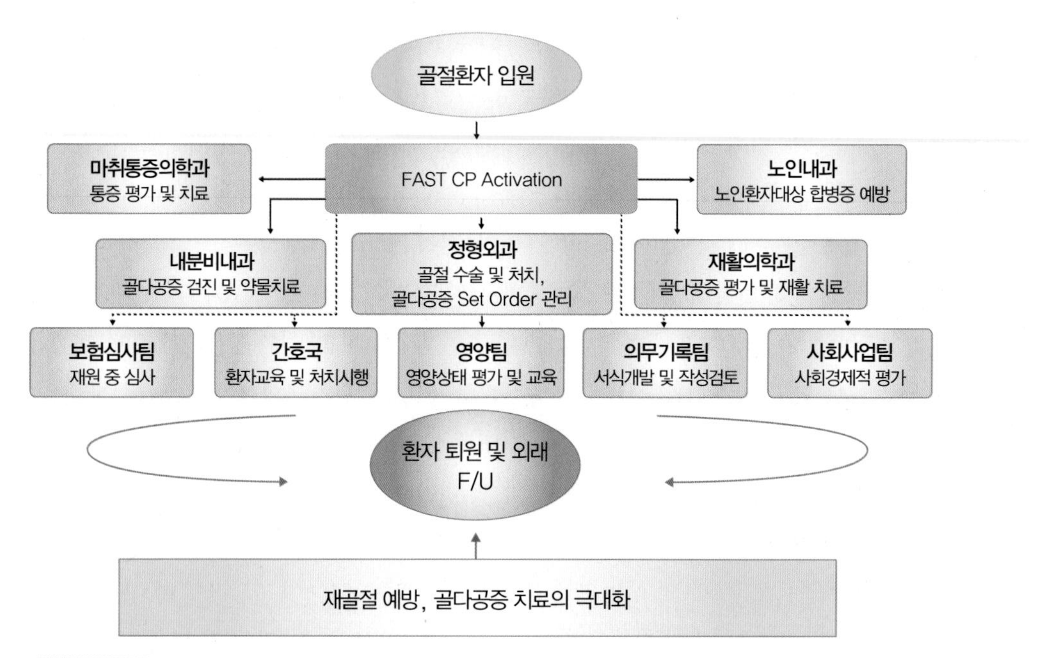

그림 6-3-7 ▸ 표준화 진료(FAST, fracture aftercare saving team)

골다공증 골절로 내원하였을 때 정형외과적 일차치료가 시행되면서 동시에 내분비내과, 재활의학, 노인의학, 통증의학 관련과로 협진의뢰되어 전인적인 협동 진료를 실시, 조기 회복을 위한 최적의 골다공증 치료를 제공함(세브란스 병원)

1. 골다공증의 약물치료

1) 척추골절 후 골다공증 약물치료

골다공증 척추골절의 보존적 혹은 수술적 치료 후 골다공증 약물치료는 필수적이다. 그럼에도 불구하고 골절 후 골다공증 진단율은 20~30%에 머물며 치료율은 10% 내외로 여전히 저조하다. 모든 골다공증 치료제가 처방될 수 있으나 척추골절이라는 특수 상황을 고려하여 각 약제를 투약함에 있어 주의할 점을 숙지하여야 한다. 경구 비스포스포네이트 제제의 경우 골절 치료 후 바로 투약할 수 있으나 침상 안정 기간에는 공복시 약물투여 30분간 일어서 있거나 혹은 앉아 있어야 함으로 급성 통증이 아직 있을 경우에는 투약 자체가 어려울 수 있다. 그러므로 골절 후 1~2주 경과하여 보행이 가능한 상태에서 외래 진료시 투약 시작하는 것이 더 이상적일 것이다. 정맥주사 비스포스포네이트(이반드로네이트, 졸레드론산)의 경우는 의료진의 입장에서는 골절로 입원시 바로 정맥주사하는 것이 환자 관리 측면이나 부작용에 대한 대응 측면에서 여러모로 유리하나 과량의 약제가 급성 골절 치유반응이 일어나는 시기에 투여됨으로 과도한 파골세포 억제로 지연 유합, 많은 가골 형성의 가능성이 있다. 그러나 임상적으로 사용되는 농도의 약제 투여로 인한 지연 유합, 불유합의 확실한 증거는 없으므로 현재로서는 입원 기간 내에 정맥주사는 가능하다. 그러나 앞으로 많은 추시 결과가 발표되면 이러한 전략은 수정될 수 있다.

SERM제제의 경우는 골절 전에 이미 투여하고 있을 경우에는 골절 수술 전후로 넉넉히 1달 정도 약제를 투약 중지하여야 하며, 이전 투여력이 없는 환자에서 SERM제제를 선택하여야 한다면 역시 수술 후 침상 안정이 끝나고 보행이 가능한 시기부터 투약을 시작해야 침상 안정 등으로 인한 정맥혈전증 및 폐색전증을 예방할 수 있다.

2) 골절 치유, 척추유합술에서 비스포스포네이트의 영향

① 골절 치유에서 비스포스포네이트의 영향

골절 치유 과정에서 비스포스포네이트 특히 알렌드로네이트의 부정적인 효과를 처음으로 제기한 것은 증례 보고였다. 3~8년간 알렌드로네이트를 골다공증 치료 목적으로 투여한 9명의 환자에서 장관골 및 골반골절이 발생하였을 때 6명에서 지연 혹은 불유합의 증거를 제시하였으며 특히 조직학적 관찰에서 뼈의 재형성이 거의 일어나지 않음을 보고하였다. 알렌드로네이트의 과도한 골흡수 억제와 이와 연관된 골형성 부전이 골절 치유과정에 부정적인 효과를 미칠 것이라고 유추하였으나 이 연구에서는 골절군 전체 모집단에서 지연 혹은 불유합의 발생률을 보고한 것 아니라 단지 증례보고로서 비스포스포네이트의 골절 치유 과정에 발생 가능한 합병증이라는 제시는 가능하지만 모든 골다공증 환자에서 비스포스포네이트가 부정적인 효과를 나타낸다고 확대 해석하기에는 무리가 있다.

아직 결론적인 것은 아니지만 골흡수억제제의 투여가 각 개개인의 파골세포의 감수성에 따라 대부분은 별 문제없이 골절이 치유되고 골다공증도 개선되지만 일부 과민한 경우는 골흡수가 과도히 억제되고 이로 인한 골질 이상 및 골 피로 누적으로 비전형골절(atypical skeletal fracture)이 발생한다고 볼 수 있다. 더 강력한 비스포스포네이트 정맥주사제인 졸레드론산의 경우 쥐 골절 모델에서 골절 후 한번 주사한 경우는 연골내 골화의 지연 혹은 방해 없이 골절 치유가 되었다. 단지 가골형성이 대조군에 비해 더 많았으며 골절 치유이후 골 재형성 기간이 지연되는 것이 관찰되었다. 졸레드론산의 경우는 골기질에 침착력이 높으며 파골세포 골흡수 억제 효과도 탁월하여 골절 후 지연 불유합의 개연성이 제일 높은 약물이었으나 동물시험에서는 유의한 골절 치유 지연이나 방해 효과는 없었다고 한다.

골절 후 졸레드론산의 일회성 정맥주사의 적절한 주사시기에 대한 연구에서는 골절 직후나 1, 2주 이후 주사 시 모두 골절부의 생역학적 수치를 증가시켰으나 골절 1, 2주 이후에 지연 주사한 경우가 골절 직후에 주사한 경우보다 더 높은 골절부위 생역학적 수치를 보여, 강력한 정맥주사제인 졸레드론산의 경우 골절 직후 주사보다는 급성기가 지난 1~2주 지연 투여가 더 효과적임을 알 수 있다.

지연 유합 및 불유합에 영향을 미치는 여러 약물을 고찰한 논문에서는 비스포스포네이트가 일부 과도한 골흡수 억제로 지연 및 불유합의 증례가 있기는 하지만 비스포스포네이트의 전반적인 골절 예방효과의 임상적 이점을 고려하면 일부 부작용은 용인할 수 있을 것이다.

② 척추유합술에서의 비스포스포네이트 효과

쥐를 사용한 척추유합술 모델 연구에서는 대조군에서는 95%의 척추 유합율을 보였으나 사람에게 처방하는 농도를 환산해서 알렌드로네이트를 투여한 군에서 50%, 사람에게 투여한 농도의 10배를 투여한 군에서는 40%의 척추유합률을 보였다. X-선 사진 상으로도 알렌드로네이트를 투여한 군에서 대조군에 비해 많은 가골을 형성하였고 조직학적으로 보면 투여군에서 골수 형성이 적었다. 이 연구에서는 골다공증 치료약제로 쓰이는 알렌드로네이트가 척추유합술 직후 사용되면 의미 있게 척추유합률이 떨어지기 때문에 유합이 이루어질 때까지 알렌드로네이트의 사용을 억제할 것을 권고하였다. 본 연구의 해석 시 주의할 점은 사용한 실험동물인 쥐의 골대사이다. 쥐는 여느 동물보다 골형성 및 골흡수가 빠르며 부갑상선의 골다공증 치료효과 연구에서도 이러한 증가된 골흡수, 골형성으로 골육종의 발생도 보고된 점을 고려하면 알렌드로네이트의 골흡수 억제효과가 쥐에서 과도하게 일어난 것으로 해석할 수 있다.

난소 절제후 폐경후 상태의 쥐를 사용한 실험에서는 척추유합술 후 알렌드로네이트 혹은 SERM를 투여하고 척추유합률과 각 조직학적 분자생물학적 검증으로 어떠한 골형성 기전이 방해됨으로써 척추유합술에 영향을 미치는지를 조사하였다. 알렌드로네이트를 투여한 군이나 SERM을 투여한 군 모두 대조군에 비해 척추 유합율은 차이가 없었으며 알렌드로네이트를 투여한 쥐에서는 과도한 파골세포 기능 억제로 인한 연골 골화기전이 방해되어 척추유합골의 양이 많아지고 단단하였다. 이에 비해 SERM은 조직학적으로 대조군과 거의 차이 없는 골유합을 보였다.

2. 보존적 치료

1) 통증 치료

골다공증 골절이 발생하면 통증이 생긴다. 환자가 자각하지 못할 정도의 통증 강도로 정확한 진단이 되지 않는 경우도 있지만 자각 증상이 현저하고 병원에 내원한 경우는 대부분 심각한 급성 통증을 호소한다. 일반적인 통증 치료를 시행하며 통증의 정도에 따라 단기간 마약성 진통제(경구, 경피전달), 일반 진통소염제(경구, 정맥주사, 근육주사), COX-2 길항제, 근육이완제, 항우울제를 단독 혹은 병용으로 처방할 수 있다. 병용약제의 선택에는 상호작용이 없고 부작용을 최소화할 수 있으며 다단계의 통증 유발기전을 동시에 봉쇄할 수 있는 약제를 선택하여야 한다. 중추에 작용하는 마약성 진통제와 근육의 긴장을 풀어주는 근이완제, 골절부위에 국소마취제를 주사하는 국소 요법, 통증에 대한 예민도가 높다면 항우울제 등을 단기간 병용투여할 수 있을 것이다. 통증 치료의 목표를 visual analogue scale (VAS) 수치로 2~3점대로 잡고 단기간 적극적인 약물치료를 시행하면 대부분의 환자에서 통증 감소의 목표를 달성할 수 있으며 결과적으로 척추성형술 등의 수술적 치료를 피할 수도 있을 것이다.

2) 골다공증 치료제의 진통 효과

골다공증 치료약제 중에 골다공증 치료 이외에 부수적으로 통증을 경감시키는 약물에 대한 연구 결과가 최근 많이 보고되고 있다. 주요 기전으로는 골다공증 치료제에 의한 골밀도의 증가로 추가 골절과 골좌상(bone contusion)이 예방됨으로써 결국 통증의 유병률이 감소할 수 있다. 부갑상선 호르몬은 골형성촉진제로서 각광을 받고 있으며 비특이적인 척추 통증의 감소 효과가 있다고 한다. 이는 재골절 방지,

빠른 골형성으로 인한 미세골절의 조기치유에 기인한 것으로 사료된다. 부갑상선호르몬을 투여한 군에서 의미 있게 요통의 발생률이 감소하였고 이는 투여기간 2년까지 지속되었다.

파미드로네이트도 고용량 정맥주사하였을 때 골다공증 급성 척추골절에서 대조군에 비해 유의하게 통증 경감효과가 있다. 졸레드론산 투여로 전이암 자체의 생존율에는 차이가 없으나 전이암에 의한 통증 경감효과는 있다고 한다. 가장 많이 선호되는 경구용 비스포스포네이트 제제인 알렌드로네이트와 리세드로네이트 등은 우수한 골절 예방과 골밀도 상승 효과뿐만 아니라 관절 연골 보호 효과, 관절하골 소실 보호 효과로 만성 골관절염에서 통증을 경감시키고 및 관절염 진행을 지연시킨다. 알렌드로네이트의 경우 척추의 퇴행성골극의 발생 및 추간판 간격소실의 진행을 유의하게 감소시키는 효과도 있다고 한다. 관절 연골 및 척추 추간판에 대한 비스포스포네이트의 효과를 보면 세포사멸에 대한 보호효과, 기질 생성 효과 등이 있다고 한다. 종합하면 비스포스포네이트에 의한 연골하 추간판하 골질 및 골량의 개선은 퇴행성 변화를 지연시켜 골다공증의 치료뿐만 아니라 퇴행성 척추 질환, 슬관절 질환에도 부수적인 효과를 나타내는 것으로 보인다. 이에 반해서 여성호르몬의 경우는 관절인대 유연성 증가로 요통을 더 발생시킨다고 알려져 있다.

골다공증 치료제의 주요 효과인 골절 예방 및 골밀도 상승, 골질 향상뿐만 아니라 일종의 비골격 효과인 통증 경감, 관절염 진행 지연, 관절 보호효과를 숙지하면 골다공증뿐만 아니라 골관절염, 퇴행성 척추질환, 기타 비특이적인 통증을 일상적으로 가지고 있는 골다공증 환자의 치료에 유익할 것이다. 이러한골다공증 치료제의 통증경감효과를 이용하여 골다공증 치료를 하면서 척추, 슬관절의 퇴행성 질환에서 통증 조절을 위해서 사용하였던 진통소염제, 스테로이드 등의 사용도 감소시킬 수 있을 것이다.

3) 보조기 및 운동 치료

척추골절 후 통증이 감소하면 앉는 자세와 보행 훈련을 위해 테이핑이나 척추보조기를 처방하여 척추를 보호해야 한다. 척추에 압박 골절이 생기면 흉곽의 변형으로 폐활량이 감소하기 때문에 심호흡 운동과 흉추 신전 운동 등을 권장한다. 보행 장애가 있을 때에는 낙상 방지를 위해 지팡이나 워커가 권장되며 통증이 있는 쪽의 반대편 상지로 사용한다. 신발이나 구두의 굽에 부드럽고 탄력이 있는 뒤꿈치 패드를 해주고 지팡이를 사용하여 넘어지는 것을 예방해야 한다.

수영은 골밀도를 증가시키지는 않으나 근력 강화와 근육 발달 등의 이유로 골다공증으로 인한 골절을 예방하는데 유리한 운동이다. 골프나 볼링은 골절 위험성으로 권장되지는 않으나 심리적인 보조를 위해 적절한 척추보조기를 착용한 후 가벼운 정도의 운동은 가능하다.

3. 수술적 치료

1) 수술의 목적

일반적으로 불안정성의 제거, 척수에 대한 감압 및 변형의 교정을 목표로 수술을 시행하지만, 골다공증 척추골절에서는 변형의 교정보다는 후만각, 통증 및 신경증상의 악화를 방지하여 정상적인 활동을 할 수 있도록 하는 데에 있다.

불안정성의 제거를 위해서는 전방 또는 후방에서의 견고한 골유합이 필요하며 이에 대한 보조적 수단으로 내고정을 시행한다. 이는 골유합술 시행 부위의 안정성을 높임으로써 골유합을 향상시키고 조기 보행 등 재활을 촉진하며 후만 변형을 교정하기 위함이다. 감압술은 척추가 주로 전방 구조에 의해 압박이 되므로 전방 또는 후방의 어느 도달법을 이용하는 경우라도 중간주, 즉 추체 후방의 골편에 대한 제거가 달성될 수 있어야 한다. 후만 변형의 교정은 골다공증 척추골절에서는 일반적으로 필요하지 않으나 지속적으로 심한 통증이 동반된 경우나 국소의 불안정성이 있는 경우는 고려되어야 할 것이다.

2) 수술의 적응증

골다공증 척추골절의 수술적 치료는 척추 수술 중 가장 힘든 분야 중 하나이다. 내고정기기로 만족할 만한 고정력을 얻기가 힘들고 구조적인 이식체(structural graft)는 골다공증 척추골을 침범해 들어간다(subsidence). 따라서 수술적 치료가 성공을 거두기 위해서는 적절한 환자의 선택이 가장 중요하다. 수술적 치료의 적응증은 아직 확립되어 있지 않으며 통증을 동반한 심한 후만변형, 추체후방 골편의 압박에 의한 척수마비, 골절된 척추체의 무혈성 괴사나 불유합에 따른 불안정성 등 특별한 경우에 국한된다.

고도의 후만변형은 시상면의 불균형을 초래하여 기립 및 보행에 이용되는 근육들의 불균형을 가져와 문제가 되며, 1~2개 분절의 국소적 후만증 또는 여러 분절의 골절 누적에 의한 전체적 후만증으로 나타난다. 그러나 이러한 후만증 자체만의 이유로 교정 수술을 시행하는 경우는 매우 드물다. 노인성 척추골절은 안정성 골절이므로 골절 자체에 의한 척수 압박은 매우 드물다. 그러나 척추체가 지연성으로 붕괴되어 추체후벽, 즉 중간주의 후방돌출에 의한 척수마비가 발생함이 보고되었다. 또한 시간적 경과에 따라 무혈성 괴사에 의한 심한 압박변형으로 국소적 후만 변형이 되기도 하고 불유합에 의하여 불안정성을 보이기도 한다.

3) 수술 시기

조기 수술과 지연적 수술로 크게 구분된다. 조기 수술의 장점은 증상의 신속한 소실, 간병의 편이, 치료 기간의 단축과 조기 재활 등과 함께 대부분의 골절이 비교적 시술이 용이한 후방에서의 고정 및 유합술만으로 치료가 가능한 점이다. 즉, 상대적으로 수술의 범위가 크고 전신적 합병증의 발생이 많고 장기간의 치료 기간이 필요한 전방 도달적 수술 방법을 피할 수 있다. 그러나 노인성 척추골절의 대부분이 보존적 치료에 의하여 치료될 수 있으며 골절 발생 직후에는 그 진행결과를 예측하기 어렵다는 점을 감안하면 특별히 심한 경우가 아닌 한, 조기 수술의 결정에는 무리가 따른다고 생각된다.

지연적 시술은 침상 안정, 보조기 착용 등 보존적 치료를 시행하여 골절의 진행경과를 관찰하면서 척추와 주위 조직에 부종이 감소하고 척추에 어느 정도 안정성이 생긴 후에 수술하는 것이다. 이 경우 수술에 따른 전신적 합병증의 감소 등 안정성이 높은 장점이 있으며, 한편으로 수술의 불필요함에 대한 가능성을 다시 한 번 생각할 수 있다. 따라서 노인성 척추골절의 경우 신경증상이 없고 초기에는 불안정성이 드물며, 변형 자체만으로는 수술적 적응이 되는 경우는 드물기 때문에, 보존적 치료를 시행한 후 심각한 합병증이 발생한 경우에만 수술적으로 치료하는 것을 타당한 것으로 인정하고 있다.

4) 수술 방법

① 척추성형술, 풍선성형술

척추성형술은 척추 양성 종양의 치료 목적으로 처음 시도되었다가 극적인 통증 감소 효과가 밝혀지면서 골다공증 척추골절의 치료에 시행되고 있다. 국소마취로 시행되며 골절부위에 시멘트를 주사하여 내부에서 응고시켜 골절부위를 안정시키는 술식이다. 시멘트가 응고되면서 골절부위의 기계적으로 안정되면서, 시멘트 응고시 발열반응으로 인하여 통증을 느끼는 신경 말단이 손상되면서 진통효과가 생긴다고 추정하고 있다. 많은 임상연구가 진행되었으며 대부분의 초기 연구는 이 술식의 안정성 기법, 대조군 없는 환자군의 임상 증상 호전에 관한 논문이 주를 이루었다. 그 이후 술식에 관련된 시멘트 유출, 폐색전증 등의 합병증이 보고되었고 이를 보완하기 위한 풍선성형술이 등장하게 되었다. 척추성형술과 풍선성형술의 임상결과는 3년 추시에서 큰 차이가 없다고 한다. 대조군과 척추성형술군과의 임상 결과를 비교한 무작위 전향적 연구를 보면 대조군과 큰 차이가 없는 연구들과 척추성형술을 시행한 군에서 초기에 통증 감소가 현저하지만 장기 추시하면 결과가 같다는 논문이 있으며 2주 추시에서 시술 시행한 군에서 대조군에 비해 통증 감소가 현저하다는 결과와 시술 후 한달 후에 결과를 비교하면 시술군이 더 기능점수가 좋았다는 연구결과가 있다. 시술 후 통증의 재발 예가 흔하며 심각한 합병증의 발생이 드물지는 않은 것으로 보고되었다.

아직 확실한 결론을 내릴 수는 없지만 좀더 좋은 디자인의 임상연구 결과를 기다리며 보존적 치료에 반응하지 않는 제한된 환자에서 이 시술을 시행할 수 있겠다. 필요하다면 척추성형술, 풍선성형술의 수술 적응증(다발성 골절, 이차성 골다공증, 스테로이드 유발성 골다공증)을 탐색하기 위한 연구도 진행되어야 할 것이다.

시술 중 척추체 생검은 유용한 정보를 제공한다고 볼 수 있지만 실제적으로 시술전 알고 있는 악성질환의 확인이고 새로운 진단을 제시한 경우는 없으므로 모든 환자에서 생검이 필수적인 것은 아니며 악성혹은 감염 질환을 의심할 시에만 생검을 권하고 있다.

폐경후 여성에서 요추부 척추유합술 후 장기 추시하면 수술한 인접 상위 척추마디에 급성 골절이 발생할 수 있다. 이는 전체 유합술 시행 환자의 24%에서 발생하며 수술 후 2년 이내에 대부분 발생한다고 한다. 척추성형술 이후 자연경과를 보면 역시 다른 부위에서 척추골절이 발생하는데 대상 환자의 93.7%가 골다공증 치료제를 투약했음에도 시술 1년 이내에 인접부위 척추의 새로운 골절이 15.5% 정도 발생하였다. 이 연구들의 결과로 척추유합술 혹은 척추성형술을 시행한 폐경후 여성의 경우는 골다공증의 진단 및 치료에 관심을 가져야 함을 알 수 있다.

② 척추 내고정기기술 및 유합술

ㄱ. 후방 고정술(posterior fixation)

후방기기고정술은 골다공증 척추골절을 안정화하기 위해 가장 널리 사용되고 있는 방법이다. 척추의 전방주가 온전하고 불안정성이 존재하지 않는다면 후방고정술만으로도 충분하다. 하지만 감압술이 필요한 경우 직접적인 감압이 힘들고, 단분절 기기고정은 후방고정술에서 가장 약한 연결 부위에 해당하는 기기와 뼈의 접촉면에서 실패를 일으키기 때문에 척추경나사가 헐거워지면서 뒤로 빠지거나(pullout), 종판을 뚫고 인접 척추를 침범하게(cutout) 될 수 있다. 이러한 실패 가능성 때문에 장분절 고정을 시행하게 되지만, 이 역시 척추 변형력이 척추기기와 척추골 사이 접촉면의 안정성을 초과한다면 후방기기 실패가 일어날 수 있다. 이러한 후방척추기기의 실패는 골밀도와 밀접한 연관이 있는데, 생체역학연구에서 Soshi 등은 골밀도가 0.3 g/cm^{2}이하인 환자에서는 척추경 나사못만을 이용한 기기 고정 시 실패확률이 높다고 하였다.

이러한 환자에서는 척추기기와 척추골 사이의 접촉면의 안정성을 강화하거나 척추 변형력을 감소시키기 위해 다음과 같은 다양한 방법을 시도해볼 수 있다. 먼저 척추경나사와 골 접촉면의 안정성을 강화하기 위해 척추경나사의 길이나 지름을 증가시키거나 척추경나사의 궤도가 내측으로 향하게(medicalization)하는 방법, 나사못 삽입전 tapping을 작게 하는 방법(undertapping), 유합범위를 늘이거나 추궁하 갈고리(sublaminar hook)로 척추경나사를 보조하는 방법, 시멘트를 척추경나사와 골 접촉면에 사용하는 방법 등이 이용되어 왔으며, 나사못 삽입 후 나사못의 원위부가 확장되는 확장형 척추경나사(expandable pedicle screw)가 임상적으로 시도되고 있다. 척추 변형력을 감소시키기기 위해서는 전방 접근을 통한 구조적인 지지가 추가로 필요하게 된다.

ㄴ. 전방 재건술(anterior reconstruction)

골다공증에 의한 척추 압박골절은 척추체의 전방의 해면골에서 발생하고 척추체 후방 피질골은 보존되므로 신경근 증상이나 척추 압박 증상이 드물게 나타나지만, 고령(70세 이상), 혈류 순환장애 인자가 관여되는 상위 흉추 골절, 심한 후만 변형에서는 신경학적 증상이 출현할 수 있다. 신경학적 문제가 동반된 척추골절에서는 척추체 후방벽의 피질골이 파괴되어 있으므로 감압을 위해서 단순히 전방 감압술만을 시행하면 전방 구조물을 약화시키는 결과가 초래되어 불안정성이 증가하게 된다. 전방접근은 이와 같이 골절로 인해 신경학적 결손을 보이는 환자에게서 감압술과 재건술을 동시에 시행하고 고정 분절을 짧게 하려는 시도에서 사용된다.

전방 금속판 또는 금속봉-나사 고정술은 주로 흉요추부와 상요추부의 척추 전주 재건술에 사용되는데 수술 시 횡격막에 손상을 줄 수 있다는 위험성을 가지고 있다. 전방고정기기 역시 골다공증 척추골에서 고정기기의 헐거워짐(loosening) 및 인접 척추체의 해면골로의 침범(subsidence) 등이 나타나 골유합을 방해하고 변형을 발생시킬 수 있다. 또한 전주의 재건술에 자가골 이식, 동종골 이식, 시멘트, 추체 교체술(vertebral body replacement) 등을 사용하는 경우 이식골과 이식 기기 및 척추 사이의 탄성 계수의 부조화에 의한 고정력 소실이 발생할 수 있으므로 연령과 더불어 변화하는 골의 탄성 계수를 잘 고려하여 선택하여야 한다. 골다공증 척추골에서 전방접근을 통한 구조적인 지지(structural support)가 필요한 경우에는 작은 지지체(strut)나 cage는 이것들이 척추 종판을 뚫고 지나가는 경향이 있어 피하는 것이 좋으며, 주로는 자가 피질-해면골의 이식이 가장 좋은 선택이다. 고정력을 강화하기 위해서는 지름이 큰 나사못으로 양면피질을 고정하거나(bicortical purchase), 시멘트를 이용하는 방법이 사용된다.

전방 접근법은 후방고정술에 비해 척추분절의 유합범위를 줄일 수 있지만 골다공증 환자에서는 전방고정술만으로는 적절한 고정력을 얻기 힘들어 전방 지지(strut)와 후방 다분절 고정술을 병행하는 것이 좀더 바람직하다. 하지만 전후방 도달법은 직접적인 감압과 전후방 모두의 재건술을 할 수 있다는 장점이 있는 반면 수술의 합병증이 증가하는 단점이 있다

ㄷ. 척추 단축절골술(spinal shortening osteotomy)

골다공증 방출골절에 대한 감압술 및 후만 변형의 치료를 위하여 압박 붕괴된 척추골절의 후방구조, 즉 극돌기, 추궁판 및 척추경을 후방에서 제거하고 이를 통하여 추체 후벽 등 중간주까지 절제한 후 상하로 추경나사못을 이용한 압박 내고정하는 방법이다. 장점은 척수 감압이 보다 간편한 후방 도달법에 의해서 가능하고 한 번의 수술로 전후방구조에 대한 동시 수술을 할 수 있으며, 수술 시간이 짧고, 후만 변형의 교정까지 얻을 수 있다는 점이다. 그러나 고난도의 술기를 요하며, 출혈이나 신경손상의 위험 등 큰 단점이 있으므로 주의가 필요하다. 척추의 절골에 의해 매우 불안정한 상태가 되기 때문에 추경내고정술을 광범위하게 시행해야 한다.

ㄹ. 후방 도달 척추 전절제술(total en bloc spondylectomy)

추체의 절제, 재건술에 전방 도달법을 이용한 경우 광범위한 절개와 노출이 필요하게 되는데, 특히 흉추를 전방 도달법으로 노출시키는 경우, 흉곽을 개방해야 하므로 노인 환자에서 술 후 합병증이 발생할 가능성이 높다. 이 경우 후방 도달법으로 척추 전절제술(total en bloc spondylecto my)을 시행하고 전방재건술을 시행할 수 있다. 또한 종양에 의한 병적 골절과의 감별이 어려운 경우에도 적응이 될 수 있을 것이다. 흉추골절의 경우 척수 압박 등 신경 증상이 많이 동반되는데 척추 전절제술로 흉곽을 개방하지 않고 감압술 및 전방재건술을 동시에 시행할 수 있는 장점이 있다.

미국정형외과학회: 골다공증 척추압박 골절 치료 가이드라인

1. 신경학적으로 정상인 골다공증 척추압박골절 환자에서 5일 이내(사고력이 있거나 증상이 시작된 날로부터)의 급성 골절인 경우 칼시토닌으로 4주간 치료한다.
   Strength of recommendation: Moderate

2. 골다공증 척추 압박골절 환자에서 이반드로네이트, 스트론튬은 척추골절 재발을 막기위해 사용할 수 있다.
   Strength of recommendation: Weak
3. 신경학적으로 정상인 골다공증 척추압박골절 환자에서 침상 안정, 대체의학, 마약진통제, 비마약성 진통제의 사용은 추천하지도 않고 금지하지도 않는다.
   Strength of recommendation: Inconclusive
4. 급성 골다공증 척추 압박골절 환자에서 제 3, 4 요추골절인 경우 제2요추 신경근 차단술을 시행할 수 있다.
   Strength of recommendation: Weak
5. 신경학적으로 정상인 골다공증 척추압박골절 환자에서 보조기는 추천하지도 않고 금지하지도 않는다.
   Strength of recommendation: Inconclusive
6. 신경학적으로 정상인 골다공증 척추압박골절 환자에서 운동 재활프로그램은 추천하지도 않고 금지하지도 않는다.
   Strength of recommendation: Inconclusive
7. 신경학적으로 정상인 골다공증 척추압박골절 환자에서 전기자극 치료는 추천하지도 않고 금지하지도 않는다.
   Strength of recommendation: Inconclusive
8. 신경학적으로 정상인 골다공증 척추압박골절 환자에서 척추성형술(vertebroplasty)은 추천하지 않는다.
   Strength of recommendation: Strong
9. 신경학적으로 정상인 골다공증 척추압박골절 환자에서 후만성형술(kyphoplasty)을 사용할 수 있다.
   Strength of recommendation: Weak
10. 신경학적으로 정상인 골다공증 척추압박골절 환자에서 후만각도(kyphotic angle)의 호전을 추천하지도 않고 금지하지도 않는다.
    Strength of recommendation: Inconclusive

11. 신경학적 증상이 있는 골다공증 척추압박골절 환자에서는 어떤 한가지의 치료법을 추천하지도 않고 금지하지도 않는다.

Strength of recommendation: Inconclusive

가이드라인은 2010년 9월 24일 American Association of Orthopaedic Surgeons으로부터 인준되었으며 http://www.aaos.org/research/guidelines/SCFguideline.asp 에 요약 및 전체 리뷰가 있음

참고문헌

1. 김남현, 문성환, 이환모 등. 정상 한국인의 척추 제원 및 형태 변이-방사선에 의한 정량 형태 계측. 대한정형외과학회지 1998;33:1611-9.
2. 양익환, 문성환, 이원준 등. 이중에너지 흡수계측기를 이용한 골다공증 척추골절의 평가 -방사선적 형태계측법과의 비교. 대한골대사학회지 2004;11:36-41.
3. 장준섭, 문성환. 골다공증 척추골절에서 골절 특성 및 형태계측학적 수치와 골밀도와의 상관관계. 대한정형외과학회지 1998;33:375-84.
4. 장준섭, 문성환. 대퇴골 근위부 골절에서 이중에너지 방사선 흡수계측법을 이용한 골밀도의 측정. 대한정형외과학회지 1993;28:830-8.
5. 장준섭, 문성환. 이중에너지 방사선 흡수 계측법을 이용한 원발성 골조송증에 의한 척추골절의 골밀도 측정. 대학정형외과학회지 1992;27:57-64.
6. Amanat N, McDonald M, Godfrey C, et al. Optimal timing of a single dose of zoledronic acid to increase strength in rat fracture repair. J Bone Miner Res 2007;22:867-76.
7. Bergink AP, van der Klift M, Hofman A, et al. Osteoarthritis of the knee is associated with vertebral and nonvertebral fractures in the elderly. Arthritis Rheum 2003;49:648-57.
8. Buchbinder R, Osborne RH, Ebeling PR, et al. A randomized trial of vertebroplasty for painful osteoporotic vertebral fractures. N Engl J Med 2009;361:557-68.
9. Cauley JA, Thompson DE, Ensrud KC, et al. Risk of mortality following clinical fractures. Osteoporos Int 2000;11:556-61.
10. Genant HK, Wu CY, van Kuijk C, et al. Vertebral fracture assessment using a semiquantitative technique. J Bone Miner Res 1993;8:1137-48.
11. Huang RC, Khan SN, Sandhu HS, et al. Alendronate inhibits spine fusion in a rat model. Spine 2005;30:2516-22.

12. Ioannidis G, Papaioannou A, Hopman WM, et al. Relation between fractures and mortality: results from the Canadian Multicentre Osteoporosis Study. CMAJ 2009;181:265-71.
13. Kallmes DF, Comstock BA, Heagerty PJ, et al. A randomized trial of vertebroplasty for osteoporotic spinal fractures. N Engl J Med 2009;361:569-79.
14. Kang HY, Kang DR, Jang YH, et al. Estimating the economic burden of osteoporotic vertebral fracture among elderly Korean women. J Prev Med Public Health 2008;41:287-94.
15. Lee SH, Gong HS, Kim TH, et al. Position Statement: Drug Holiday in Osteoporosis Treatment with Bisphosphonates in South Korea. J Bone Metab 2015;22:167-74.
16. Kang HY, Yang KH, Kim YN, et al. Incidence and mortality of hip fracture among the elderly population in South Korea: a population-based study using the national health insurance claims data. BMC Public Health 2010;10:230.
17. McDonald MM, Dulai S, Godfrey C, et al. Bolus or weekly zoledronic acid administration does not delay endochondral fracture repair but weekly dosing enhances delays in hard callus remodeling. Bone 2008;43:653-62.
18. Odvina CV, Zerwekh JE, Rao DS, et al. Severely suppressed bone turnover: a potential complication of alendronate therapy. J Clin Endocrinol Metab 2005;90:1294-301.
19. Robinson CM, Royds M, Abraham A, et al. Refractures in patients at least forty-five years old. a prospective analysis of twenty-two thousand and sixty patients. J Bone Joint Surg Am 2002;84-A:1528-33.
20. Rousing R, Andersen MO, Jespersen SM, et al. Percutaneous vertebroplasty compared to conservative treatment in patients with painful acute or subacute osteoporotic vertebral fractures: three-months follow-up in a clinical randomized study. Spine 2009;34:1349-54.
21. Wardlaw D, Cummings SR, van Meirhaeghe J, et al. Efficacy and safety of balloon kyphoplasty compared with non-surgical care for vertebral compression fracture (FREE): a randomised controlled trial. Lancet 2009;373:1016-24.

6-4 대퇴골골절과 기타 하지골절

이영균

대퇴골은 체중이 골반에서 하지로 전해지는 부위로 골절이 발생하면 보행을 할 수 없다. 노인에서는 조기에 거동을 목표로 하여야 하는데, 이는 오래 누워 있는 경우에 폐렴, 욕창, 비뇨기계 감염 등 내과적 합병증으로 사망률이 매우 높기 때문이다. 따라서 노인에서 발생하는 골다공성 대퇴골골절의 치료 목표는 일차적으로 골절을 안정적으로 내고정하여 조기에 거동시키는 것이며, 장기적으로는 골절이 발생하기 전 상태로 회복시켜서 독립적인 생활을 가능하게 하는 것이다. 대퇴골골절은 골다공성 골절 중에서도 가장 심각한 골절로, 상기 치료 목표를 달성하기 힘들고, 합병증으로 인하여 1년내 사망률이 약 20%에 이른다. 최근에는 평균 수명의 연장으로 인해 85세 이상 고령자의 빈도가 급격히 증가하고 있는데 이들 노인에서는 1년내 사망률이 35%를 초과하고 있다.

대퇴골골절은 크게 대퇴골경부골절과 대퇴골전자부골절로 나뉘며 최근에는 대퇴골 전자하부골절과 간부 골절의 빈도가 조금씩 증가하고 있으며, 골다공증 약제와의 관련성으로 인해 주목 받고 있다. 이들 골절은 모두 대퇴골에 발생하나 골절이 발생한 위치, 전위의 정도, 치료 방법, 합병증에 차이를 나타낸다.

노인이 낙상한 경우에 골반골 치골 골절이 발생할 수 있으며, 서혜부 통증을 호소하는 환자에서 처음에는 X-선 사진에 잘 보이지 않다가 1~2달 후에 치골 골절부에 가골이 관찰되어 진단이 늦어지는 경우도 있다.

그 밖에 낙상시 발이 꼬이는 경우에는 회전력으로 인하여 대퇴골 과상부골절과 경골 원위골간단부골절도 발생할 수 있으며, 미끄러져 넘어지는 경우에 발목 주위에 골절이 발생할 수 있다.

고관절 주위 골절

골다공증 환자에게 발생하는 대퇴골 주위 골절은 대표적으로 대퇴골경부골절과 대퇴골전자부골절이 있다. 이 중에서 대퇴골전자부골절은 대퇴골경부골절보다 발생연령이 높으며 골다공증도 심한 경향이 있다. 골다공증성 고관절 주위 골절은 주로 집안에서 미끄러져 넘어지는 정도의 약한 외력에 의하여 발생하므로, 교통사고와 같은 고에너지 손상에서 보는 것과는 달리 연부조직 손상은 심하지 않으며, 골절도 심한 전위를 나타내지 않는 경우가 많다. 하지만 골다공증으로 피질골이 얇고, 해면골도 두께가 얇고, 수도 감소된 상태이므로 분쇄골절이 발생하여 불안정성 골절이 발생할 수 있다.

수술시에는 골다공증이 심한 골조직에 내고정물을 안정되게 고정하는 것이 쉽지 않으며, 나사의 이완, 내고정물에 의한 대퇴골 골두 천공 등이 발생하기 쉬워서 이에 대한 수술 방법 및 내고정물이 개발되고 있다.

노인에게는 고혈압, 당뇨병, 심장질환 등 동반 질환이 많기 때문에 수술 후 회복이 젊은 성인보다 힘든 경우가 많고, 일단 수술에서 회복되어도 수술 부위의 통증, 근력저하 등으로 움직이기 힘들어 재활치료가 늦어지게 된다. 수술 후에도 기능이 떨어져 약 50%의 환자에서는 혼자 독립적으로 활동하지 못하고 다른 사람의 도움을 필요로 하며, 나머지 환자의 25%도 1년 후에는 도움을 요하는 상태가 되며, 약 25%에서만 골절되기 전의 상태가 된다.

이와 같이 대퇴골골절은 입원, 수술하는 데에만 비용이 드는 것이 아니라 수술 후에도 사회 경제적으로 드는 비용이 막대하여 전 세계적으로 큰 보건학적인 문제가 되고 있다. 더욱 심각한 점은 이러한 대퇴골골절이 계속 증가할 것이라는 점이다. 1990년에는 북미에서는 35만 명이, 유럽에서는 40만 명이, 아시아에서는 60만 명의 대퇴골골절이 발생하였고, 계속 노인 인구의 증가와 함께 대퇴골골절도 증가할 것으로 예상하는데, 특히 아시아 지역에서는 매우 급격히 증가하여 2050년경에는 1990년의 4배 정도의 대퇴골골절이 발생하며, 전세계 대퇴골골절의 50% 이상이 발생할 것으로 예상되고 있다. 이는 최근 평균 수명이 길어지고, 고령의 인구가 급격히 증가하는 우리나라에서도 나타나는 현상이다(그림 6-4-1). 제주지역을 대상으로 한 50세 이상의 대퇴골골절 역학조사에서 2011년에 100,000명당 183.7명의 대퇴골골절이 발생하였으며, 이는 10년전에 비하여 1.5 배 증가한 수치였다.

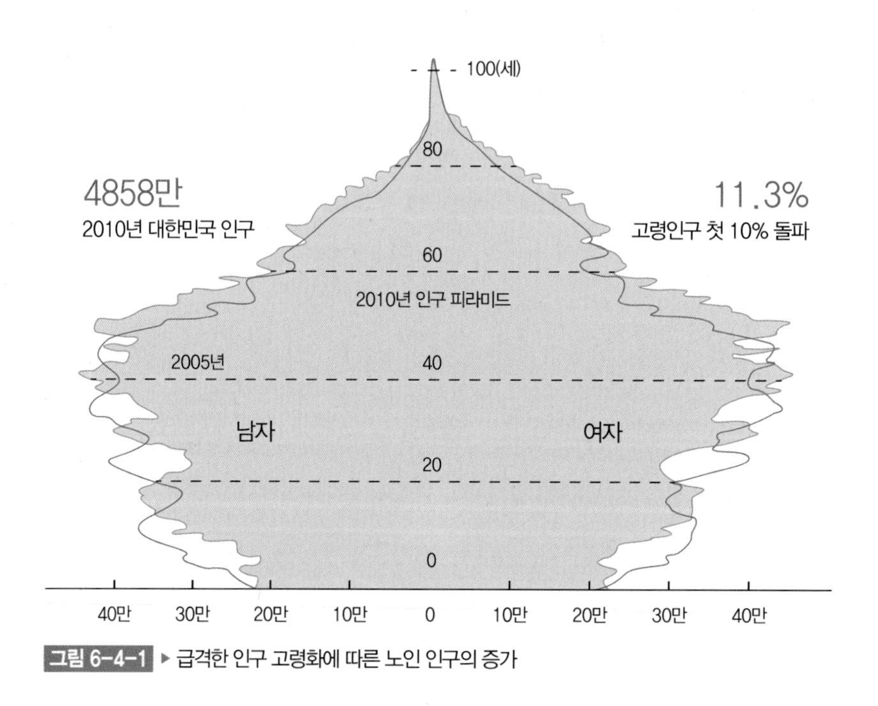

그림 6-4-1 ▸ 급격한 인구 고령화에 따른 노인 인구의 증가

1. 위험인자들

골밀도가 낮은 환자에서 골절이 발생하는 빈도가 높은 것은 잘 알려져 있다. 골의 강도를 결정하는 것 중에 골량이 매우 중요하며 골밀도가 저하되면 골절 위험률은 상승하는데, T-값이 1 감소함에 따라 골절의 빈도는 1.5~3배 증가한다.

골밀도 이외에도 뼈의 외형, 미세구조, 뼈의 외경 및 크기, 피질골의 두께, 해면골 골소주의 두께 및 수효 등과 같이 골밀도만으로는 평가되지 않는 요소로 인하여 뼈의 강도에 영향을 미치는 것으로 알려졌다.

대퇴골골절 위험인자 중의 하나는 전에 골다공증 골절이 있었던 경력이 있는 것이며, 이러한 경력이 있는 환자는 골밀도와 상관없이 다시 골다공증 골절이 발생할 위험이 높다. 그러므로 전에 골다공증 골절이 있었던 경력이나, 가족 중에 골다공증 골절이 있었던 경력이 있는 환자는 골밀도와는 무관하게 다시 골다공증 골절이 발생할 가능성이 높다. 척추골절 환자에서 다시 새로운 척추골절이 발생할 위험률은 골절의 과거력이 없는 사람에 비하여 5배가 높다. 그리고 척추 이외에 대퇴골골절이나 기타 골절이 발생할 위험률은 2~3배 높다. 비척추골절 환자의 재골절 위험률은 골절의 과거력이 없는 사람에 비하여 약 3배 이상 높다. 이외에 저체중 및 흡연이 위험인자에 속한다.

골다공증 골절의 거의 대부분 넘어지면서(낙상) 발생하며 전체 낙상 중 1%에서 대퇴골골절이 발생한다. 낙상의 위험인자로는 환자에게 동반된 질환으로 의식을 잃거나, 균형 감각이 저하되는 경우, 시력이 나쁘거나, 근력이 저하된 경우 등이 있다. 이외에도 주위 환경이 문제될 수 있다. 집의 바닥이 미끄 럽거나, 발이 걸리는 턱진 부분이 있거나, 조명이 어두운 경우, 미끄러운 목욕탕 등으로 인하여 낙상이 발생할 수 있으며, 낙상을 낮은 골밀도보다 더 중요한 위험인자로 간주하기도 한다.

그리고 노인에서는 낙상시 반응하는 시간이 느리므로 손으로 바닥을 짚으면서 충격을 완화시키는 작용이 제한되어 대퇴골골절이 발생하는데 관여한다(그림 6-4-2).

그림 6-4-2 ▸ 연령에 따른 낙상의 차이점

대퇴골경부골절

대퇴골경부골절의 70~80%는 여성에서 호발하며 60대 중반 이후에 잘 발생한다. 대퇴골경부골절은 그 손상 부위의 혈관 주행의 해부학적 특성으로, 전위성 경부 골절시 혈관이 손상되기 쉽고, 골다공증이 심한 경우에는 골질이 약화되어 견고한 내고정이 어려워 치료가 쉽지 않다. 대퇴골 내회선 동맥의 분지인 상지대동맥(superior retinacular vessels)이 대퇴골두의 대부분에 분포하며 이것이 골절 전위로 인하여 손상되면 대퇴골두로 가는 혈액 공급이 차단되어 합병증으로 대퇴골두 무혈성 괴사를 일으킬 수 있으며 전위성 골절의 약 25%에서 발생하고 있다. 또한, 골질의 약화와 고령으로 인한 골절 치유기전의 저하로 인하여 고정 실패, 불유합과 같은 합병증이 발생할 수 있으며, 따라서 이와 같은 이유로 노인 환자에서 전위성 경부 골절이 있고 골다공증이 동반되었다고 판단되는 경우에는 골유합보다는 골두를 치환하는 인공관절 전 혹은 반치환술이 많이 선호되고 있다.

전위성 대퇴골경부골절을 내고정으로 치료하고자 할 때에는 대퇴골두의 혈액 순환장애를 줄이기 위하여 가능한 수술을 빨리 실시하도록 권하고 있다. 동반된 내과적 질환이 매우 심각하여 마취나 수술을 진행할 수 없을 때에는 보존적 치료로 눕혀서 안정 치료를 하게되는데 환자는 통증으로 자세를 바꾸려 하지 않으므로 압력을 받게 되는 천추, 대퇴골 전자부, 골반골 장골극 부위에 욕창이 잘 생기고, 폐렴 및 비뇨기계 감염도 올 수 있다. 또한, 정맥에 혈전이 발생하여 심각한 합병증인 폐색전증으로 인하여 사망할 수 있다.

1) 해부학

근위 대퇴골 해면골의 해면골은 체중부하 시 Wolff의 법칙에 따라 대퇴골두와 경부에 발생하는 스트레스의 방향으로 형성되며, 5개의 내골주계가 있다. 여기에는 일차성 압박골군(principal compres sive group), 일차성 장력골군(principal tensile group), 이차성 압박골군(secondary com pressive group), 이차 성 장력골군(secondary tensile group), 대전자골군(greater trochanter group)으로 나눌 수 있다. 골다공증이 심할수록 5개의 내골주계 중 많은 부분이 소실되며, 일차성 압박골군이 가장 강하여 심한 골다공증에도 남아 있는다. 이를 X-선 검사상 관찰하여 1~6급까지 나누는 싱 지표(Singh index)가 있으며, 1급은 매우 심한 골다공증을, 6급은 정상을 나타낸다. 대퇴골두의 주 혈액 공급원인 지대동맥은 기저부 혹은 전자부 문합에서 시작하며, 대퇴 내 · 외회선동맥(medial and lateral femoral circumflex artery), 상 · 하둔부동맥(superior and inferior gluteal artery), 그리고 제1천공동맥(first perforating artery) 등에서 혈액공급을 받는다. 지대 동맥들 중 대퇴경부의 후상부에 위치하는 상지대동맥(superior retinacular artery)은 대퇴골두의 주요 혈액 공급원이며 가장 중요하다. 대퇴골 경부에 전위성 골절이 발생하면 이 혈관이 손상을 받아서 혈액 공급이 장해를 받게 된다. 대퇴골두는 지대동맥 뿐 아니라, 폐쇄동맥(obturator artery) 혹은 대퇴내회선 동맥의 분지이고 원형인대(ligamentum teres) 를 따라 들어오는 동맥으로부터도 약간의 혈액 공급을 받는다.

2) 손상기전 및 골절의 분류

대퇴골경부골절은 노인성 골절의 약 19%를 차지하며 노인들에서 발생하는 가장 대표적인 취약골절(fragility fracture)이며 주요 손상기전으로는 옆으로 넘어질 때 대전자 부위가 직접 바닥을 충격하면서 발생한다. 또한, 반복적 부하에 의한 일종의 피로골절로 미세골절이 발생할 수 있다. 대퇴골경부골절은 골절의 해부학적 위치에 따라, 골절각에 따라, 골절편의 전위에 따라 분류할 수 있고, 전위 정도에 따라 감입골절, 비전위골절, 전위골절로도 나눌 수 있다. 그리고 감입골절(impacted fracture)과 같은 안정 골절과는 달리 전위된 골절은 정복하여도 이를 유지하기 힘들어 다시 전위가 잘 되는 불안정 골절로 나눌 수 있다. 불안정 골절은 골절선이 수직에 가까워 골절 부위에 압박력보다는 전단력(shearing force)이 작용하는 경우이거나, 대퇴경부 후방의 분쇄골절이 있는 경우이다. 해부학적 위치 에 따라서는 골두하(subcapital), 중간 경부(transcervical), 하경부(basicervical) 골절로 나누며 골두하 골절일수록 불안정성이 심하고 무혈성 괴사가 잘 발생한다. Pauwels는 골절선이 대퇴경부를 지나는 방향에 따라 제1형은 골절각이 수평에서 35°이내, 제2형은 35~60°, 제3형은 60~90°라고 분류하였다. 제3형 은 제1형보다 골절선이 수직에 가까워 전단력이 증가하므로 불유합이 많이 생긴다고 하였다.

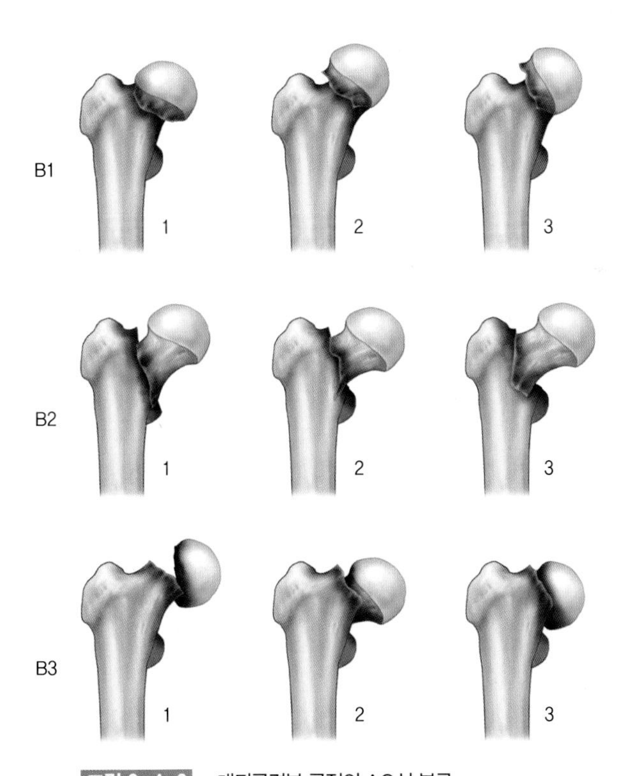

그림 6-4-3 ▶ 대퇴골경부 골절의 AO식 분류

골절의 형태와 부위에 따라 분류하여, B1은 대퇴골두하 부위의 감입골절로 안정 골절에 속한다. B2는 대퇴경부 중간 부위의 골절이며, B3는 전위된 대퇴골두하 골절로 불안정 골절이다.

또한 골절 전위에 따라서는 Garden이 원위 골편에 대한 근위골편의 해부학적 관계에 따라 분류한 방법이 있다. 제1형은 전위가 없는 불완전골절이며, 제2형은 전위가 없는 완전 골절이고, 제3형은 전위가 일부 있는 완전골절이며, 후방지대(retinaculum)가 붙어 있어 근위골편을 잡아당기므로 비구에 대하여 근위골편이 내반위로 회전된다. 이때 방사선 소견상 근위골편의 해면골 양상이 비구의 해면골와 일치하지 않는다. 제4형은 완전히 전위된 완전골절이며, 후방 지대도 끊어져서 근위 골편의 해면골이 비구와 일 치하는 관계에 있게 된다. 제1형과 제2형은 치료에 큰 문제가 없으나, 제3형, 제4형은 무혈성 괴사 등 합 병증이 생길 위험이 많아 예후가 나쁘다.

골절을 분류하는데 개인 간의 견해 차이가 크기 때문에 최근에는 골절 형태에 따라 보다 객관적으로 분류하는 분류법(AO식 분류법)이 소개되었다. 즉 전위가 없는 골두하골절, 중간경부골절과 전위된 골두하골절로 나누고, 각 군은 다시 3개의 소군으로 나누었다(그림 6-4-3).

3) 진단

환자는 넘어진 병력이 있으며, 통증을 호소하고 하지를 움직이지 않으려 한다. 하지는 약간 짧아져 있고, 외전 및 외회전되어 있지만 외회전은 30~40°정도로 전자부 골절에 비해 심하지 않다. 골절 부위의 종창은 초기에 없어 보이나 시간이 경과함에 따라 건측에 비하여 전반적으로 종창이 있고 피하에 망상 출혈을 볼수있다.

감입골절에서는 하지 단축이나 변형이 없고, 능동적으로 하지의 거상운동이 가능하고, 수동적으로 고관절을 움직여도 통증이 거의 없으며, X-선 검사상 골절편이 외반 상태로 감입되어 있다. X-선 검사상 골 선이 확인되면 쉽게 진단을 내릴 수 있으나 피로골절 및 전위가 없는 골절은 처음에는 X-선 검사상 진단 을 내리지 못하는 경우가 있다. 이때에는 골스캔 검사가 도움이 된다(그림 6-4-4). 골다공증 환자에서는 외상의 경력이 없이 피로골절이 발생할 수 있다. 이와 같은 골절을 특별히 부전골절(insuf ficiency fracture)라고 부르고 있다. 따라서 노인에서 대퇴골 부위의 통증을 호소하는 경우에는 골절이 아니라는 것이 확인되기 전까지는 골절로 간주하고 진료하는 것이 골절을 진단하지 못하는 것을 막을 수 있다. 간혹 골반골의 피로골절(주로 치골과 천골익)로 인하여 서혜부 통증을 호소하는 환자가 있으며 다른 부전 골절과 마찬가지로 처음에는 단순 X-선 검사상 진단을 내리지 못하고, 골스캔 검사에서 골절이 확인되는 경우가 많다. 또한, 노인에서는 악성종양이 골격에 전위되어 병적 골절이 발생할 가능성이 있다는 것을 염두에 두어야 하며 골절부 주변으로 골 파괴에 의한 음영의 변화 유무를 반드시 확인하여야 한다. 악성 종양의골 전이에 의한 병적 골절을 진단하기 위해서는 과거 병력을 자세히 물어 보아야 하고, 필요시 MRI 검사를 통하여 그 전이된 범위를 확인하여야 한다.

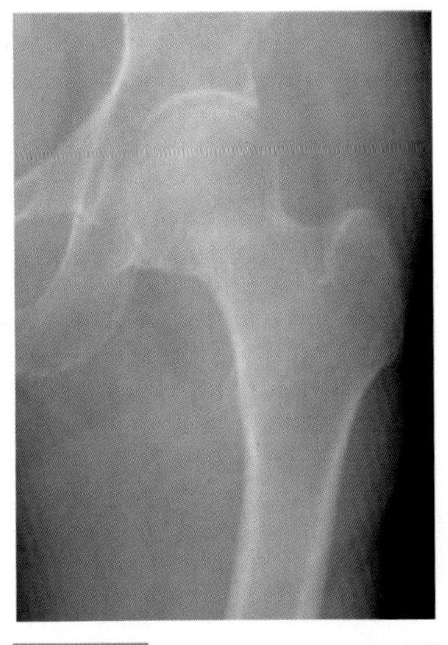
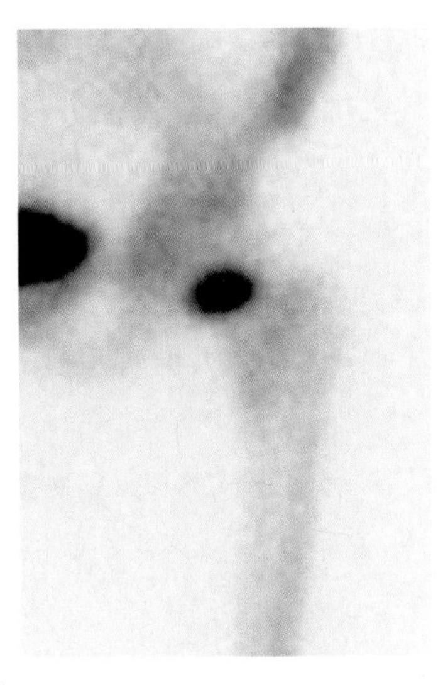

그림 6-4-4 ▸ 골절진단에서 골스캔의 유용성

좌측의 X-선 촬영에서는 골절을 확인할 수 없으나, 우측의 골주사 검사(골스캔 검사-동위원소 검사)로 골다공증에 의한 대퇴 경부의 피로(부전)골절을 진단하였다.

4) 수술적 치료

대퇴골경부골절의 15~20%를 차지하는 감입골절은 안정성이 있는 골절이므로 보존적 요법으로 치료 할 수도 있다. 그러나 감입골절의 약 10~15%에서 전위될 위험이 있으므로 3개 이상의 핀 삽입술(multiple pinning)을 시행하는 것이 좋다(그림 6-4-5).

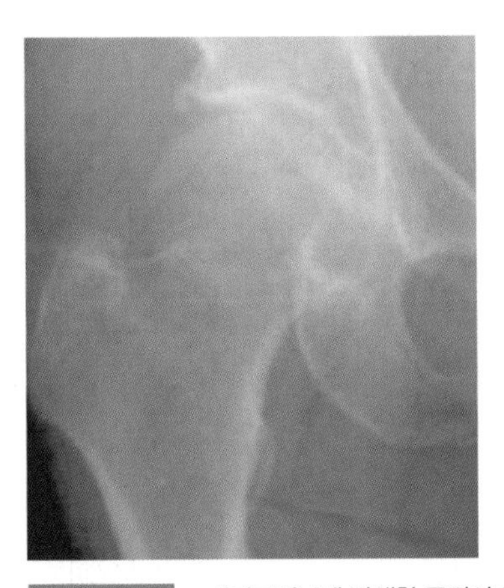
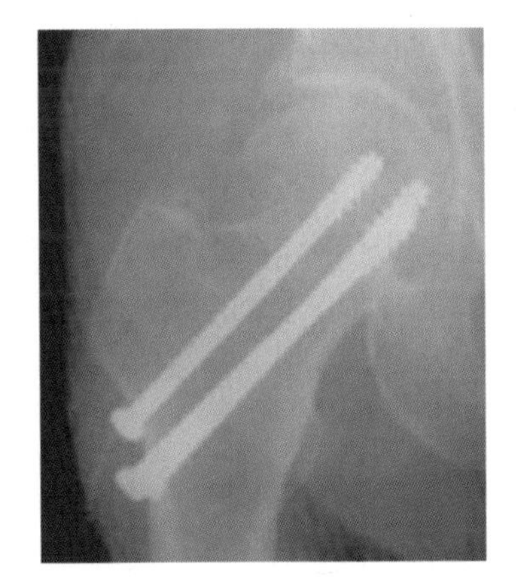

그림 6-4-5 ▸ 대퇴골경부에 발생한 골절의 치료

감입이 없는 비전위 완전골절은 안정성이 없기 때문에 내고정을 하지 않으면 거의 전례에서 전위되므로 수술적 요법으로 다수의 핀이나 압박고나사(compression hip screw)로 고정한다. 전위골절은 치료를 지연시키면 대퇴골두의 무혈성 괴사가 발생할 위험이 높아지기 때문에 심폐기능에 심각한 이상이 없는 한

가능한 신속히 수술을 실시하는 상대적 응급 수술에 해당한다. 조기에 금속 내고정술을 시행하는 목적은 첫째, 골절을 정복하여 더 이상의 혈류 차단을 방지하고, 둘째, 내고정 후에 환자를 빨리 기동시켜 노인에게 합병되는 내과적 문제를 방지하는 것이다. 전위가 심하거나, 불유합 및 대퇴골두 무혈성 괴사 가 있는 대퇴골경부골절에 대하여 인공관절 치환술을 실시하게 된다. 비구(acetabulum)는 정상이므로 대퇴골 측만을 치환하는 반치환술을 실시하는 것이 보통이고, 이중에서도 대개 28 mm 인공 대퇴골두에 비구 크기와 맞는 컵을 씌운 이극성 치환술(bipolar arthroplasty)을 많이 실시한다(그림 6-4-6).

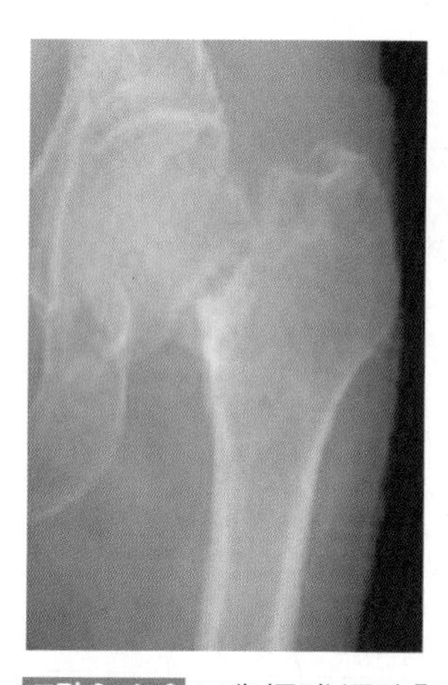
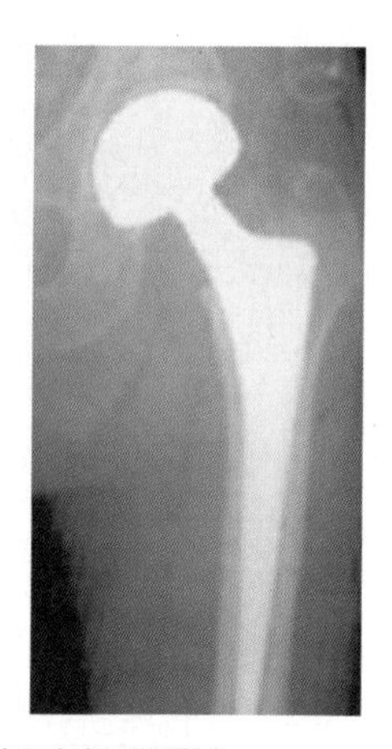

그림 6-4-6 ▸ 대퇴골경부골절 후 인공대퇴골반치환술

78세 여성 환자로 집에서 넘어져 좌측 대퇴골경부골절이 발생하였다. 골절은 전위가 심한 상태로 이극성 인공대퇴골반치환술을 시행하였다.

인공관절치환술은 수술 직후부터 체중부하를 시킬 수 있으므로 노인 환자에서 여러 내과적인 문제를 없앨 수 있으며, 내고정 후에 생길 수 있는 대퇴골두 무혈성 괴사, 불유합 등의 합병증을 배제할 수 있는 장점이 있다. 그러나 인공관절치환술은 해리, 탈구, 감염 등의 합병증이 있으며, 내고정술보다 수술시간, 출혈이 더 많은 수술이라는 문제점이 있다. 한편 반치환술 후에 인공관절의 관절면인 금속과 맞닿아 움직이는 비구 연골의 마모가 발생하거나 통증을 호소하는 경우도 있으므로 비구측도 인공관절로 바꾸는 전치환술을 시도하기도 한다.

5) 합병증

① 불유합

최근에 내고정 기구의 발달과 함께 안정된 정복과 내고정의 중요성이 인식됨에 따라 불유합이 감소하여 현재는 약 5~15%가 보고되고 있다. 불유합과 관계되는 요인으로는 골절편 전위, 수술 술기, 혈행 정도(vascularity), 분쇄 등 여러 가지가 있다. 대퇴골 경부의 골막에는 골형성층이 없는 것이 불유합의 위험성을 높이며, 불유합의 대부분에서 부적합한 정복이나 부정확한 내고정과 관계가 있다. 정확한 정복과 견고한 내고정을 하면 불유합을 줄일수 있으며, 불유합된 예의 60% 이상에서 골절 부위에 분쇄가 있으며, 특히 후방 분쇄와 불유합이 관계가 있다. 불유합의 치료를 위해서는 대퇴골두가 살아 있는가의 여부와 대퇴골경부의 흡수 정도, 골다공증의 정도 등을 평가하여야 하며, 그 후에 대퇴골두를 살리는 방법과 대퇴골두를 떼어 내고, 인공관절 반치환술이나 전치환술을 시행하는 방법 중 하나를 선택한다.

② 무혈성괴사

대퇴골두 무혈성괴사는 대퇴골경부골절의 흔한 합병증이며, 발생 빈도는 15~40%로 보고되어 있다. 무혈성 괴사는 국소 허혈에 의해 골괴사가 일어나는 것이며, 모든 예에서 대퇴골두의 함몰로 진행되지는 않는다. 후기 분절 함몰은 나중에 나타나는 임상적 소견이며 1년이 경과하면서 많이 나타나지만 3년 후에도 나타날 수 있다. 함몰이 되면 관절면이 불규칙하게 되고, 결국은 골관절염이 초래된다. 무혈성 괴사가 되었다 하여도 모두 증세가 있는 것은 아니며, 약간의 통증이 있으면 체중부하를 억제하고 대증적으로 치료한다. 그러나 심한 경우에는 절골술, 감압술 및 골이식술, 인공대퇴골치환술 등으로 치료한다 (그림 6-3-7). 그러나 노인성 골다공증이 있는 경우에는 조기 활동이 가능한 인공관절 치환술을 실시하는 경우가 대부분이다.

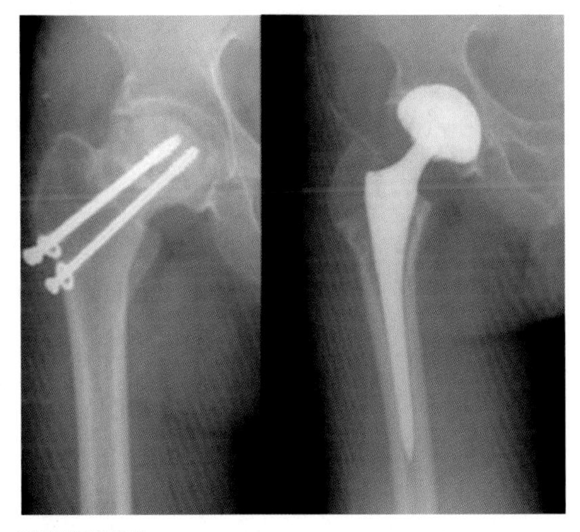

그림 6-4-7 ▸ 대퇴골경부골절 후 발생된 무혈성괴사로 인공관절 치환 예

대퇴골전자부골절

전자부골절은 대퇴골 주위 골절 중 약 50%를 차지하며, 환자의 평균 연령이 66~76세로서 대퇴골경부골절보다 높고, 거동이 불편한 환자가 더 많으며, 여성에서 호발한다. 대퇴골경부는 피질골이 75%, 해면골이 25%를 차지하는 반면, 대퇴골전자부는 피질골이 50%, 해면골이 50%로 해면골이 차지하는

비율이 높다. 이와 같이 해면골이 많으므로 골다공증의 영향을 많이 받으며, 골의 강도가 약하기 때문에 분쇄골절이 많다. 불안정 골절에서는 견고한 내고정을 얻기 힘들어 나사 이완, 내반 변형, 나사에 의한 골두 천공 등 조기 합병증이 많은 것이 특징이지만, 불유합이나 무혈성 괴사 등의 합병증은 드물다.

1) 손상기전 및 골절의 분류

대퇴골전자부골절도 안정 골절과 불안정 골절로 분류되며 안정골절은 정복시 대퇴의 내측 피질과 경부 내하측에 있는 대퇴거(calcar femorale)의 내측 피질이 맞닿아 안정성을 주는 형태의 골절이다. 불안정 골절은 대퇴 거 부위에 분쇄골절이 있거나(큰 소전자부 골편), 전자부 후방 분쇄 골편이 크고 분리되 어 골절부 상하 골편의 피질골이 연결되지 않은 경우이다. 그리고 골절선 방향이 역방향인 경우에도 심 한 전위가 발생할 수 있으므로 불안정 골절에 속한다. 골절의 형태에 따라 가장 객관적인 분류는 AO식 분류이다. A1은 단순 전자부골절로 안정 골절에 해당하고, A2는 분쇄 골절로 분쇄 정도에 따라 세 가지 로 나누고(A2.1., A2.2., A2.3.), A3는 역경사를 갖는 골절로 다시 세 가지로 나누었다(그림 6-4-8).

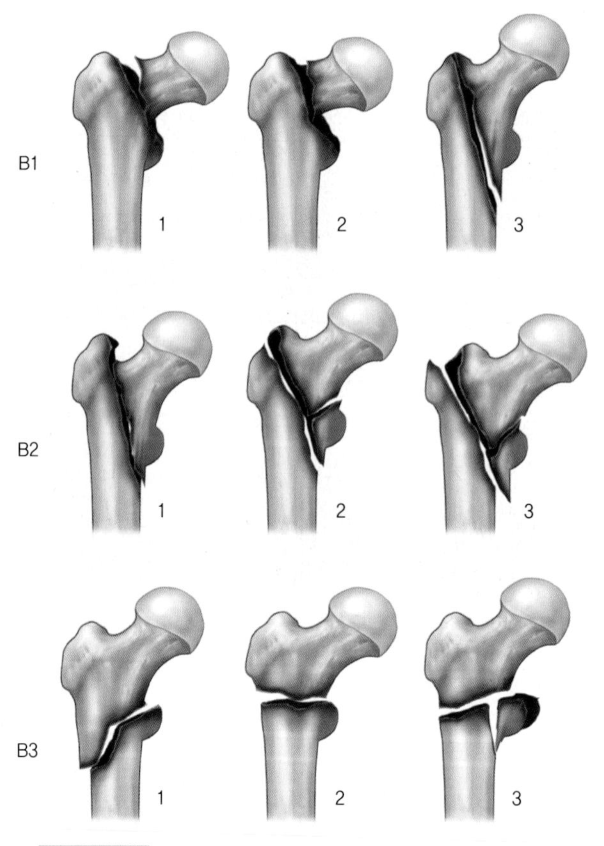

그림 6-4-8 ▸ 전자부 골절의 AO식 분류

단순 골절인 A1형, 소전자부 골절편을 포함한 분쇄골절인 A2 불안정 골절 및 역경사를 갖는 불안정 골절 A3로 나누고, 다시 분쇄 정도 등으로 세분한다.

AO식 전자부 골절 분류. 단순 골절인 A1형, 소전자부 골절편을 포함한 분쇄골절인 A2 불안정 골절 및 역경사를 갖는 불안정 골절 A3로 나누고, 다시 분쇄 정도 등으로 세분한다.

2) 진단

골절된 다리는 짧아지고 외회전되며 대퇴골경부골절에 비해 외회전 정도가 심하다. 대퇴골부에 통증과 종창이 있으며, 대부분 골절부가 전위되기 때문에 몸을 움직일 때 극심한 통증을 호소한다. 전자부골절은 고령자에서 빈발하고 사망률이 높으므로, 골절 진단과 동시에 전신 상태를 면밀히 검진하여야 한다. 골절 양상을 파악하고 치료 방침을 세우기 위해서는 정확한 X-선 촬영이 필수적이다. 전후상에서는 골절의 경사도와 골질을 알 수 있고, 외회전 상태로 찍으면 대전자가 뒤쪽으로 회전되어 골절선과 겹쳐 서 정확한 골절 양상을 알 수 없으므로 하지를 내회전시키고 찍어야 하지만 통증으로 인하여 제한되는 경우도 있다. 측면상에서는 후방골절 편의 크기, 위치, 분쇄 정도를 알 수 있으므로 골절의 안정성 여부를 결정할 수 있다. 최근에는 골절 양상을 정확히 파악하기 위하여 3차원 CT를 촬영을 고려하기도 한다.

3) 수술적 치료

대퇴골경부골절과 달리 혈행 장애로 인한 대퇴골두는 드물고 해면골이 풍부하여 골절은 잘 치유되는 까닭에 환자의 전신상태가 나쁜 경우에 따라 제한적으로 보존적 요법을 시도하는데 노인에서는 가능한 수술적 방법에 의한 견고한 내고정으로 조기 기동 및 조기 보행을 목표로 삼아야 한다. 수술시 안정되게 정복된 골절을 견고하게 내고정하여야 하는데, 내고정된 골절 부위의 강도, 즉 골절편과 내고정물의 결합 강도는 다섯 가지 변수에 의해 결정된다. 환자의 연령과 골다공증과 관련된 골질(quality), 골절편의 형태(골절 안정성 여부), 정복의 정도, 내고정물의 종류, 내고정물의 위치 등이다. 이중 골질과 골절편의 형태는 의사가 조절할 수 없지만, 안정된 정복, 적절한 내고정물의 선택 및 정확한 부위에 내고정물 삽입 등으 로 최선의 결과를 얻을 수 있게 노력해야 한다(그림 6-4-9).

수술은 전위된 골절을 가능한 해부학적 안정 정복한 후 압박고정나사나 골수강내 금속정을 사용하여 내고정을 실시한다. 압박고나사는 활강으로 골절면의 접촉을 크게 하여 골절의 안정성을 증가시키며 내고정 실패율을 감소시킨다. 압박고나사의 지연 나사(lag screw, 대퇴골두를 잡아주는 나사)가 대퇴골두 내 에서 해면골이 많은 강한 부위에 위치하도록 하여야 하며 Baumgartner는 첨단-정점 거리(tip to apex distance)를 대퇴골 정면 및 측면 방사선에서 측정하고, 이 거리가 커지면 지연나사가 대퇴골두의 편측에 위치함을 뜻하고, 뼈 조직이 덜 강한 곳에 위치하고 있다는 것을 의미하므로 내고정물 실패 위험이 증가 한다고 하였다. 그러므로 지연나사를 대퇴골두 중앙에 깊숙이 삽입하여 첨단-정점 거리가 25 mm를 넘지 않도록 권장하고 있다. 수술 후에는 적극적인 재활을 통하여 다시금 보행이 가능하도록 격려하여야 한다.

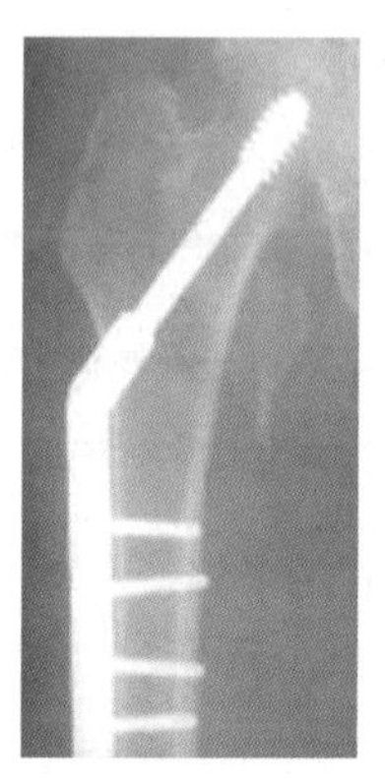 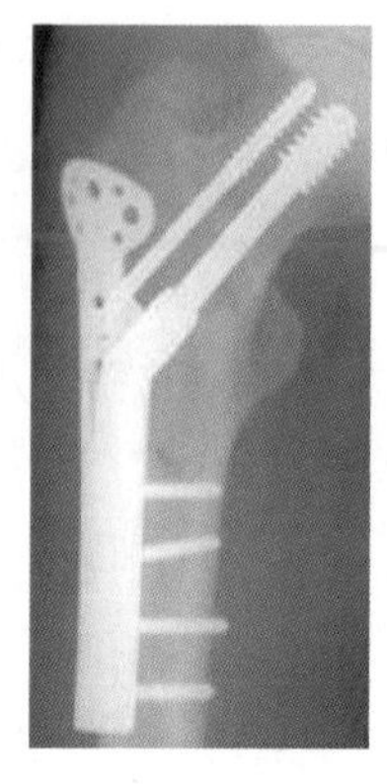 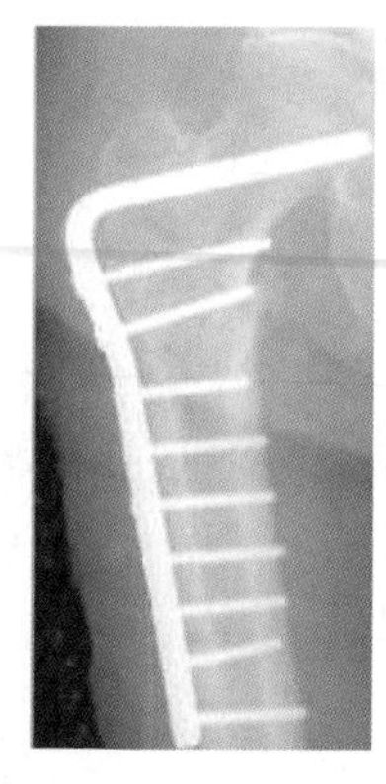 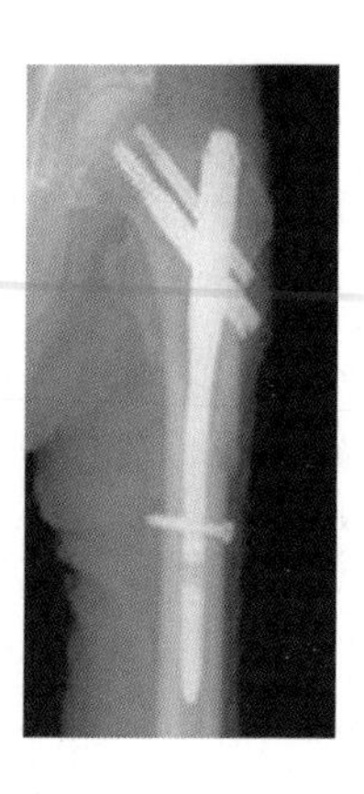

그림 6-4-9 ▶ 대퇴골전자부골절에 내고정하는 네 가지 형태의 내고정물

좌측부터 압박고정나사-금속판(sliding hip screw), 압박고나사에 전자부 안정화 금속판을 덧붙인 것(sliding hip screw & Trochanter stabilizing plate), 95도 칼날 금속판(angled blade plate), 골수정 형태의 내고정물 (proximal femoral nail)이다.

4. 수술 후 치료

대퇴골골절 환자의 치료에서 가장 중요한 것은 조기 거동에 있으므로, 무엇보다도 빨리 침대 밖으로 내려와 움직이도록 하여 욕창, 폐렴, 정맥혈전증과 폐색전증 등을 예방하여야 한다. 수술 부위에 대한 처치도 출혈 등의 문제가 예상되지 않는다면 되도록 작게하여 환자로 하여금 큰 수술을 받았다고 느끼지 않게 하고, 수술 전부터 크게 호흡하는 방법을 가르쳐 주어 수술 후에도 지속하게 한다. 침상에서도 누워서 안정 가료하는 것보다는 앉아 있는 것이 좋으며, 수술 다음날부터 휠체어를 태워 움직이게 하고, 재활치료를 시작하게 한다. 환자는 재활치료실에 가는 것 자체도 재활치료가 될 수 있으며, 점차적으로 보행 연습을 시작한다. 다시 넘어져 골절 부위의 전위 또는 재골절, 반대측의 골절 등 이 발생하지 않도록 조심하여야 한다. 그러므로 어지럽거나, 갑작스런 저혈압이 오지 않도록 환자가 누운 상태에서 침대를 서서히 세우는 것부터 시작한다. 서는 것에 적응이 되면 평행봉에서 걷는 연습, 그리 고 워커(보행기)를 이용한 보행, 목발을 이용한 보행 연습을 실시한다. 계단도 오르고 내리는 연습이 필 요하고, 보행하는 데 균형 감각뿐 아니라, 근력도 강화하여야 하므로 근력운동도 실시한다. 대표적인 것 이 대퇴사두근 강화운동으로 슬관절을 신장시키기 위해서 힘을 주도록 하는데, 슬관절 운동은 하지 않고 대퇴사두근을 수축하는 운동을 실시한다. 대개는 하지의 근육은 보행운동과 함께 호전된다. 그러나 대퇴골 외전근은 골반의 균형을 잡는 데 매우 중요한 근육으로 늦게까지 근력이 저하되어 있는 경우가 많으므로 외전근 운동도 적극적으로 시켜야 한다.

골절이 발생한 환자들은 골밀도와는 상관없이 다시 골절될 가능성이 높으며, 그래서 대퇴골골절 경력은 골다공증 골절의 중요한 위험인자에 속한다. Dinah의 보고에 의하면 대퇴골골절 후 반대측 대퇴골골절이 발생한 경우는 약 11.8%이었다. 대퇴골골절 후 퇴원시 골다공증에 대한 처방을 받은 경우가 11~29% 밖에는 안되고, 이중 칼슘만 처방한 것을 제외하면 6%만이 골다공증 치료제를 처방받았다.

비스포스포네이트 제제는 강력한 골흡수억제제이며 투약 조건이 까다롭지 않아서 많은 의사들이 가장 많이 처방하고 있다. 골절 수술후 조기에 골흡수억제제인 비스포스포네이트를 사용하는 것이 골유합 및 재형성에 나쁜 영향을 미칠수 있다는 우려가 있으나 최근의 연구에 의하면 골유합에 별 영향이 없을뿐만 아니라 골절 치료 이후에 조기에 사용하는 경우에서 더 높은 약물 순응도를 보이며, 높은 약물 순응도를 보이는 경우에 이차 골절이 적게 발생하는 것으로 보고되어, 골절 수술 이후에 가능한 조기에 골다공증 약물의 처방을 시작하는 것이 이차 예방을 위해 효과이다.

비전형적 대퇴골 전자하부 및 간부골절

낙상시에는 대퇴골 주위에 전형적인 대퇴골 경부 및 전자부 골절이 발생한다. 하지만 뼈가 매우 취약해지는 경우에는 일상생활에서 대퇴골에 걸리는 하중을 충분히 이겨내지 못하고 부전골절을 일으키게 된다. 이와 같이 진행된 골다공증으로 인하여 발생하는 부전골절을 예방하기 위하여 골흡수억제제가 많이 사용되었으며 그 대표로 약제로 비스포스포네이트 제제를 들 수 있다.

비스포스포네이트 제제는 pyrophosphate 유도체로서 파골 세포의 기능 억제 및 자가 사멸을 유도하여 골흡수를 억제함으로써 골다공증 척추 및 대퇴골골절의 위험성을 감소시켰다. 지난 10여년간 비스포스포네이트 제제는 지속적으로 사용량이 증가하였으며 많은 임상의가 골다공증 치료의 일차 선택 약제로 사용 하고 있다. 그 동안 비스포스포네이트 제제는 효과적이고 비교적 안전한 약제로 알려져 왔으며 특히 알렌드로네이트를 10년간 복용한 결과 지속적인 골밀도의 증가와 골절 예방 효과가 입증되었고 특이한 합병증이 보고되지 않았다. 2007년에 싱가포르 환자에서 발생한 비전형적 대퇴골 전자하부골절 환자에 대한 보고는 여러모로 관심을 끌었다. 이들 중 약 2/3의 환자에서 알렌드로네이트를 복용한 경력이 있으므로 주의를 요한다고 결론을 내리고 있다.

부전골절 형태의 비전형적 대퇴골골절은 가벼운 낙상이나 보행 중 외상의 경력 없이 주로 전자하부 및 대 퇴골 간부에 발생하며 간부 골절은 전자하부 골절에 비하여 나이가 더 많고 대퇴골이 굽어진 환자에서 잘 발생한다. 이것은 아마도 보행시 이환된 다리 한쪽으로만 섰을 때 전자하부 외측 피질골에 강한 견인력이 작용하기 때문에 피로가 누적되고 미세골절이 가는 손상이 발생하는데 이를 적절히 보수하지 못하는 경우에는 가성골절(pseudo-fracture) 등 골절 전 병변을 형성하고 그 이후에는 사소한 외상으로도 완전 전위성 골절로 발전하는 것으로 추정되고 있다. 대퇴골이 휘어져 있는 경우에는 그 정점 주변부는 체중 부하선 에서 멀어지며 이로 인한 더욱 강한 견인력이 작용함으로서 미세골절을 야기시키고 골절 전 병변을 형성 하는 것으로 추정되고 있다. 이와 같이 비전형적 골절은 전자하부나 간부 중 어느 곳에서도 발생할 수 있다고 알려져 있다. 2014년 미국 골대사학회에서는 비전형적 대퇴골골절을 다음 5가지 주요 소견중 4개 이상을 만족하는 경우로 정의하기로 하였다. 5가지 주요 소견은 1) 경미한 외상이나 외상 없이 발생하는 골절, 2) 수평 혹은 짧은 사선 골절, 3) 내측 돌기를 동반한 완전 골절이나 외측 피질골만을 침범하는 불완전 골절, 4) 분쇄상이 없는 단순 골절, 5) 골절부의 외측 피질골의 국소적 골막 또는 골내막 비후 이다(그림 6-4-10). 부가 양상으로는 전반적인 피질골의 비후, 골절 전구증상(대퇴부 통증), 양측성, 지연 유합 을 들 수 있다. 그 발생 기전은 명확하게 알려지진 않았지만, 최근의 동물실험과 임상에서 비스포스포네이트 제제의 장기 복용은 골내 비스포스포네이트 제제의 축적으로 인하여 골교체율을 지나치게 억제하고 과무기질화로 인하여 소위 frozen bone을 만들 우려가 있다고 보고하였다.

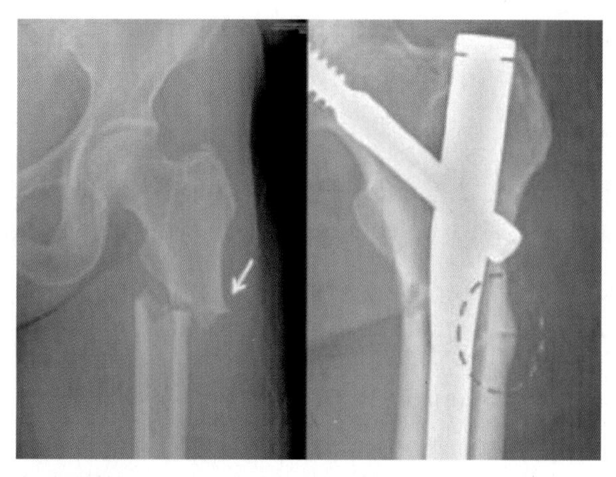

그림 6-4-10 ▸ 대퇴골 전자하부에 발생한 특징적인 비전형골절

외측 피질의 골막 가골 반응이 특징적이다. 또한 분쇄상이 없고 비교적 수평 골절을 일으키는 것이 이 골절의 특징이기도 하다.

비스포스포네이트 제제를 장기 복용하면 골재형성이 억제되며 정상적으로 발생하는 미세골절을 치유하지 못하여 골절이 진행되어 외측 피질엔 일종의 골막 반응인 삼각형 모양의 비후와 장기간의 반복된 스트레스에 의한 가성 골절선 등 골절 전 병변(pre-fracture lesion)이 자주 동반된다고 보고되고 있다. 스테로이드 복용자에서 발생 위험이 높으며 아마도 2가지 약제가 모두 뼈에 좋지 못한 영향을 미치기 때문에 상승 작용을 하는 것으로 추리되고 있다. 이러한 대퇴골 부전골절은 비스포스포네이트 제제의 장기 복용 환자 10,000명당 2.3명 정도에서 아주 드물게 발생한다고 보고되었다. 약제의 복용으로 얻는 순이득이 큰 것은 사실이고 투약시 골다공증 환자에서 신생 골절의 발생을 약 1/2 정도 감소시키기 때문에, 이러한 비전형적 골절의 발생을 우려하여 약제의 투여 방법을 갑자기 변경해야 할 사유는 되지 않으나, 장기 복용자에서 일단 대퇴골에 부전골절이 발생하면 환자의 삶의 질을 저하시키고 추후의 여러 가지 합병증을 야기할 수 있기 때문에 장기 복용자에 대한 세심한 관찰과 투약 지침이 필요하다. 미국 California와 캐나다 Toronto에서 비전형적 대퇴골골절에 대한 역학조사를 실시한 결과 이환된 환자 중 아시아계 이민자가 매우 많았다고 전하고 있다. 또한 이러한 비전형적 대퇴골골절과 비타민D 결핍증과의 연관성이 제기되고 있는데 우리나라와 같이 비타민D 결핍증 환자가 많은 국가에서는 더 심각한 보건 문제로 비화될 수 있다.

1. 비스포스포네이트 제제의 영향

대부분의 대퇴골전자하부 부전골절은 장기간의 비스포스포네이트 제제를 사용한 적이 있는 환자에서 발생한다. 하지만 일부 대퇴골전자하부 부전골절은 비스포스포네이드 제제를 사용하지 않은 심한 골다공증 환자에서도 발생하는 것으로 보고되고 있어 비스포스포네이트의 사용과 비전형적 대퇴골골절 사이의 인과 관계에 논란이 있다. 덴마크의 의료 통계를 분석한 결과를 보면 전자하부 골절은 알렌드로네이트로 인하여 발생하였다기 보다는 골다공증 자체로 인한 영향이 더 큰 것으로 분석되었으며 특히 다년간의 복용으로 인하여 투여 용량이 증가하여도 비전형적 골절의 발생률이 높아지지 않았다고 보고한 바 있다. 그러나 다른 학자들은 5년 이상 복용 시 5년 미만 복용 환자에 비하여 비전형적 골절 발생 위험이 더 높다고 보고한바 있으며 최근에는 전체 인구에서 대퇴골경부 및 전자간골절의 발생은 감소하는 반면에 전자하부 골절이 증가하고 있다고 평가하고 있다. 일부 연구에서 관련이 없다는 보고가 있기는 하나, 대부분의 환자가 장기간 비스포스포네이트 복용력이 있다는 점을 고려하면, 골질에 변화를 가져 올 수 있는 상황에서는 알렌드로네이트가 더 나쁜 영향을 미치게 된다는 사실이다. 앞서 언급한 바와 같이 스테로이드 복용, 비타민D 결핍 등은 하나의 중요한 요소이며 알렌드로네이트의 장기 복용 자체도 하나의 요소로 분석될 수 있다(표 6-4-1).

표 6-4-1 ▸ Atypical subtrochanteric fracture and alendronate

Yes	2010 ASBMR : apparent association, 11 to 33 cases/10,000/year
	2011 JAMA : Higher risk in patients who took bisphosphonate for more than 5 years
	2011 NEJM : a high prevalence of current bisphosphonate user among patients with atypical fractures
No	2010 JBMR : osteoporosis not alendronate
	2010 ASBMR : statistically not significant
	2010 J Clinical Endocrinol Metab : alendronate cumulative dose – no additional risk
	2011 JBMR : no evidence of increased risk, but cannot exclude the possibility

2. 진단

비스포스포네이트 제제를 장기 복용하고 있는 환자가 대퇴부나 서혜부 통증을 호소하는 경우에는 대퇴골 전장을 포함하는 전후면과 측면 단순 X-선 사진을 촬영하여 골절전 병소를 확인하여야 한다. 단순 ×선 사진상 병소가 명확하지 않지만, 체중 부하시 통증 호소등으로 의심되는 경우에는 골스캔 검사, CT, MRI 촬영 등으로 비전형적 골절 유무를 확인해야 한다. 서혜부 및 대퇴부 통증은 환자의 약 1/2에서만 호소하며, 통증을 호소하는 것은 이미 완전 골절의 위험성이 높음을 의미하므로 주의하여야 한다. 비스포스포네이트 제제를 장기 복용하는 환자에서 골밀도 변화를 추적하기 위하여 촬영하는 DXA 검사의 대퇴골 영상에서 외측 피질골의 변화를 관찰하는 것이 진단에 도움이 될 수 있다(그림 6-4-11).

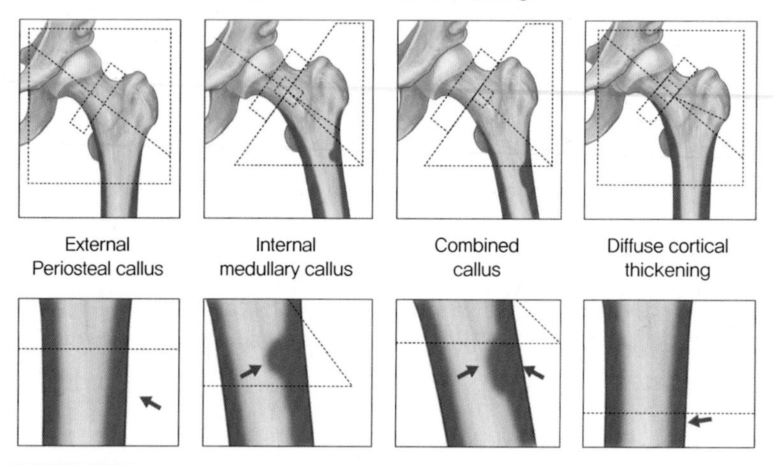

그림 6-4-11 ▸ 대퇴골 DXA 영상에서 관찰되는 외측 피질골의 골절전 변화

3. 치료

검사 상 골절전 병변이나 불완전 골절이 발견된다면, 통증이 심할 경우에 예방적 골수정 삽입을 고려하여야 한다. 환자의 전신 상태가 불량하거나 통증이 심하지 않다면 비스포스포네이트 제제를 즉시 중단하고 체중부하를 제한하는 등의 보존적 치료를 시도해 볼 수 있다. 부갑상선호르몬의 효과에 대하여 간헐적으로 좋다는 결과가 보고되고 있으나 아직까지 높은 근거 바탕의 연구는 부족하여, 환자와 면밀히 상담하여 시도해 볼 수 있다.

수술은 골수내정 고정술이 권고되며, 많은 환자에서 대퇴골의 심한 bowing을 동반하고 있으므로 주의하여야 한다. 수술 이후에도 지연 유합이 전형적인 대퇴골골절과 달리 흔하여 부갑상선 호르몬의 투여를 고려해볼수 있다. 양측성인 경우가 흔하여 반대편 대퇴골에 대해서도 면밀히 관찰하여야 하며 예방적 고정술 또한 염두에 두어야 한다.

골반골절

골다공증에서의 골반골절은 거의 대부분이 피로골절이다. 피로골절에는 정상 골조직에 반복적인 비정상적인 외력에 발생하는 피로골절(fatigue fracture)과 비정상적으로 약해진 골조직에서 정상적인 외력에 의하여 발생하는 부전골절(insufficiency fracture) 이 있으며 골다공증에서는 후자에 속한다. 55세 이상의 여성에서 골반골의 골절은 약 1.8%이며, 심한 요추부 통증 및 서혜부 통증을 호소한다. 외상의 경력이 없는 경우가 많고, 일상 활동을 하는 정도의 외력으로 발생하는 것도 특징 중의 하나이다. 주로 발생하는 부위는 치골 결합 부근의 치골과 천골익(sacral ala)이며, 이외에도 장골, 비구 상부 및 치골지 등이 있다. 치골의 피로골절은 서혜부 통증을 호소하여 대퇴골 부위 골절 또는 대퇴골 병변을 의

심하게 한다. 초기 X-선 검사상에 는 골절을 확인할 수 없으므로 의심될 경우 골스캔 검사를 실시하면 피로골절을 확인할 수 있다. 간혹 치골의 골절에 서 X-선 검사상 악성종양과 같은 양상을 보일 수도 있으며, 이 때문에 조직검사를 실시하는 경우도 있다. 골스캔검사에서 방광내 농위원소 때문에 오진할 수 있으므로 주의 깊게 관찰하여야 한다. 골다공증의 정도는 대퇴골 근위부골절 환자보다 심할 수 있으며, 골다공증을 유발할 수 있는 질환들 예를 들면 류마티 스관절염, 스테로이드 투여, 골연화증 및 부갑상선 기능항진증과 같은 대사성 질환 및 골반에 방사선 치료를 받거나, 파제트병에서 올 수 있다. 치료는 적극적인 골다공증 치료로 약물요법 및 재활치료를 요한다.

참고문헌

1. Abrahamsen B, Eiken P, Eastell R. Subtrochanteric and diaphyseal femur fractures in patients treated with alendronate: a register-based national cohort study. J Bone Miner Res 2009;24:1095-102.
2. Black DM, Kelly MP, Genant HK, et al. Bisphosphonates and fractures of the subtrochanteric or diaphyseal femur. N Engl J Med 2010;362:1761-71.
3. Bonnaire FA, Buitrago-Tellez C, Schmal H, et al. Correlation of bone density and geometric parameters to the mechanical strength of the femoral neck. Injury 2002;33:C47-53.
4. Capeci CM, Tejwani NC. Bilateral low-energy simultaneous or sequential femoral fractures in patients on long-term alendronate therapy. J Bone Joint Surg Am 2009;91:2556-61.
5. Cooper C, Campion G, Melton LJ 3rd. Hip fracture in the elderly: a worldwide projection. Osteoporos Int 1992;2:285-9.
6. Das De S, Setiobudi T, Shen L. A rational approach to management of alendronate-related subtrochanteric fractures. J Bone Joint Surg Br 2010;92:679-86.
7. Girgis CM, Sher D, Seibel MJ. Atypical femoral fractures and bisphosphonate use. N Engl J Med 2010;362:1848-9.
8. Goh SK, Yang KY, Koh JS, et al. Subtrochanteric insufficiency fractures in patients on alendronate therapy: a caution. J Bone Joint Surg Br 2007;89:349-53.
9. Heikinheimo R, Jalonen-Mannikko A, Asumaniemi H, et al. External hip protectors in home-dwelling older persons. Aging Clin Exp Res 2004;16:41-3.
10. Juby AG, De Geus-Wenceslau CM. Evaluation of osteoporosis treatment in seniors after hip fracture. Osteoporos Int 2002;13:205-10.

11. Klotzbuecher CM, Ross PD, Landsman PB, et al. Patients with prior fractures have an increased risk of future fractures: A summary of the literature and statistical synthesis. J Bone Miner Res 2000;15:721-39.
12. Kwek EB, Goh SK, Koh JS, et al. An emerging pattern of subtrochanteric stress fractures: a long-term complication of alendronate therapy? Injury 2008;39:224-31.
13. Lenart BA, Neviaser AS, Lyman S, et al. Association of low-energy femoral fractures with prolonged bisphosphonate use: a case control study. Osteoporos Int 2009;20:1353-62.
14. Lindskog DM, Baumgaertner MR. Unstable intertrochanteric hip fractures in the elderly. J Am Acad Orthop Surg 2004;12:179-90.
15. McKiernan FE, Hocking J, Cournoyer S, et al. A long femur scan field does not alter proximal femur bone mineral density measurements by dual-energy X-ray absorptiometry. J Clin Densitom 2011;14:354-8.
16. Neviaser AS, Lane JM, Lenart BA, et al. Low-energy femoral shaft fractures associated with alendronate use. J Orthop Trauma 2008;22:346-50.
17. Shane E, Burr D, Abrahamsen B, et al. Atypical subtrochanteric and diaphyseal femoral fractures: second report of a task force of the American Society for Bone and Mineral Research. J Bone Miner Res 2014;29;1-23
18. Wang Z, Bhattacharyya T. Trends in incidence of subtrochanteric fragility fractures and bisphosphonate use among the US elderly, 1996-2007. J Bone Miner Res 2011;26:553-60.
19. Weil YA, Rivkin G, Safran O, et al. The outcome of surgically treated femur fractures associated with long-term bisphosphonate use. J Trauma 2011;71:186-90.
20. Yang, K. H. Min, B. W. Ha, Y. C. Atypical Femoral Fracture: 2015 Position Statement of the Korean Society for Bone and Mineral Research J Bone Metab 2015;22:87-91.

6-5 상지골절

공현식

상지의 골다공증 골절은 대표적으로 원위 요골 골절(distal radial fracture) 또는 손목 골절(wrist fracture), 근위 상완골 골절(proximal humeral fracture), 그리고 원위 상완골 골절(distal hu meral fracture)이 있다.

이들 골절의 치료도 일반적인 골절 치료 원칙인 골절의 해부학적 정복(anatomical reduction), 견고한 고정(stable fixation), 그리고 조기 재활(early rehabilitation)의 원칙이 적용된다. 적절한 정복이 이루어지지 않는 경우 부정유합(malunion)으로 인한 변형이나 관절면이 불규칙해져서 생기는 외상성 관절염(post-traumatic arthritis)이 발생할 수 있고, 고정이 견고하지 못하면 다시 변형이 일어나거나 장기간 관절을 고정하게 되어 관절강직(ankylosis)이 발생하게 된다. 골절 후 조기에 재활이 적절히 이루어지지 않으면 골절 부위 뿐 아니라 상지의 다른 관절까지 강직이 발생할 수 있고, 복합부위통증증후군(CRPS, complex regional pain syndrome)과 같은 합병증이 발생할 수 있다.

원위 상완골 골절의 경우는 주관절 강직이 발생하기 쉬우므로 대부분 수술적 치료가 필요하지만, 노인의 원위 요골 골절과 근위 상완골 골절의 경우는 경도의 부정유합을 허용하는 보존적 치료만으로도 적절한 회복을 얻을 수 있는 경우가 많다. 그러나 최근 환자들의 기대치와 활동력이 높아져서 빠르고 높은 수준의 기능 회복을 원하는 경우가 늘고 있어, 정확한 정복 및 튼튼한 고정이 가능한 수술적 치료를 하는 경우가 증가하고 있다.

원위 요골 골절

가벼운 낙상으로 인해 발생하는 골다공증성 원위 요골 골절은 1814년 Colles가 요골 원위부의 골절 치료에 대해 기술하여 그의 이름을 따서 콜레스 골절(Colles fracture)이라고도 흔히 불린다. 원위 요골 골절은 성인에서 발생하는 상지 골절 중 가장 흔하다. 특히 폐경 이후 여성에서 흔하게 발생하는데, 50세 여성이 평생 살아가면서 대략 5명 중 1명의 빈도로 원위 요골 골절을 경험하게 된다고 알려져 있다.

1. 임상적 평가

전형적인 골절은 손을 짚고 넘어지면서 발생하므로 골절 원위부 골편이 후방으로 굴곡되거나 전위되어

포크 모양(dinner fork deformity or silver fork deformity)의 손목 변형을 보인다. 변형과 함께 통증, 종창, 반상 출혈이 흔히 있으며, 부종이나 전위된 골편에 의해 정중 신경이 수근관 내에서 압박되어 손목 터널 증후군(carpal tunnel syndrome) 증상을 호소하기도 한다.

전통적인 골절의 분류로 골절의 전위 방향 및 위치에 따라서 원위 골절편이 후방 전위된 경우 Colles 골절, 전방 전위된 경우 Smith 골절이라고 하고, 관절 내부의 요골 변연부(rim)가 골절되면서 수근골들의 아탈구(subluxation)가 동반되는 경우를 Barton 골절이라고 하는데, 탈구 방향에 따라 전방 Barton 골절 또는 후방 Barton 골절이라고 한다. 요골 경상 돌기가 부러진 경우는 운전기사(chauf feur) 골절이라고 한다. 최근에는 AO분류가 흔히 사용되는데, A는 관절외(extra-articular) 또는 간단부(metaphyseal) 골절, B는 부분 관절내(partial intra-articular) 골절, C는 관절내 골절 및 관절외 골절이 동시에 있는 경우이다. 다시 A1은 척골 관절외 골절, A2는 요골 관절외 단순 골절, A3는 요골 관절외 분쇄 골절, B1은 요골 경상 돌기 골절, B2는 요골 후방 변연부(dorsal rim) 골절, B3는 요골 전방 변연부(volar rim) 골절, C1은 관절내 및 관절외 단순 골절, C2는 관절내 단순 골절과 관절외 분쇄 골절, 그리고 C3는 관절내 및 관절외 분쇄 골절이 있는 경우로 나뉜다(그림 6-5-1).

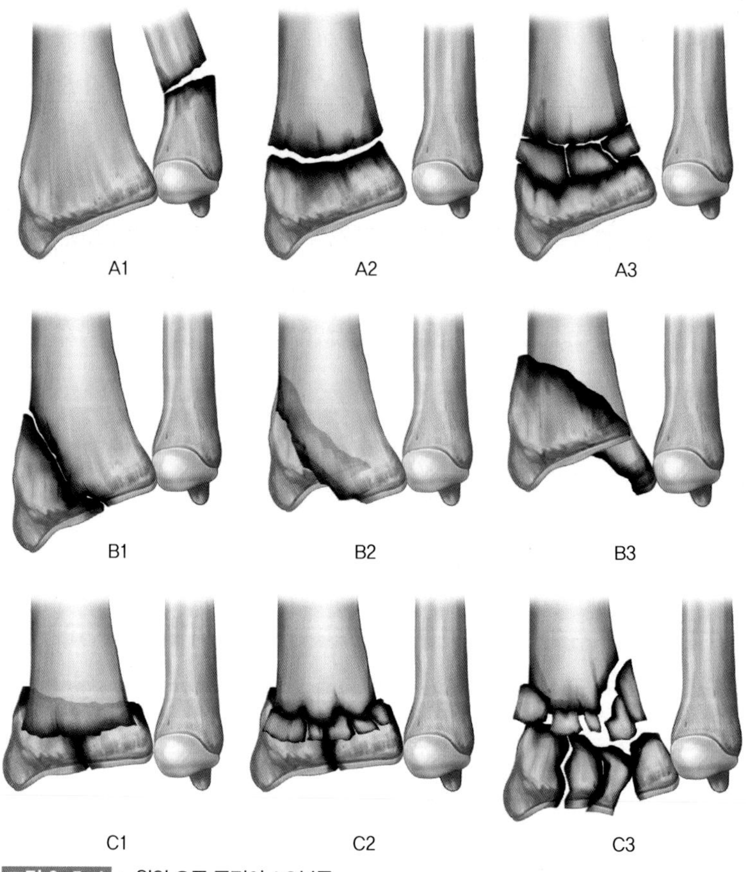

그림 6-5-1 ▸ 원위 요골 골절의 AO분류

A는 관절외 또는 간단부 골절, B는 부분 관절내 골절, C는 관절내 골절 및 간단부 골절이 동시에 있는 경우이다.

원위 요골 골절의 진단을 위한 가장 중요한 방사선 검사는 단순 방사선 촬영이며, 전후면 사진과 측면 사진으로 대부분 진단이 가능하다. 방사선 사진에서 골절의 전위 정도나 해부학적 정복 정도를 판단하는 방사선 지표로는 전후면 사진에서 요측 경사(radial inclination, 정상 약 23도), 요골 길이(radial length, 정상 약 12 mm), 측면 사진에서 전방 경사(volar tilt, 정상 약 11도)가 중요하다(그림 6-5-2). 관절 내 골절의 양상이나 분쇄의 정도를 정확하게 파악하기 위해서는 CT 검사가 필요하며, 원위요척관절(distal radioulnar joint)이나 삼각섬유연골(triangular fibrocartilage), 수근인대(carpal ligaments) 등의 동반 손상이 의심될 경우 관절경(arthroscopy)이나 MRI 검사가 도움이 된다.

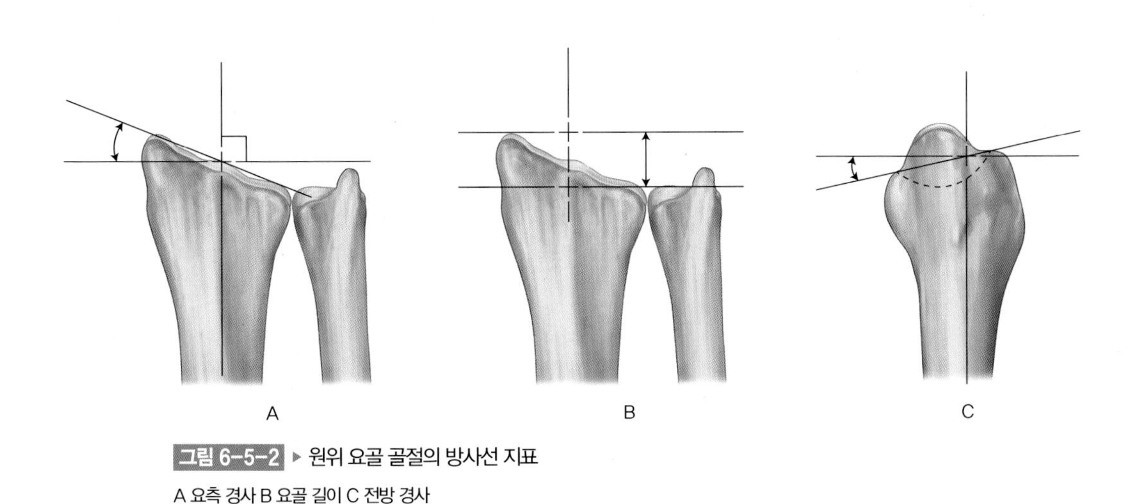

그림 6-5-2 ▶ 원위 요골 골절의 방사선 지표
A 요측 경사 B 요골 길이 C 전방 경사

2. 비수술적 치료

도수 정복(manual reduction) 또는 손가락 견인 장치(Chinese finger trap)로 정복한 후에 보통 설탕집게부목(sugar tong splint)으로 고정하는데, 이 부목은 약간의 부종과 주관절의 굴신 운동을 허용하면서 전완부의 회전 운동을 제한하는 특징을 가지고 있다. 주의할 점은 일단 정복한 후에는 손목의 과도한 굴곡, 척측 변위는 피해서 고정해야 하며, 능동적인 손가락 운동을 위해서 부목은 손바닥의 근위 손바닥 주름(proximal palmar crease)까지만 대야 한다는 것이다. 부목 고정 후 48시간 내에 정복 상태가 유지되는지 확인하고, 통증, 부종, 신경 증상 등을 확인한다. 정복 상태가 적절히 유지될 경우는 6주 고정 후 제거 가능한 보조기(removable brace)나 부목 등으로 교체한 후 서서히 손목 관절 운동을 시작한다. 고정 기간은 골절 양상에 따라 조절할 수 있으며, 고정 방법도 골절의 안정성에 따라 처음부터 6주간 설탕 집게 부목을 사용할 수도 있고, 중간에 장상지석고(long-arm cast)나 단상지석고(short-arm cast)로 바꾸어 유지할 수 있다.

3. 수술적 치료

1) 수술의 적응증

수술의 적응증은 적절한 정복이 되지 않거나, 정복하여 부목 고정하고 추시 도중에 정복이 소실된 경우이다. 적절한 정복의 기준으로, 1997년 미국 정형외과 학회(AAOS) 권고안은 관절내 전위 2mm 이하, 요측 경사 15도 이상, 후방 경사 20도 이하, 요골 단축 5mm 이하를 제시하였으나, 2009년 AAOS의 권고안은 보다 엄격해져서 요골 단축이 3mm를 초과하거나 후방 경사가 10도를 초과하는 경우, 관절내 전위가 2mm를 초과하는 경우에는 수술적 치료를 권하고 있다.

초기에 정복이 잘 되어 있어도 추시 중 정복이 소실될 가능성이 높은 골절을 불안정성 골절이라고 하며 이 경우도 수술의 상대적인 적응증이 될 수 있다. 불안정성 골절은 후방 분쇄가 요골 전후방 길이의 50% 이상, 전방 골간단의 분쇄가 있는 경우, 관절 내 골절이 있는 경우, 정복 전에 후방 각형성이 20도 이상이거나 요골 단축이 5mm 이상인 경우, 척골의 골절을 동반한 경우, 60세 이상인 경우, 골다공증이 심한 경우 등이다(표 6-5-1).

표 6-5-1 ▸ 원위 요골 골절 수술의 적응증

1. 적절한 정복이 되지 않은 경우 (2009 AAOS Recommendation)
Intra-articular step off > 2mm
Radial shortening > 3mm
Dorsal tilt > 10 degrees
2. 적절한 정복 후에도 정복 소실 가능성이 높은 불안정성 골절
후방 분쇄가 50% 이상
전방 골간단의 분쇄
관절내 골절
정복 전 후방 각형성이 20도 이상이거나 요골 단축이 5mm 이상
동반된 척골 골절
60세 이상
골다공증이 심한 경우

2) 폐쇄적 정복(Closed reduction) 및 경피적 핀고정술(Percutaneous pinning)

폐쇄적 정복 및 경피적 핀고정술은 심한 분쇄가 없는 경우에 도수 정복 후 핀(pin)을 2-4개 삽입하여 비교적 간단하게 고정하는 방법으로, 미용적인 면, 수술의 간편성 및 비용 측면에서 우수한 방법이다(그림 6-5-3). 그러나 이 자체만으로 고정이 충분하지 못하므로 추가적으로 부목이나 석고 고정이 필요한 경우가 많고, 정복의 소실, 핀의 이동이나 핀 주위 감염, 핀을 삽입할 때 요골신경 표재분지(radial nerve superficial branch) 손상 등의 합병증이 있을 수 있다.

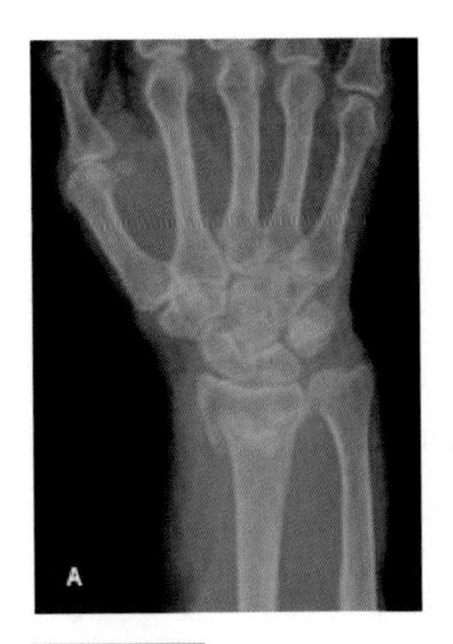

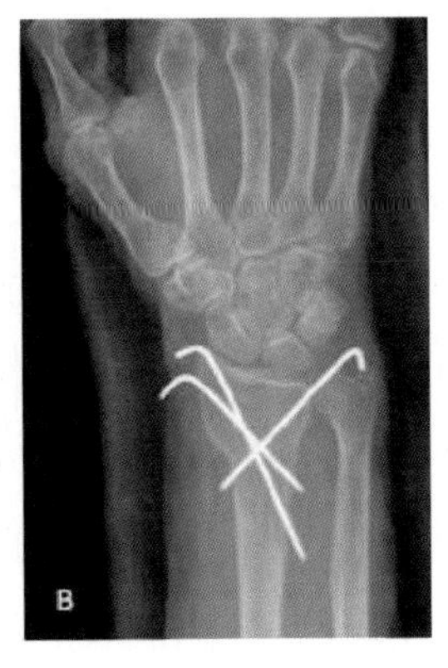

그림 6-5-3 ▶ 원위 요골 골절에 대한 경피적 핀 고정술의 술전(A)과 술후(B) 전후면 방사선 사진

3) 개방적 정복(Open reduction) 및 내 고정술(Internal fixation)

보통 원위 요골 골절은 원위 골편이 후방 전위되면서 요골 후방에 분쇄가 생기므로 과거에는 후방 접근법으로 후방에 금속판을 대어 지지하는 방법을 사용했으나, 후방에 금속판을 댈 경우 금속판이 손가락 신전건(extensor tendon)을 자극하는 합병증이 흔히 발생하였다. 최근에는 나사못이 금속판에 고정되는 잠김 금속판(locking plate)이 개발되어, 전방 접근법으로 요골의 전방에 금속판을 대면서도 나사못으로 요골의 관절면과 후방 골편을 잘 지지할 수 있게 되어 튼튼한 고정이 가능하게 되었다. 또한 요골 전방에는 연부 조직이 두꺼워 굴곡건의 자극 현상이 적으며, 골절의 분쇄가 후방보다 적어 골절 정복이 더 쉬운 장점이 있다. 이 수술법은 고정이 튼튼해 수술 후에 바로 손목을 어느 정도 움직일 수 있으므로 일상생활로 빨리 복귀할 수 있어서 최근에 가장 일반적으로 사용되고 있는 수술법이다(그림 6-5-4).

전방 접근법으로 수술은 장장근(palmaris longus)과 요수근굴근(flexor carpi radialis) 사이로 접근하여 요골 전방에서 골절을 정복하고 금속판으로 고정하게 된다. 합병증으로는 나사못을 관절 내로 삽입하여 통증과 관절염을 유발하거나, 너무 길게 삽입하여 후방에서 신전건이 파열되는 경우가 있으며, 금속판을 너무 관절에 가깝게 위치시킬 경우 마찰로 굴곡건이 파열되는 경우도 있다.

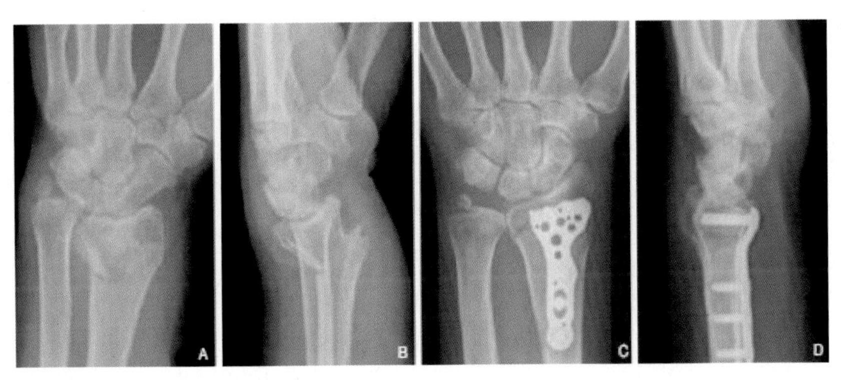

그림 6-5-4 ▶ 원위 요골 골절에 대한 전방 금속판 고정술의 술전 전후면(A), 측면(B), 술후 전후면(C), 측면(D) 방사선 사진.

4) 외고정법(External fixation)

외고정법은 골절을 폐쇄적으로 정복한 후, 중수골과 요골에 굵은 핀을 삽입하고 핀 간격을 벌려 골절 부위가 신연되면서 정복되게 하고, 핀 간격을 외고정장치를 이용해 6-8주 고정하여 유지하는 방법이다. 필요한 경우 추가적으로 경피적으로 핀을 삽입하거나 소 절개를 통해 골결손 부위에 자가골 또는 골 대체제로 보강해 주기도 한다. 이 방법은 심한 분쇄 골절에서 골절을 직접 맞추는 것이 어렵거나, 개방성 골절에서 감염이 우려되어 내고정을 피하고자 하는 경우 주로 사용된다. 절개 부위가 작아 미용적으로 우수하지만, 과도한 견인이나 잘못된 손목 고정 자세로 인해 CRPS나 손가락 강직이 발생하는 경우가 흔하다. 또한 핀 삽입 부위의 신경 손상이나 유착, 제거 후의 고정 소실 등 합병증의 빈도가 높아서 최근에는 그 사용 빈도가 줄고 있다.

4. 합병증

Colles가 원위 요골 골절 환자들은 결국 관절이 잘 움직이고 별로 지장이 없다고 말한 것처럼 노인에서는 기능의 장애가 적은 편이다. 그러나 오늘날 환자들의 건강과 활동력이 좋아진 만큼 치료에 대한 기대치도 높아져서 치료 결과에 만족하지 못하는 환자도 많다. 특히 적절하지 못한 부목 고정이나 인접 관절의 운동을 소홀히 한 경우는 어깨나 손가락의 강직이 흔히 발생하므로, 조기에 적극적으로 인접 관절의 운동을 권장하여야 한다. 부종, 통증, 강직을 동반한 CRPS도 드물지 않게 발생한다. 적절한 치료 후에도 뒤늦게 손목의 부종에 따른 건초염과 손목 터널 증후군이 발생할 수 있으며, 골절의 전위가 많지 않아도 손목 신전건 구역의 허혈(ischemia)에 의해 장무지신건(extensor pollicis longus)의 파열이 발생할 수 있다. 동반된 삼각섬유연골복합체(triangular fibrocartilage complex, TFCC) 손상으로 원위요척관절(distal radioulnar joint)의 불안정성이 발생할 수 있으며, 기타 손목 인대들의 손상으로 수근골들 사이에서 불안정성이 발생할 수 있다.

수술을 하지 않고 치료한 원위 요골 골절은 어느 정도의 부정유합을 받아들이는 것인데, 심한 부정유합에 따른 증상으로는 요골 길이가 지나치게 짧아질 경우 척측충돌증후군(ulnar impaction syn drome)이 발생할 수 있으며, 부정유합되는 방향에 따라 손목 굴신이나 회전 운동의 장애가 오기도 하고, 관절내 골절의 부정유합으로 외상성 관절염이 발생할 수 있다. 치료 과정에서 환자가 통증이나 손목의 운동 장애를 호소할 경우, 이것이 골절 후 충분한 회복이 이루어지지 않아서인지 부정유합에 의한 것인지를 잘 판단하여야 하며, 필요한 경우 부정유합에 대한 교정 절골술(corrective osteotomy)을 시행할 수 있다.

5. 골다공증 치료의 기회

원위 요골 골절은 환자들의 운동 신경이 비교적 좋아서 손을 짚고 넘어지면서 발생하지만, 고령자에서는 그냥 주저앉으면서 고관절골절이 발생하게 된다. 따라서 원위 요골 골절은 고관절골절보다 평균

15년 정도 일찍, 주로 60대 초, 중반에 발생한다. 원위 요골 골절을 경험하는 환자는 그 자체로 향후 다른 골절이 발생할 위험이 2-4배 높아진다고 보고되었다. 따라서 비교적 이른 연령에 발생하는 원위 요골 골절 환자는 향후 심각한 고관절골절 발생을 대비하여 골절 치료뿐 아니라 골다공증의 예방과 치료에도 관심을 가져야 한다. 그러나 아직 많은 수의 원위 요골 골절 환자들이 골다공증을 진단받고 치료할 기회를 놓치고 있는 것으로 조사되었다. 기존에 비스포스포네이트를 사용하지 않던 환자들은 수술 직후 비스포스포네이트를 사용하여도 골유합에 영향을 끼치지 않으므로 원위 요골 골절 환자들은 조기에 골다공증 치료를 시작하는 것이 치료의 기회를 놓치지 않는데 유리할 것으로 보인다.

근위 상완골 골절

근위 상완골 골절은 사지 골절의 5% 정도 빈도이며, 연령이 증가할수록 그 빈도가 증가하여 보통 80대에 가장 흔하게 발생하며, 젊은 연령에서는 남녀 비가 비슷하지만 50세 이후는 남자보다 여자에서 4배 흔하다. 노인에서 낙상 등의 저에너지 손상에 의한 골다공증 골절의 경우 골절의 전위가 심하지 않고 안정적인 경우가 많아 대부분 수술 없이 치료가 가능하지만, 약 20% 정도의 환자에서는 기능 회복을 위해 수술이 필요하다. 치료가 어려운 경우는 상완골두의 혈행이 나쁜 경우, 회전근개의 파열이 동반된 경우, 골다공증이 심하여 고정이 어려운 경우 등이다.

1. 임상적 평가

근위 상완부에서 혈관 손상은 드물지만 골절-탈구의 경우 발생할 수 있다. 신경 손상으로는 주로 상완신경총(brachial plexus) 손상이나 액와 신경(axillary nerve) 손상이며 보통은 자연 회복되지만 드물게 조기에 신경에 대한 탐색술이 필요한 경우도 있다.

골절의 분류는 Neer의 분류법을 가장 흔하게 사용하고 있다. 이 분류법은 상완골 근위부를 관절편(articular segment) 또는 해부학적 경부(anatomical neck) 부위, 대결절(greater tuberosity), 소결절(lesser tuberosity), 간부(shaft) 또는 외과적 경부(surgical neck)의 4가지 큰 부위로 구분하고, 단순방사선 사진 또는 수술장 소견에서 각각의 부위가 각각 1cm 이상의 전위가 있거나 45도 이상의 각형성이 있는 경우를 전위 골편(displaced fragment)으로 생각하여 이들의 수를 중심으로 분류하였다. 그리하여 골절의 전위가 없거나 전위가 있어도 기준에 미달하는 경우를 일분 골절(one-part fracture), 한 부위만이 기준 이상으로 전위된 경우를 이분 골절(two-part fracture), 두 부위에서 기준 이상으로 전위된 경우를 삼분 골절(three-part fracture), 네 부위 모두 기준 이상으로 전위된 경우를 사분 골절(four-part fracture)이라고 하고, 탈구가 동반된 경우는 각각 일분 내지 사분 골절-탈구로 분류하였다(그림 6-5-5).

근위 상완골 골절의 방사선 검사는 견갑골 평면에 대한 진성 전후면(true anteroposterior), 진성 측면(true lateral) 및 액와(axillary) 촬영으로 구성되는 외상촬영법(trauma series)이다. 견갑골면의 측방 촬영 방법은 접선상(tangential view) 또는 Y상(Y view)이라고도 한다. CT 영상으로 보다 정확한 골절 양상을 알 수 있다.

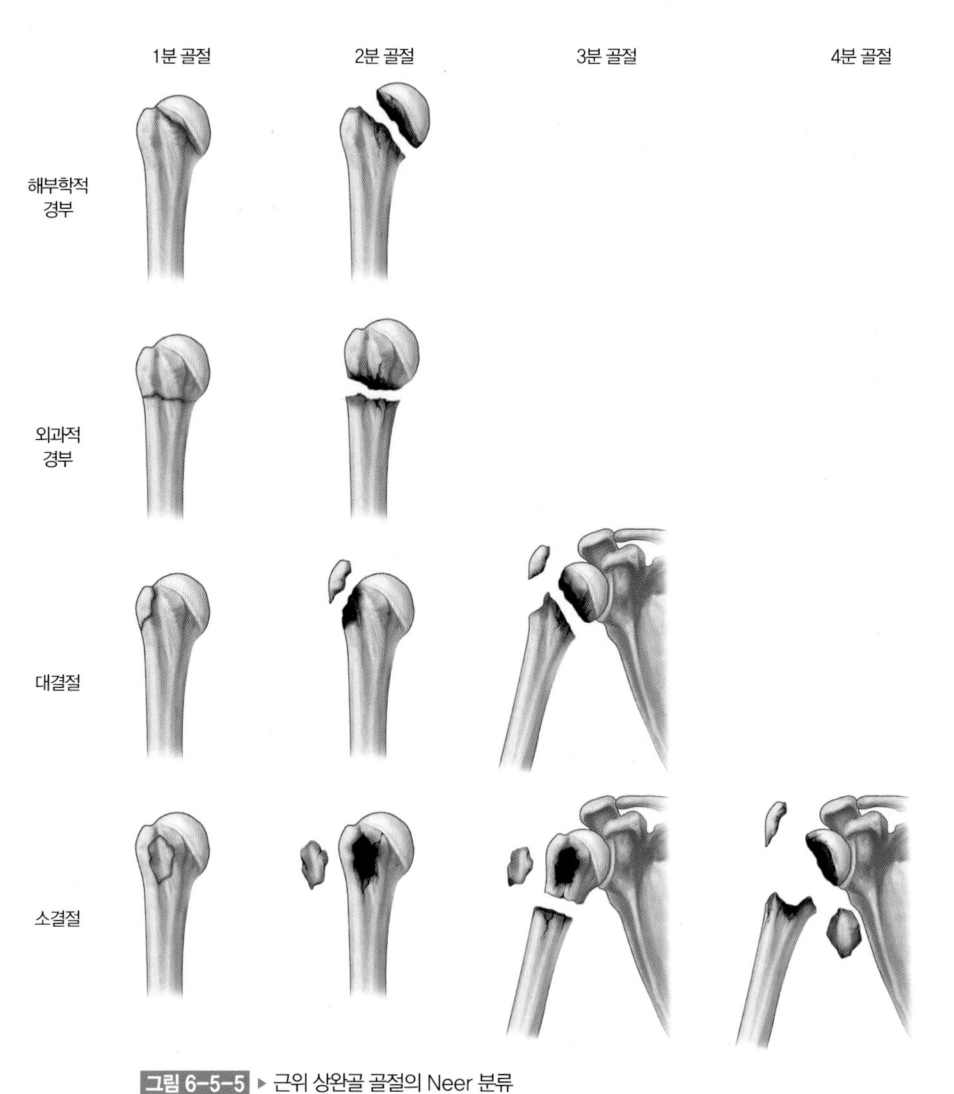

그림 6-5-5 ▸ 근위 상완골 골절의 Neer 분류

골절을 전위 골편의 수를 중심으로 분류하며, 각각 탈구가 동반된 경우를 골절-탈구로 다시 구분한다.

2. 비수술적 치료

견관절은 운동 범위가 크기 때문에 어느 정도의 부정 유합은 일상생활에 큰 장애를 일으키지 않고, 골절이 안정적인 경우가 많아 대부분의 근위 상완골 골절은 수술 없이 치료할 수 있다. Neer 분류에 의한 일분 골절인 대부분의 상완골 경부, 대결절, 소결절의 골절, 이분 골절 이상이지만 상완골 두(humeral head)와 간부가 30도 이하의 각형성이 있는 경우와 골편의 접촉이 어느 정도 있는 경우는 비수술적 치료로 기능 회복이 가능하다. 또 환자가 고령이든지, 치매나 마취에 견디기 힘든 동반 질환이 있는 경우는 수술을 피하는 것이 좋다.

비수술적 치료는 골절이 비교적 안정적이면 팔걸이만으로도 충분하지만, 이보다 고정력을 높이기 위해서는 Sling and swathe, 견관절 고정 보조기, Velpeau 붕대 등의 보호대를 사용하여 고정할 수 있다. 통증이 감소되는 1주일 후부터 서서히 관절운동을 시작하게 된다. 누우면 통증이 심해지기 때문에 처음에는 의자에서 자도록 하는 것이 더 편안할 수 있다. 운동은 1-2주에는 진자 운동을 시작하고, 3-4주 후에 반대쪽 팔을 이용하여 능동적으로 견관절을 움직여주는 능동적 보조 운동을 시작하고, 3개월 정도부터 근력 운동을 하는 방식이 일반적이다. 고정을 오래할 경우 관절 강직을 초래하여 관절 운동 회복을 위해 오랜 재활 치료가 필요할 수 있다.

3. 수술적 치료

1) 수술의 적응증

수술이 반드시 필요한 경우는 개방성 골절, 혈관 손상이 동반된 경우, 골두 분리 골절(head splitting fracture), 병적 골절(pathologic fracture), 견갑골 골절(scapular fracture)을 동반하여 견관절이 매우 불안정한 부유견(floating shoulder) 등이다. 수술로 치료하는 것이 상대적으로 나은 경우는 신체적으로 건강하고 활동 능력이 높으며 결과에 대한 기대치가 높은 환자이면서 비수술적 치료를 했을 경우 초래할 수 있는 부정유합이나 불유합을 피하고자 하는 경우이다. 정의상 일분 골절에 해당하지만 대결절이 5mm 이상 전위된 경우에는 비수술적 치료로 불량한 결과가 보고되면서 수술적 치료가 선호되고 있다.

수술은 크게 골절을 정복하고 고정하여 골두를 보존하는 수술과, 그럴 경우 결과가 나빠서 일차적으로 인공 골두로 대체하는 상완골두 치환술(humeral head replacement)로 나눌 수 있다.

정복 및 고정 수술의 적응증은 대결절의 골편이 5mm 이상 떨어져 있는 경우, 상완골두의 관절편이 전위되어 있는 경우, 외과적 경부 골절로 상완골 간부가 골두로부터 완전 분리되어 있거나 간부의 분쇄가 심하여 불안정한 경우, 이분 골절 이상의 골절로 간부와 골두의 각도가 정상보다 30도 이상 내반 또는 외반 변형을 보이는 경우, 그리고 삼분 골절 이상의 전방이나 후방 골절-탈구가 있지만 골두에 연부 조직이 제법 부착되어 있는 경우 등이다. 골다공증이 심한 근위 상완골 골절은 뼈가 약하여 수술로 고정을 유지하기가 어려운 경우가 많다.

골절을 일차적으로 골두 치환술로 치료하는 것이 나은 경우는 2조각 이상의 골두 분리 골절로 골두를 재건하기 어려운 경우, 골두의 연부 조직 부착이 없어서 골두 무혈성 괴사(avascular necrosis) 위험이 높은 경우, 분쇄 골절로 4주 이상 치료가 지연된 경우 등이다. 많은 경우에서 사분 골절은 무혈성 괴사의 가능성이 높으므로 골두 치환술을 시행하는 것이 선호되지만, 외반 감입 사분 골절(valgus impacted four-part fracture)의 경우에는 내측 골막을 통한 혈류가 보존되어 무혈성 괴사의 발생율이 낮기 때문에 정복 및 고정술을 시도해 볼 수 있다.

2) 폐쇄적 정복 및 경피적 고정술

폐쇄적 정복 및 경피적 고정술은 개방적 수술보다 미용적인 면, 실혈, 수술 후 통증, 감염 등의 면에서 유리하지만 고정이 실패한다든지 부정유합, 불유합의 합병증도 적지 않다. 상완골 간부와 골두의 접촉이 없다든지 골절로 인한 감입(impaction)으로 외반 변형이 심한 경우에 이 방법이 적절하다(그림 6-5-6A).

수술은 투시경 하에서 도수 정복을 하거나 기구나 핀을 삽입해서 조이스틱(joystick)처럼 사용하여 골절을 정복하고 핀이나 나사못을 경피적으로 삽입하여 고정하게 된다.

3) 개방적 정복 및 내고정술

개방적 정복 및 내고정술의 수술 접근법으로는 삼각흉근 접근법(deltopectoral approach)으로 견관절의 앞에서 접근하는 방법을 주로 사용한다. 대결절의 고정이나 후방 골절-탈구에 대한 수술로는 삼각근-분리 접근법(deltoid-splitting approach)을 사용할 수 있고, 이 경우 직선 측면 절개(straight lateral incision)나 견장 절개(shoulder strap incision)를 사용하는데, 액와 신경의 전방 가지를 잘 보호해야 하고 나중에 삼각근을 잘 붙여 주어야 한다.

골절의 정복은 대결절과 소결절을 원 위치에 잘 정복해야 하며, 내측 골간단이 잘 지지되도록 하는 것이 중요하다. 골절의 고정은 최근 잠김 금속판을 주로 사용하는데 골두에 잠김 나사못을 여러 방향으로 삽입하여 골다공증이 심한 경우에도 상당한 고정력을 얻을 수 있게 되어 치료에 많은 발전이 있었다. 금속판이 대결절 위로 가서 충돌(impingement)을 유발하지 않도록 하고, 나사못이 관절로 들어가지 않도록 주의해야 하며, 대결절과 소결절을 별도로 나사못이나 봉합사를 이용하여 잘 고정해 주어야 한다(그림 6-5-6B). 골 결손이 있는 경우는 자가골이나 이종골, 골 대체재 등을 사용하여 보강해 주어야 하며, 내반 변형이 있거나 간부나 내측의 골 결손이 커서 매우 불안정할 경우 비골(fibula) 이종골 등을 골수강 내에 넣어 보강하는 구조상 골이식(structural bone graft)으로 지지해 줄 수도 있다.

골절 고정의 다른 방법으로 골수강내 금속정(intramedullary nail)은 골절 부위를 노출시키지 않고 연부 조직들을 보존할 수 있다. 그러나 골수강 내로 삽입 시에 회전근개(rotator cuff)를 통하므로 이를 손상시키는 단점이 있다. 따라서 주된 적응증은 고령의 외과적 경부 이분 골절의 경우이며, 회전근개 손상이 문제가 될 수 있는 비교적 젊은 연령이거나 복잡하고 불안정한 삼분 또는 사분 골절의 경우는 사용하기 어려운 면이 있다(그림 6-5-6C).

4) 상완골두 치환술

상완골두를 살리기 어려울 것으로 판단하여 치환술을 할 경우는 대결절, 소결절을 정확하고 튼튼하게 위치시키고 상완골의 길이를 잘 유지시키는 것이 필수적이다. 결절이 잘 유합되고 회전근개 기능이 좋을 경우에는 결과가 우수하지만, 고령, 신경 결손, 결절의 골유합이 나쁜 경우는 결과가 좋지 않을 수 있다(그림 6-5-6D). 최근에는 회전근개파열 관절증(rotator cuff tear arthropathy) 시에 주로 사용하는 역견관절치환술(reverse shoulder arthroplasty)을 근위 상완골 골절에 적용하기도 하는데, 이 경우 관절 회전 중심이 내측 하방으로 이동하여 삼각근이 잘 작동하게 되므로 회전근개나 결절의 치유가 잘 안되더라도 좋은 결과를 얻을 수 있어서 최근 그 사용 빈도가 늘고 있다(그림 6-5-6E).

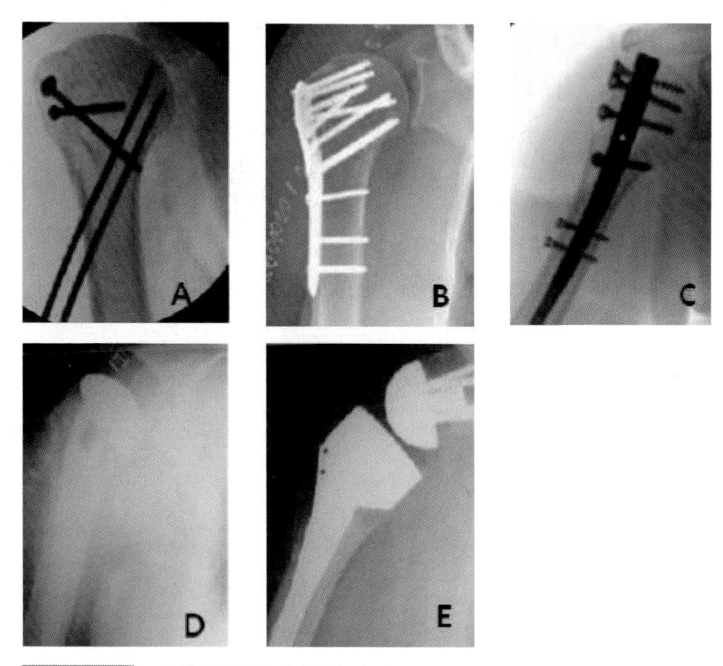

그림 6-5-6 ▸ 근위 상완골 골절의 수술 방법

A 경피적 고정술 B 금속판 고정술 C 골수강내 금속정 D 골두 치환술 E 역 견관절 치환술

4. 합병증

근위 상완골 골절의 가장 흔한 합병증은 골두의 무혈성 괴사, 불유합, 부정유합, 감염, 그리고 회전근개 기능 장애이며, 골다공증이 심한 경우는 고정이 실패하여 정복이 소실되는 경우도 흔하다. 이 중 골두의 무혈성 괴사는 외상 자체 또는 수술에 따른 혈류 공급의 차단으로 발생하는데, MRI가 그 정도와 범위

를 파악하는데 도움이 된다. 증상이 경미할 경우 비수술적 치료를 하지만, 증상이 있으면서 골두의 함몰이 있을 경우는 골두 치환술이 필요하고, 견관절 관절와(glenoid)까지 관절염이 진행한 경우는 견관절 전치환술(total shoulder arthroplasty)을, 회전근개 기능 장애가 있을 경우는 역 견관절 치환술을 고려해야 한다.

원위 상완골 골절

성인에서 발생하는 원위 상완골 골절은 10만명당 매년 5.7명의 발생 빈도를 가지며, 젊은 연령에서 고에너지 손상으로 발생하는 경우와 고령, 특히 여성에서 발생하는 골다공증 골절의 두 가지 형태가 있다. 앞으로 고령화 사회가 되면서 원위 상완골 골절의 발생도 급격히 증가할 것으로 예측된다. 원위 상완골 골절은 치료가 비교적 힘든 골절인데, 그 이유는 대부분 분쇄 골절로 골다공증과 골소실을 동반한 경우가 많고, 수술적 접근과 고정이 어려운 편이며, 주관절 자체가 강직이 잘 오는 관절이기 때문이다.

1. 임상적 평가

원위 상완골 골절의 분류로는 흔히 AO 분류가 사용되어 관절외 골절(A형), 부분 관절내 골절(B형), 그리고 관절내 골절(C형)로 크게 분류할 수 있고, 세 형태를 다시 1,2,3의 숫자를 붙여서 분쇄의 정도와 골절의 위치를 나타낸다(그림 6-5-7). 주로 골절이 일어난 해부학적 부위에 따라 명칭을 붙이는 경우가 흔하며, 성인에서는 대부분 과상부 골절(supracondylar fracture) 또는 과간 골절(intercondylar fracture)이 주로 발생하지만 경과 골절(transcondylar fracture)도 드물지 않게 발생한다.

환자를 평가할 때는 인접 관절인 어깨나 손목의 손상은 없는지 살펴야 하며, 주관절 주위는 중요한 말초 신경들이 지나가고, 특히 관절내 골절일 경우 척골 신경의 손상 빈도가 25% 정도까지 높게 나타나므로 반드시 철저한 신경학적 검사를 해야 한다.

기본적인 단순 방사선 촬영은 전후, 측면 사진이다. 관절내 분쇄 골절인 경우는 CT 검사가 골절의 분류 및 수술 계획을 세우는데 도움이 된다.

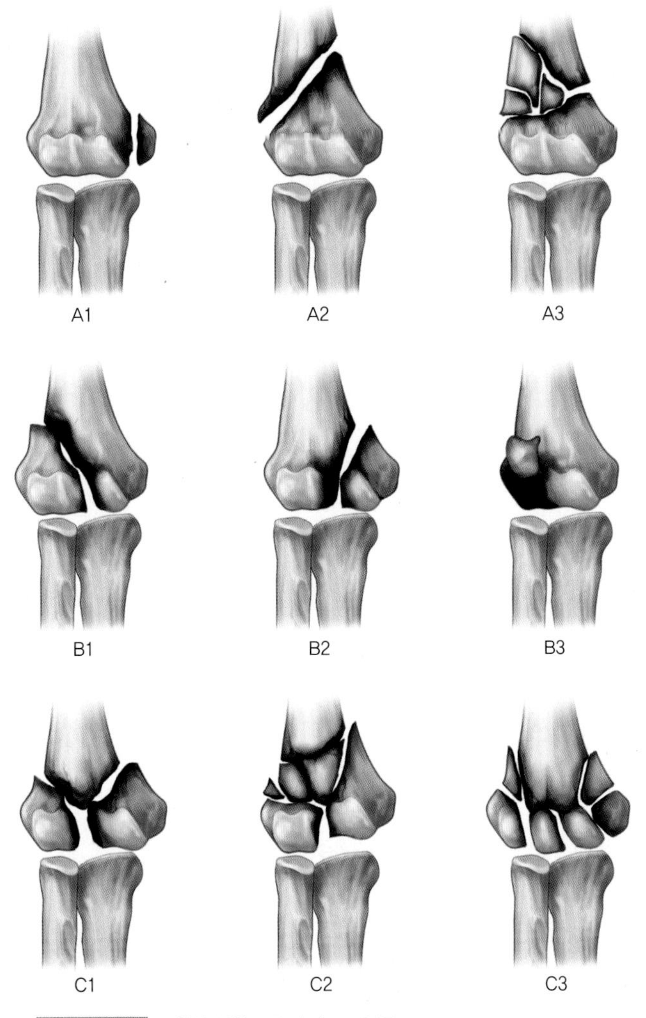

그림 6-5-7 ▸ 원위 상완골 골절의 AO 분류

2. 비수술적 치료

현재까지의 대부분 연구 결과로 볼 때, 거의 모든 전위된 원위 상완골 골절은 수술적 치료의 결과가 더 우수하므로 수술의 적응증이 된다. 비수술적 치료는 전혀 전위가 없는 골절, 마취를 할 수 없는 환자, 치매가 심한 환자 등에 해당된다. 보존적 치료를 할 경우 불유합이나 부정유합이 발생할 위험이 약 4-6배 높아진다. 어쩔 수 없이 비수술적 치료를 해야 하는 경우는 주관절을 60도 정도 굽히고 2-3주 고정 후 조기에 운동을 시키는 방법으로 어느 정도 관절 운동을 회복할 수 있다.

3. 수술적 치료

1) 수술 접근법

외측 접근을 주로 하는 상완골 외과(lateral condyle)의 관상면 전단 골절(coronal shear frac ture)을 제외하고는 대부분의 원위 상완골 골절은 주로 후방 접근을 이용한다. 주로 사용하는 방법은 삼두근(triceps) 주위를 박리하여 접근하는 삼두근 주위 접근법(para-tricipital approach)과 삼두근을 가르고 접근하는 삼두근 분리 접근법(triceps-splitting approach), 그리고 주두(olecranon)에서 절골술을 시행하여 삼두근을 근위부로 완전히 젖히는 주두 절골술(olecranon osteotomy)이 있다. 삼두근 주위 접근법은 삼두근을 보존하는 장점이 있어서 관절외 골절에 사용할 수 있고, 주두 절골술은 관절면을 보기에 유리하므로 관절내 골절에 주로 사용한다. 그러나, 심한 관절내 골절을 주두 절골술로 접근했다가 고정이 불가능하여 인공 관절로 치환할 경우 이미 절골술을 한 주두를 고정하기가 어려울 수 있으므로 신중히 결정해야 한다.

2) 개방적 정복 및 내 고정술

성인에서는 주관절 외상 후에 강직이 흔히 발생하므로, 견고한 고정을 하고 조기에 관절 운동을 시키는 것이 원위 상완골 골절에서는 특히 중요하다. 따라서 소아의 원위 상완골 골절에서처럼 도수 정복 후에 경피적 핀고정술과 같은 방법은 잘 사용하지 않고, 금속판을 이용한 내고정술을 주로 사용하게 된다. 최소한 2개 이상의 금속판을 내측과 외측에 대는 것이 좋으며, 90도 각도로 내측 금속판은 내측면에, 외측 금속판은 후방에 댈 수도 있고, 양측에 평행하게 내측, 외측면에 댈 수도 있다(그림 6-5-8). 잠김 금속판(locking plate)은 생역학적으로는 기존 금속판보다 우수하므로, 분쇄가 심한 골절의 경우 유용할 것으로 여겨진다.

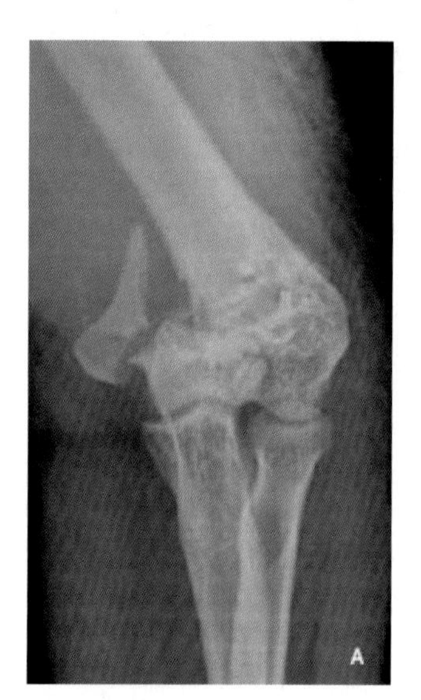

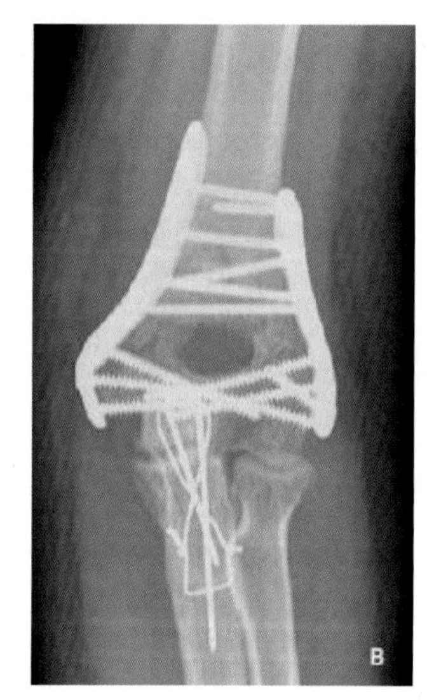

그림 6-5-8 ▸ 원위 상완골 골절에 대한 이중 금속판 고정술의 술전(A)과 술후(B) 전후면 방사선 사진

3) 주관절 전치환술(Total elbow arthroplasty)

노인에서 원위 상완골의 심한 분쇄성, 관절내 골절은 정복과 고정이 매우 힘들며, 이런 경우 일차적으로 주관절 전치환술을 고려할 수 있다(그림 6-5-9). 고령의 환자를 대상으로 내고정술을 시행한 군과 일차적으로 주관절 전치환술을 시행한 군을 비교한 한 연구에서 치환술 군의 결과가 더 우수했으며, 내고정술을 시도한 군에서 25%는 고정에 실패하여 수술 중 관절 치환술로 전환된 것으로 보고되었다. 정복 및 내고정술 이후 결과가 좋지 않아 다시 관절 치환술로 전환한 경우에도 일차적으로 관절 치환술을 한 경우와 결과가 비슷하지만 수술이 더 힘들고 감염이나 신경 손상의 빈도가 다소 늘어난다.

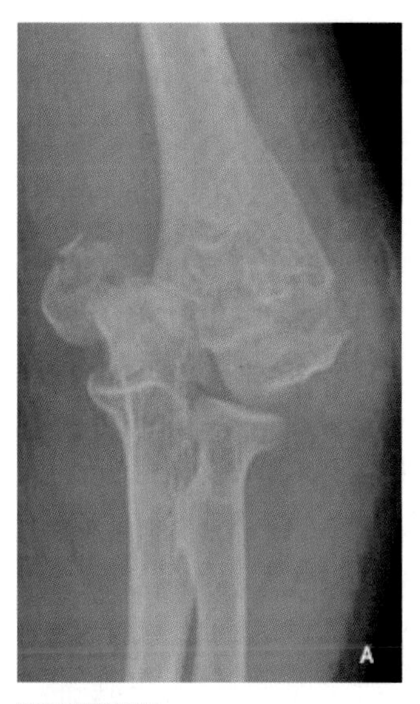

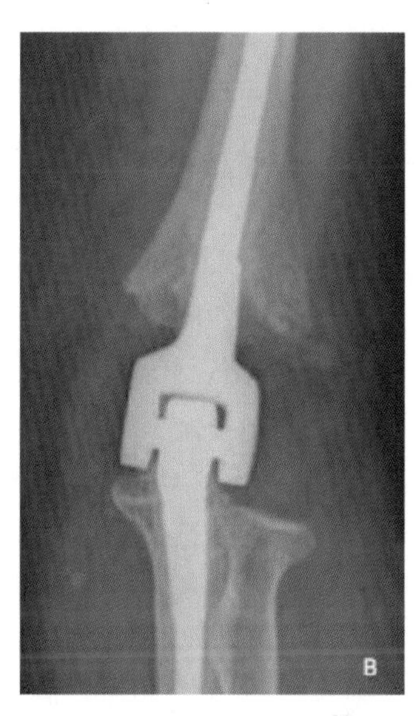

그림 6-5-9 ▸ 분쇄가 심한 원위 상완골 골절에 대해 일차적으로 시행한 주관절 전치환술의 술전(A)과 술후(B) 전후면 방사선 사진

4. 합병증

원위 상완골 골절의 합병증으로 주관절 강직, 고정 소실, 불유합, 척골 신경 손상, 이소성 골화(heterotopic ossification) 등이 있다. 수술 후 고정이 소실되거나 불유합이 발생할 경우는 재수술이 불가피하며, 해부학적 정복은 잘 되었으나 재활이 잘 되지 않거나 이소성 골화가 생겨 주관절의 강직이 발생한 경우는 골유합이 이루어지고 난 후 강직 유리술(contracture release)을 시행하여 관절 운동 범위를 넓힐 수 있다.

척골 신경은 골절 당시 손상될 수도 있고, 수술 중의 신경을 보호하는 과정에서 견인 손상, 신경의 박리에 따른 허혈, 내고정물에 의한 자극, 수술 후 가골이나 반흔 형성에 의한 지연성 압박이 발생되어 증상을 유발할 수 있는데, 술전에 증상이 없었던 경우 수술후 발생하는 빈도는 10-15% 정도이다. 술전에 척골 신경의 증상이 있는 경우는 신경을 전방 전위술을 시행하는 것이 좋지만, 술전 신경 증상이 없는 경우는 신경을 그 자리에 두는 것이 좋을지 아니면 전방 전위술을 시행하는 것이 좋을지에 대해서는 아직 근거가 부족한 상황이다.

원위 상완골 골절 후 이소성 골화가 발생하는 경우는 20% 정도까지 보고되는데, 위험군인 뇌 손상 환자, 화상 환자, 치료가 지연된 경우 등에서 예방적으로 비스테로이드성 항염증제를 투여하거나 저용량 방사선 조사의 방법을 사용할 수 있다.

참고문헌

1. Arnander MW, Reeves A, MacLeod IA, et al. A biomechanical comparison of plate configuration in distal humerus fractures. J Orthop Trauma 2008;22:332-6.
2. Chen RC, Harris DJ, Leduc S, et al. Is ulnar nerve transposition beneficial during open reduction internal fixation of distal humerus fractures? J Orthop Trauma 2010;24:391-4.
3. Doornberg JN, van Duijn PJ, Linzel D, et al. Surgical treatment of intra-articular fractures of the distal part of the humerus. Functional outcome after twelve to thirty years. J Bone Joint Surg Am 2007;89:1524-32.
4. Gong HS, Oh WS, Chung MS, et al. Patients with wrist fractures are less likely to be evaluated and managed for osteoporosis. J Bone Joint Surg Am 2009;91:2376-80.
5. Gong HS, Song CH, Lee YH, et al. Early initiation of bisphosphonate does not affect healing and outcomes of volar plate fixation of osteoporotic distal radial fractures. J Bone Joint Surg Am. 2012;94:1729-36.
6. Lafontaine M, Hardy D, Delince P. Stability assessment of distal radius fractures. Injury 1989;20:208-10.
7. Lee JO, Chung MS, Baek GH, et al. Age- and site-related bone mineral densities in Korean women with a distal radius fracture compared with the reference Korean female population. J Hand Surg Am 2010;35:1435-41.
8. Lichtman DM, Bindra RR, Boyer MI, et al. American Academy of Orthopaedic Surgeons clinical practice guideline on: the treatment of distal radius fractures. J Bone Joint Surg Am 2011;93:775-8.
9. Lind T, Krøøner K, Jensen J. The epidemiology of fractures of the proximal humerus. Arch Orthop Trauma Surg 1989;108:285-7.
10. McKee MD, Veillette CJ, Hall JA, et al. A multicenter, prospective, randomized, controlled trial of open reduction--internal fixation versus total elbow arthroplasty for displaced intra-articular distal humeral fractures in elderly patients. J Shoulder Elbow Surg 2009;18:3-12.

11. Murray IR, Amin AK, White TO, et al. Proximal humeral fractures: current concepts in classification, treatment and outcomes. J Bone Joint Surg Br 2011;93:1-11.

12. Namdari S, Voleti PB, Mehta S. Evaluation of the osteoporotic proximal humeral fracture and strategies for structural augmentation during surgical treatment. J Shoulder Elbow Surg. 2012;21:1787-95.

13. Nauth A, McKee MD, Ristevski B, et al. Distal humeral fractures in adults. J Bone Joint Surg Am 2011;93:686-700.

14. Neer CS 2nd. Displaced proximal humeral fractures. I. Classification and evaluation. J Bone Joint Surg Am 1970;52:1077-89.

15. Nho SJ, Brophy RH, Barker JU, et al. Management of proximal humeral fractures based on current literature. J Bone Joint Surg Am. 2007;89 Suppl 3:44-58.

16. Park C, Ha YC, Jang S, et al. The incidence and residual lifetime risk of osteoporosis-related fracture in Korea. J Bone Miner Metab 2011;29:744-51

17. Robinson CM, Hill RM, Jacobs N, et al. Adult distal humeral metaphyseal fractures: epidemiology and results of treatment. J Orthop Trauma 2003;17:38-47.

18. Sharpe F, Stevanovic M. Extra-articular distal radial fracture malunion. Hand Clin 2005;21:469-87.

19. Taras JS, Ladd AL, Kalainov DM, et al. New concepts in the treatment of distal radius fractures. Instr Course Lect 2010;59:313-32.

6-6 골절의 치유

박시영

골조직의 특징

뼈는 풍부한 세포와 기질로 구성된다. 기질에는 무기질이 포함되어 있어 압박 및 굴곡에 대해 강한 강도와 강직성을 갖는다. 제 1형 콜라겐은 유기질 중 주된 성분으로 뼈의 강도를 유지하고, 가소성을 제공하여 변형에도 골절되지 않을 수 있도록 한다. 골막은 외측의 섬유층과 세포와 혈관 분포가 보다 많은 내측의 형성층)의 두 층으로 이루어지며, 뼈의 바깥쪽 표면을 덮고 있어 여러 유형의 골절 치유에 관여한다.

골절의 치료에는 골조직 주변의 혈류공급의 손상이 영향을 미친다. 골절의 정도가 약간 어긋난 경우는 피질골 주위의 작은 혈관이 파열되어 골절부 주위 골세포는 허혈성 사멸이 되지만, 주 골수 혈관과 골막 혈관은 파열 되지 않고 남아 가골에 혈액을 공급하는 주 혈관이 된다. 골절된 부위가 많이 어긋나고, 골수 혈관계가 파열된 경우는 골막 세동맥이 골절부에 부분적인 혈액 공급을 하고, 새로운 외부 혈액을 공급받게 되는데, 이를 골외막 혈액 공급이라 한다. 골외막 혈액 공급은 빠르게는 골절 후 24시간 내에 형성되고 골절 후 2주에는 정상부위에 비해 많게는 14배까지 증가되며 골수 세동맥들이 재생되고 성장하여 정상 혈액 흐름이 피질골과 외가골의 혈류공급을 담당 할 수 있을 때까지 지속된다(그림 6-6-1).

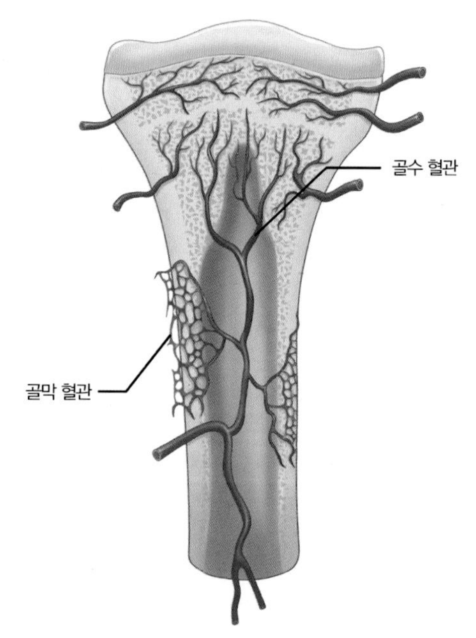

그림 6-6-1 ▸ 정상 뼈의 혈류 공급

골절의 치유과정

골절 치유 과정은 크게 두 가지로 나눌 수 있는데 일차 골 치유 또는 직접 치유과 이차 골 치유 또는 간접 치유가 있다. 골절 치유 과정은 골절 부위의 안정성 및 이에 따른 골절 부위의 미세한 움직임 정도에 따라 달라진다.

1. 불안정 골절에서 골 치유과정

골절의 자연 치유과정을 뜻하며, 골절 발생 이후 움직임을 줄이기 위한 정상적인 반응이 일어나게 된다. 골절에 의해 발생되는 혈종이 연성 가골로 변하여 골절 부위의 움직임을 급격히 줄여 골 유합이 일어나게 된다. 가골에 의한 골 치유는 염증기, 연성 가골기, 경성 가골기 및 재형성기의 4단계로 나눌수 있으며, 서로 중복되며 골절의 유합이 일어나게 된다(그림 6-6-2).

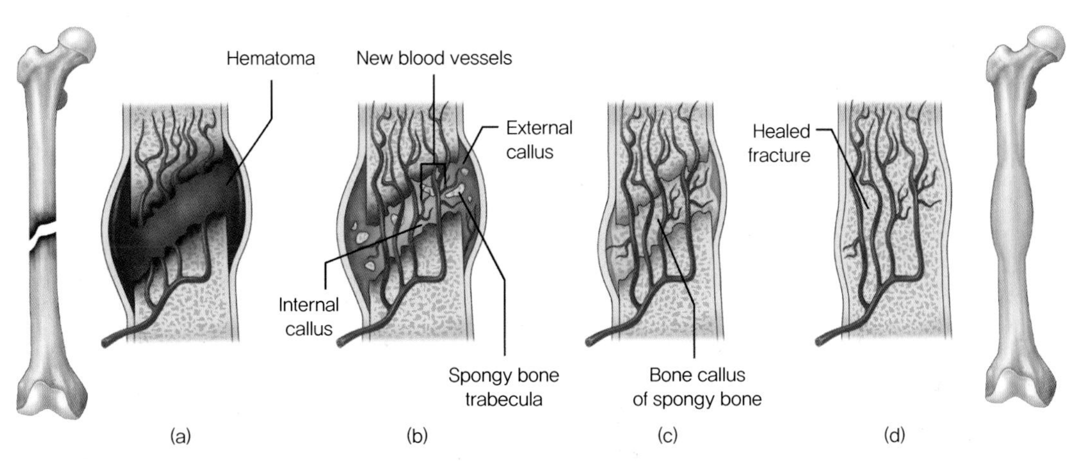

그림 6-6-2 ▸ 골절의 치유 과정

1) 염증기

골절로 인하여 파열된 혈관에서 만들어 지는 혈종과 염증성 삼출물들이 염증이 발생하게 되고 이는 연골이나 골이 형성되기 시작할 때까지 지속된다(골절 후 1~7일).

이러한 염증기에 관여 다양한 세포와 성장인자 및 사이토카인에 의해 염증세포가 침윤되고 혈관 형성이 촉진된다. 또한 골편의 끝 부분에서 파골세포가 골조직을 제거하게 된다.

2) 연성 가골기

연성 가골이 형성되어 골편이 더 이상 자유롭게 움직이지 않게 되며, 대개 골절 후 약 3주경에 해당된다. 골절 부위의 가골에 혈류와 모세혈관의 침투가 증가하며, 또한 세포 수도 더 증가하는 시기라고 볼 수 있다. 혈종들은 섬유조직들로 대치되고 골편 사이의 가골내에 연골 모세포가 출현하게 된다.

3) 경성 가골기

양측 골절단이 연결되면 경성 가골기가 시작되고 신생골에 의해 골절이 유합될 때까지 3~4개월간 지속된다. 연성 가골들은 연골내골화와 막내골화를 통해서 견고한 석회성 조직으로 전환된다.

4) 재형성기(remodeling stage)

골절의 유합 이후 시작되는데 이 과정은 수개월에서 수년동안에 걸쳐서 일어난. 과정으로 불필요한 가골이 흡수되고, 가골 내의 직골이 성숙한 층판골(mature lamellar bone)으로 대치되어가며 골수강이 재형성된다.

이 때 부하가 가해질 때 긴장력을 받는 부위(convex side)는 전기적 양성을 띠고, 압력이 가해지는 부위(concave side)는 전기적 음성을 띠게 되어 전기적 양성을 띠는 부위에서는 파골세포의 작용이 활발해져서 골 흡수가 촉진되고, 전기적 음성을 띠는 부위에서는 골모세포의 활동이 두드러져서 골형성이 촉진되어 골 구조의 변화가 일어나게 되며, 이를 Wolff의 법칙이라 한다(그림 6-6-3).

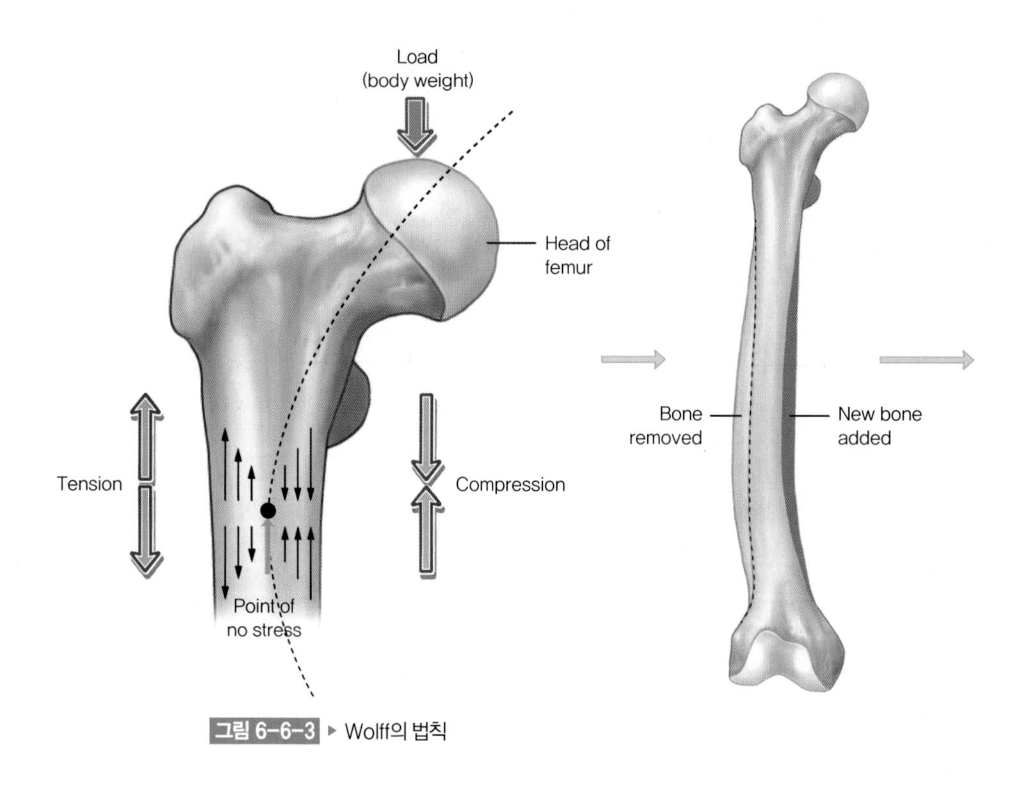

그림 6-6-3 ▸ Wolff의 법칙

2. 안정 골절에서 골 치유과정

일차성 골 치유(primary bone healing)란 골절의 해부학적 정복 및 견고한 내고정을 통해 절대적 안정성이 얻어진 상태의 골절 치유 과정이다. 가골이 형성되지 않고 재형성에 의해 직접 골 유합이 이루어지며, 파골세포의 흡수와 조골세포의 이용으로 새로운 뼈를 만들어낸다. 이때 하버시안 관을 따라 앞서 진행하는 파골세포들과 뒤를 따라가는 조골세포들이 하나의 세포소기관으로 기능을 하는데 이를 cutting cone이라고 한다(그림 6-6-4).

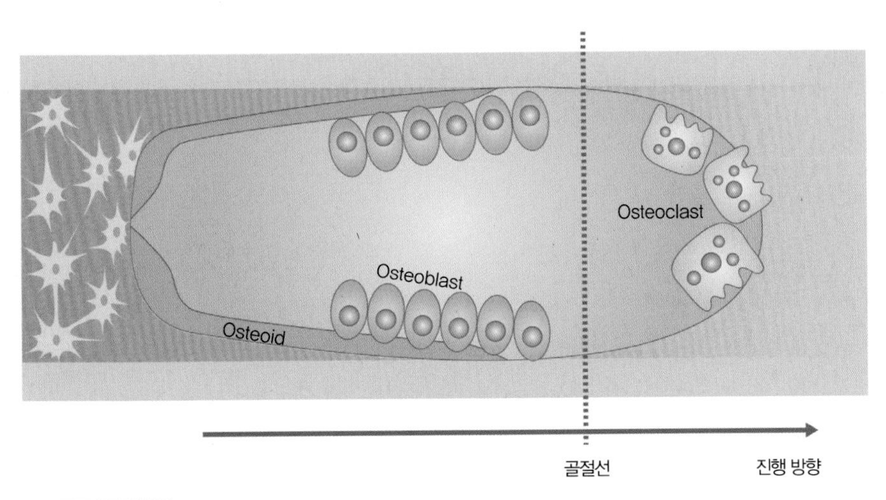

그림 6-6-4 ▸ 골절의 치유에 작용 하는 Cutting cone

골다공증 치료제가 골절의 치유에 미치는 영향

골절 치유의 초기 과정에는 파골세포가 크게 관여하지 않으나 가골이 흡수되고 층판골이 형성되는 재형성기는 파골세포에 의존하는 과정이므로 파골세포에 영향을 주는 골다공증 치료제가 골절 치유에 좋지 않은 영향을 주지 않을까 하는 의문하에 그동안 많은 연구들이 이루어져왔다.

대표적인 골다공증 치료제인 비스포스포네이트를 사용한 다양한 동물실험 연구를 살펴보면, 많은 연구에서 영상의학적 골 유합과 기계적 강도 측정 면에서는 비스포스포네이트 투여군과 대조군에서 거의 차이가 없었으나, 경 가골(hard callus)이 정상적 층판골 구조로 재형성되는 과정은 지연됨을 보고하였다. 일부의 임상 보고에서도 비스포스포네이트가 초기 유합에 좋지 않은 영향을 줄 수 있음이 보고되었지만 아직까지 공통된 의견은 없는 실정이다. 비스포스포네이트 장기복용자에서 발견되는 대퇴골 스트레스 골절과 관련해서도 비스포스포네이트의 골 재형성 억제가 하나의 원인으로 생각되고 있다.

부갑상선호르몬의 경우에는 조골세포와 파골세포에 모두 영향을 주어 골 재형성이 촉진되는 것으로 알려져 있으며, 스트레스성 골절 모델에서 비스포스포네이트 제제와는 달리 골 형성을 촉진시키는 것으로 보고 되었다.

대표적인 SERM 제제인 랄록시펜의 경우 동물실험 결과 상 절골술 후의 골재형성에 영향을 주지 않는다고 보고된 바 있으나, 추가적인 비교연구가 필요하다.

참고문헌

1. 정형외과학 제7판, 대한정형외과학회
2. 골다공증 제4판, 대한골대사학회
3. Giannoudis P, Tzioupis C, Almalki T, et al. Injury 2007;38(Suppl 1):S90-9.
4. Bielby R, Jones E, McGonagle D. Injury 2007 Mar;38
5. Goldhahn J, Féron JM, Kanis J, et al. Calcif Tissue Int 2012;90(5):343-53.
6. Chao EY, Inoue N, Elias JJ, et al. Clin Orthop Relat Res 1998;(355 Suppl):S163-78.
7. Giannoudis P, Psarakis S, Kontakis G. Injury 2007;38(Suppl 1):S81-9.
8. Rao SK, Rao AP. J Orthop 2014;18;11(3):150-2.
9. Babu S, Sandiford NA, Vrahas M. World J Orthop 2015;18;6(6):457-61.
10. Lecoultre J, Stoll D, Chevalley F, et al. Rev Med Suisse 2015;18:11(466):663-7.
11. Kyllönen L, D'Este M, Alini M, et al. Acta Biomater 2015;11:412-34.

제 7 장
골대사 연구기법

O s t e o p o r o s i s

7-1 조골세포 연구 방법

김홍희

조골세포 연구에는 사람의 골수나, 생쥐의 두개골에서 조골전구세포를 분리하여 사용하거나 이미 확립되어 보편적으로 사용되는 세포주를 이용한다. 가장 많이 사용되는 세포주에는 MC3T3-E1과 그 서브라인인 MC4 그리고 C2C12 등이 있다.

사람 중간엽 줄기세포를 이용한 조골세포 배양법

1. 사람의 중간엽 줄기세포 분리법

① 골수 천자액과 동량의 따뜻한 PBS (phosphate buffered saline)를 혼합하여 4℃, 2580 RPM(900 g)에서 10분간 원심분리한다.

② 침전된 세포를 제외한 윗 부분 지방과 상층액을 제거한다.

③ 한 번 더 처음과 같은 양의 PBS를 넣고 4℃, 2580 RPM(900 g)에서 10분간 원심분리한 후 상층액을 제거한다.

④ 침전된 세포를 PBS로 현탁시킨 후, 밀도구배원심분리액(Ficoll-Hypaque gradient solution)위에 천천히 놓아서 세포 현탁액이 Ficoll 위에 떠올라 있도록 한다.

※ PBS와 Ficoll의 양을 결정하는 법 :(침전된 세포 : PBS : Ficoll = 1 : 1 : 10)

⑤ 4℃, 2850 RPM(1100 g)에서 30분간 원심분리한다.

⑥ 중간 경계면에 모여 있는 유핵 세포층을 주사기 바늘로 조심스럽게 뽑아서 분리한 뒤, 두 배 부피의 PBS로 현탁시킨다.

⑦ 4℃, 2580 RPM(900 g)에서 10분간 원심분리한다

⑧ 침전된 세포를 10 mL의 배지로 현탁시킨 후 세포수를 계측한다.

※ 배지 조성 : DMEM-low glucose (glucose 1000 mg/L), 10% Fetal Bovine Serum (FBS), Penicillin 50 U/mL, Streptomycin 50 μg/mL

⑨ 2×10^6 개(100 mm dish) 혹은 2×10^5 개(60 mm dish) 세포를 깔고 상기 배지를 이용하여 일주일에 한 번씩 배지를 교환하며 4-6 주간 배양한다.

2. 사람의 중간엽 줄기세포를 이용한 조골세포 분화법

① 배양기 크기에 따라 아래의 숫자로 중간엽 줄기세포를 깔아준다.

culturo platc	media volume	cell number
96 well	200 μL	2×10^3
48 well	500 μL	1.6×10^4
6 well	3 mL	1.6×10^5

② 이때, 10% FBS를 함유한 고농도 포도당이 포함된 DMEM (glucose 4500 mg/L) 배지를 사용하며, dexamethasone(10 nM), β-glycerophosphate(10 mM), ascorbic acid 50 μM를 첨가하여 조골세포 분화를 유도한다.

③ 3일에 한 번 씩 배지를 교환하며 배양한다.

④ 조골세포 초기 분화 표지자인 알칼리인산분해효소가 발현되기까지 7-10일 정도가 소요되며, 성숙한 조골세포에 의해 석회화된 기질을 형성하는 데는 20-28일 정도가 필요하다.

생쥐 두개골의 조골전구세포를 이용한 연구

1. 생쥐 두개골의 조골전구세포 분리법

① 생 후 1-3일 이내의 생쥐를 70% 에탄올에 넣어 희생시킨다.

② 집게를 이용하여 마우스의 목덜미를 잡고 두개골 위 상피조직을 떼어 낸 후, 두개골 봉합선을 따라 둥글게 두개골을 분리해 낸다.

③ 멸균된 거즈를 이용하여 분리한 두개골의 불필요한 조직을 제거한 후, HBSS (Hank's balanced salt solution) 용액에 담는다(20-30마리에 대해 모두 수행).

※ HBSS 용액에 penicillin 150 U/mL 과 streptomycin 150 μg/mL 을 넣어서 사용.

④ Col/Dis 용액 5 mL을 준비하여, 두개골 조직을 모두 담근 후 두개골 봉합선을 따라 잘게 자른다.

※ Col/Dis 용액 : α-MEM, 0.1% Collagenase, 0.2% Dispase II, Penicillin 50 U/mL, Streptomycin 50 ug/mL을 섞은 후 0.2 μm 필터로 걸러서 사용

⑤ 37℃ 항온 배양기에 넣은 후, 자력 교반기로 휘저으며 15분간 효소반응 시킨다.

⑥ 두개골 조직은 그대로 유지하되, 반응 용액만 조심스럽게 피펫으로 덜어 내어 제거하고, 새로 Col/Dis 용액 5 mL을 넣어 15분간 효소반응 시킨다.

⑦ 위의 과정을 5번 반복하여 총 25 mL을 Col/Dis 용액을 획득한다.

※ 첫 번째 반응용액만 버리고, 두 번째 부터는 지속적으로 모은다.

⑧ 모아 놓은 Col/Dis 용액을 1500 RPM에서 5분간 원심분리한다.

⑨ 침전된 세포층을 10% FBS/α-MEM으로 현탁하여 세포수를 계측한다.

⑩ 5 × 105 개의 세포를 100 mm dish에 배양한다(10% FBS/α-MEM를 배지로 사용).

⑪ 3일간 배양하면 조골전구세포만 접착하여 자란다.

2. 생쥐 두개골 세포를 이용한 조골세포 분화법

① 배양기에 아래의 숫자로 생쥐 두개골로부터 얻은 조골전구세포를 준비한다.

culture plate	media volume	cell number
96 well	200 μL	2×10^3
48 well	500 μL	3×10^4
6 well	3 mL	3×10^5

② 이때, 10% FBS/α-MEM 배지로 배양하되, β-glycerophosphate(10 mM), ascorbic acid(100 μg/mL)로 첨가하여 조골세포 분화를 유도한다.

③ 3일에 한 번 씩 배지를 교환하며 배양한다.

④ 알칼리인산분해효소가 발현되기까지 3-7일 정도가 소요되며, 석회화된 기질을 형성하는 데는 20-24일 정도가 필요하다.

MC3T3-E1 및 MC4 세포주를 이용한 조골세포 배양법

① 배양기에 아래의 숫자로 세포를 준비한다.

culture plate	media volume	cell number
96 well	200 μL	2×10^3
48 well	500 μL	3×10^4
6 well	3 mL	3×10^5

② 이때, 10% FBS/α-MEM 배지로 배양하되, β-glycerophosphate (10 mM), ascorbic acid (100 μg/mL), BMP2 (50 ng/mL)를 첨가하여 조골세포 분화를 유도한다.

※ MC3T3-E1 세포주는 조골세포 분화를 유도하지 않고 계대 배양시 ascorbic acid가 없는 α-MEM을 사용하여 배양한다.

③ 3일에 한 번 씩 배지를 교환하며 배양한다.

④ 알칼리인산분해효소가 발현되기까지 7-10일 정도가 소요되며, 석회화된 기질을 형성하는 데는 24-28일 정도가 필요하다.

C2C12 세포주를 이용한 조골세포 배양법

① 배양기에 상기한 MC3T3-E1 세포주와 같은 숫자로 세포를 준비한다.

② 이때, 10% FBS/DMEM 배지로 배양하되, BMP2(50 ng/mL)를 첨가하여 조골세포 분화를 유도한다.

③ 알칼리인산분해효소가 발현되기까지 3-5일 정도가 소요되며, C2C12 세포주는 장시간 배양하더라도 석회화된 기질을 형성하지 않는다.

조골세포 분화 확인 방법

1. 분자생물학적 조골세포 분화 표지인자 확인

조골세포의 분화에 핵심적인 역할을 하는 전사인자인 Runx2, 초기 분화 마커인 알칼리인산분해효소, 후기 석회화시기 표지자 오스테오칼신의 유전자 레벨을 중합효소연쇄반응(polymerase chain reaction)으로 검출하는 방법이 자주 사용된다. 사람과 마우스의 조골세포에서 해당 분화표지자를 검출하는 데 쓰이는 올리고핵산길잡이(nucleotide primer)는 아래와 같다.

표 7-1-1 ▸ PCR primers for human osteoblastic markers

osteoblastic phenotype marker	primer pairs	Tm(℃)	product size (bp)
CBFA1(Runx2)	5'-ccc cac gac aac cgc acc-3' 5'-cac tcc ggc cca caa atc tc-3'	60	388
Alkaline phosphatase	5'-aag agc ttc aaa ccg aga tac aag-3' 5'-ccg agg ttg gcc ccg at-3'	68	715
osteocalcin	5'-ccc tca cac tcc tcg ccc tat-3' 5'-tca gcc aac tcg tca cag tcc-3'	65	246

표 7-1-2 ▸ PCR primers for mouse osteoblastic markers

osteoblastic phenotype marker	primer pairs	Tm(℃)	product size (bp)
CBFA1(Runx2)	5'-aca tcc cca tcc atc cac tc-3' 5'-gaa ggg tcc act ctg gct tt-3'	60	388
Alkaline phosphatase	5'-gac tgg tac tcg gat aac ga-3' 5'-tgc ggt tcc aga cat agt gg-3'	60	152
osteocalcin	5'-ccg gga gca gtg tga gct ta-3' 5'-tag atg cgt ttg tag gcg gtc-3'	60	142

2. 생화학적 조골세포 분화 표지인자 확인

1) 알칼리인산분해효소 염색법

① FRV-alkaline solution 100 mL와 sodium nitrite solution 100 mL를 혼합하여 2분간 반응시킨다(alkaline phosphatase kit, SIGMA-ALDRICH 86R 사용).

② 위의 반응액에 증류수 4.7 mL을 넣어 희석한 후 naphthol AS-BI alkaline solution 100 mL를 혼합한다.

③ 배양 한 세포를 15초간 고정액을 이용해 고정한 후 45초간 물로 세척한다.

※ 고정액 조성(100 mL) : citrate solution 25 mL, 100% acetone 65 mL, 37% form aldehyde 10 mL

④ 세척된 세포에 ②의 용액을 넣고, 어두운 조건에서 15-30분간 염색한다.

⑤ 염색이 종료되면, 충분한 양의 물로 세척한 뒤 건조한다.

2) Von Kossa 염색법(세포외 기질인 칼슘-포스페이트 염색)

① 배양한 세포를 10% formaldehyde 혹은 4% paraformaldehyde로 5분간 고정한다.

② 세포를 물로 세척한 후, 5% silver-nitrate solution을 준비한다.

※ 5% silver-nitrate solution : silver-nitrate 0.5 g, 이차증류수 10 mL

③ 5% silver-nitrate solution을 세포에 처리하고, 어두운 조건의 상온에서 30-60분간 반응시킨다.

④ 물로 3회 세척한다.

⑤ sodium-carbonate formaldehyde solution을 2-5분간 처리한다.

※ sodium-carbonate formaldehyde solution : sodium-carbonate 0.5 g, 36% formaldehyde 2.5 mL, 이차증류수 7.5 mL

⑥ 세포 주위의 기질이 검게 변하기 시작하면 충분한 양의 물로 세척한다.

⑦ 완전히 건조시킨 후 관찰한다.

참고문헌

1. Franceschi RT. The developmental control of osteoblast-specific gene expression: role of specific transcription factors and the extracellular matrix environment. Crit Rev Oral Biol Med 1999;10:40-57.
2. Kodama H, Amagai Y, Sudo H, et al. Establishment of a clonal osteogenic cell line from newborn mouse calvaria. Jpn J Oral Biol 1981;23:899-901.
3. Miep H. Helfrich, Stuart H. Ralston. Bone Research Protocol. New Jersey: Humana Press; 2003.
4. Wang D, Christensen K, Chawla K, Xiao G, Krebsbach PH, Franceschi RT. Isolation and characterization of MC3T3-E1 preosteoblast subclones with distinct in vitro and in vivo differentiation/mineralization potential. J Bone Miner Res. 1999;14:893-903.

7-2 파골세포 연구 방법

이수영

골흡수 작용을 하는 다핵성 파골세포는 단핵성 파골전구세포로 부터 세포융합 과정을 거쳐 형성된다. 생체 밖(ex vivo) 또는 시험관 내(in vitro) 실험에서 파골세포의 연구방법은 파골전구세포와 성숙된 파골세포를 이용하는 두 가지로 대별된다.

파골전구세포의 정의 및 종류

1. 정의

파골전구세포는 사이토카인 RANKL과 M-CSF에 의해 파골세포로 분화되는 골수세포(meyloid cell) 계열의 단핵구/대식세포(monocytes/macrophages)를 일컫는다.

2. 파골세포로 분화 가능한 세포의 종류

실험적으로 이용되는 파골전구세포는 표7-2-1에 나타내었다. 이들 중 생쥐의 골수(bone marrow)에서 분리한 단핵구/대식세포는 파골세포 연구 방법에서 가장 대표적으로 활용되는 세포이다.

표 7-2-1 ▸ 파골전구세포의 종류 및 특징

세포/세포주	시토카인 의존성	특징 (source)
단핵구/대식세포[a]	RANKL + M-CSF	생쥐의 골수에서 유래
말초혈액세포[b]	RANKL + M-CSF	인간말초혈액에서 분리
비장세포[c]	RANKL + M-CSF	생쥐 비장
RAW264.7 세포주	RANKL	생쥐유래 단핵구 세포주

a, bone marrow-derived monocytes/macrophages (BMMs); b, human peripheral blood cells (PBLs); c, spleen cells

파골세포 연구 방법

파골전구세포를 이용한 연구 방법은 '세포분화' 그리고 성숙된 파골세포를 이용하는 연구 방법은 '골흡수' 작용과 관련된 연구 방법들이다. 가장 대표적인 연구 방법은 표에 분류하였다(표7-2-2). 이들 연구 방법 가운데 가장 널리 쓰이는 파골세포분화와 레트로바이러스 제조 및 감염 방법에 대해 소개한다.

표 7-2-2 ▸ 대표적인 파골세포 연구 방법

파골전구세포	참고문헌	파골세포	참고문헌
파골세포분화 (Osteoclastogenesis)	1	액틴고리형성 (F-actin staining)	4
레트로바이러스 제조 및 감염 (Retrovirus preparation and infection)	2	골흡수능분석 (Pit formation)	3
파골세포융합 (Osteoclast fusion assay)	3	파골세포사멸 (Osteoclast apoptosis assay)	5

파골세포분화

① 5-6 주령 생쥐를 희생하여 대퇴골과 경골을 분리한다.

② 1 mL 주사기를 이용하여 분리된 대퇴골과 경골의 속질 공간을 α-MEM 배지로 수세하여 골수세포를 분리한다.

③ 적혈구 용해 완충용액으로 적혈구를 제거하고 10% FBS를 포함하는 α-MEM 배지에 골수세포를 부유시킨다.

④ M-CSF(30 ng/mL)를 3일 간 처리하여 단핵구 세포로 배양한다.

(참고) 세포학적으로 이 단계의 세포는 일부 대식세포의 형태를 갖추고 있어 이들 세포를 골수 유래의 단핵구/대식세포로 명명하며 파골세포로 분화되기 이전의 전구세포 특성을 갖춘 것으로 알려져 있다.

⑤ 이들 단핵구/대식세포에 M-CSF(30 ng/mL)와 RANKL(50 ng/mL)을 처리하고 2일 간격으로 배지를 교체한다.

(참고) 일반적으로 RANKL 처리 2일 후, 파골전구세포는 배양기 내에서 이동성을 갖춘 원형의 세포 모양을 나타내며 배양 조건에 따라 RANKL 처리 3-6일 정도 경과 후에 단핵구 세포는 세포융합을 통해 다핵구세포로 변화한다.

⑥ 파골세포는 TRAP 염색으로 확인한다.

레트로바이러스 제조 및 감염

골수 유래의 단핵구/대식세포는 외부유전자의 도입이 어려운 일차 세포 중의 하나이다. 이 연구 방법은 레트로바이러스를 이용하여 원하는 유전자를 단핵구/대식세포에 전달하고 발현된 단백질의 기능을 생화학적 · 세포학적으로 검증하는 가장 효율적인 연구 방법이다.

1. 레트로바이러스 제조

① 레트로바이러스 생산능력이 있는 PLAT-E 세포주를 puromycine(1 μg/mL)과 blastocidine(10 μg/mL)이 함유된 DMEM 배지에서 배양한다.

② DNA 도입(transfection) 1일 전, 7-8 × 10^5개/4mL의 세포를(지름 60 mm 배양접시 기준) 분주하여 배양한다.

③ 레트로바이러스 DNA의 일종인 pMX-puro 또는 pMX-IRES-GFP(2-4 μg)를 Lipofectamine 2000(Invitrogen)을 이용하는 방법으로 PLAT-E 세포주에 도입시킨다.

④ 약 6시간 후, 새 DMEM 배지(4 mL)로 교체 후 하룻밤 배양한다.

⑤ 다음 날, 새 α-MEM 배지 2-4 mL로 교체 후 24시간 배양한다.

⑥ 바이러스가 포함된 상등액을 0.45 μm syringe filter로 거른 후 새 용기(15 mL 튜브) 에 모은다.

2. 레트로바이러스 감염

① 생쥐의 골수에서 분리한 단핵구/대식세포를 M-CSF(30 ng/mL)가 함유된 α-MEM 배지에서 배양한다.

② 단핵구/대식세포와 앞에서 제조한 레트로바이러스를 함께 섞는다. 이 때 단핵구/대식 세포의 증식과 감염 효율을 높이기 위해 M-CSF(30 ng/mL)과 폴리브렌(polybrene)(10 μg/mL)을 함께 섞는다.

(참고) 단핵구/대식세포와 레트로바이러스 상등액 비율은 세포 배양액 3 mL 기준 바이러 스 상등액 1 mL 비율로 섞어준다. 이 비율은 만들어진 바이러스의 양에 비례함으로 실험적으로 결정한다.

③ 약 6시간 정도 후에 M-CSF(30 ng/mL)가 포함된 α-MEM 배지로 교체한다.

④ 약 2일 간 배양 후, 생화학적 · 세포학적 분석을 수행한다.

참고문헌

1. Kim H, Choi HK, Shin JH, et al. Selective inhibition of RANK blocks osteoclast maturation and function and prevents bone loss in mice. J Clin Invest 2009;119:813-25.
2. Lacey DL, Timms E, Tan HL, et al. Osteoprotegerin ligand is a cytokine that regulates osteoclast differentiation and activation. Cell 1998;93:165-76.
3. Lee SH, Rho J, Jeong D, et al. v-ATPase V0 subunit d2-deficient mice exhibit impaired osteoclast fusion and increased bone formation. Nat Med 2006;12:1403-9.
4. Miyazaki T, Katagiri H, Kanegae Y, et al. Reciprocal role of ERK and NF-kappaB pathways in survival and activation of osteoclasts. J Cell Biol 2000;148:333-42.
5. Nakamura I, Takahashi N, Sasaki T, et al. Chemical and physical properties of the extracellular matrix are required for the actin ring formation in osteoclasts. J Bone Miner Res 1996;11:1873-9.

7-3 마이크로 CT

이장희

마이크로 전산화단층촬영장치(Microcomputed tomography, 이하 마이크로 CT로 통칭)는 소동물의 치아를 포함하는 경조직의 구조를 연구하는 데 필수적인 장비로, 골다공증을 비롯한 골질환의 약물 개발에 광범위하게 사용되고 있다. 뼈 내부의 구조를 정밀하게 관찰할 수 있을뿐 아니라 표준화된 시료를 기준으로 하여 골밀도 측정도 가능하기 때문에 대부분의 동물실험 결과가 있는 뼈 관련 연구논문에서 쉽게 찾아볼 수 있다. 마이크로 CT는 수~수십 마이크로미터의 높은 해상도를 구현하고 있는 데, 기본적으로 X-선 발생기와 검체를 고정시켜 360도 회전시켜 투과영상을 얻을 수 있는 회전판, 그리고 투과된 2차원 영상을 얻는 X-선 검출기와 각 구성요소를 제어하고 최종적으로 3차원 영상재구성(image reconstruction)을 위한 컴퓨터로 구성된다(그림 7-3-1). Skyscan과 Shimazu 회사 제품이 국내에서 많이 사용되고 있으며, 각 장치에 맞는 3차원 영상재구성 소프트웨어가 장착되어 분석이 이루어지고 있다.

좋은 해상도를 얻기 위하여 가장 중요한 것은 회전판에 올려놓는 시료의 준비이다. 동물실험 후에 얻은 시료는 뼈를 제외한 주위 조직을 깨끗하게 제거하여야 한다. 특히, 대퇴골의 경우에 말단 부분에 인대가 남아 있는 경우에 종종 뼈로 인식되어 분석의 오차로 나타날 수 있기 때문이다. 시료를 회전판에 있는 어댑터 기둥에 고정할 때 왁스나 고무 제품을 사용하는 데 촬영동안 시료가 움직이지 않도록 확실하게 고정하는 것이 중요하며, 아울러 360도 회전하기 때문에 시료를 회전축과 가급적 일치시키는 것이 좋은 해상도를 얻기 위해서 반드시 유념해야 할 점이다(그림 7-3-2). 시료의 준비 후 촬영과 분석 등은 마이크로

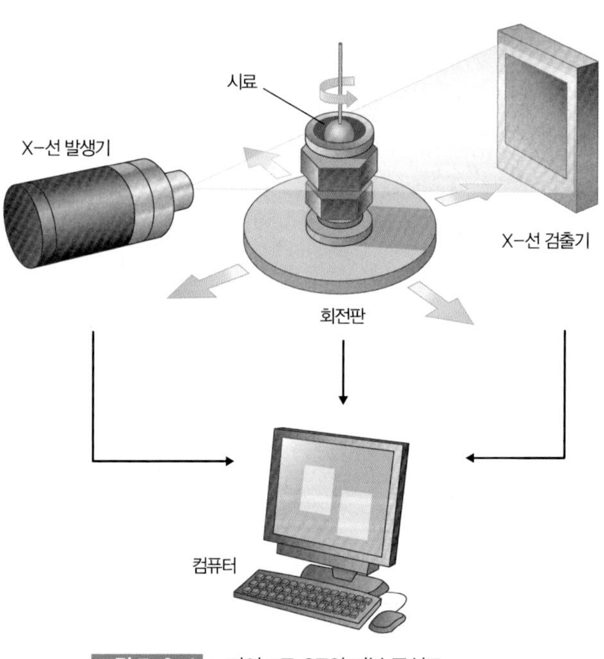

그림 7-3-1 ▸ 마이크로 CT의 기본 구성도

CT 장치에 따라 다르기 때문에 장치의 작동원리와 소프트웨어의 완전한 숙지가 좋은 결과를 얻기 위해서는 필수적이다.

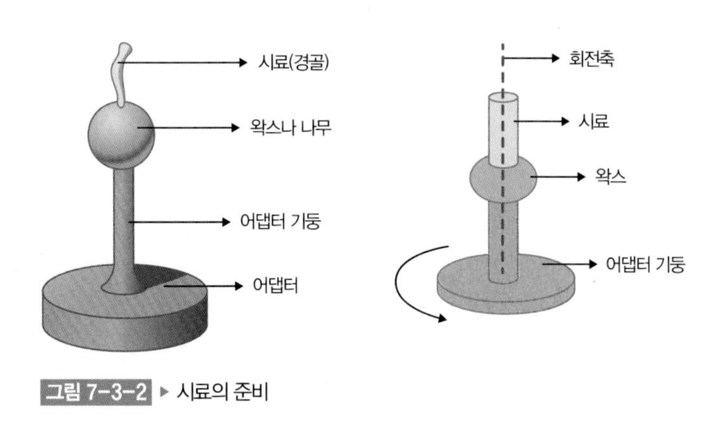

그림 7-3-2 ▸ 시료의 준비

마이크로 CT의 골대사 분야에서 가장 많이 응용되는 분야로는 골다공증과 같은 골소실과 관련된 동물모델의 분석으로, 그림 7-3-3의 예시는 sRANKL (soluble Receptor Activator for Nuclear Factor κ B ligand)에 의해 유도된 마우스의 대퇴골 부위의해면골을 표 7-3-1에 있는 측정치를 사용하여 분석한 것이다.

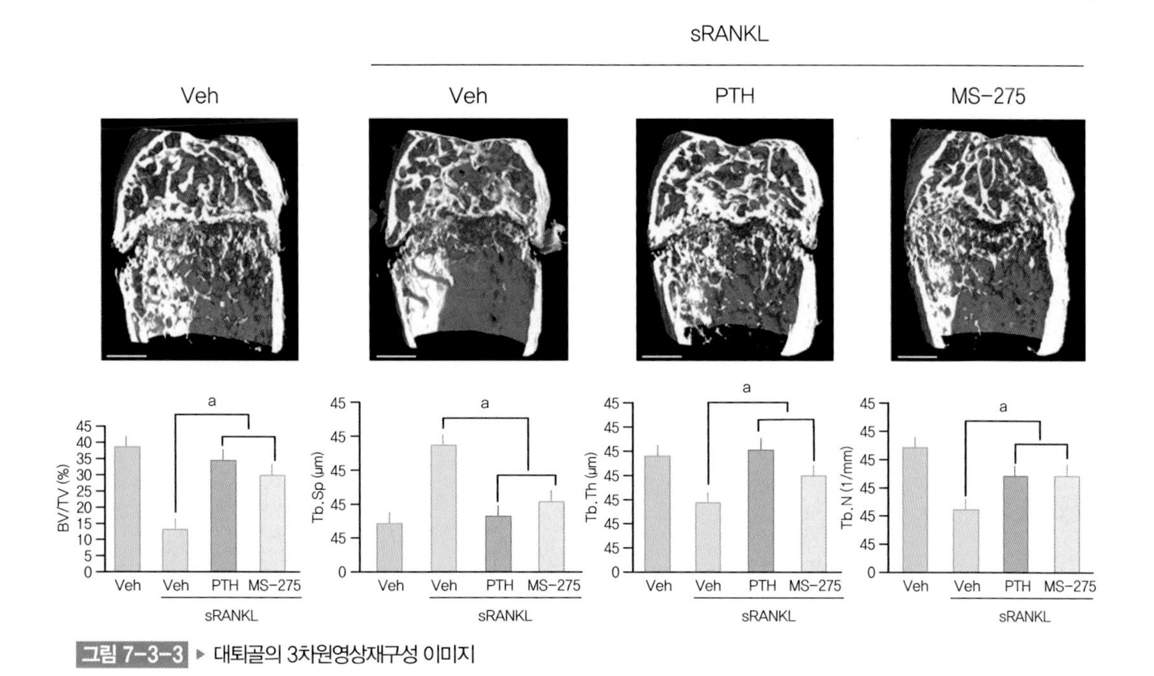

그림 7-3-3 ▸ 대퇴골의 3차원영상재구성 이미지

표 7-3-1 ▸ 3차원 영상이미지에 의한 해면골 미세구조의 분석에 많이 사용하는 측정치

측정치	설명	단위
TV (total volume)	분석하려는 부분의 총 부피	mm^3
BV (bone volume)	뼈가 차지하는 총 부피	mm^3
BV/TV (bone volume fraction)	총 부피 중에서 뼈부피의 비율	mm^3
Tb.N (trabecular number)	단위 길이 당 골소주의 평균 측정치	1/mm
Tb.Th (trabecular thickness)	골소주의 평균 두께	μm
Tb.Sp (trabecular separation)	골소주 간 떨어진 평균 거리	μm

참고문헌

1. Kim HN, Lee JH, Bae SC, Ryoo HM, Kim HH, Ha H, Lee ZH. Histone deacetylase inhibitor MS-275 stimulates bone formation in part by enhancing Dhx36-mediated TNAP transcription. J Bone Miner Res 2011;26:2161-73.

7-4 유전체 연구

최형진

골대사 유전체 연구의 목적

유전체 연구에 의해 새롭게 발굴된 골대사 관련 유전자들은, 골대사에 대한 이해를 획기적으로 증가시킬 수 있고, 나아가 새로운 골다공증 혹은 골대사질환의 치료 표적이 될 수 있다. 경화성 골표현형을 보이는 희귀유전질환 가족을 연구하여 발굴한 스클레로스틴 유전자가, 항스클레로스틴 항체로 개발되어 골다공증 치료에 사용되는 예가 좋은 예가 된다. 또한 유전변이들에 대한 연구는 골대사 질병 감수성(예. 골다공증 발생 확률, 희귀 골대사 질환 발병 유전요인 진단), 혹은 골대사 질환 치료 효과(예. 비스포스포네이트 치료 효과)와 특정 유전변이들의 연관관계를 밝힐 수 있다. 이렇게 규명된 유전변이들의 정보는 각 사람에 대해 유전체 개인맞춤 진료에 활용될 수 있다(예. 유전적 골다공증 고위험군 개인맞춤 진료).

수집 유전체 정보 종류에 대한 분류

1. 유전체(Genome)

가장 많이 사용되는 DNA의 차이는 단일염기다형성(SNP, single nucleotide polymorphism)로, 일반적으로 인구집단에서 1% 이상 빈도로 발견되는 하나의 염기서열의 차이를 의미한다. 각각 SNP 에 대해, 각 사람이 어떤 염기서열을 가지고 있는지 분석하는 기법을 SNP genotyping 이라고 한다. 각각의 특정 SNP가 아닌, 모든 유전자에 해당하는 전장 유전체 유전형을 분석하는 연구기법으로는 미리 정해진 수십만-수백만 SNP를 한번에 분석하는 SNP microarray (SNP chip)과, 한번에 많은 염기서열을 읽는 방법인 NGS (next generation sequencing)를 사용하여 모든 exon들을 읽는 WES (whole exome sequencing)와 모든 염기서열을 읽는 WGS (whole genome sequencing) 등이 사용되고 있다. 일반적으로 5% 이상 빈도로 존재하는 common variant를 목표로 하는 경우에는 SNP microarray를 사용하고, 알려지지 않은 새로운 돌연변이나, 희귀돌연변이까지 모두 찾기 위해서는 WES나 WGS를 사용한다. 이 외에도, DNA의 구조적 차이(insertion, deletion, inversion, translocation, copy number variation) 등을 분석하기 위해서, FISH, array CGH, SNP chip 등의 연구기법이 사용된다. DNA는 체내의 모든 세포가 동일하다고 일반적으로 가정하기에, DNA 유전체 연구를 위해서는, 혈액, 구강세포 등 확보하기 쉬운 어떤 세포를 사용해도 일반적으로 문제가 없다.

2. 후성유전체(Epigenome)

후성유전체는 유전자의 발현을 조절하는 인자로, DNA methylation, histone modification, miRNA 등을 포함한다. 이런 후성유전체는 특정 세포의 고유한 특징을 반영하기에, 혈액, 구강세포 등 확보하기 쉬운 세포를 사용하기보다는, 연구 목적에 맞는 목표 조직을 확보하는 것이 중요하다. 골대사 후성유전체를 연구하기 위해서는, 조골세포, 파골세포, 골세포 등 골대사 관련 세포 검체를 확보하는 것이 중요하다.

3. 전사체(Transcriptome)

전사체는 전사(transcription) 결과인 mRNA을 의미한다. 모든 유전자를 정량적으로 평가하기 위해서는 DNA microarray나, NGS 방법인 RNA-sequencing을 사용한다. 전사체도 후성유전체와 마찬가지로, 골대사 관련 세포 검체를 확보하는 것이 중요하다.

4. 단백체(proteome)와 대사체(metabolome)

단백체와 대사체는, 유전자 발현의 결과인 단백질과 그 단백질로 인한 대사산물을 의미한다. 단백체 연구를 위해서는, gel electrophoresis, mass spectrometry 등이 사용되고, 대사체 연구를 위해서는 gas chromatography, high performance liquid chromatography, capillary electro phoresis, mass spectrometry, nuclear magnetic resonance 등이 사용된다.

연관성 연구 방법

1. 후보 유전자 연관성 연구(Candidate Gene Association Study)

기능적으로 중요하다고 알려진 후보 유전자를 선별한 후 그 유전자에 존재하는 유전변이를 이용하여 연관성 분석을 수행하는 방법이다.

2. 전장 유전체 연관성 연구(GWAS, Genome Wide Association Study)

특정 후보 유전자를 미리 선별하지 않고, 모든 유전자에 대한 유전변이 마커들을 분석하여, 원인 유전자와 유전변이를 발굴하는 방법이다. 현재까지 40개 이상의 GWAS 연구가 수행되었으며, 그 결과 60개 이상의 골다공증 관련 유전자가 발견되었으며, 20개 이상의 골다공증성 골절 관련 유전자가 발견되었다.

골대사 유전체 연구 활용 분야

1. 질병 감수성(Disease Susceptibility)

골대사 유전체 연구를 통해, 골다공증, 골절과 같은 다유전자 복합질병(common complex disease)의 질병 감수성을 연구할 있다. 이런 질병 감수성 연구에서 중요하게 고려할 점은, 영향력이 큰 유전변이는 매우 드문 경우가 대부분이고, 흔히 발견되는 유전변이들은 매우 영향력이 작다는 점이다(그림 7-4-1).

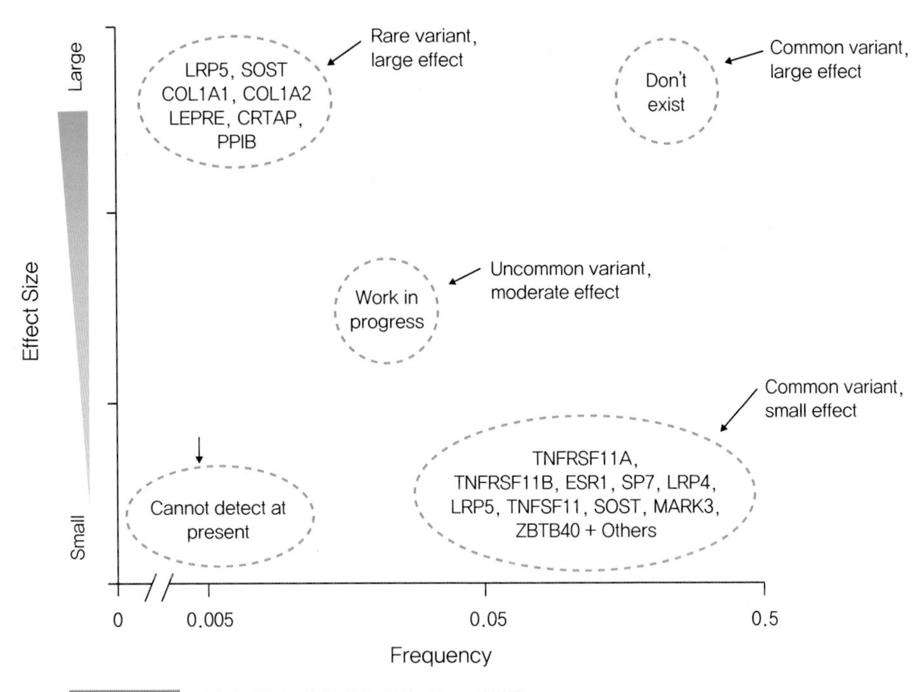

그림 7-4-1 ▸ 골다공증 관련 유전형의 빈도와 그 영향력

2. 유전질환 진단

골대사 관련 유전체 연구를 통해서, 골대사 관련 희귀 유전질환(Rare hereditary/Mendelian disease)을 진단하거나, 질병 유전원인 보인자 상태를 평가할 수 있다.

3. 치료 반응 예측

유전체 연구를 통해서, 치료 반응을 예측하는 유전변이들을 규명할 수 있다. 골다공증 질병 발병 기전과 관련된 유전변이 뿐만 아니라, 골다공증 치료 약물의 약동학/약력학에 관련된 유전자들도, 골다공증 치료를 예측할 수 있는 중요한 후보유전자가 될 수 있다. 몇몇 연구들이 후보 유전자의 다형성과 골밀도의 반응에 대한 연관성을 확인하였으나, 아직까지 영향력이 약하여 결과 해석에 주의가 필요하다.

참고문헌

1. 이종극. 질병 유전체 분석법. 제3판. 월드사이언스; 2015.
2. Boyden LM, Mao J, Belsky J, et al. High bone density due to a mutation in LDL-receptorrelated protein 5. N Engl J Med 2002;346:1513-21.
3. Cardon LR, Bell JI. Association study designs for complex diseases. Nat Rev Genet 2001;2:91-9.
4. Duncan EL, Brown MA. Clinical review 2: Genetic determinants of bone density and fracture risk - state of the art and future directions. J Clin Endocrinol Metab 2010;95:2576-87.
5. Liu YJ, Zhang L, Papasian CJ, Deng HW. Genome-wide Association Studies for Osteoporosis: A 2013 Update. J Bone Metab 2014;21:99-116.

인덱스